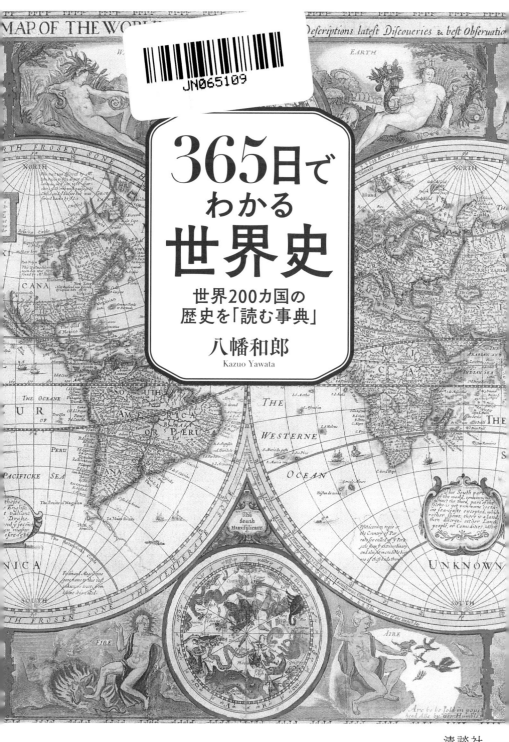

365日で
わかる
世界史

世界200カ国の
歴史を「読む事典」

八幡和郎
Kazuo Yawata

清談社
Publico

「世界史」こそが最強の教養である

　世界にはいったいいくつの国があるのだろうか。国際連合の加盟国という意味なら193カ国だが、日本が国交を持っている国なら196カ国だし、政治的な理由で国でなく地域だとされているものの、実質的には世界の主要国のひとつともいえる台湾のような存在もあって、本書では世界に200の国があるとしている。

　また、オリンピック・パラリンピックということになると、香港のような地域も単独で参加するので、もっと数は多くなる。

　世界史をわかりやすく解説した本はいろいろあるのだが、ほとんどが学校の教科書のようなので、どうして200もの国が生まれて、どんな違いがあるのか、私自身もすっきり理解できなかった。

　そこで、歴史とか文化が好きな知的好奇心旺盛な読者を対象に、それぞれの国が成立した歴史的経緯だけでなく、経済、金融、環境、科学、美術、音楽、映画、食文化、スポーツなどについての「現在の世界」に直結した要点とトリビア的なおもしろい話を集めて、「世界の国々の違いがわかる」うえ、日々の雑談にも使えるようにつくったのが本書である。

　けっこう辛口の書き方もしているが、それぞれの国の長所、短所の両方を把握しないと、本当にその国のことがわからないから、あえてそうしている。ほめるだけ、けなすだけの批評は信用できないと思っているからだ。

構成は、まず世界史の流れを大づかみにするために1時間程度で読める内容を10項目書いた。次いで、国とは何かとか、民族や宗教とはとか、世界や国というものを理解するための基礎知識を置いた。そして、世界200カ国の解説に入るが、個々の国の説明の前に、東アジアとか西ヨーロッパとかアフリカとか地域全体を概観するための解説をしているのが特徴だ。

　そして、そのあと経済、金融、地球環境、科学技術といった分野について理解するための歴史と現状についての解説がある。そのあと、美術、建築、クラシック音楽、オペラ、バレエ、ポピュラー音楽、映画、思想と文学といった分野ごとに、主として**世界史に残る100**を選んで解説するという大胆な試みをしている。さらに、オリンピック・イヤーにちなんで夏冬のオリンピック・パラリンピックやプロスポーツの歴史を書いてあるが、日本だけでなく、国際的な視点からのスポーツの歴史を解説した本は少ないと思う。

　そうした内容を1日1ページ読むことによって、「大人として恥ずかしくない」教養が1冊で身につくようにしている。

　最近、翻訳による同種のものも出ているが、欧米人の視点だけで世界を見るのもよくないと思うし、かといって、日本人の視点で歪みが出るわけで、あえて西洋、東洋、日本という三つの視点からバランスの取れた視点で提供したつもりである。

八幡和郎

３６５日でわかる世界史　contents

現存する世界の国　欧州（2020年2月現在）

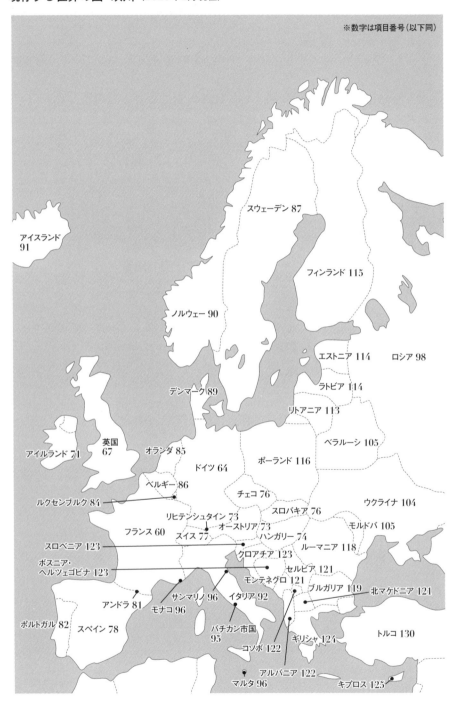

※数字は項目番号（以下同）

アイスランド
91

スウェーデン 87

フィンランド 115

ノルウェー 90

エストニア 114　　ロシア 98

デンマーク 89

ラトビア 114

リトアニア 113

ベラルーシ 105

アイルランド 71　　英国 67　　オランダ 85

ドイツ 64　　ポーランド 116

ベルギー 86

ルクセンブルク 84

チェコ 76

スロバキア 76

ウクライナ 104

リヒテンシュタイン 73　　オーストリア 73

フランス 60　　スイス 77　　ハンガリー 74　　モルドバ 105

スロベニア 123

ルーマニア 118

ボスニア・
ヘルツェゴビナ 123

クロアチア 123

セルビア 121

モンテネグロ 121

ブルガリア 119　　北マケドニア 121

アンドラ 81　　サンマリノ 96　　イタリア 92

モナコ 96

ポルトガル 82　　スペイン 78

バチカン市国
95

ギリシャ 124

トルコ 130

コソボ 122

アルバニア 122

マルタ 96

キプロス 125

6

現存する世界の国 アジア、大洋州 （2020年2月現在）

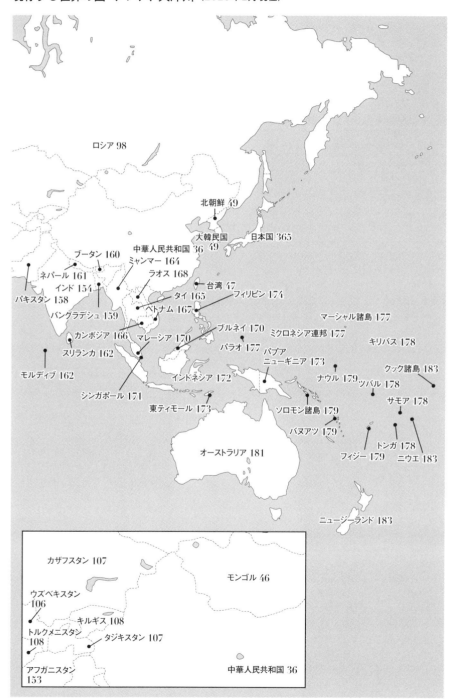

ロシア 98

北朝鮮 49

大韓民国 日本国 365

中華人民共和国 36　49

ブータン 160

ミャンマー 164

ネパール 161　ラオス 168

インド 154　台湾 47

パキスタン 158　タイ 165　フィリピン 174

ベトナム 167

バングラデシュ 159　マーシャル諸島 177

カンボジア 166　ブルネイ 170

マレーシア 170　ミクロネシア連邦 177

スリランカ 162　キリバス 178

パラオ 177　パプア

モルディブ 162　ニューギニア 173　クック諸島 183

インドネシア 172　ナウル 179　ツバル 178

シンガポール 171　ソロモン諸島 179　サモア 178

東ティモール 173　バヌアツ 179　トンガ 178

オーストラリア 181　フィジー 179　ニウエ 183

ニュージーランド 183

カザフスタン 107　モンゴル 46

ウズベキスタン
106

キルギス 108

トルクメニスタン
108　タジキスタン 107

アフガニスタン
153　中華人民共和国 36

現存する世界の国　中東、アフリカ（2020年2月現在）

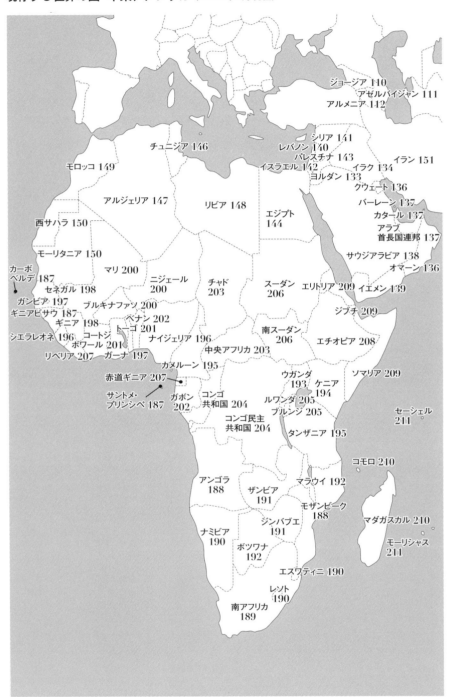

ジョージア 110
アゼルバイジャン 111
アルメニア 112

チュニジア 146

シリア 141
レバノン 140
パレスチナ 143
イスラエル 142
ヨルダン 133

イラン 151

モロッコ 149

イラク 134

クウェート 136
バーレーン 137
カタール 137
アラブ
首長国連邦 137

アルジェリア 147

リビア 148

エジプト
144

西サハラ 150

サウジアラビア 138
オマーン 136

モーリタニア 150

カーボ
ベルデ 187

マリ 200

ニジェール
200

チャド
203

スーダン
206

エリトリア 209 イエメン 139

セネガル 198

ジブチ 209

ガンビア 197
ギニアビサウ 187
ギニア 198

ブルキナファソ 200

ベナン 202
トーゴ 201

シエラレオネ 196
コートジ
ボワール 201

ナイジェリア 196

南スーダン
206

エチオピア 208

リベリア 207　ガーナ 197

中央アフリカ 203

カメルーン 195

ウガンダ
193

ソマリア 209

赤道ギニア 207

ケニア
194

サントメ・
プリンシペ 187

ガボン
202

コンゴ
共和国 204

ルワンダ 205
ブルンジ 205

セーシェル
211

コンゴ民主
共和国 204

タンザニア 195

コモロ 210

アンゴラ
188

ザンビア
191

マラウイ 192

モザンビーク
188

マダガスカル 210

ジンバブエ
191

ナミビア
190

モーリシャス
211

ボツワナ
192

エスワティニ 190

レソト
190

南アフリカ
189

8

現存する世界の国　北米、中南米（2020年2月現在）

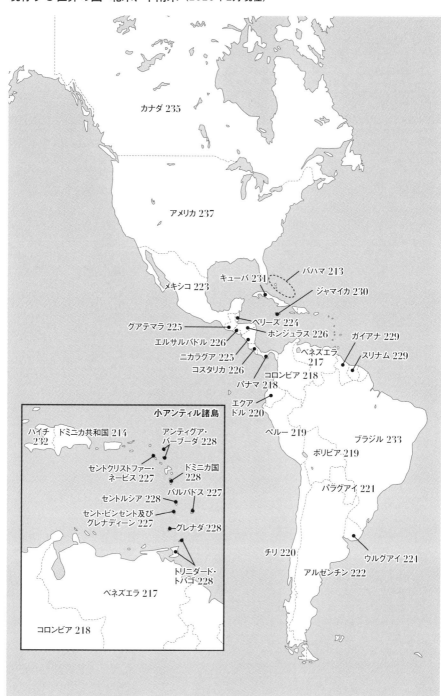

カナダ 235

アメリカ 237

キューバ 231　バハマ 213

メキシコ 223　ジャマイカ 230

グアテマラ 225　ベリーズ 224

エルサルバドル 226　ホンジュラス 226　ガイアナ 229

ニカラグア 225　ベネズエラ 217　スリナム 229

コスタリカ 226　コロンビア 218

パナマ 218

エクアドル 220

ペルー 219　ブラジル 233

ボリビア 219

パラグアイ 221

チリ 220　ウルグアイ 221

アルゼンチン 222

小アンティル諸島

ハイチ 232　ドミニカ共和国 214　アンティグア・バーブーダ 228

セントクリストファー・ネービス 227　ドミニカ国 228

セントルシア 228　バルバドス 227

セント・ビンセント及びグレナディーン 227　グレナダ 228

トリニダード・トバゴ 228

ベネズエラ 217

コロンビア 218

国名五十音順索引

＊国名は一般的な呼称によったが、表記は外務省ホームページに従った。

10

◎ 各国 Data の見方

国名：**オランダ王国**……日本の外務省が使用している日本語国名。
（英）Netherlands……英語名。
（仏）Pay-Bas……フランス語国名。
（オランダ語）Nederland……現地語国名。
（中）荷兰　荷蘭　Hélán……中国語で順に現代中国語、その日本式漢字、ローマ字表記。
（正式名称）コーニンクライク・デル・ネーデルランデン……現地語による正式国名。公用語が複数ある国の場合は、どの言語によるものかを［　］で示した。
首都：**アムステルダム**……当該国が首都と自称しているところ。
言語：**オランダ語、フリジア語**
人口：**17.1百万人**
面積：**41.5千k㎡**
通貨：**ユーロ**
宗教：**カトリック30%**……以上は外務省資料を基本に作成（2020年2月末現在）。
民族：**オランダ人80%**……383ページ掲載の各種資料より作成（概ね2019年9月末現在）。
国旗：**赤、白、青の横三色旗は世界最古の三色旗。国歌も最古。**
　　　……特色あるものについてのみ記述。

中国語と関連して日本における伝統的な漢字名、たとえばアメリカを中国での美国でなく米国とするなどしたものは公式のものでなく、新しい国については存在しないなどの事情から割愛した。ただ、以下に参考までに主な国名、地域名、都市名などを列挙しておく。なお、準拠した資料により本文と表記が異なる場合もある。

愛蘭土（アイルランド）、亜細亜（アジア）、雅典（アテネ）、阿弗利加（アフリカ）、亜米利加（アメリカ、米国）、亜剌比亜（アラビア）、英吉利（イギリス）、伊太利（イタリア）、濠太剌利（オーストラリア、豪国）、墺太利（オーストリア）、和蘭（オランダ、蘭国）、加奈陀（カナダ）、聖彼得堡（サンクトペテルブルク）、桑港（サンフランシスコ）、西比利亜（シベリア）、寿府（ジュネーブ）、瑞西（スイス）、瑞典（スウェーデン）、西班牙（スペイン）、泰（タイ）、丁抹（デンマーク）、独逸（ドイツ）、土耳古（トルコ）、紐育（ニューヨーク）、布哇（ハワイ）、洪牙利（ハンガリー）、巴里（パリ）、緬甸（ビルマ）、普魯西（プロシア）、白耳義（ベルギー）、波蘭（ポーランド）、葡萄牙（ポルトガル）、墨西哥（メキシコ）、莫斯科（モスクワ）、羅馬（ローマ）、羅府（ロサンゼルス）露西亜（ロシア）、倫敦（ロンドン）、華府（ワシントン）。

通史

10ページでわかる世界史の流れ①
聖書に登場するアダムとイヴの物語

　人類の始祖は、神がエデンの園でつくった男女ひとりずつのアダムとイヴだと『旧約聖書』には書かれている。アダムとイヴは、知恵の木の禁断の果実を口にしたので地上に追放され、人類の苦難の歴史が始まった。

　エデンの園の場所がどこを想定したものか諸説あるが、チグリス川源流に近いアルメニアか現在はペルシア湾の海底になっているバーレーン付近が有力説だ。

　後者は聖書に書かれている4本の川のイメージに涸れた川の跡が衛星写真で発見されて話題になった。

　旧約聖書では、大洪水で神を信じない人類を滅ぼした「ノアの方舟」や、互いの言葉が通じなくなる「バベルの塔」にまつわる試練を経て、バビロニアから出発してカナン（パレスチナ）にやってきた遊牧民の族長アブラハムが、神から諸民族の父になることを認められたとする。

　ユダヤ教やキリスト教徒だけでなく、イスラム教徒も、ムハンマド・イブン＝アブドゥッラーフも、みずからをアブラハムの子孫だとしているので、世界の人口のかなりの割合が、このアブラハムの活動をもって世界史の始まりと位置づける。

　ユダヤの民は、エジプト王に招かれてナイルの畔に移った。だが、ファラオが代わると特権を奪われ、預言者モーセに率いられてカナンの地に戻ろうとするが、その途中のシナイ半島で、十戒を神から与えられた。

　前10世紀のダビデ王は王権を強化し、エルサレムを首都とし、その子のソロモンのもとでイスラエル王国は全盛を迎えた。

　だが、前6世紀に新バビロニアのネブカドネザル王によってバビロン捕囚とされる。アケメネス朝ペルシアのキュロス王によって解放されたのは、サッカーでおなじみのジュゼッペ・ヴェルディ『ナブッコ』の合唱『行け金色の翼に乗って』で知られる逸話だ。

　イスラエルは、ペルシアやエジプトのプトレマイオス朝の支配を経て、ローマ勢力のもとでヘロデの王国があったときにイエス・キリストが生まれ布教を行った。そののちローマに編入され、やがてユダヤ人はカナンの地から世界各地にディアスポラ（民族離散）させられた。

教養への扉　ギリシャ人は、神々より先に人間は存在していたとする。いずれも「ガイア」（大地）の子である。プロメテウスは人類に神々から盗んだ火を与えたが、ゼウスはその復讐に女を人間社会に与えて苦悩の種をつくったとする。一方シュメール人は、神々が農作業に疲れて粘土から人間を創造したという。

　近年の科学の進歩は、現生人類の誕生が、世界のあちこちで起きたのでなく、アダムとイヴを思わせるミトコンドリア・イヴという共通の先祖がいることを明らかにした。人類の誕生は数百万年前、アフリカ大陸南部のことといわれる。

　人類の祖先は、各地に散らばってジャワ原人、北京原人、ネアンデルタール人などになったが、彼らは滅んでしまい、アフリカ人を除く現世人類すべてが、5万年ほど前にアフリカ大陸からアラビア半島に移った最大500人ほどの集団に発するものといわれている。

　ただし、最近ではネアンデルタール人のDNAが混血の形で残っている可能性は否定できないという。

　5万年前の出アフリカ集団のリーダーは、アブラハムか「ノアの方舟」の船長のような立場にある。彼らの子孫のうち、北へ向かったグループは、コーカサス地方からヨーロッパに向かってヨーロッパ人となった。

　アフリカからアラビア半島に移った集団の子孫の一部は、インドから東南アジアへ向かい、北上していわゆるモンゴリアンになった。そして、このグループの一部が氷河期にベーリング海峡を渡ってアメリカ原住民の先祖になった。

　中国人や朝鮮半島の人々の先祖は、新モンゴリアンといわれる。氷河期にバイカル湖周辺に閉じ込められて寒さに強い特質を獲得し、南下して中国古代文明を開いた。

　人類最古の文明としてエジプト、メソポタミア、インダス、黄河という四大文明が語られるが、メソポタミアが先行していた。前4200年ごろから灌漑農業が行われ、前3500年ごろからシュメール（イラクの南部）人の都市国家ができ、楔形文字や青銅器を持つ都市文明が栄えた。

　エジプト文明は、外部から遮断されたナイル渓谷の地形のおかげで、前3000年から前2700年くらいに統一王国が成立した。ピラミッド（1項写真）の建設からツタンカーメン王までと、そこからクレオパトラまでは、それぞれ1300年も離れている。

　インダス文明はもっと遅れて前2300年ごろの成立である。黄河文明では、前2000年ごろに夏王朝が成立していたらしく、中国4000年というのはだいたい正しい数字だ。

教養への扉　人類誕生の地が具体的にどこかは諸説あるが、ひとつの有力候補は、ナイル川からヴィクトリア湖やマラウイ湖へ続く大地溝帯である。チンパンジーなど類人猿と枝分かれしていなかった動物が住んでいた。気候変動によって、サバンナに移ったものは2本足で立って人類に進化し、ジャングルにとどまったものは類人猿になったという説明はわかりやすいが、あくまでもひとつの仮説だ。

10ページでわかる世界史の流れ③

「世界」をつくった古代帝国の誕生

　日本の天皇は、ソロモン王とシヴァの女王の子孫とされるエチオピアのハイエ・セラシエ帝が1974年に退位したあと、世界でただひとり皇帝（エンペラー）を名乗っている。世界史で皇帝とか帝国というのは、多数の国とか民族を束ねた政治形態をいうのが普通で、そういうものの存在が、世界文明の発展に寄与したことは事実だ。大英帝国もその頂点にあったのは女王（クイーン）であって肩書は関係ない。

　帝国が西洋史で最初に現れたのは、紀元前7世紀にメソポタミアからエジプトまでを統一したアッシリアがそのはしりで、さらに完成した形にしたのは、紀元前6世紀にダレイオス1世（在位前522〜486年）のもとで全盛期を迎えたアケメネス朝ペルシアだとされている。ペルシアはインド北西部からギリシャの一部やルーマニア、エジプトにまで領土はおよび、「王の道」が建設され、「王の目、王の耳」といわれた監察官が置かれた。ペルシアはギリシャを飲み込もうとしたが、反撃に遭い、マケドニアのアレクサンドロス大王に前330年に滅ぼされた。ペルシアの業績は、ギリシャ、エジプトからインド北部にまでおよぶ版図を持つアレクサンドロスとその後継者の帝国に引き継がれた。

　ギリシャは、ペルシアの脅威にさらされながら、哲学、自然科学、文学、美術など広範囲にわたって人間への真摯な洞察を含む文明を発展させてきた。「われわれの法律、文学、学芸のいずれとしてギリシャにルーツを持たないものはない。人間の姿と心はギリシャにおいて完成し、それらは人の心を高め、喜ばせ、人類の続く限りやむことがないであろう」と19世紀の英国の詩人パーシー・ビッシュ・シェリーがいったことは誇張ではない。

　そのギリシャの文明が、この帝国の出現によってオリエントの文明が蓄積した知恵と融合して世界に伝播していった。

　アレクサンドロス大王の帝国の系譜は、前30年にクレオパトラを女王とするエジプトのプトレマイオス朝を滅ぼしたローマ帝国によって継承された。

　ローマ人は分割統治、異民族も活用した軍隊の組織、奴隷の安定的な活用、すぐれた建築、土木技術などを駆使して、長期間にわたって帝国の統治を安定させた。とくに、その支配がアルプスの北側やイベリア半島を含む西ヨーロッパ全域におよんだことは、のちの西欧文明が誕生する基盤になった。

教養への扉　ローマ帝国が広めた文明には、レバノンから興ってカルタゴなど多くの植民地都市を建設し、アルファベットを発明するなどした、海洋民族フェニキア人の貢献も大きい。

世界三大宗教といえば、キリスト教、イスラム教、仏教である。これらの宗教の本当の意味の功績は、民族などを超えた普遍的な世界観がつくりだし、世界の文明に規範を与え、宗教としてでなく、文明全般を広く広める内容を持っていたことである。

仏教もキリスト教もイスラム教も、教えだけでなく、経典を理解するためには高い言語能力が必要だし、外国語を学ぶ意欲をかき立てる。また建築、道具、衣装、音楽、教団の組織などが充実しているので、そうしたものを伝播させるのである。

日本に仏教が伝来したのは、6世紀になってからだが、それまでは、漢字が伝来したといっても、読み書きができるのは、漢族系の帰化人に限られていた。それが、仏教伝来で一気に普及し、飛鳥文化に見られるように先進文明が導入された。

聖徳太子はおそらく有力者で本格的に読み書きができる初期の人だろうと考えられ、遣唐使が本格化した大化の改新よりあとになると、支配層はだいたい初歩的な読み書きができるようになった。

インドで紀元前3世紀にアショカ王が仏教を国教にしたのは、仏教が民族を超えた普遍的な人類愛を訴えた希有な宗教であることに着目したからだ。

仏教はガンダーラのペルシア系のアケメネス朝のもとでギリシャ文明と融合し、中国でも4世紀から6世紀の南北朝時代に大きく花開いた。日本には、このうち南朝系の仏教が百済を通して伝わり、遣唐使の派遣によって北朝にルーツを持つ隋、唐時代に発展した新しい考え方も含めて受容された（写真はアンコールワット）。

ローマでは、属領の民族もローマ市民として吸収していった過程で、ローマの伝統的な神々への信仰が社会に合わなくなって多くの新興宗教が生まれたが、そのうち、一神教であるユダヤ教から民族的な要素を抜き去り、民族を超えた愛を謳ったキリスト教が勝ち残った。

これは、キリスト教が信仰の自由と彼らの考える社会規範を尊重すれば、皇帝の権力と対立しないことも帝国の秩序を守るためには好都合だったのだろう。

それに対して、7世紀に成立したイスラム教はどのような政治をするかまで最初からかなり具体的な指針を示していたので、ある意味でキリスト教の進化形だった。

教養への扉 『137億年の物語 宇宙が始まってから今日までの全歴史』（クリストファー・ロイド著、文藝春秋）という人気の世界史の本では、世界史上の重大事件のひとつとして、アショカ王による仏教の国教化を挙げている。ブッダによる悟りや布教よりこちらを選んだのがおもしろい。

　三大宗教のうちイスラム教は、ムハンマド・イブン＝アブドゥッラーフ自身が強力な宗教国家をアラビア半島につくりあげた。そのために、政治や法律を含む社会のあり方に、より強力な影響を与えることができ、キリスト教も強力なライバルの出現への対応を迫られたが、それをめぐる温度差で東西の教会が分裂することになった。

　イスラム教出現の前史はサーサーン朝ペルシアの隆盛である。ローマ帝国は一時期にはメソポタミアまで版図に入れたが、少し無理があるのでトラヤヌス帝は撤退した。そのあとに3世紀になって強力な帝国を築いたのは、ゾロアスター教を国教とするサーサーン朝ペルシアである。

　一方、ローマ帝国では313年にコンスタンティヌス帝がキリスト教を公認し、首都をコンスタンティノープルに移して東方対策を強化し、サーサーン朝ペルシアと死闘を繰り広げ、ローマ皇帝が捕虜になったこともある。6世紀にはサーサーン朝ペルシアとローマ法大全をまとめたユスティニアヌス大帝を出した東ローマ帝国がいずれも全盛を迎えた。

　しかし、サーサーン朝ペルシアでは、マニ教などの試みはあったが、古い宗教から脱皮できなかった。

　この両帝国の対立でシルクロードが機能不全となるなかで栄えたアラビア半島からキリスト教の改良版というべき新宗教を持って現れたのがムハンマド・イブン＝アブドゥッラーフで622年にメディナに聖遷（ヒジュラ）し、実質上のイスラム国家を建国した。

　このイスラム帝国は651年にサーサーン朝ペルシアを滅ぼし、あっという間に地中海の南側を進みイベリア半島まで手に入れた。東ローマ帝国はコンスタンティノープルを死守したが、イスラム教対策として偶像禁止など純化路線に傾かざるをえなかった。

　このことは西ヨーロッパの土俗信仰と融合しながら現実路線を歩んでフランク王国と協力しながら西ヨーロッパの秩序維持を進めていたローマ教会と相容れるところでなく、教会の東西分裂を招いた。

　また、この時期にスペインから北上するイスラム勢力を東ローマ帝国に頼ることなく撃退したカロリング家からカール大帝が出て西ヨーロッパの再建が始まる。

教養への扉　イスラム教は仏教やキリスト教以上に国際性があり、さらに、政治、社会、日常生活の規範となるものを具体的に備えていた。国家というものが成立していないところでも、イスラム教の流入によって宗教的な権威を持った君主のもとで初めて国家ができるのである。一方では、中世社会の温存につながる宿命でもあった。

　大航海時代がなぜ始まったかは、いろいろな誤解がある。そもそもの動機は何かというと、イベリア半島をイスラム勢力から取り戻そうというレコンキスタ（国土回復運動）の一環として、ポルトガルがアフリカに進出したことだ。ポルトガルは1488年に喜望峰、1498年にはインドに達して貿易を独占した。

　スペインは、アフリカで後れを取ったので、西回りでインドを目指そうとしたところ、コロンブスがたまたまアメリカ大陸を発見した。しかも、多くの銀山を開発してヨーロッパ経済への支配を強めた。スペイン人は、新大陸の資源を手に入れただけでなく、新大陸の各地とほかのヨーロッパ諸国の貿易を禁止して交易も独占しようとした。

　シルクロードをトルコ人に押さえられたから、代わりのオリエントへの道を求めたというのも、事実ではない。イタリアの商人たちにとってオスマン帝国がとくに面倒な支配者であったことはない。シルクロードが廃れたのは大航海時代の結果である。

　そのころ十字軍の活動を経済的に支え、ヨーロッパの金融を支え、毛織物など新しい産業も起きたイタリアでは、ルネサンスが興って宗教の束縛から逃れた精神活動も活発になった。

　13世紀にモンゴルがヨーロッパの一部までを征服したが、これが原因でアジア起源のペストが西欧に広まり、1億の人口のうち2000万〜3000万人が死んだ。これで農民が不足し、自作農が増えたことが、イタリアなどの経済を活性化した（新大陸の発見は、旧大陸に梅毒、新大陸にインフルエンザや天然痘をもたらした）。

　サン・ピエトロ大聖堂の豪華な再建計画のための資金集めをきっかけに、神聖ローマ皇帝とそれを支持するローマ教皇への反感が高まり宗教改革が起きた。これが貿易をめぐる反スペイン・ポルトガル連合に結びつき、英国、フランス、それにスペインから独立したオランダが世界貿易と植民地獲得競争に参入することになっていく。日本にはじめにやってきたのはポルトガルであり、それに取って代わって日本との貿易を独占したのはオランダであるが、それにはこんな背景があったのだ。

　中国では、モンゴル人が建てた元に代わった明が当初は、日本も含めた各地に朝貢貿易を勧誘したり、鄭和の艦隊をアフリカまで派遣したりしたが、やがて意欲を失い、また、倭寇に荒らされることを嫌って海禁政策を取り、世界貿易の拡大の流れに逆行した。これが、やがて西洋諸国の差となって表れる。

教養への扉　日本はポルトガル人が到来して鉄砲やキリスト教を伝えたことに刺激されて積極的に対応し、国家の分裂状態を克服し、絶対主義王政を先取りする改革を進めた。明に代わって東アジアの盟主としての地位も狙ったが、守旧派政権の成立で反動的な政策を進め、鎖国して世界史の舞台から退場してしまった。

　ルイ14世が偉大な国王だということが日本人にはなかなか理解されていないようだ。ヴェルサイユ宮殿を訪れる日本人観光客は多いが、その建築や庭園の見事さには感心しても、ルイ14世の時代の宮廷生活を、国民に経済負担をかけての贅沢と批判する人が多い。だが、近代の国家と社会をつくるためにこの王様が貢献したことは多く、まさに「太陽王」というにふさわしい。

　私たちが生きている近代以降の世界は、「すべての人類がどこかの国民であり」「国民はそれぞれの国家の枠内で権利と義務を持ち」「海外とのやりとりは自分の国を通してしかできない」「すべての国家は対等の存在である」ということを基本原則として動いている。

　こうした秩序を、「ウェストファリア体制」と呼ぶのだが、この条約はドイツ三十年戦争という宗教戦争を終結させるための条約（1648年締結）だった。そこに盛られた原則が、近代国際法の枠組みを確立したものとされている。

　この条約が結ばれたのは、ルイ14世が4歳で即位したばかりのころで、この路線を引いたのは父であるルイ13世のもとでの宰相だったリシュリュー枢機卿だ。ルイ14世はヴェルサイユ宮殿にフランス国内だけでなく、ヨーロッパ中からその魅力に引かれる人々を集め、外交においても大きな力となったし、貴族たちが城館に籠もって反乱するたびにかかる軍事費や人命の喪失に比べれば贅沢は安いものだった。

　ヨーロッパ各国は封建制度だったので、諸侯の力が強く、国家的なまとまりは弱かったのが、このルイ14世をひとつの模範として絶対主義国家に変わっていき、プロイセンやロシアも近代的な大国に成長し、その延長線上に近代国家が生まれたのだ。

　同じ時代に英国では、話し合いでの合意づくりを尊重する伝統を生かして立憲主義が芽生え、また、産業革命や海外での生活に抵抗感を持たない国民性も相まって世界の覇権を徐々に確立し、とくにインド全土を勢力圏に組み込んだ。

　一方、中国は清朝の初期に康熙帝らの名君が続いた。国際的に閉鎖的ではあったが日本ほどでなく、たとえば、新大陸由来の新しい作物も導入され国民の生活は向上した。少なくとも江戸時代と同時期の清朝は江戸幕府よりかなり高水準だった。それでも、西洋諸国の進歩に鈍感だったことはのちに大きなつけを払うことになった。

教養への扉　ウェストファリア条約が結ばれたときは、日本は鎖国をしたばかりで、こうした考え方が世界を律するようになったことも知らずに2世紀を過ごして、不平等条約を押しつけられることになった。

10ページでわかる世界史の流れ⑧
フランス革命をめぐる賛否両論

　フランス革命の意義について疑義を挟む人がいる。理念の暴走による弊害があったとか、その思想や成果の多くが絶対王政のもとで萌芽(ほうが)が見られるものだったとか。しかし、日本の一部の保守主義者がいうように全体をネガティブに捉えるのは世界の常識から大きく外れる。

　自由、平等、博愛というのは民主主義の基本思想だし、憲政という思想も普遍的な人権思想もフランス革命を抜いて語れるものでない。

　英国の思想政治家エドマンド・バーグが書いた『フランス革命に関する考察』を保守主義の原点だという人もいるし、当時もそこそこ売れた本だが、アメリカのアンチ・リベラル派の間で近年、流行している以上のものではない。

　フランス革命を生んだのはいうまでもなく啓蒙思想(けいもう)である。キリスト教的世界観や封建的思想を否定し、理性に基づく思考を重視し、人間性の解放を目指す思想である。

　それでは、ヴォルテールやジャン＝ジャック・ルソー、百科全書派の思想家たちを生みながらフランスが啓蒙主義的な思考を生かして革命を経ないで政治改革を実現できなかったのはなぜかというのは、難しい問いである。

　フリードリヒ大王やエカチェリーナ2世のように啓蒙君主として振る舞うことも、マリア・テレジアのように保守的だが仁政で切り抜けることも可能だったはずだ。

　ルイ15世の寵姫ポンパドゥール夫人のような理解者もいたしルイ16世は妥協的だったのだが、私は改革を拒み外国と内通するように夫に強要したマリー・アントワネットが原因だったと思う。

　革命は多くの犠牲を伴いながらも大きな成果も上げたが、それが世界に近代国家としての模範になったのは、ナポレオン・ボナパルトが真似られる(まね)形を与えたからだ。世界はフランスの支配を受け入れることは拒否したが、ナポレオンの思想は受け入れ、のちのドイツ統一もナポレオンの模倣だ。

　英国は海軍力のおかげでナポレオンの野望を打ち砕き、産業革命で得た圧倒的な産業競争力の優位で世界の経済秩序を変えて、軍事と経済と両方でパックス・ブリタニカへ向かって走り出し、フランス革命に先立ち、アメリカはフランスの援助で英国から独立。ナポレオン戦争でスペインとポルトガルが混乱した状況のなかで中南米諸国がそれにならった。

　ロシアは近代化は不十分だったがナポレオン戦争の勝利への貢献でヨーロッパ主要国としての認知を得た。それに対して、オスマン帝国はフランスに支援されたエジプトの自立で帝国の枠組みが崩れ始めた。

教養への扉　中国は18世紀の後半は、乾隆帝の長い治世(けんりゅうてい)のもとで、新疆ウイグル地区や中央アジア(しんきょう)、チベットなどへ拡大し、経済も好調だった。しかし、準鎖国体制のもとで世界の変化に鈍感だったことの代償を払うことになる。日本は眠ったままだったが、異国船来航で海外への関心が芽生えてきた。

　ヴェルサイユ宮殿の鏡の間は、第一次世界大戦を終結させたヴェルサイユ条約が1919年に締結された場所だが、「ドイツ第二帝国」の建国宣言が1871年にされた場所でもある。遠征地で王に推戴されるゲルマンの伝統に基づいてそんなことをしたのであるが、フランスにとって同じ場所での条約調印が意趣返しであるのはいうまでもない。

　　諸侯を自立させてハプスブルク家によるドイツの統一を阻止する国際秩序をつくったのが、1648年のウェストファリア体制だ（写真はフランス領となったアルザス）。その後、ハプスブルク家は中欧に領土を広げ、プロイセンがドイツ統一の主役になり、オットー・フォン・ビスマルクの手で一気に実現した。

　　ビスマルクは賢明にもそれ以上の野心は捨て、国際秩序の安定を図ったが、ヴィルヘルム2世は、祖母であるヴィクトリア女王の大英帝国に対抗して世界の支配者であろうとし、オーストリアとオスマン帝国という多民族国家を味方につけた。

　その結果、起きたのが第一次世界大戦だ。ロシア、オスマン帝国、清は近代国家への脱皮に失敗していたが、それに成功したのは、明治維新と徹底した文明開化を成功させた日本で、第一次世界大戦では連合国の主要メンバーとなった。

　このころ資本主義は隆盛したが、労働者の待遇をめぐって社会不安が高まっていた。英仏米などでは穏健左派が進歩派が政治勢力として台頭することでスムーズに対応できたが、ロシアでは第一次世界大戦中に社会主義革命が起きた。

　ヴェルサイユ体制で連合国はドイツに厳しい代償を払わせたが統一国家の存続は認めた。しかし、これが大失敗だった。イタリアにはベニート・ムッソリーニが現れてファシスト国家の建設で一定の成功を収めた。これを模倣したのがドイツのアドルフ・ヒトラーで、強引にヴェルサイユ体制の秩序を書き換えさせ、英仏米もそれをある程度容認していたが、ついに我慢できなくなって起きたのが第二次世界大戦である。

　この戦いの勝者は明らかにソ連であった。日本を中国の国民政府やアメリカと戦わせ、ドイツを英仏やアメリカと戦わせ、後半ではドイツと戦い、日本との戦いにも最後に参戦した。1000万人以上の犠牲は払ったが、国家としては考えられるすべてを手に入れた。

　それはコミンテルンの陰謀の成功だけが理由ではないが、かなり重要な要素であることは間違いない。リヒャルト・ゾルゲが日本を南進政策へ向け、ソ連と戦うことはないとモスクワに知らせなければ第二次世界大戦の帰趨はわからなかったとロシア自身がいっているのであるが、日本のマスコミや歴史学者はそれを無視している。

教養への扉　明治日本は脱亜入欧で国際社会から認められた。しかし、辛亥革命後の中国は成果はともかく改革姿勢だけは評価され、日本はそれを邪魔していると見られ、過度の国粋主義やアジア主義も標榜して警戒された。太平洋戦争は、アメリカの軍事力に負けただけでなく、中国との外交戦に負けたという自覚が必要だ。

10ページでわかる世界史の流れ⑩
「戦後レジーム」の問題点と21世紀の課題

　第二次世界大戦で勝敗のめどがついてきたころ、フランクリン・ルーズベルトは、ヨシフ・スターリンがよき連合軍の一員として、英国と協調してヨーロッパの民主主義と秩序を守ってくれる。また、アジアは蔣介石を応援すれば安定する。植民地はゆるやかに自立して、旧宗主国の援助も受けながら発展していくだろうとひどい勘違いをしていた。

　背景には、アメリカだけが核兵器を持つ状態が続くという楽観的見通しもあった。東西冷戦や中国の台頭というその後の戦後史を知る現代人にとっては、ほとんど信じられない夢物語だったし、そういう予想に基づいてアメリカが日本にある意味で善意で押しつけたのが憲法第9条である。

　しかし、共産主義運動はプロレタリア独裁と世界革命を目指すことを譲らなかったし、ロシアの伝統的な国益からスターリンが自由であることなど一度もなかった。蔣介石と国民党の人望のなさや毛沢東が侮れないことも新しい発見ではなかったはずだ。

　私は社会主義の役割を否定的にばかりは思わない。戦後の世界が社会福祉の充実とか、人種間の平等とか、植民地の独立とかを通じて公正なものになったとすれば、社会主義の勝利を避けたいという圧力があったからだ。

　そんななかで、日本が西欧的民主主義と市場経済の枠内で、高度経済成長で先進国入りするモデルを示したことは、世界革命の必要性を説得力のないものにしたのであって、世界に対する比類なき貢献であった。

　東西冷戦が終わったのちの世界は、EU（欧州連合）に代表される国際的な統合の推進によって普遍的な価値の追究が実現するかと思われたが、イスラム過激派が暴れ、難民は発生し、多国籍企業の不正はあとを絶たず、そして、中国は日本が130年前に実現した自由選挙を否定したまま世界のヘゲモニーの中心になりかねない状況である。

　日本は1980年代におけるバブル経済の発生の傷跡から脱却できず、そもそも国民に人口減少や低成長から抜け出す意欲がない。

　欧米は移民、難民問題で対応を誤ったと思う。かつて東西冷戦を終わらせたのは東欧の人々の脱出だが、それは東側諸国を自壊させるのに役立った。しかし、中東やアフリカや中南米からの難民脱出は独裁者たちにとって厄介払いになるだけで喜ばせている。また、欧米のキリスト教的な伝統的価値観は否定されるべきだが、イスラム教のそれは尊重されるべきだというのもなんともわかりにくいことだ。

教養への扉　日本は平成30年間の経済成長率が主要国中で最低で、GDP（国内総生産）は平成のはじめには中国の8倍だったが、いまや3分の1だ。国民は相変わらず経済成長に真剣に取り組むことを躊躇していたり、魔法のマクロ経済政策に期待する安直な思考に傾き、産業の競争力強化や教育の革新、先進的な情報化社会への移行という努力から逃げたりしている。

世界の国々①
「地球」という視点から見た世界の姿

　地球は太陽系の一部を成す惑星で、水があり生物の存在が唯一確認されている。宇宙から見ると青く見える。その大きさは、赤道の全周が約4万kmで半径は約6400kmである。表面のうち海が70%を占める。

　世界の国々は地理的にさまざまに地域区分されるが、そこにコンセンサスはない。日本の外務省では、アジア、大洋州、北米、中南米、欧州、中東、アフリカに分けているが、これは外交史が反映されたものだ。

　旧ソ連の国は地理上はアジアとされる地域もすべて欧州に入れられているし、アフガニスタンは中東だ。アメリカではアメリカとカナダ以外が中南米だが国際的にはラテン・アメリカという言い方が普通だ。北アフリカの国々は中東とひとくくりで論じられることも多い。

　欧州は西欧と東欧とに分けられることが多く、歴史的には東西ローマ帝国にその起源があるが、着目点によって境界は違うし、中欧、北欧、南欧という言い方もある。

　地球上の地点は、東西を表す経度と、南北を表す緯度が使われる。緯度は赤道が0度であるが、経度は18世紀後半からロンドン郊外のグリニッジ天文台を通る子午線を0度とすることが多くなり1874年に確定した。

　経度15度で時差が1時間生じるわけであるが、それぞれの国がどの地域がどの標準子午線を標準とするかを決めている。日本は兵庫県明石市を通る東経135度で韓国なども同じである。ヨーロッパはポーランドからスペインまでが東経15度として時差8時間。インド3時間半、逆方向でアメリカ西海岸とは7時間、東海岸とは10時間だが、太平洋上に日付変更線があるので世界の主要都市では東京で最初に日が昇る。夏季に1時間早めるサマータイムが流行したが、EUが廃止を決めるなど退潮傾向だ。

　世界の人口は、5000年ほど前に1億人に達し、紀元前後に2〜3億人だったあと停滞していたが、12世紀ごろから増え出して1800年に10億人、1900年に16億人、2000年に75億人程度で2050年には100億人に近づくと見られる。

　地球全体の平均気温の数字は存在しないが、100年に0.74℃の割合で上昇し、近年、加速している（下記に主要都市の気候）。

　宗教では、キリスト教（カトリック、正教徒、プロテスタント）31.3%、イスラム教（スンナ派、シーア派）23.2%、ヒンドゥー教15.0%、仏教7.1%である。ヒンドゥー教と仏教をひとつのグループとして捉えるならまさに三者拮抗だ。

教養への扉　主要都市の（年平均気温、降水量）は、熱帯雨林のシンガポール（27.6℃、2199mm）、サバンナ気候のハノイ（23.5℃、1645mm）、砂漠気候のカイロ（21.7℃、34.6mm）、地中海性気候のアテネ（18.8℃、375mm）、温暖湿潤気候の東京（15.4℃、1529mm）、西岸海洋性気候のロンドン（11.8℃、640mm）、冷帯湿潤気候のモスクワ（5.8℃、707mm）である。

国家とは

世界の国々②
世界にはいくつの国があるのか

　世界にいくつの国があるかは、国際的に共通の基準がわけなので、自明の理ではないが国際連合加盟国は193カ国だ。しかし、我が国が国交を持っている国は196カ国であるし、ほかにも国としての実態をかなりの部分において備えているものがある。

　世界には実態はまったくないのに、歴史的な理由もあって、一部の国の承認を得ている国もある。独立紛争中の地域もそれを国と見るかどうかには外交的な思惑がからむ。
　オリンピックに参加するのは、IOC（国際オリンピック委員会）に参加する国ないし地域である。2020年の東京オリンピック・パラリンピックでは200を超える国、地域が参加する。
　ただ、あえて少し甘めに拾っていけば、以下の200カ国をもって令和（れいわ）が始まった時代における世界の国といえる。

　①国連加盟国である193カ国。
　②国連のオブザーバーであるバチカン市国とパレスチナ。
　③ニュージーランドに外交を委ね、国連には加盟していないが、日本と外交関係がある南太平洋のクック諸島とニウエ。
　④約20カ国の承認を受け事実上、国家として機能している台湾（中華民国（ちゅうかみんこく））。
　⑤40以上の国連加盟国による承認を受けているが、地域の大部分を占領されているサハラ・アラブ民主共和国（西サハラ）。
　⑥独立宣言をし、欧米をはじめ多くの国の承認を受けつつあるが、国連加盟などの見通しが立っていないコソボ。

　以上の合計が200カ国である。
　このほか、以下のような国に準じた存在があり、これらを国と呼ぶ人がいてもおかしいとはいえない。

　◎トルコ以外の国連加盟国より承認されていない北キプロス・トルコ共和国。
　◎いずれの国連加盟国より承認されていないが、アブハジア、沿（えん）ドニエストル、ナゴルノ・カラバフ、南オセチア（上記は旧ソ連）、ソマリランド。
　◎実態はないが、107カ国と外交関係を持っているマルタ騎士団

教養への扉　国家ではないが、IOCに加盟しオリンピックに選手団を送っているのは、香港、アンティル諸島、アルバ（オランダ自治領）、英領のバミューダ諸島、ヴァージン諸島、ケイマン諸島、アメリカ領サモア、プエルトリコ、グアムである。

世界の国々③
国際連合の「オリジナルメンバー」51カ国とは

　国際連合の加盟国という意味なら2011年にスーダンから独立した南スーダンの加盟が認められて193カ国となっている。**しかし、第二次世界大戦が終わって国連が発足したときの現加盟国は下記に挙げた51カ国だった。**

　国連発足時は、アメリカ、英国、フランス、ソ連の思惑から、ソ連の構成国のうちウクライナ、ベラルーシやフランス、英国、アメリカのそれぞれ植民地だったシリア、インド、フィリピンは、独立国ではなかったが、英仏米ソの4カ国の投票権をめぐる駆け引きのなかで原加盟国とされた。

　逆に、枢軸側に立った日本やドイツなどは加盟を認められなかった。こうした原加盟国のほかにどんな国があったかということになると、のちの国連加盟順に並べると、以下のとおりである（バチカンのみ現在でも未加盟）。

　アフガニスタン、アイスランド、スウェーデン、タイ、イエメン、アルバニア、オーストリア、ブルガリア、フィンランド、ハンガリー、アイルランド、イタリア、ヨルダン、ネパール、ポルトガル、ルーマニア、スペイン、日本、モンゴル、ドイツ、リヒテンシュタイン、サンマリノ、モナコ、スイス、バチカン。

　そうした事情にも考慮して数えると、戦後すぐの時期の世界の国は約60カ国だった。これらの国も順次加盟していったが、さらにアジア、アフリカの国が急速に独立していった。

　東南アジアは、日本軍の占領とその敗北後の混乱のもとでベトナムなどインドシナ3国、フィリピン、ビルマ（現ミャンマー）、インドネシア、インドなどでさまざまな形の独立政府の樹立が行われていたことが背景にある。

　それらの独立は、日本の敗北で帰ってきた宗主国によっていったん取り消されたが、もはや勢いを止められなかった。本当に日本が模範的に民族の自立を希求していたかどうかはともかく、日本のおかげで植民地主義からの解放が進んだのは事実だ。

　出遅れたアフリカにおいても、アフリカの年といわれた1960年のあと独立が進み、1961年には国連加盟国は100を超えた。そして、令和元（2019）年5月1日には193カ国になった。

教養への扉　国連原加盟国……ヨーロッパ（14）：ベルギー、ベラルーシ、チェコスロバキア、デンマーク、フランス、ギリシャ、ルクセンブルク、オランダ、ノルウェー、ポーランド、ロシア連邦、ウクライナ、英国、ユーゴスラビア／アフリカ（4）：エジプト、エチオピア、リベリア、南アフリカ／中東（6）：イラン、イラク、レバノン、サウジアラビア、シリア、トルコ／アジア（3）：中国、インド、フィリピン／大洋州（2）：オーストラリア、ニュージーランド／アメリカ（22）：アルゼンチン、ボリビア、ブラジル、カナダ、チリ、コロンビア、コスタリカ、キューバ、ドミニカ共和国、エクアドル、エルサルバドル、グアテマラ、ハイチ、ホンジュラス、メキシコ、ニカラグア、パナマ、パラグアイ、ペルー、アメリカ、ウルグアイ、ベネズエラ。

　世界の国の名前の多くは、「フランス共和国」といったように、固有名詞である地名と「国家体制」の形態を表す言葉からなる。しかし、なかにはスペインのように地名だけというのもある。また、国家体制を表す言葉の用法は複雑で、しかも日本語訳が大混乱している。地名の部分も日本語の慣用表記には首をかしげるものが多い。

　「国家体制」を表す言葉の代表は、「王国」と「共和国」である。それに加えて、民主主義とかイスラムとか人民とかが付されることも多くある。また、連邦とか連合という言葉も付加されることも多い。

　君主制の国の場合、君主の肩書に応じて、「帝国」（エンパイア）、「王国」（キングダム）、「エミレーツ」（首長国）、「公国」（プランシポテ）などが使われる。リパブリックを共和国と訳したのは、箕作省吾と大槻磐渓という仙台藩の学者である。

　連邦国家のために使われる国名としては、フェデレーション、ユニオン（形容詞としてはユナイテッド）、コモンウェルスなどがよく使われる。

　フェデレーションが最も一般的で、ロシア連邦共和国などがその一例である。典型的な連邦国家であるドイツもそうだ。

　アメリカ合衆国（ユナイテッド・ステーツ・オブ・アメリカ）というのが誤訳であることはよく知られているが、それなら正しい訳はどうなのだろうか。ユナイテッド・ステーツは「連合」ないし「連合国」というのが普通だろう。英国のユナイテッド・キングダムは連合国だし、同系のユニオンを使ったEUは欧州連合と訳される。

　「コモンウェルス」という言葉も日本では連邦と訳している。よく知られた用法が、オーストラリア連邦と英連邦（現在では単にコモンウェルス・オブ・ネーションズであるから英連邦という呼び方は誤りであるが）である。

　だが、アメリカの州のうちペンシルベニア、バージニア、マサチューセッツ、ケンタッキーもコモンウェルスを称しているが、こちらは州と訳されている。もともとコモンウェルスというのは、「共通利益を図るための政治組織」のことであって、共和国などと同じような意味だった。たとえば、清教徒革命のあとの英国はコモンウェルス・アンド・フリーステートと名乗った。

教養への扉　伝統的な中国語では、「皇帝」や「国王」はいても、「帝国」とか「王国」という言葉は使われていなかったようで、近代になって洋書を翻訳するときに和製漢語として成立したといわれる。大日本帝国は憲法発布のときに造語されたものだし、大清帝国はそれを真似して流行ったが正式国名になったことはなかったようだ。

世界の国々⑤

ポルトガル語が語源の「イギリス」「ギリシャ」

国名に限らないが、日本語における外国の固有名詞の表記の仕方は実に気ままなものだ。現地語も英語もあるし、まったくの誤読も多い。イギリスとかギリシャはなんとポルトガル語由来だし、アルゼンチンなどは、英語の形容詞の誤読という、おそらく勘違いからきた名前だ。

　世界の国のなかには、国内的に使用されている正式の国名とは別の名前を対外的には通用させている場合もある。典型は中国で、英語の国名はチャイナとみずからしている。

　インドは「バーラト」、エジプトは「ミスル」が現地での正式の国名だ。フィンランド（スオミ）、ジョージア（サカカルベロ）、ハンガリー（マジャロルサーグ）、コリア（韓国、朝鮮）など結構多いのだ。ただし、ジャパンは日本が訛っただけだから、少し事情が違うので、外国人が勝手につけた名前だとかいって怒るのは筋違いだ。

　意外なのはギリシャがグレイシア、イギリスがイングレスというポルトガル語に基づいていることだ。現地ではギリシャがエラース、イギリスはイングランドだ。イギリスの漢字表記である英吉利を略して英国と書くこともあるが、いずれにしてもイングランドから来ており、スコットランドなど含めた場合はブリテンでないとおかしい。

　ベルギーは現地ではベルジーク（フランス語）かベルビエ（オランダ語）であるし、英語ではベルジャンだ。アルゼンチンはアルヘンティーナで英語はアルジェンティーナ（14項写真）。英語の形容詞の誤読だ。「ベルギー」や「アルゼンチン」は誤読で世界中どこにもそんな呼びはない。

　現地語より英語読みなどのほうが国際的に通用しやすいので、多くの国がそれに従っていることはよくあるが、スペイン（エスパーニャ）やメキシコ（メヒコ）のような大国で、その言語も世界の主要言語のひとつであるような場合には現地語読みしないと失礼だと私は思う。オーストリアもドイツ語でエスターライヒといったほうがオーストラリアと混同しないでいいだろう。

　オランダは日本のことをヤマトというようなもので、国家創設発祥の地の名前だ。国名としてはデーデルランドというべきだが、鎖国時代以来の伝統なのでよいとすべきだろうか。ドイツはオランダ語から来たようで、本来はドイチュランドだ。

教養への扉　外国語を日本語にする場合に、表記法くらい統一すべきだ。猫はキャットでカリフォルニアはどうしてキャルフォルニアでないのだろうか。ＬとＲ、ＢとＶ、ＳＨＩとＳＩ、ＴＩとＣＨＩなどは工夫して書き分けたい。たとえばＬＡはルァ、ＶＥはヴェとかすると日本人が外国語を学ぶときにＬとＲを混同するといったこともなくなるだろう。

世界でいま君主国は45あるとされている。ただし、そのうち16は英連邦の構成国で、エリザベス女王を元首としている国だから、その重複を外せば君主は30人ということになる。

世界の君主国は45カ国といったが、君主国といえるかどうか微妙なのもいろいろある。マレーシアでは、9人のスルターンが国王を互選し、しかも、5年の任期制になっている。アラブ首長国連邦では7人のアミール（首長）から大統領が選ばれる。

サモアでは国家元首が議会で選ばれるが、議員のほとんどは、伝統的指導者層である首長（マタイ）なので、君主国ということが多い。

アンドラは、フランス大統領とスペインのウルヘル司教が共同君主になっている。バチカンの教皇は115人の枢機卿の互選であるが、これも、君主制に分類されることが多い。

君主制（モナルシー）とは、「ただひとりの支配者によって統治される国家形態」のこととされ、ギリシャ語のモナルケスに由来する。少数者の支配（貴族制）、多数者の支配（民主制）などと区別されるものであった。しかし、現代ではすべての政体を君主制と共和制のどちらかに分類している。

君主の肩書では、国王（キング）がいちばん多く、エリザベス女王を君主とする英連邦諸国、オランダ、ベルギー、スペイン、ノルウェー、スウェーデン、デンマーク、ブータン、タイ、カンボジア、レソト、スワラジランド、トンガ、バーレーンがそうだ。

そのほかでは、ルクセンブルクが大公（グラン・デューク）、リヒテンシュタインが侯（ドイツ語ではフュルスト。英語では該当する語がないのでプリンス）、モナコが公（プリンス）だ。サモア独立国の場合は国家元首（ヘッド・オブ・ステート）が肩書だ。

国の名前とする場合には、帝国はエンパイア（フランス語アンピール）、王国はキングダム（フランス語ロワヨーム）、大公国はグランド・ダッチー（フランス語グラン・デュシー）、公国はプリンシパリティ（フランス語プランシポテ）となる。

なお、爵位については、イギリスとフランスについては、戦前の日本の爵位と同じで、それぞれ英語とフランス語で次のように呼ぶ。公爵（デューク、デュック）、侯爵（英仏いずれもマルキ）、伯爵（アール、コント）、子爵（ヴァイカウント、ヴィコント）、男爵（英仏いずれもバロン）。

教養への扉 西洋の君主や貴族の肩書で日本人がなじめないのは、女性の場合に、王妃と女王が同じクイーンになってしまうことだ。貴族でも同じで、ルイ15世の寵姫であったポンパドゥール夫人はマルキーズだが、これは彼女自身が爵位をもらったので、女侯爵であって侯爵夫人ではない。一方、ハプスブルク家のマリア・テレジアはエンプレスだが、彼女の夫が皇帝だからで、女帝ではなく皇妃であるが、誤訳が多い。

　皇帝（エンペラー）を名乗る君主は、現在では日本の天皇だけだ。戦後のある時期には、シヴァの女王から出ているといわれたエチオピアの皇帝と、場合によってはイランのシャーもこれに加えて、世界で3人が最後のエンペラーと呼ばれていた。

　エチオピアの皇帝は1974年、イランのシャーも1979年2月に追放された。そののち、中央アフリカのジャン・ベデル＝ボカサという大統領が皇帝を名乗って国際的にも認知されたことがあったが1979年10月に追放され、現在では日本の天皇陛下だけがこの称号を使っている。海外で絶滅危惧種などいわれるゆえんだ。

　エンペラーというのは、語源的にはローマのインペラートルである。もともとは、命令者とか軍司令官を指したらしいが、いつしか皇帝を指すようになった。また、ガイウス・ユリウス・カエサルに由来してカエサルも皇帝のことを指す言葉として使われるようになり、それがドイツ語のカイザーやロシア語のツァーに変わっていった。東ローマ帝国では、のちにイスラム圏の称号を説明するときに登場するシャーと同じ語源のバシレウスという呼び方もされた。

　いずれにせよ、西ヨーロッパでは西ローマ皇帝に始まり、フランク王国のカール大帝から神聖ローマ皇帝を経て、ドイツ、オーストリア、ナポレオン帝政で皇帝という肩書が使われた。ヴィクトリア女王が悔しがったので、ベンジャミン・ディズレーリがインド帝国の皇帝という地位をつくって女王を満足させた。

　ギリシャ正教の世界では、東ローマ帝国の滅亡後はロシアの君主がツァーと呼ばれたし、ブルガリアなどでも皇帝を自称した君主がいた。

　一方、中国では伝説上の君主として三皇五帝があり、周では王が君主の称号だった。ところが、戦国時代に覇者となった諸侯が王を名乗ってすっかり値打ちがなくなってしまった。そこで、秦の始皇帝が三皇と五帝から1字ずつ取って皇帝という称号を名乗り、それ以降は、中国の皇帝の称号として定着した。

　中国の冊封体制に入った国では、朝鮮のように王を使った。ただし、ベトナムや高麗の王が一時期、皇帝を名乗ったことがあったし、朝鮮国王も日清戦争での日本の勝利を受けて冊封関係を清算し、1897年からは大韓皇帝と呼ばれた。

　この皇帝の位置づけがエンペラーと似ているので、訳語として定着し、中国の皇帝や日本の天皇も英語ではエンペラーと呼ばれるようになった。

教養への扉　養老令では、祭祀においては「天子」、詔書においては「天皇」、外交上は「皇帝」、臣下が天皇に文書を奉るときには「陛下」と呼ぶとしている。また、戦前には外国のキングなどを条約などで皇帝と表記することもあって少し混乱している。さらに、徳川将軍を「the August Sovereign of Japan」として皇帝扱いしたことがあったが、幕末は「Tycoon」が使われたりもしている。

　イスラム圏では、スルターン、シャー、アミール、ハッキム（キング）などさまざまな称号がある。最も一般的なのは、オスマン帝国の皇帝も称した「スルターン」という肩書だ。それに対して、イスラム世界全体の代表者を意味するカリフという肩書もあって、ISIS（イスラム国）の指導者が名乗って話題になった。

　スルターンは、「権威ある者」といった意味らしいが、アッバース朝のカリフからセルジューク・トルコのトゥグリル・ベグに与えられ、その後、エジプトのアイユーブ朝、マムルーク朝がカリフから公認されたのをはじめ、スンナ派の君主称号として定着し、オスマン帝国もこれを用いた。

　一方、ペルシア語を起源とする王者を表す「シャー」という称号があって、「王の中の王」といった意味で「シャー・ハ・シャー」とか「パーディシャー」という言い方もある。オスマン皇帝はこれらを複合的に使い、さらに、19世紀になると宗教的な権威を強化したいという意図から、アッバース朝のカリフからカリフを受け継いだというようなことも言い出した。

　さらに、海軍で提督を意味するアミラルの語源になったアミールは軍司令官といった意味だが、これも、国王や藩王のために使われる。現在はオマーン、ブルネイがスルターンの称号を使用している。

　クウェート、アラブ首長国連邦、ヨルダンやカタールの君主がアミール。サウジアラビア、バーレーンはキング（ハーキム）である。マレーシアは、各州のスルターンが互選でキングを選出している。かつてのエジプト、イラク、リビア、チュニジアなども同様だ。

　イランの皇帝もシャー、あるいはシャー・ハン・シャーと呼ばれていた。インドのムガル帝国はパーディ・シャーだった。

　日本語では、スルターンやアミールは首長と訳す。イラン、オスマン、ムガルについては皇帝とすることが多い。

　パキスタン、アフガニスタン、イラン、モーリタニアの4カ国が「イスラム共和国」という言葉を国名に組み込んでいる。ヨルダン・ハシェミット王国、サウジアラビア王国は、いずれも王様の名字を国名に組み込んでいる。世界の国名で個人名に由来するものとしてはシモン・ボリバルがベネズエラの正式国名とボリビア、そのほか、アメリカ、コロンビア、それにジョージアなどキリスト教の聖人の名に由来するものがいくつかある（写真はトルコ・イスタンブールのスレイマニエ・モスク）。

教養への扉　日本の天皇は国王より格上の皇帝だからほかの君主より格上に扱われるという都市伝説があるが、事実ではなく、少し高級感のある肩書である以上の意味はない。君主同士が一緒になったときの序列は、就任順であって、皇帝、国王、大公はどれでも一緒で、エリザベス女王戴冠60周年に出席された平成の陛下の序列は第9位だった。日本の皇室に対する敬意は、その歴史の長さと日本の国力に起因するものだ。

世界の国々⑨
みんな血縁関係にあるヨーロッパの王室

　ヨーロッパの王室の話を聞いて日本人がいろいろ不思議に思うことがある。万世一系^{ばんせいいっけい}ということになっている日本と違って簡単に王朝が代わること、女王や女系相続、それに外国人との結婚も多いことなどに抵抗がないのかということだ。

　王朝の交代については誤解がある。易姓革命^{えきせい}といって別家に帝位が渡る中国のようなことはヨーロッパでは滅多にない。ゲルマン族の伝統である選挙するというのも神聖ローマ皇帝やポーランド王で残ったが、だいたいは世襲で、英国の場合、エリザベス女王は1066年にイングランドを征服したウィリアム1世の相続者だ。

　ただ、女系相続や分家への相続、養子、婿養子の形は取らずに王朝名を変えてしまう。また、日本の皇位と違い領地は封建制の原則により私有財産だ。だから、女王、女系の相続をどういう場合に認めるかは、財産相続の原則によるから国ごとに事情は違う。そして、西ヨーロッパはひとつの世界を成すので、外国人という意識は近代以前は希薄だった。

　むしろ、王妃さまは外国の王女しか資格がなかったことが多い。20世紀になって王様でなくてもいいとか、臣下からでもいいとかいうことになったのだ。

　そんなわけで、ヨーロッパの王様たちはみな親戚だ。英国の場合でいうと、ノルマンディー家（フランスの貴族）→プランタジネット家（フランスの貴族）→ランカシャー家。ヨーク家（分家）→テューダー家（ウェールズの貴族）→ステュアート家（スコットランド王）→ハノーヴァー家（ドイツの領邦君主）→サックス・コバーク・ゴータ家（ドイツの領邦君主。ウィンザー家と改名）で、チャールズ皇太子からはマウントバッテン・ウィンザー家（ギリシャ王家分家）となる。

　しかも、ギリシャ王家はデンマークの王家の分家で父祖はドイツのグリュックスブルク家という貴族だ。また、イングランド王家の女系をたどれば、カロリング家やフランスのカペー家に連なり、フランス王の外孫だといって2度にわたってフランス王位を狙ったが、男系男子嫡出（ヨーロッパでは例外を除き側室の子は王位を継承できない）を堅持すべきと呼びかけたジャンヌ・ダルクに行く手を阻まれた。

　フランスでは987年即位のユーグ・カペー王から現在の王位請求者ジャン4世まで男系男子嫡系で継続している。ただし、分家に継承されることは何度もあって、ジャン4世はルイ14世の弟の子孫であるオルレアン家である。その一方で、スペイン王とルクセンブルク大公は、ルイ14世の子孫であるブルボン家から出ている。

教養への扉　ヴィクトリア女王の女系子孫には、スペイン、スウェーデン、ノルウェーの現王家や、最後のドイツ皇帝やロシア皇后などがおり、エリザベス女王の夫であるフィリップ殿下も同様でイングランド王のだいたい1000番目の継承順位を持っている。

ヨーロッパでは王家や貴族の紋章が軍団のシンボルとして用いられており、それが国旗の元になったものが多い。大航海時代のヨーロッパでは、オランダを嚆矢として船舶の国籍を表すために旗を掲げることが多くなった。近代的な国旗が制定されるようになったのは、18世紀以降に近代国家が成立してからのことである。

フランスの三色旗（トリコロール）を例に取ると、フランス革命のころ、バスティーユ襲撃の3日後にパリ市役所に赴いたルイ16世に対し、「君主と民衆の崇高かつ永遠なる同盟」の印として、王政を表す白とパリ市の青と赤をあしらった三色帽章をつけさせたのが起源とされている。

そして、制憲議会は1790年にすべての軍艦および商船が三色旗を掲げるように決め、1794年には、国民公会が「国の三つの色が垂直の帯状に配色され、青が旗ざおに固定され、白が中央に、赤が空中にはためくように」するものを国旗とする法令を発布し、それからは、王政復古の一時期を除きフランス国旗とされている。

英国のユニオン・ジャックは、1801年の「大ブリテンおよびアイルランド連合王国」成立に伴って、イングランド王国の聖ジョージの旗（白地に赤い十字）、スコットランド王国の聖アンドリューの旗（青地に白の斜め十字）、アイルランドの聖パトリックの旗（白地に赤の斜め十字）を組み合わせたものだ。

アメリカの星条旗は、ストライプは独立当初の13州を象徴して不変だが、星の数はそのときの州の数なので、新しい州が加盟するたびに変化する。

日本の日の丸は、平安時代末期の源平合戦のころからあったといわれ、朱印船などの船印としても使用されていたそうだが、幕末にマシュー・ペリーの黒船が来航した直後の安政年間から国旗として使用され、1870年には国旗として布告された。

世界にはよく似た国旗も多い。インドネシア国旗とモナコ国旗は、上部が赤で下部が白の配色は同じだが、インドネシアは、縦横の比率が2：3で、モナコは4：5だ。ただし、国連やオリンピックでは、各国の国旗の縦横の比率を基本的に2：3に統一することにしているため区別がつかない。ポーランド国旗はインドネシアやモナコと上下が逆だ。チャド国旗とルーマニア国旗は、青、橙、赤という同じ三色旗だが、青の色がチャドのほうがルーマニアより濃い。アイルランド国旗とコートジボワール国旗は、緑、白、橙の3色というのは同じだが、左右が逆なのが違う。

教養への扉 日の丸は、戦後、根拠法令を失っていたが、1999年に「国旗及び国歌に関する法律」が成立し、「入学式や卒業式などにおいては、その意義を踏まえ、国旗を掲揚するとともに国歌を斉唱するように指導するものとする」とされている。

　国旗と同じように国歌もオランダが嚆矢といわれている。独立戦争の過程で書かれた詩『ヴィルヘルムス・ファン・ナッソウエ』をフランスの軍歌の旋律に乗せて歌ったのが始まりで、19世紀に各国でも採用された。日本、英国などのような賛美歌風のものと、フランスや中国のように行進曲風のものが二大潮流である。

　フランス国歌の『ラ・マルセイエーズ』は、フランス革命政府がオーストリアへ宣戦布告した1792年に工兵大尉クロード・ジョセフ・ルージェ・ド・リールが出征する部隊を鼓舞するために作詞作曲したものだ。それが、マルセイユの市民兵がパリ入城したときに歌ったので現在の名称になった。1795年7月14日に国民公会で国歌として採用された。
　現在のフランス第五共和政憲法は、「国語はフランス語である」「国旗は青、白、赤より構成される三色旗である」「国歌はラ・マルセイエーズである」と定めている。行進曲風の国家の代表であり、歌唱は難しいし、歌詞は「暴君を倒せ、敵を血祭りに上げろ」と血なまぐさい。そのため国歌斉唱はまれで、国歌吹奏が主流で、歌うのはプロの歌手によることが多い。1992年のアルベール冬季オリンピックでは、少女にアカペラで斉唱させたところ、歌詞が過激なことが浮き彫りになり改変の可能性が話題になった。ただし、国家的な危機のときには、群衆から自然発生的に合唱が湧き上がる感動的な場面がしばしば見られる。
　英国の『God save the Queen』は、1745年にカトリック派のプリンスがハノーヴァー王朝のジョージ2世を倒そうと攻撃したが、そのときに、国王を守ろうという趣旨で歌われ出し、19世紀になって国歌として定められた。
　ドイツ国歌はフランツ・ヨーゼフ・ハイドンが作曲した『神よ、皇帝フランツを守り給え』から旋律を拝借して19世紀に『世界に冠たるドイツ』という歌が作曲され、それがワイマール共和国の国歌とされた。戦後、西ドイツでは早い時期にこの国歌を復活させたが、歌詞は1番の「ドイツよ、ドイツよ、すべてのものの上にあれ」というものを使わず、3番の「統一と正義と自由を父なる祖国ドイツの為に」を使用している。
　君が代は1969年に『古今和歌集』に淵源があり、薩摩琵琶歌の『蓬莱山』のなかにもあった『君が代』を歌詞に英国人フェントンが作曲したのが始まりだが、1880年に雅楽調の現行の曲に差し替えられ、その後、国歌として使われたものだ。

教養への扉　アルメニア国歌はアラム・ハチャトゥリアン作曲、オーストリア国歌はヴォルフガング・アマデウス・モーツァルト、バチカン国歌はシャルル・フランソワ・グノーの作曲であり、インドやバングラデシュの国歌はラビンドラナート・タゴールの作詞など有名な作曲家や文豪によるものも多い。韓国の国歌はいわゆる親日派の作曲であるが、いまのところ排除されていない。

民族が何で決まるかといえば、人種、言語、宗教などが重要な要素だが、いちばんわかりやすいのは言語であるので、基準となることが多い。だが、ユダヤ人のように宗教が基準とされることも多く、オスマン帝国のもとでも、それが支配的だった。

いわゆる人種は血縁的な分類をいう。かつては、肌の色など見かけをもとに分類され、いまでもアメリカではそれが社会的に広く受け入れられている。だが、黒人の血が少しでも混じると黒人と扱われるなど白人純血主義の立場からのものといえる。

それに対し、中南米ではメスキート（白人とインディオ）、ムラート（アフリカ系混血）など混血というカテゴリーがある。それを反映してアメリカではヒスパニックという中南米系をひとまとめにした人種を設定している。

最近ではDNAなどの分析により、後天的に獲得した形質とは関係なく、血縁的な枝分かれの分析が支配的になっている。つまり、人類の移動経路に沿ったものというわけである。

ただ、分析手法にはさまざまな材料と手法があり、それによって結果がずいぶんと異なる。古代人の人骨などが発見されているところとそうでないところがあるのは、食生活、土壌、開発の度合い、考古学への関心などの違いが大きい。

また、宗教や習慣で子だくさんかどうかも決まるし、中国などでは北方系の人のほうが伝染病に強いので、徐々に多くなっていくといったことも起きる。いずれにしても、渡来した人の割合と現在の人が誰の子孫かという比率とには大きな差がある。

しかし、最近の分析が示しているところによれば、人類は何百万年か前にアフリカで発生し、そののち、世界に拡散したが、それらの子孫はすべて死滅し、アフリカ以外の全人類は、約5〜6万年前に、エチオピア方面からアラビア半島に移住した一団の子孫というのが支配的な説になっているのは、すでに紹介したとおりだ。

その後の枝分かれは、この母集団からコーカシアン（欧州、インド、イラン、アラブなど）の諸民族が分かれ、そのうちインド、イラン方面から東南アジアに移動した人々がいて、その一部はオーストラリアやニューギニアに渡って原住民となり、別の集団からアメリカへ渡った人々があり、さらに、残りからポリネシア人などとモンゴリアンに分かれたと説明されている（写真はスペイン・アンダルシアの民族衣装）。

教養への扉 男系と女系で違いが大きいのは、征服者の男性が現地の女性に子どもを産ませたとか、アメリカの黒人のように多くが白人農場主と黒人奴隷の間に生まれた子の子孫で逆はあまりないとかいうこともある。

DNA分析による人種構成と言語はまったく一致しない。たとえば、中南米のスペイン語圏の人種構成は国によってまったく違う。日本人、韓国人、中国人でも、それぞれの言語を最初に成立された人々の子孫は、現在それを話している人々の先祖のなかでそれほど大きい割合を占めていないはずだ。

現在、世界で使われている言語のなかで二大勢力は、インド・ヨーロッパ語族とシナ・チベット語族である。

前者はローマ人の言葉の方言から派生したラテン語系（フランス語、イタリア語、スペイン語、ポルトガル語、ルーマニア語）、北方のゲルマン語系（ドイツ語、英語、オランダ語、スウェーデン語、デンマーク語）、ケルト語系（アイルランド語、ウェールズ語、ブルトン語）、東方のスラヴ語系（ロシア語、ポーランド語、チェコ語、セルビア語、ブルガリア語）、それにギリシャ語（古代のギリシャ語と現代の言語はかなり違う）、インド・イラン語系（ヒンディー語、ウルドゥー語、ベンガル語、ペルシア語）というように分類される。

ウルドゥー語はパキスタンの国語でペルシア語の影響が強い。中東ではイラン人が官僚として重宝されたのでペルシア語の影響は意外に大きい。

ハンガリー語、エストニア語、フィンランド語はウラル語族とまとめられる。バスク語とかアルバニア語は系統不明という意味で謎の言語だ。

中東の言葉ではアラビア語やヘブライ語はセム語系とされ、ベルベル人やエジプトに住むコプト人の言葉は古代エジプト人が使ったハム語系だ。セム語系ではイエス・キリストが布教したころはアラム語が標準語でイエスもこれで説教したらしいが、その後、イスラム教化によってアラビア語に取って代わられた。

アフリカの言葉はニジェール・コルドファン語族などと呼ばれるが、そのうちのバントゥー語にアラビア語の単語を大幅に取り入れたのがスワヒリ語である。

ほかに、重要なものとして、南インドのドラヴィダ語、アメリカ原住民たちの言葉もある。アジアの言語については、次項で説明する。

教養への扉　2016年言語人口……①中国語13.0億人、②スペイン語4.3億人、③英語3.4億人、④アラビア語2.7億人、⑤ヒンディー語2.6億人、⑥ポルトガル語2.0億人、⑦ベンガル語1.9億人、⑧ロシア語1.7億人、⑨日本語1.3億人、⑩ラーンダ（西パンジャブ）語1.2億人（出典『データブック・オブ・ザ・ワールド2018』）。

　言語学の分類には、広く認められた手法がなく、個々の専門家の学説が、無秩序に人口に膾炙（かいしゃ）しているようだ。そこで、東アジアの諸民族興亡の歴史を理解するという目的に合わせて、「南方系」「南島系」「北方系」と少し単純化した分類をしてみよう。

　中国語はシナ・チベット語族に属し、チベット語やビルマ語（ミャンマー語）と近い。そして、タイ語やオーストロ・アジア語族ともいわれるベトナム語やクメール語とも似ている。これらをまとめて、「南方系」と呼ぶことにする。

　五胡十六国（ごこじゅうろっこく）時代という場合の、五胡というのはチベット系の氐（てい）、羌（きょう）、それに北方系の匈奴（きょうど）、羯（けつ）（匈奴の別種）、鮮卑（せんぴ）の五族である。羌族は、殷の時代に数十人、数百人単位で生贄（いけにえ）にされたと甲骨文字（こうこつ）で記録されている。チンギス・ハンに滅ぼされた西夏（せいか）のタングート人も羌の系統である。

　オーストロアジア語族と似て混同されることが多いのが、オーストロネシア語族で、日本では南島語族ともいうので、ここでは「南島系」と呼んでおく。マレー語、インドネシア語、ジャワ語、タガログ語（フィリピン）、ポリネシア語、マダガスカル語などが仲間になるが、台湾原住民の言語のひとつにそのルーツがあるそうだ。

　かつてアルタイ語族などと呼ばれたのが、モンゴル語、テュルク語、満州語（まんしゅう）などのグループで、朝鮮語もそれに近いので、これを「北方系」といっておく。万里の長城（ばんり／ちょうじょう）の北に住むさまざまな民族がいるが、書き言葉として確立され、近代まで残っているのがこの三つだ。元気なのはテュルク語で、トルコ語のほか、アゼルバイジャン、ウズベク、カザフスタン、キルギス、トルクメンスタンなどの国語、それに中国のウイグル語がこの系統だ。モンゴル語に近いのは、北魏を建てた鮮卑とか、契丹（きったん）（遼（りょう））だ。匈奴はテュルク系かモンゴル系が議論がある。西洋史に出てくるアッティラのフン族も、テュルクなのかモンゴルなのか、それ以外かは不明だ。

　ウラル語族といわれるハンガリー語、フィンランド語、エストニア語なども近接しているという人も多かったが、最近は流行らないようだ。新しい言葉が生まれるにあたっては、ほかの人種が使っている単語を自分たちの言葉に交えて話した便宜的な「ピジン言語」が共通語としての「クレオール言語」として母国語化することが多い。

教養への扉　北方系の文法の日本語と南方系の中国語の違いでいちばん顕著なのは、日本語は文構造が「主語→目的語→述語」の「SOV型」で、中国語は英語などと同様に「主語→動詞→目的語」の「SVO型」であることだ。中国語には「てにをは」の助詞がない。また時制が曖昧で現在なのか過去なのか難解で、前後の状況から判断するしかない。

民族と言語④
公用語をめぐる英語とフランス語の戦い

スペイン語とポルトガル語は、二つの言葉があるから二つの国になったと誤解している人がいる。しかし、イベリア半島での王様たちの結婚によって、ポルトガル以外の国がひとつになり、最も有力だったカステリア方言が共通スペイン語となっただけだ。

独立した言語と方言を区別する明確な基準などない。ただ、現代においては、文法書とか辞書といったものが成立することが言語の要件ということかもしれない。

言語がどのようにして成立するかはさまざまだが、原住民の言葉の文法と発音のうえに、より高度な文明などから語彙が借用されるといった場合も多い。英語の場合は文法はゲルマン系のアングロ・サクソン族のものだが、単語はフランス語からの借用が圧倒的に多い。

しかし、逆に日本語は文法はアルタイ語的だが、単語はむしろ南方的なものが基本で、さらに、漢語や西欧語からの大量の借用が行われている。クロアチア語とセルビア語はそれぞれキリル文字とアルファベットで書かれるのが唯一の違いである。

国連における公用語は、英語、フランス語、中国語、ロシア語、スペイン語、アラビア語。ただし、執務用語（ワーキング・ラングウィッジ）は英語とフランス語である。

EUは、各国の国語がすべて平等に公用語とされているので、会議出席者より通訳のほうが多いことすら多い。ただし、実際には、英語ないしフランス語をブリッジ（介在）して通訳されることが多い。英国の脱退で英語が外されるのかと心配する人がいるが、マルタとアイルランドの公用語ということで使用が継続される。

国連などの事務局内での文書は普通は英仏いずれかで書かれる。当然、事務局内で仕事をするためには、この両国語に通じる必要があり、とくにフランス語ができないことが採用や昇進の支障になることがある。

フランス語の重要性は、歴史的な文書に使われて連続性確保が必要、国際法の考え方の基礎がフランス法系である、国際機関の多くがフランス地域にあるためでもある。IOCではフランス語優位だ（写真にあるWTOは英語、OMCはフランス語）。

こうした言語のなかですぐれた言葉とか劣った言葉はあるのだろうか。残念ながら正確であるとか多彩な表現ができることと、容易であることは普通には両立しないものだ。たとえば、フランス語は美しく正確で多様な表現が可能だが、難しい言葉だ。ただ、英語では複数の解釈が可能でフランス語では単一の意味しかないことは多いが、逆は少ないので、実質的にフランス語解釈が優先することは多い。

教養への扉 文学の世界でもブリッジ翻訳は活用されていて、三島由紀夫は外国語への翻訳はすべて英訳からするように方針を立て、ドイツ人の三島研究家の翻訳を拒否した。自動翻訳でもしばしば日本語と直接翻訳するより英語をブリッジにしたほうが正確なことも多い。

[地域の歴史] 東アジア①

「冊封体制」は日本の自虐史観の創作物だ

　日本の歴史教育では、中国を中心とした東アジア世界において存在したという「冊封体制」が近代以前の東アジアにおける国際秩序の基本を成すと教えられる。ところが、中国の歴史教科書に「冊封」という言葉は出てこないし、韓国でも「冊封関係」についてごくわずかに触れるだけだ。これは戦後に東京大学教授・西嶋定生が提案し、普及した自虐論者によるガラパゴス史観だった。

　西嶋定生は「冊封体制」を、「中国の皇帝が周辺諸国の首長を冊封して、これに王・侯の爵位を授け、その国を外藩国として統属させる体制を私は冊封体制と呼んでいる。冊封という形式は、本来は国内の王・侯に対する爵位授与を意味するものであるが、その形式が周辺諸国に対する中国王朝の統属形式に用いられたのである。そしてこの冊封体制を基軸として、周辺諸国と中国との政治的・文化的関係が形成され、そこに東アジア世界が出現すると考えるのである」（『秦漢帝国』講談社学術文庫。ルビは引用者）と説明する。

　自国の歴史を考察するときに、それを周辺諸国など世界との関係で捉えることは大事だが、「日本史を中国史の断片のように見る歴史観」はおかしい。中国では、日本の万世一系ほどではないが、正統王朝の系譜があると意識されて歴史観が組み立てられてきたが、それは「漢民族」にとっての話であり、周辺国家や民族にとって正統王朝の連続性なんぞ知ったことではない。

　日本では、中国文化の大規模な受容が漢、唐、明といった卓越した王朝の時代に限って断続的にしか行われず、それをそのつど独自に発展させてきた歴史がある。

　そして明治のはじめ、清は日本との近代的な外交を結ぶとき、「日本は中国を隣邦として位置づけ、元寇や倭寇の歴史を見ても決して屈しようとしなかった国」だから、朝鮮などに対するのと違って欧米諸国と同じ位置づけとし、対等の関係で「日清修好条規」を1871（明治4）年に結び近代的な日中両国の外交が始まった。

　日本も朝鮮と同じ冊封体制のもとにあったという自虐史観の持ち主はこうした経緯をもう少し勉強したほうがいい。察するに、冊封体制があったと主張する人は、東アジア世界で日韓は歴史的に対等ではなかったという史実を忌避するために推奨しているのだと思うが、そんな配慮で歴史の真実を歪めるべきでないことはいうまでもない。

教養への扉　「日本史を中国史の一部」とは捉えず、しかし、「互いに孤立したもの」ではなく、「隣邦である二つの太陽」として捉えるべきだ。そして、韓国はかつては、中国や日本に従属的な立場にあったが、戦後の驚異的な発展で対等の存在にのし上がったことを最大限に称揚することこそが、正しく建設的なアジア史だ。

　日本の中国史は、中国を何千年も前から聖人の国だったと理想化したい儒学者たちが中心的な担い手だった。そして、戦後になると近代日本が中国に悪いことばかりしたという自虐史観、媚中（びちゅう）史観が盛んになった。この二つの流れは融合して、日本を貶（おとし）め、最近の中国の覇権主義的な外交政策を支持し、日本は中国をリーダーとする新アジア秩序に従うのが自然だという人たちの理論武装の道具と化している。

　中国の中心部には、漢字を使う文化を持つ国が、異民族に乗っ取られたり、分裂したりしつつも4000年ほど連続して存在してきた。しかし、モンゴルや満州など北アジアの人々は、自分たちが中国の周辺民族だなどという発想をしてきたわけではない。日本も2000年近く前に統一国家を樹立してから一度も漢民族国家の支配下に入ったことはないし、大小の差はあるが、親子というよりは兄弟の関係だった。それに、建国以来、統一と独立を維持し、万世一系の皇室を持つ日本のほうが国家の継続性は上である。

　中国人は司馬遷（しばせん）の『史記』（しき）に始まる「正史」（せいし）で歴史を理解する。このために、夏、殷、周、秦、漢、魏（ぎ）、晋（しん）、南朝、隋、唐、五代（ごだい）、宋（そう）、元、明、清、中華民国、中華人民共和国という正統王朝の太い幹を中心にして、前王朝が滅びたところで交代と見なす。

　しかし、南北朝時代に鮮卑族が立てた北魏が南朝を正統と認めていたわけでない。南宋（なんそう）は女真族（じょしんぞく）の金（きん）を兄としてそれに従属していた。元は最初から最後までモンゴル帝国であり、北京を失っても万里の長城の北に撤退しただけだ。

　最後の王朝である満州人の清は、北京に進軍する前から「満漢蒙」（まんかんもう）の連合帝国を名乗っていた。この異民族である清朝の支配地を継承したのが袁世凱（えんせいがい）の中華民国で、満漢蒙に回（ウイグル）、蔵（かい）（チベット）（ぞう）を加えた五族協和を唱えた。

　現在ではさらに細分化し、56民族からなる中華民族と称し、あたかもそれらの民族が古くから中国国家という枠組みのなかで生きてきたかのような印象操作がされている。

教養への扉　中国政府が少数民族を差別的に扱っているわけでなく、むしろ、大学進学やひとりっ子政策で優遇されていた。しかし、教育では少数民族の言語が制限されたり、矯正施設的なものが多くあったりするなどと批判されている。中国語の使用を広めないと賃金格差などが縮まらないというのが中国政府の言い分ではある。

［地域の歴史］東アジア③
漢や唐の正統的な継承者は中国ではなく日本？

日本と中国、さらには南北朝鮮（コリアン）との関係を前向きに捉えるためには、日本人にとってもコリアンにとっても、漢民族をはじめとする中国を構成する諸民族と、DNA的にも文化的にも共通の先祖を持つという意識に立つのがよい。とくに日本は、唐や漢の中国文化のより正統な継承者だともいえる。

異論はあるだろうが、日本人のDNAの大半は、縄文人でなく弥生人であるという見方が優勢である。弥生人は、春秋・戦国時代から秦漢帝国の時代にかけて稲作技術とともに少しずつ江南地方（写真は揚州の痩西湖）から半島の沿岸を通って渡来したのだし、統一国家の形成以降に渡来した帰化人（渡来人と言い換えるのは意味が変わるので賛成できない）も、半島経由でもほとんどが南北朝時代の南朝系の漢人だった。

そのなかには、始皇帝の末裔と称する秦氏もいた。島津氏は秦氏の流れを汲んでおり、島津忠義を高祖父とする今上陛下とその子孫は、始皇帝の子孫ということになる。また桓武天皇の母である高野新笠をはじめ、皇室には何重にも百済王家のDNAが流れているし、百済王家は高句麗王家の分かれであるから、日本の皇室は高句麗の創始者である朱蒙の子孫でもある。

日本が過去の文化を中国自身より純粋な形で残していることも多い。漢字の読み方には、漢や唐の時代の音がよく残っている。たとえば、日本をニッポンと読むのは漢の時代のもので、ジッポン（ジャパンの語源かも）と読むのは唐の音だ。一方で現代の中国語ではリーベンになってしまっている。

中国人が時代劇を見て義理人情が卓越していた漢の時代の物語のようだといったり、奈良を訪れて大唐帝国の栄華をしのんだりするのもそうした理由によるものある。

西洋文明は、まず日本が先に高度な受容を行い、中国やほかのアジア諸国は日本から間接的に輸入した。それは中華人民共和国という国名のうち「人民」と「共和国」が和製漢語であることに象徴的に示されている。

日本語は、文明開化の時代に、欧米の考え方を翻訳するのに向いており、膨大な和製漢語をつくりだし、現代の中国語にも大量に日本からの外来語として入っている。また、朝鮮王国時代には書き言葉としての朝鮮語は存在しておらず、朝鮮語は日本人と朝鮮総督府のもとで日本語から派生した形で確立したといってもいいすぎでない。

教養への扉　現在の中国人の主流「漢民族」は、血統や文化、言語も中国に侵入、支配した北方民族に影響され変質を繰り返してきた。たとえば、中国の標準語である北京官話（英語ではマンダリン）は、モンゴル人や満州人が発音しやすい形になったものだ。

19世紀にアヘン戦争（1840〜1842年）が起き、フランス革命や産業革命などを経た西洋諸国と中国の間に文明力の格差が生じていることがはっきりした。日本もマシュー・ペリーの艦隊に脅され、あっさり鎖国をやめて開国した。そのあと日本は明治維新を成し、文明開化に一心不乱に進む。「和魂洋才」といって伝統文化を見直したのは、明治中期になってからだ。

　中国は文明開化を拒否し、西洋の実用的なものだけを取り入れようとした。この「中体西用」のため文明化が遅れ、ようやく日清戦争ののちに、日本に膨大な留学生を送って、日本化された西洋文明を取り入れた。

　そのため、単語にとどまらず言語そのものが大きな変質を遂げた。それは、日本で学んだ魯迅が言語改良運動のリーダーだったことに象徴されている。

　日本と中国の関係は英国とヨーロッパに似ているともいえる。英国は大陸諸国から大きな影響を受けて、たとえば、英語の単語の6割以上がフランス語由来である。だからといって、アングロ・サクソンの文化が大陸文化に対して下位にあるわけでもない。大陸文明を独自に発展させたり、大陸では失われた中世的な伝統とか、ヨーロッパの先住民であるケルトの文化をより濃厚に残していたりする面もある。

　またアメリカ文明やときには日本のものをヨーロッパに輸入する窓口にもなっている。そうした意味で、英国が大陸諸国の衛星国とはいえないのと同じように、日本を中国の衛星国と見るのはおかしなことだ。

　私は日本人やその文明の独自性を過度に強調するのも、中国文明の一部のように理解するのにも反対である。日本人の先祖の大半は、孔子が活躍していたころには現在の中国にいた可能性が強い。

　共通のルーツを持ちながらも。中国は北方民族の影響を、日本は列島土着の縄文人たちの影響を受けて互いに変容し、その後も、互いに影響を与え合ってきたのであるし、また、そう考えるのが最も未来志向であろう。

教養への扉　日本語から中国語に輸出された言葉が多いことは、日本人より中国人のほうがよく知っている。昔からある用法で存在するかどうかがわかるからだ。逆に日本人はほとんど意識せず、漢語はすべて中国発祥だと思いがちだ。漢字でも国字といわれる日本発祥のものがあり、意外なところでは、「働」という漢字もそうなのだそうだ。したがって労働も日本語起源だ。

　日中韓の国家同士の関係を概観してみると、中国には正統王朝の系譜があるので、夏、殷、周あたりから漢民族国家が存在し、現代に至るまでの連続性がはっきりしている。日本は、大和朝廷が崇神天皇の3世紀ごろに大和統一王権を樹立し、さらには吉備（岡山県）や出雲（島根県）あたりまで支配下に置き、4世紀には全国統一をし、朝鮮半島へも進出した。韓国の統一国家が成立したのは、7世紀に新羅が平壌より南を支配下に置いたときだ。

　大和朝廷の中国との外交は、5世紀初頭に倭王讃（仁徳天皇か）が中国の東晋に使節を送ったのに始まり、その後継王朝である南朝の宋の時代に「倭の五王」の使節が派遣されたことが中国の史書に載っている。

　とくに、478年に倭王武（雄略天皇）が提出した上表文には、日本国家成立の経緯や朝鮮半島との関係について詳細な経緯の説明があり、その内容は、8世紀に編纂された『日本書紀』ともおおむね合致し、同時代資料として極めて重要である。

　日本人のクニと中国との外交関係は、金印で知られる1世紀の奴国王とか、3世紀の卑弥呼の邪馬台国とかが行った交流があるが、それらは、大和朝廷の記憶には残らなかったわけで、日中の外交史の出来事とはいえない。

　倭王武は、自分たちの国を畿内を発祥の地とし、東西日本を同じ程度の広さにわたり征服して統一国家を形成し、さらに、百済や新羅まで含めた朝鮮半島の南部を版図に入れたという認識を示しているわけで、このことからも、九州で成立した王権が畿内を征服して全国統一したという認識は、成立しえないといえる。

　この使節は、百済など馬韓（慕韓）諸国、新羅など秦韓（辰韓）諸国、任那など加羅（弁韓）諸国への支配権を要求したもので、だいたい京畿道、忠清道、全羅道、慶尚道にあたるが、中国側は百済をその範囲から外したうえで倭王武の要求を認めている。つまり、中国と独自の外交関係を持つ百済については、倭王武との支配関係を認めるわけにはいかなかったのである。しかし、日本からの使者はこれを最後に遣隋使のときまで、中国には現れなかった。

　この時期に、朝鮮半島では4世紀から5世紀にかけて日本と覇権を競った高句麗に加え、百済や新羅が支配地域を広げ、日本の支配地域を侵略し、三国時代に突入する。

教養への扉　朝鮮半島は紀元前に漢民族による地方政権の建国があったが、前漢の武帝は楽浪郡などを置いて半島北部を内地化した。一方、高句麗とその王族から分かれた百済、それに新羅は、紀元前後に建国されたらしいが、そのうち高句麗が4世紀には強大化し、次いで、百済や新羅も5世紀には地域国家として成長した。

[地域の歴史] 東アジア⑥
韓国はいつから中国の従属国となったのか

　中国の南北朝時代には、漢帝国を継承する南朝が建康（南京）に拠り、鮮卑族が建てた北魏が大同、次いで洛陽に都を置いていた。この北魏はやがて分裂し、外戚で漢民族の隋が取って代わり、そして、隋は南朝の陳を滅ぼして全国統一を成し遂げた。その隋へ聖徳太子らが小野妹子を使節として派遣したのが遣隋使である。

　満州から遼寧省は高句麗の支配が強大化したので、隋はこれを攻めたが敗退した。こうした状況のもとで、日本は久々に使節を送り有利な形で外交関係を結んだ。

　しかし、隋は高句麗遠征の失敗などが原因で滅び、北魏の有力漢族貴族から出た唐に代わられた。この当時、朝鮮半島では日本、高句麗、百済が手を組んで新興の新羅を圧迫していた。

　そこで、新羅は唐に対して従属的な関係に入ることを条件に助けを求めた。唐は新羅の援軍を得て、まず百済を滅ぼして併合し、高句麗も同様にした。そのときに、百済を救援しようとした日本を白村江の戦いで破った。

　唐は新羅も羈縻国（自治区のようなもの）にしようとしたが、新羅は日本にへりくだりながら対抗し、やがて、渤海が満州北部に建国したときに、唐の側に立って戦うことを申し出て、その代わりに百済の旧領と、高句麗の旧領のうち平壌以南を獲得した。国際的には、これがコリアン統一国家の誕生だと理解されている。

　日本も唐にたびたび遣唐使を送って誼を通じたので、とりあえず、唐のイニシアティブでの秩序が保たれた。ただし、日本は新羅と違って暦や服制において唐に従わず、唐の使節がきたときは西蕃の朝貢使節として扱おうとしていたので、唐、新羅の関係と唐、日本の関係はまったく違ったものであった。

　その後、日本は唐の滅亡後は、明治4（1871）年まで中国と正式の外交関係は持たなかった。南宋と平清盛が貿易したことはあった。元のフビライが服属を要求しきたときは拒否し、侵略を試みる元と高麗の連合軍を撃退。そののちは倭寇が明を苦しめた。

　ただし、足利義満は明との交易を試み、「日本国王」として使節を派遣したが、朝廷との関係は日本側でも明の側でも整理されないままだった。勘合貿易の形は取っているが、実態は博多や堺の商人たちが主導する民間貿易と変わらなかった。

教養への扉　新羅を滅ぼしたのは、漢族で高句麗残党とも関係があった王建の高麗だった。高麗は中国が混乱期にあったので、短い時間であるが皇帝を名乗ったりしたが、元には屈して、日本への侵略を一緒にした。高麗に代わった李氏朝鮮は、中国への積極的な服従を主張して成立した王朝であり明への従属度が強かった。

日本と明の間の勘合貿易は、周防（山口県）の大内氏によって続けられていたが、大内氏の滅亡によって中断していた。この間、明は倭寇の跋扈を理由として貿易量を制限し、それがまた、倭寇の活躍の場を増やすという悪循環だった。

南蛮船がやってきたのは、そういう時代で、最初は倭寇とも協力関係にあったが、やがて、倭寇に代わって東シナ海貿易の主人公になっていった。そして、日本では豊臣秀吉が全国統一を実現し、明に対して貿易を提案したが断られたので、明を征服して東アジアの新しい秩序をつくることを宣言した。

このときに、朝鮮をはじめ多くの国に協力を要求し、琉球は部分的な協力を約束したが、朝鮮はこれを拒否したので、征明戦争の一環として日本軍に攻められた（文禄・慶長の役）。戦いは日本に有利に進んだが、秀吉の死で漢城（ソウル）総攻撃を中止していったん引き上げた。戦後教育では苦戦だったとしているが中国側の記録でも秀吉の死で窮地を脱したという認識だ。苦戦は撤退が決まって敵の意気が上がったのちだ。

徳川家康は朝鮮に明との貿易の仲介を要請したが、明はこれを拒否したので、朝鮮通信使というやや性格が曖昧な朝貢使節の派遣ということで収め、江戸時代を通じて非常に小規模な交流が続いた。

一方、秀吉の出兵に備えるために手薄になった満州では、女真族のヌルハチが独立し、これが、明に対する対抗勢力に成長した。そして、1636年には、元の継承王朝から玉爾を手に入れ、清国を建国して、「満漢蒙」の帝国と称した。

朝鮮は明と清の間で右往左往したが、2代目のホンタイジに攻められて、漢城郊外の三田渡で三跪九叩頭という屈辱的な服従の儀式を国王はさせられた。清は1644年には明の滅亡を受けて、北京に入城し、中国の支配者になった。

清は明からでなく元から直接にその旧領である万里の長城の北の地を継承したのだが、7代目で18世紀後半の乾隆帝の時代に、新疆方面やチベットにも勢力を伸ばした。これが最大の版図だったが、それ以降はロシアや日本への割譲や、英仏などに対する半植民地化の波にさらされた。

教養への扉 現在、われわれが見る万里の長城は始皇帝が建設したものでなく明の時代のものだ。大都市の周囲の城壁もだいたい明代のもので、北京郊外の八達嶺のが代表的なスポットだ。ほかに、紫禁城、江南の風景を再現した頤和園、天壇（写真）など。

　明治維新後の日本と清国は、1871年の日清修好条規で近代国際法に基づいて対等の外交関係を結んだ。しかし、朝鮮、琉球、ベトナムという清国と冊封を通じた特殊関係にある国との関係を、近代国際法の世界でどう位置づけるかが問題だった。

　欧米や日本は、独立国同士の関係ではないので解消すべきだと主張し、ベトナムとは清仏戦争の結果、解消された。琉球はもともと日本の島津氏の支配下にあったが、琉球の独自外交を許すと欧米の植民地にされかねず、中央政府に移管し、完全に併合して琉球国王の地位も廃止し後顧の憂いをなくした。

　日本は朝鮮が完全独立国であることを要求し、保護国化など支配強化を模索する清国と対立した。琉球および朝鮮についての対立は、日清戦争での日本の勝利で日本の言い分どおりに解決された。朝鮮は大韓帝国となったが、影響を確保したい日本に対し、韓国はロシアを招き入れて対抗させようとし、日露戦争の引き金になった。そこで、平和維持を確実にするために、日本は列強の承認のもとに韓国を保護国化したが、韓国の皇帝は条約に違反して各国に工作したので、1910年に日韓併合が断行された。

　一方、清国は内政改革を試みたが、満州人の優位を維持したいために大胆さに欠けた。そうしたなか、孫文らが「駆除韃虜」という民族主義的なスローガンを掲げ、それぞれの民族が自決する方向へ行くのかと見えた。

　だが、1911年からの辛亥革命の最終段階である翌年、孫文は清国の総理大臣に就任した漢族の袁世凱を中華民国の臨時大総統に迎え、その結果、清国の領土と人民をそのまま中華民国が引き継いだ。宣統帝溥儀が紫禁城に住み続けるなど満州人やモンゴル人の特権を保障する代わりに、漢民族が多民族を支配することになった。

　袁世凱は列強からの利権回収に乗り出し、アメリカは「門戸開放政策」を唱えて中国に接近したが、これは利権獲得の出遅れを取り戻したいだけの虫のいいものだった。

　ヨーロッパは利権解消をある程度は受け入れたが、英国が香港を返還したわけではないし、チベットを支援した。革命後のソ連はコミンテルンを通じて中国共産党を操ったり、モンゴルやトルキスタンの自立を支援したりした。そのなかで、日本が満州での特殊権益維持を主張したのは突出したものではなかった。

教養への扉　満州については、中国政府が溥儀への約束を守らなかったことから独立に一定の大義名分はあった。また、満州事変についてのリットン調査団の報告も独立は認めないものの日本の権益保護の要求には正当性を認め、中国政府を非難していた。

[地域の歴史] 東アジア⑨
第二次世界大戦と戦後体制をめぐる議論

日本軍の出先の独走で宣統帝溥儀を擁立して1932年に建国された満州国は、最初は世界の支持を得られなかったが、経済建設にめざましい成功を収め承認国も増えていった。しかし、日本は軍の一部が独走し、それを追認することを繰り返し、中国も日本に戦線拡大の口実を与えるような事件を繰り返した。

1937年の盧溝橋事件をきっかけに日本軍は華北へ侵攻し、さらには、首都南京まで占領した。とはいっても、日中間で和解の可能性はあったが、日中戦争の激化を望むコミンテルンの工作もあり、蒋介石は重慶に政府を移して対日戦を本格化させ、日本も南京政府を樹立して本格的な日中戦争に突入した。

日本の敗戦後、蒋介石の国民政府は統治体制の確立ができず、ソ連に支援された共産党は支配地での農地解放などで人気を獲得し、1949年に政権を奪い中華人民共和国が成立した。アメリカは最終段階になって、台湾に移った国民政府の支援をした。

朝鮮ではアメリカとソ連が南北を分割占領し、統一選挙ができないまま、1948年に大韓民国と朝鮮民主主義人民共和国が成立した。南の李承晩政権は無能で国を掌握できず、翌年には北朝鮮は朝鮮戦争を起こし、それを中国は義勇軍の派遣という形で支援した。このことで、アメリカの新政府承認も国連加盟も可能性がなくなった。

日本については、アメリカは「天皇制」の維持と昭和天皇の戦争責任を問わないことを認める見返りに、憲法の根本的な改正を要求し、そのなかで、憲法第9条を受け入れさせた。しかし、1951年にサンフランシスコ講和条約が締結される以前に、中国で政権が交代し、ソ連が核武装し、朝鮮半島が分裂したので現実に合わなくなり、アメリカ議会による条約の批准の前提として自衛隊の設置と日米安保条約によるアメリカ軍の駐留継続が決められた。戦後体制とは自衛隊と日米安保を含んだものであって非武装中立の独立日本は一度も存在したことはないのは重要な観点だ。

この状況を受けて、岸信介総理は1960年に日米安保条約を改定して不完全ながらも対等の軍事同盟らしく変貌させ、さらには、憲法を改正して自主防衛力の強化をしようとしたが、日本国内の賛同を得られず、岸を継承した池田勇人総理は、所得倍増計画によって経済発展を図り、資本や貿易の自由化でアメリカ企業に市場を開放することで、軍事的なプレゼンスを広げることをアメリカにも納得させた。

教養への扉 韓国では無能で反日的な李承晩政権が、反日を看板に政権維持を図っていたので国交樹立が遅れたが、1960年のクーデターで崩壊し、朴正熙政権は日本との国交樹立にあたり、賠償は得られなかったが、膨大で破格の経済援助の引き出しに成功し、かつ、それを経済建設のために賢明に使用して「漢江の奇跡」を実現した。

　朝鮮戦争への支援が原因で遅れた中華人民共和国であるが、1971年には国連での代表権を台湾の国民政府から奪うことに成功した。沖縄返還問題で日本とアメリカ政府が微妙な関係にあったとき、アメリカはヘンリー・キッシンジャーやリチャード・ニクソン大統領の電撃訪問で頭越し外交を展開したので、田中角栄（た なかかくえい）総理は、アメリカの制止を振り切って北京政府と国交を回復し、台湾との外交関係を絶ち、結果的にアメリカもそれを後追いした。

　1960年代、韓国は日本モデルの採用と援助で経済発展したが、北朝鮮は日本の賠償などを要求し続けて和解の機を逃がし、経済は衰退した。中国は劉 少 奇（りゅうしょうき）国家主席の修正主義的路線に毛沢東が反対し、文化大革命を起こし経済は停滞したが、毛沢東と周恩来（しゅうおんらい）はその晩年に方向を転じて、日米との和解と教条主義的路線の放棄を方向づけて鄧 小 平（とうしょうへい）らにあとを託した。

　鄧小平は1978年の訪日の際に得た大平正芳（おおひらまさよし）（当時は自民党幹事長）の助言などを受け、日本との経済協力を軸に改革開放路線を採用した。1989年には天安門（てんあんもん）事件で動揺したが、中国は政治的な自由化は遅らせつつも、朱鎔基（しゅようき）首相のもとで経済開放は計画的に進め、めざましい成功を収めた。

　しかし、日本自身は大平総理による税制改革の失敗と死亡を機に経済政策が混迷し、バブル経済発生により30年以上、経済成長が主要国で最低という状況が続き、2010年には中国にGDP世界第2位の座を明け渡した。

　日本の凋落（ちょうらく）を見て、江沢民（こうたくみん）主席は欧米に中国市場の魅力を武器に接近した。胡錦濤（こきんとう）主席は、幹部とその一族に利権をばらまき政権を維持したが、歪み（ひず）は拡大した。2012年に党主席に就任した習近平（しゅうきんぺい）は、腐敗を撲滅する一方、南沙諸島（なんさ）の領有強化や「一帯一路構想」（いったいいちろ）などの国威発揚で国民を満足させようとした。しかも「中国の特色ある社会主義」を主張し、民主化を将来にも行わないことを明確にした。

　これで、さすがに欧米諸国も、人権、民主、市場経済を尊重する気がない中国の世界での影響力がこれ以上拡大することの危険性に気づき封じ込めに転じた。ただ、その結果として、中国の対日強硬姿勢は影をひそめ、日中関係の正常化が急ピッチで進んでいるというなかで令和の東アジア世界はスタートを切っている。

教養への扉　北朝鮮は拉致問題で日本との関係改善が進まず、核兵器による脅しでアメリカとの交渉を有利に進めようとしている。韓国は1965年の日韓合意ですべての経済的要求を終結させたにもかかわらず、慰安婦問題や徴用工問題で、当時の政権が約束したとか、裁判所が勝手にちゃぶ台返しをしているので政府は知らないといった形で追加的要求をし、日韓関係を最悪の状態に追い込んでいる。

中華人民共和国①
中国文明圏とは漢字が支配する世界を指す

　民族とはなんであるか、しばしば誤解があるが、漢民族とか日本民族という一貫したDNAを持つ集団が連続して存在してきたわけではない。民族は基本的には言語集団である。中国語はタイ語やチベット語と同じ系統に属す南方的な言語である。しかし、中国の神武天皇的存在である黄帝（こうてい）は黄土高原から出発し、それ以降の王朝もほとんどは北方を中心とした周辺民族出身である。

　日本人も、その言語は、縄文時代である数千年前に北方系の文法と太平洋方面の言葉の単語が融合してできたようだが、DNA的には2000年あまり前から主に中国から流入した弥生人が7割とか8割を占めていると見たほうがよさそうだ。

　モンゴル、満州、突厥（とっけつ）（トルコ）、鮮卑、契丹などは独自の文字を発明し北方的な文法を持つ自分たちの言語を書き言葉にした。それらの多くは西洋に起源を持つ文字を使っている。日本やベトナムは漢字と独自の文字の混合で独自の言語を表現した。

　タイやチベットの人々は中国語と似た言葉だが、文字はインドに由来する表音文字を使っている。そして、朝鮮半島の人々は北方系の言葉を話すが、日本統治時代前後までは書き言葉は成立せずに中国語を使っていた。

　漢民族と呼ばれる人たちは、北京語と広東（カントン）語のように、互いに会話は理解できないほどだが、書き言葉としては、中国語を共通して使うようになった人たちだ。たとえば「私は明日、鶏を3羽買いたい」というなら「我明天要買三只鶏」というように表意文字をほとんど並べただけで、複雑な文法を勉強する必要もなく、漢字を習得すれば商取引や簡単な指示は可能だ。

　漢字は夏王朝の時代にすでに存在したようだが、殷の時代になって事実関係などを短い文章で表現できるようになり、青銅器などに刻まれている。そして、周の時代には長い文章を書くことができるようになって、孔子をはじめ多くの思想家たちを生んだ。このころは地方ごとにまちまちだったが、始皇帝により統一された。当時の字体は実印などにいまも使われる篆書体（てんしょたい）だが、やがて簡易な隷書体（れいしょたい）が普及した。

　中国語は複雑なことを表現するときには古典における表現例を学習しないと意味をなさなかったりするし、厳密さに欠けるので、細かい契約条件を定めることが困難だったりする。また、豊かな感情を表現するのにも不向きなので、直木賞（なおきしょう）的なおもしろい物語は得意だが、芥川賞（あくたがわしょう）的な純文学は発展しなかった。

教養への扉　中国古典を集大成した事業は、皮肉にも満州族の清朝で最も充実した。漢字は『康熙字典（こうきじ）』がいまも字体などの基本とされるし、史書などは乾隆帝が整備した『四庫全書（しこぜんしょ）』にどれを正史とするか、テキストはどれが正しいか精査されている。

中国はあえて国名など必要としなかったから、漢だ唐だといった王朝名はあっても、国の名前はなかった。だがアヘン戦争などがあって中華思想が崩れてきて、中国という言い方も使われ出したが、公式には1911年の辛亥革命の翌年に中華民国が成立したとき、その略称として一般化し始め、中華人民共和国が継承した。

古代インドでは中国のことをチーナスターナと読んでいた。「秦」から来ているという説が強い。サンスクリット語で書かれた経典に「チーナ」と書かれ、それが中国では音訳で「支那」や「震旦」という言葉に置き換えられたし、西洋では英語のチャイナなどになった。

日本では、それぞれの王朝名を使って「大明」とか「明国」と呼んだり、あるいは「漢」や「唐」などを音読、訓読などを交えて使ったりもした。支那という呼び名が使われるようになったのは、江戸時代中期以降だ。近代になって、かつては天竺などと呼んだインドを「印度」というのと同じように「支那」の呼び名が定着した。

だが、中国人の一部に支那という名を嫌う風潮が生じ、日本政府は「大支那共和国」と公式に呼んでいたのを、1930年に中華民国中央政治会議の決議で、「『支那』という言葉の意味は大変不明確で現在の中国となんらの関係もないため、英語では必ずナショナル・リパブリック・オブ・チャイナと書き、中国語では大中華民国と書くよう外交部がすみやかに日本政府に要求するよう促す」としたのを受けて、日本政府は「中華民国」と公式文書に書くようになった。

「支那」はダメで「チャイナ」はいいというのはまったく変なのだが、日本政府は日華友好のためにこれを受け入れた。だが、国号としてはともかく、世間では地理的名称、あるいは国の通称としては支那という言葉が使われ続けたが、1946年6月に連合国の一員として中華民国から外務省に「支那」と呼ばないように指示が出され、それを受けてマスコミなどにも「支那」という言葉を使わないように指導が行われた。

支那といっても差別ではないが、あえて相手の嫌がる呼称を意地になって使うこともない。中国というのが大人の態度だろう。なお、「中華」の2文字のうち、「華」を使って「日華」という使い方も、「中華民国」を相手にした場合にはよくあることだ。

教養への扉　このほか、ロシア語では契丹に由来するキタイが使われ、香港の航空会社がキャセイ・パシフィックというような形でも使っている。支那は、放送などではいまも避けられ、東シナ海、南シナ海、インドシナが例外である。ただ、差別用語とはいえず、フェイスブックなどで支那を使うとアカウント停止にしているのは不適切である。

東アジア # 中華人民共和国③
始皇帝が「初代皇帝」といわれる理由

　世界四大文明のひとつである中国文明は1万年ほど前から栄えていたらしいし、黄河文明のほかに長江文明も注目されている。国家の歴史ということだと、しばしば中国4000年ということがいわれてきた一方、紀元前3世紀の秦の始皇帝こそ初代皇帝だとされるのだが、どのような意味なのであろうか。

　伝説によるとはじめに三皇五帝がいたとされる。三皇はまったく神話的だが、歴史的な人物らしい逸話がかろうじて残る五帝の最初が黄帝で「ユンケル黄帝液」にその名を与えたことでおなじみだ。そののち、堯、舜などが続き、禹を初代とする夏の国が建てられた。これが4000年ほど前のことである。

　夏王朝の存在はいまのところ立証されていないが、紀元前1600年ごろに夏に取って代わったといわれている殷（商）より以前にかなり大規模な国があった痕跡は考古学上もたしかで、実在説も有力である。

　殷は河南省の殷墟と呼ばれる都城の遺跡から甲骨文字が大量に出土し、その存在が実証されているが、紀元前11世紀ごろに西の陝西省から興った周に滅ぼされた。

　周ははじめ陝西省の豊京や鎬京を都としたが、紀元前8世紀に河南省の洛陽に移った。ここから孔子が活躍した春秋時代になるが、この時代には諸侯も周の王室を尊重していた。ところが、紀元前5世紀には周の権威が認められなくなり、諸侯が勝手に王と称する戦国時代となり、紀元前221年には秦による統一が完成する。

　このとき、秦王であった政は、三皇五帝にならって「皇帝」と称した。始皇帝が特別の扱いを受ける理由は何かというと、殷や周は、黄河流域を中心にした中原を支配したにすぎないが、秦は万里の長城の内側をまるごと統一した。周は全盛期においても諸侯に領土のほとんどを分けて封建制を敷いていたのだが、始皇帝は郡県制という高度な中央集権の仕組みをつくりあげた（写真は始皇帝陵兵馬俑）。

　この制度は隋の時代に創設された試験による官僚採用制度の科挙とワンセットで発達し、イエズス会の宣教師によって、ヨーロッパに紹介されると、大革命とナポレオンによってフランスでも採用され、各国に移植され近代国家をつくりあげた。

　日本では、律令制という形で輸入されたものの、荘園制や武士による封建制で形骸化した。だが、明治維新によって形式的には王政復古、実質的にはヨーロッパの制度導入という形で根づいた。

教養への扉　万里の長城の南と遼寧省の一部あたりまでの春秋・戦国時代の各国の領土に加えて、始皇帝は広東、広西、雲南、北ベトナムなどを征服した。前漢の武帝のころになると新疆ウイグル地区の東部、甘粛省、朝鮮半島北部、海南島あたりが加わった。

中華人民共和国④
中国2000年の歴代王朝の興亡

三国時代とか南北朝時代とか、中国には分裂の時代があるが、どの時代にも正統王朝はあった。始皇帝の死後、秦は混乱に陥り、漢の時代となった。漢は短い断絶はあるが、後漢が滅びる220年まで続いた。

ここから魏、呉、蜀のいわゆる三国時代で『三国志』では蜀の劉備、諸葛孔明、関羽らの活躍がおなじみだが、魏の優位が明らかだった。この魏は晋（西晋）に引き継がれたが、匈奴に追われて建康（南京）に東晋を立て、六朝時代という繁栄を謳歌した。これが南朝で、陶淵明や王羲之に代表される優雅な貴族文化が花開いた。

華北は五胡十六国と呼ばれる異民族の興亡後、大興安嶺山脈の麓にあった（モンゴル族に近い）鮮卑族の北魏が統一した。平城（大同）を都として雲崗の石窟寺院をつくった国で、それを引き継いだ北周の外戚から隋の楊堅が出て中国を統一する。

さらに、北周の貴族から出た李淵によって唐が建国される。隋や唐の王族が鮮卑族だったか漢民族であったかは不明だが、その文化は濃厚に北方異民族的である。また、唐は非常に国際的に度量の広い王朝だった。

唐が滅びたあと、混乱期を経て、宋の時代になる。首都は開封で、現代中国の都市文化はこの時代に生まれた。だが、文治主義は北方異民族の台頭を招き、契丹人の遼、女真人の金によって華北は支配された。宋は南に逃げて臨安（浙江省杭州）を事実上の首都として、経済的には空前の繁栄を見た。平清盛の貿易相手はこの南宋だ。

南宋を滅ぼしたのが元（モンゴル）だが、漢民族の明帝国が中国を統一する。室町時代の新文化も宋の時代の影響が強く、明の文化はまだ日本に融け込んでいなかった。現在の日本人も明以降の文化をもって「中国風」と感じるようだ。

明は女真人の清によって滅ぼされる。そして、この清は1911年の辛亥革命で中華民国によって取って代わられた。日本をはじめ列国が外交関係を持った中国政府は宣統帝、袁世凱、段祺瑞、張作霖と引き継がれ、北伐の完成によって初めて蒋介石に渡った。

しかし、日中関係で欲を出しすぎて、戦争に発展させ、西安事件で共産党に無理強いされて泥沼にはまった。戦後は戦争の間に戦力を温存し、また、農地解放などで人気を博した毛沢東の共産党に敗れ、台湾に逃げた。

教養への扉　毛沢東は朝鮮戦争に参戦して国際社会への承認のチャンスを失い、経済建設も無理がたたって停滞するなかで、劉少奇らの修正主義者に主導権を取られた。それを文化大革命という形で大衆動員に成功して奪還したが、結局、市場経済へ向かわざるをえなかった。

　毛沢東は「三反五反運動」（1951年）で、旧弊の除去に乗り出し、ソ連をモデルに第一次5カ年計画をスタートさせ（1953年）、ガス抜きのために「百花斉放百家争鳴」（1956年）を提唱し、「反右派闘争」（1957年）で数十万人を追放した。ヨシフ・スターリン批判をしたソ連との関係が悪化するなかで、「大躍進政策」（1958年）では数字合わせのための生産増大が図られ、鉄製品を溶かして製鉄量を増やしたり、樹木を切り全国の山が禿げ山になったり餓死者も多かった。

　劉少奇国家主席は「天災が3分、人災が7分」として改革路線がスタートした。だが、ソ連でニキータ・フルシチョフが失脚すると、保守派の反撃が始まり、林彪国防部長は『毛沢東語録』を出版させ、1965年には「文化革命」が始まって紅衛兵が暴れ回った。

　劉少奇や鄧小平らは追放され、追放やリンチが行われ、生産は停滞し、人々は農村へ下放され、教育は崩壊し、宗教施設や文化財が破壊された。だが、毛沢東に疑われた林彪がソ連への逃亡中に墜落死し（1971年）、ヘンリー・キッシンジャー、リチャード・ニクソン、田中角栄の訪中が実現したのち、1976年に毛沢東、周恩来が相次いで死去した。

　毛沢東によって後継者として指名された穏健左派の華国鋒を経て、鄧小平が実質的指導者となり、毛沢東の評価を「偉大なマルクス主義者であり、偉大なプロレタリア階級革命家」「功績第一、誤り第二」と総括したうえで改革開放を断行した。

　現在の中国政府の幹部のほとんどは、文化大革命中に父親や本人が迫害された経験を持つが、清貧だった毛沢東への人気はなお高いし、彼らもまた毛沢東に屈して仲間を裏切ったりしているので、全面否定はできない。

　鄧小平は1978年に新中国首脳として初訪日し、大平正芳自民党幹事長と会談して、正しく手順を踏んでいけば、GDPを20年間で4倍にできるというロードマップを示し、鄧小平は自信を持って改革開放を進めることになった。

　鄧小平は中央軍事委員会主任にとどまって党主席にはならず、胡耀邦や趙紫陽が選ばれたが、前者は軽率な発言などで批判され、後者は拝金主義を跋扈させ、最後は、民主化を求める学生たちを権力闘争に巻き込んで天安門事件を起こして失脚した。

教養への扉　天安門事件では、西側では広場で大虐殺が行われたといった報道がされたが、広場での死者はひとりも確認されておらず、公式発表では周辺地区での死者は319人とされている。真相はわからないが、数千人とか何万人ということはなさそうである。南京虐殺30万人も少なくとも誇張であって、中国では数字は水増しされることが多い。

　習近平は2013年に「太平洋は米中を収納するのに十分な大きさだ」と語ったといわれるが、太平洋の西半分は日本に任せてほしいというのが大東亜共栄圏であり、その野心を疑われて日本はアメリカと戦争するはめになったことを学んでほしい。

　天安門事件ののち、経済では開明的だが政治的には保守派といわれた江沢民が主席となり、首相はソ連型の計画経済のプロで三峡ダムの建設を進めた李鵬、次いで副首相として計画的市場経済の推進を努めた有能な経済官僚である朱鎔基に引き継がれ、バブル化を厳しく否定しつつ健全な経済運営に成功し、中国の経済は大躍進した。

　江沢民の後任は、共産主義青年団出身で胡耀邦が見いだした胡錦濤であった（2002年）。能吏であり、円滑な人間関係の維持に長けた人物だった。

　この時代に、北京オリンピック（2008年）、世界第2の経済大国になり（2010年）、生活の自由度が高まったが、民主化はされず、社会格差は拡大し、幹部の腐敗は国家の将来を憂慮させる規模になった。

　胡錦濤の後任には、太子党という2世グループのなかから習近平が選ばれた（2012年）。習近平で高く評価できるのは、「大虎もハエも叩く」という腐敗との戦いだ。

　しかし、それには抵抗があるので、毛沢東の「建国」、鄧小平の「富国」に対して習近平は「強国」を目指すとした。「一帯一路」は、大東亜共栄圏の中国版である。

　大日本帝国が自滅した歴史に学び覇権主義に向かわないようにすべきなのは、中国であろう。「中国の特色ある社会主義」は、現在だけでなく、将来も欧米的な民主主義を目指さないことを意味するが、日本は自由選挙を1890年には実現したのだ。

　また、IT技術を駆使しての社会建設はすばらしいが、国民監視の厳しさなど明らかに行きすぎである。欧米や日本からの技術を不正な手段で持ち出したりするのも目にあまってきた。近代のフランス、英国、アメリカといった覇権国家はいずれも先進文明国だった。後進国である中国が覇権国家になるのを世界は警戒しており、もはや民主化を避けるべきでないことを早く中国も自覚すべきだろう。

　中国に対する目が厳しくなったのは、2015年の戦勝70周年記念の軍事パレード、南沙諸島での滑走路建設など。さらに世界中での採算度外視の貸付とそれを盾にして重要インフラを手に入れていることも問題視されている（写真は現在の上海）。

中華人民共和国Data　国名：中華人民共和国（英）China（仏）Chine（中）中国　中国　Zhōngguó（正式名称）ヂョンファ・レンミン・ゴンフアグオ／首都：北京／言語：中国語／面積：9,601.1千㎢／人口：1,423.1百万人／通貨：元／宗教：道教、仏教／民族：漢民族91%／国旗：五星紅旗。国歌は『義勇軍行進曲』。

中華人民共和国⑦

「天動説」から脱却できない中国人の悲劇

中国人は、長い歴史に裏打ちされた豊富な経験と実利への飽くなき追求からものを考える人たちだ。それは彼らの強みであると同時に弱点でもある。頭とか論理だけで物事を考えるとか、さしあたっての役には立たないことを追求するのは苦手だ。

中国人は化学の研究は得意で紙や火薬を発明したが、数学や物理は苦手だった。たとえば、地球は平らでなく丸いとか、天動説ではなく地動説が正しいというような発想は彼らからは生まれなかった。

中国人は経験から出てくる知恵以上のものを生み出せなかったが、西洋人は世界一周の航海や近代兵器、そして、産業革命やIT革命を実現した。科学系のノーベル賞を取った華人は10人ほどいるが、新中国で教育を受けたのは2015年に生理学・医学賞を受賞した屠呦呦だけだ。おそらく、4000年前からノーベル賞が存在しても中国人の受賞者は少なかっただろう。ノーベル賞は改良するだけでは得られないからだ。

ただ、近年の中国人はそうした欠点を克服しているようだ。ひとつは大量の若者を欧米に留学に出していることだ。そして、とくに決め手になっているのは、実社会で先端技術を取り入れるのに国家が積極的なことだ。キャッシュレスと顔認証とかが典型だが、プライバシーの問題で日本が躊躇しているうちに、中国ははるか先に行った。

中国人は大きなものが好きで、文化財でも、滅失したものを復元するときに、躊躇なくもとより大きなものを建てたりもする。古いものにこだわらず新しいものが好きだから、現代建築を観光の対象として好む。

教育に熱心である。科挙の制度があったのも一因だが、日本の藩校などとは比べものにならない高度な教育機関が全国にあったし、文化大革命で打撃を受けた時期もあるが、現代の教育水準も高い。また、比較的劣悪な生活条件でも我慢してよく働くが、そのことは、移民先で摩擦のタネとなった。

また、先祖や一族郎党を大事にすることは尋常でない。そして、面子を大事にすることも甚だしく、中国人とつきあうときは心したほうがいい。日本人に比べて刹那的であるのは、異民族支配も含め社会変動が大きく、お金や地位や縁故があるうちに楽しい目を見ておかないと機を失する可能性が高いがゆえである。

教養への扉　中国の主要観光地①……西安には古いものはあまり残っていないが、始皇帝陵の兵馬俑が発掘されて万里の長城と並ぶ人気の観光地に。龍門石窟寺院がある洛陽やシルクロードの楼蘭も新幹線開通で手軽に行けるようになった。チベットも青蔵鉄道でマニア向けに人気上昇中だ。四川省では成都のパンダの飼育センター。

　中華料理は世界のどこでも人気がある一方、ミシュランの三つ星レストランは非常に少ないままだ。「飛ぶものなら飛行機以外」「足が4本あるものなら机以外」なんでもおいしく料理する飽くなき執念は見上げたものだが、やや粗く繊細さに欠け、やや偉大なB級グルメ的ではある。レストランでも上得意優先で客による差別が極端である。

　もともと少人数（極端にはひとり）のコックが狭い厨房で手早く調理し、熱々のまま大盛りにしたものを分け合って食べるというスタイルから、大きな厨房で組織的に調理し、ひとり分ずつ提供するというスタイルへの転換に料理の変化がついていけず、いろいろな意味で曲がり角なのである。

　かつては、各地方でまったく違った料理を出していたが、最近では国際都市香港や中国全土から人が集まった台湾を舞台に融合が進んでいる。たとえば、ピリ辛味も四川や湖南だけでなく、広東料理や上海料理のレパートリーにも取り入れられている。もともと上海の地方料理だった小籠包は、むしろ台湾発で世界に広まっている。

　しばしば、北京、広東、上海、四川を四大料理という。北京料理は北京ダック、羊のしゃぶしゃぶ、水餃子、羊の串焼きなど北方的。広東は焼売や焼き豚などの飲茶、フカヒレやツバメの巣といった珍味を使った料理、澄んだスープや出汁を使う料理が多く色鮮やかであっさり味だ。上海やその周辺は醤油味のものが多い。小籠包、上海ガニ、揚州チャーハン、豚の角煮、スペアリブなどが好みだ。四川は辛いものが多いが、麻婆豆腐でも日本のものより唐辛子は控えめで山椒の辛さが強い。

　酒類はマオタイに代表される白酒といわれる蒸留酒が珍重されるが、公式の宴会ではワインが出されるのが基本だ。紹興酒は浙江省のもので、上海や台湾では多いが全国区ではない。茶はよく飲まれるが、福建省のウーロン茶だけでなく、雲南のプーアール茶などさまざまなものがある。最近はコーヒーも好まれる。菓子では月餅は祝い事の定番。デザート類は、台湾や香港には多彩なものがあるが、全国的にはもうひとつ。

　中国人は、工芸、建築、あるいは料理について世界で最もすぐれた文化のひとつを生み出したが、音楽は単調で騒がしく心に響かないし、文学も『三国志』や『西遊記』のようなおもしろい物語や、李白や杜甫の美しい漢詩は見事だが、人生や社会についての複雑で深みのある洞察に満ちたものは少ない。

教養への扉　中国の主要観光地②……上海は開港地時代の雰囲気を残し対岸に近代的な浦東新区が望める外灘地区や繁華街の豫園周辺。江南では東洋のヴェニスといわれる蘇州、西湖観光の杭州が人気。三国時代からたびたび都だった南京、鑑真和上がいて煬帝の宮殿もあった揚州も穴場だ。華南では山水画チックな風景が楽しめる桂林がいちばん人気だ。

東アジア

中華人民共和国⑨
満州国が生き残れなかった理由

　映画『ラストエンペラー』の前半は、紫禁城に廃帝として住む溥儀の物語である。溥儀は退位の条件として歴代皇帝の墳墓を維持することと、引き続き紫禁城に住むことを認められ、袁世凱はその西隣にあって、現在は中国政府の中枢部や要人の住居となっている「中南海」を居城とした。

　溥儀が北京を出て満州に帰れば、満州が独立国となっただろうし、ほかの諸民族も独立できたかもしれない。だが、溥儀が復位を狙いつつ北京にとどまったことから、清帝国の版図にあった諸民族がそのまま中華民国の施政下に置かれることになった。

　しかし、新政府は約束を破ったので、溥儀は満州独立へ向かう。だが、満州では清朝末期から山東省などから移住が進み、満鉄（南満州鉄道株式会社）も促進したので、住民の多数派は漢人だった。また、馬賊と呼ばれる騎馬武装集団が治安維持に関与し、その頭目のひとりが関東軍の庇護のもとで成長した漢族の張作霖だった。張作霖は華北に進出し、1928年の蒋介石による北伐時には、北京政府のトップだった。

　北京を脱出した張作霖を、関東軍の一部は奉天近郊で爆殺した。ときの田中義一総理が張作霖と親しく融和的だったのを彼らは警戒した。日本側の処理のまずさもあって、張作霖の子である張学良は反日に転じ、関東軍は政府の命令によらず1931年に満州事変を起こして満州国を建国したので、国際連盟のヴィクター・ブルワー＝リットン卿の調査団が派遣された。

　その報告では、「満州の独立は認められない」が、「満州は世界のほかの地域に類例を見ないような特殊事情が多くあるゆえに、この紛争は一国の国境が隣接国の武装軍隊によって侵略されたという簡単な事件ではない」「日本の経済的利益に対する中国のボイコットは不法であり、日本の利益を承認し、満州に自治を許す」とした。

　しかし、日本は不満で国際連盟を脱退し、満州国の建設は岸信介らの手腕もあり驚異的に進み、世界の国の3分の1の承認も得た。もし軍部が万里の長城の南に進出しなかったら独立維持していた可能性もあるが、終戦時にソ連軍に蹂躙され滅亡した。

　満州国の首都は新京で長春に隣接して建設され、ワシントンに似たデザインと規模の計画都市であった。なお、大連や旅順は日本の租借地であって満州国ではない。また、満州国には朝鮮の人々も多く移民し、帝国の官吏などとしても活躍した。韓国の朴正熙元大統領は、満州国の士官学校卒業である。

教養への扉　満州族は清朝時代に中国全土に散らばっていたのと、文化大革命時にかつての支配民族だというので迫害されて名字を漢民族のものに変えた人も多く、民族教育など成立せず、言語としての満州語も絶滅寸前である。過去の多くの民族の消滅劇の再現をいまわれわれは見ているともいえる。

中華人民共和国⑩
ダライ・ラマとチベットの運命

　チベットでは宗教上の指導者であるダライ・ラマの権威が確立し、チベット仏教（ラマ教）は、元朝や明朝など歴代王朝や蒙古族にも浸透した。タントラ仏教といわれる高度な密教の性的な秘儀や神通力が宮廷で人気を得たことが原動力となった。

　1578年にはモンゴルのアルタン・ハーン（汗）とチベットの高僧ソナムギャムツォが青海で会見し、アルタン・ハーンからソナムギャムツォに与えられた称号が「ダライ・ラマ」であり、同時に、アルタン・ハーンには「梵天にして転輪王」という称号が与えられた。

　モンゴルがラマ教を国教化したことにより、チベットとモンゴルの関係がローマ教皇領と神聖ローマ帝国の関係のようになったともいえる。そして、清朝がモンゴルと中国の両方を支配下に置いたあと、チベットの内紛で、清帝国は1724年にチベットに駐蔵大臣を置いたが、チベットに干渉しようというものではなかった。

　しかし、20世紀に入ると1904年には清と英国がラサ条約を結んだり、1907年にはロシアと英国が清国を通じないでチベットと交渉しないことを相互に約したり、1910年には清朝軍の進駐を受けてダライ・ラマがインドに亡命したり混乱を続けた。

　辛亥革命のあとは、ダライ・ラマが帰国して独立を宣言し中華民国はこれを放置するしかなかった。ところが、中国の共産党政権はチベットの範囲を狭めるとともに、1959年には社会主義革命の立場からチベットの本格掌握を図ったのでチベット動乱が起こり、現ダライ・ラマがインドに亡命した。

　その後、中国政府は漢人の入植を図り、2006年には青蔵鉄道をラサまで開通させて支配を強めているが、ダライ・ラマはノーベル平和賞を受賞するなどして欧米で強い支持を獲得している。

　中国とモンゴルとチベットの三角関係は、宗教がからむ複雑なもので、近代的な国際ルールでは明快な解答は出せないので、中国の支配は違法ではないが、中国政府がいうほど一点の曇りもなく中国にとって不可分の領土であるともいえない。

　料理は煉瓦状に固めた緊圧茶を煮た茶にヤクの乳からつくるバターと岩塩を混ぜたバター茶、チンコー（裸青麦）を粉にして焼いたツァンパが主食だ。

　ダライ・ラマの本来の本拠であるポタラ宮のある首都ラサは標高3600m。ここで高山病にかかる人も多い（写真はチベット民族）。

教養への扉　日本との関係では、河口慧海がチベットに経典のオリジナルに近い形があると考え、明治末から大正はじめにかけてチベット入りして日本に多くの経典をもたらした。

46

46
365

東アジア

モンゴル

漢民族と主導権争いを演じたモンゴル人

　モンゴルの対日感情は、朝青龍、日馬富士、白鵬、鶴竜の4人の横綱を出した大相撲を通じて強化され良好だが、日本人の一部にモンゴル力士に反感を持つ人がいるのは残念なことだ。

　モンゴル人の活動は唐時代の歴史書に「蒙兀」といった形で登場し、モンゴル高原の東端部にあった。鮮卑、契丹、遼、韃靼（タタル）も同系だったらしいがよくわからない。12世紀にチンギス・ハンの曽祖父が女真（満州）族の金王朝と対抗して力を伸ばしたのは、遊牧民族の契丹を狩猟民族の女真が滅ぼして空白ができたからだ。

　チンギス・ハンは1206年にモンゴル高原の全部族を統一して大モンゴル帝国（イェケ・モンゴル・ウルス）を建設した。その帝国は一族が王であるウルスに分かれたが、皇帝直轄部分をチンギス・ハンの孫で第5代皇帝となったフビライがダイオン・イェケ・モンゴル・ウルス（大元大蒙古国）とし、南宋を滅ぼし中国全土を支配した。

　だが、漢民族の反撃により、1368年には大都（北京）を放棄してモンゴル高原に引き上げたが、モンゴル側の意識としては国家としてはそのまま継続していた。北元と呼ぶのは中国側からの観点でしかない。

　モンゴル帝国は1635年になって、元の玉璽（皇帝の印章）を後金のホンタイジ（太宗）に献上し、その清が満州、漢、モンゴルの3民族を糾合した。清朝の滅亡により、その領土は中華民国に引き継がれた。だが、外モンゴルではソ連の後押しで1921年にラマ教の活仏であるジェプツンダンバ・ホクト8世を君主とした立憲君主国家が樹立され、3年後の君主の死を機にモンゴル人民共和国が樹立された。

　国民政府はこれを認めなかったが、1949年に成立した中華人民共和国はこれを承認した。ただ、国連加盟は国民政府の反対で1961年である。ペレストロイカの影響もあって、1992年にはモンゴル人民共和国からモンゴル国とし、社会主義を放棄した。

　現在の中国には、内モンゴル自治区があり、人口は2600万人である。その範囲は、旧満州国の西部と、蒙古聯合自治政府の支配下にあった部分とからなる。清代末から漢民族の入植が進み、モンゴル民族は人口の17%にすぎないが、それでもモンゴルの人口約300万人よりは多い。

　モンゴルの首都ウランバートルは、17世紀にチベット仏教の活仏ジェブツンダンバ・ホトクトが定めた。内モンゴル自治区の首都は、16世紀にアルタン・ハーンによって築かれたフフホトで、山西省の北側に位置する。

モンゴルData　国名：モンゴル国（英）Mongolia（仏）Mongolie（モンゴル語）Mongol（中）蒙古 蒙古　Měnggǔ（正式名称）モンゴル・オルス／首都：ウランバートル／言語：モンゴル語／面積：1,564.1千㎢／人口：3.1百万人／通貨：トグログ／宗教：チベット仏教50%、シャーマン教／民族：モンゴル人95%、カザフ人／国旗：表意文字ソヨンボ。祖国の自由と主権独立。

　　台湾では住民の2%が原住民で、日本統治下では高砂族と総称された。大陸から戦後に移った外省人は13%で台北市に多い。残りが終戦以前に大陸から移住して定住した本省人だが、彼らの70%が福建省人を先祖として持つ。

　　台湾は日清戦争の結果、日本に割譲され、終戦により国民政府の支配下に置かれたが、共産党政権の成立で大陸を追われた蒋介石らがここに移った。そののち、双方の政権がともに中国の正統政権であると主張した。中ソや香港を領する都合で英国はいち早く中共政権を承認したものの、西側諸国の大半は国民政府と国交を維持した。

　　日本とのサンフランシスコ平和条約には、英米が分裂していたのでどちらも調印しなかったが、アメリカのジョン・フォスター・ダレス国務長官らが平和条約の批准を議会が認めるには国民政府との国交が不可欠と圧力をかけ、日本は国民政府を選んだ。

　　こののち、徐々に北京政権承認国が増加し、とくに、1964年のフランスのシャルル・ド・ゴール政権による承認以降加速したが、文化大革命の混乱もあって国連での議席交代は1971年、日中国交回復は1972年、アメリカによる承認は1979年にずれ込んだ。

　　この間、北京政権も強い抵抗やアメリカなどの介入を恐れて台湾解放を急がず、国民政府が「大陸光復」を計画したこともあるがアメリカの圧力で中止された。

　　台湾では解放以前に選ばれた議員による中華民国議会が存続し、周辺少数民族を管轄する理藩院という組織も残された。首都はあくまでも南京だとし、北京のことは北平と呼んできた。この間、台湾の元からの住民を弾圧した（1947年2月28日の二・二八事件）。

　　ところが、台湾では国民政府が中国政府だという建て前がゆえに台湾住民のための政治が行われていないという批判が高まり、李登輝、陳水扁という本省人（国民政府の移転以前から台湾にいる人々）の総統のもとで台湾独立、ないし自立を主張する立場が強くなった。

　　だが2000年あたりを境に、中国の驚異的な発展と、台湾企業による大陸投資の増大を背景に、大陸との絆を保ち、台湾海峡の両岸で特殊な関係を維持しようという動きが力を増して、2010年には外省人で国民党の馬英九が総統に当選した。

　　しかし、台湾に対する露骨な中国の干渉への反発が強まり、2015年には女性で民進党の蔡英文が当選し、さらに、香港情勢が緊迫するなかで蔡英文が2019年に再選、議会選でも民進党が連続して過半数を獲得した。

台湾Data　国名：台湾（英）Taiwan（Taipei chinese）（仏）Taiwan（Taipei chinois）（中）中华民国　中華民国　Zhōnghuá Minguē（正式名称）ツォンホア・ミングゥォ［中国語］／首都：台北／言語：中国語／面積：3.6千km²／人口：23.6百万人／通貨：ニュー台湾ドル／宗教：仏教、道教、キリスト教／民族：台湾漢民族（閩南人、客家人、外省人）／国旗：青天白日満地紅旗。

　もはや台湾の政府が全中国を代表するなどと主張することはなくなったが、いくつかの点で遺産がある。まず、中華航空など企業名もそうだが、中国銀行は解放前の中国中央銀行の金や外貨準備を引き継いでいる。だが、それ以上に重要なのは故宮博物院である。

　中国の歴代王朝は、国内で最もすぐれた美術工芸品を集め、とくに乾隆帝はすばらしいコレクションを持っていたが、それを引き継いだのが故宮博物院である。中華民国時代にそれは南京と北京を中心に保管されていたが、そのほとんどを台湾に運んだ。当時の海軍提督だった馬起壮という人から聞いたところによると、最後の艦船が上海の港で泣き叫んで乗せてほしいと懇願する人々を銃で排除して運んだものだそうだ。

　このために、現在の大陸には、戦後の出土品のほかには、あまりすぐれた国宝級の美術工芸品はない。

　台北の故宮博物院の三大名物は、『翠玉白菜』（ヒスイを掘った白菜）、『肉形石』（豚の角煮）、『毛公鼎』（西周の鼎で500文字が彫り込んでいる）である。王羲之の真筆に最も近いとされる「快雪時晴帖」には、滅多にお目にかかれない。

　台湾独立派の人に中国銀行の資産と故宮博物院の宝物は、台湾が独立するなら北京に返却すべきでないのかと問うと、「もともと大陸から持ってきた金や外貨など蒋介石一味が使い果たした」「もし宝物が大陸にあったら文化大革命で破壊されてなくなっていたはずだ」という。たしかに一理ある。

　台湾観光では、台北郊外の断崖にある九份、台北の中正記念堂、忠烈祠、各地の夜市、日月潭、台南の旧市街、客家の集落などの人気が高い。しかし、最大の売り物は小籠包、粽、ビーフン、タンツー麺やタピオカやマンゴーを使ったスイーツだ。お茶を大変好む。

　国民性は、開放的で明るく、流行に敏感だ。対日感情はよい。日本統治が朝鮮より特別にうまくいっていたとは思えないが、戦後の国民党支配の悪評もあるし、東夷期間が長く親日派が十分に形成される時間があったということではないか。

　日本統治以前の歴史は、中国本土の政府の支配が実質的に初めて台湾におよんだのは、清朝になってから。オランダが最初にこの島を支配し、次いで復明を狙って活動していた鄭成功らがオランダを追い出した。それを清朝が討って支配下に置く。

　しかし、明治初年に沖縄の島民が先住民に殺された事件では、清国は「化外の地」だから関知せずといい、日本軍によって占領されることになった。この事件以後、台湾省を置き台北が中心都市として建設されたが、日清戦争の結果、日本領となった。

教養への扉　人口の15％が客家といわれる人たちで、元総統の李登輝もこれに属する。客家は広東省など華南地方に住む集団で、もともと中原の地にあったが華南に移住したと伝えられる。実際、言葉や料理、習慣に華北的な要素が見られる。団結心が強く、また、商人や軍人が多い。誰が客家であるかは諸説あって、孫文や鄧小平もそうだともいわれる。

　朝鮮は、古代に漢民族の王が中国の遼寧省から北朝鮮にかけて建てた国の国号だったのを1392年に建国した李成桂が明から与えられて国号とした。韓国は古代にあって半島南部の地域名として使われたものをもとに1897年に大韓帝国が成立した。国際的には中世の高麗に由来するコリアが英語として使われている。

　「日韓併合」とは、日本が李氏を国王とする朝鮮王国を併合したものだと思っている人が多いが、それなら日朝併合とか日鮮併合とかいうはずで、日本が併合したのは、大韓帝国であり、玉座にあったのは皇帝であり、だからこそ、日韓併合だ。

　朝鮮を1字で略称するときは、「鮮」を使うのが一般的だったが、かつて蔑称として使われたため避けることが多く、「日朝関係」という。在日朝鮮人は本国のことを「共和国」と呼ぶことを好む。

　江戸時代における朝鮮通信使を対等の関係という人もいるが、一種の朝貢である。それを、王政復古ののち、日本は近代国際法に基づく平等な関係を、対朝鮮窓口だった対馬（長崎県）の宗氏を提案したら、朝鮮からは、「天皇」などという称号を使うのは中国皇帝に失礼であるから受け取れないといってきた。

　こののち、日本は天津条約で清帝国と対等の外交関係を確立したうえで、江華島事件を経て朝鮮には列強が日本に押しつけたのと同じ不平等条約を日本と結ばせた。日清戦争の下関条約で清帝国は朝鮮王国に対する宗主権を放棄し、1897年に朝鮮王国は大韓帝国と改称した。そして、形式論からだけいえば、1910年の日韓併合までの短い期間、初めて日韓中は対等の関係にあった。

　朝鮮は日本の植民地だったのかという論争がある。「植民地」は法律用語ではないので定義はできないが、隣国の併合を普通は植民地とはいわない。ただ、当時の政府が植民地という言葉を使っていたのも事実で、「インドが英国の植民地というのと同じ意味での植民地ではない」というあたりが適切だと思う。

　現代の南北朝鮮は、それぞれ**大韓民国**（韓国）と**朝鮮民主主義人民共和国**（北朝鮮。Dataは50項に掲載）を国号としている。1919年に上海で李承晩を中心に大韓民国臨時政府が設立され、これが大韓帝国の継承国家といいたいらしい。ソ連軍の占領下にあった半島北部では1948年に南で単独選挙と大韓民国の実質的成立に対抗し、朝鮮民主主義人民共和国が建国された。

大韓民国Data　国名：大韓民国（英）Korea（仏）Corée du Sud（朝鮮語）Hanguk（中）韓国　韓国 Hánguó（正式名称）テハンミングク［朝鮮語］／首都：ソウル／言語：韓国語／面積：100.3千k㎡／人口：51.2百万人／通貨：ウォン／宗教：キリスト教26％、仏教23％／民族：朝鮮民族／国旗：太極旗。巴状の円が太極で、宇宙を構成する生命体を表す。四隅の記号は易学の卦。

　紀元前後にあって、中国の遼寧省（満州南部）から半島の平壌あたりにかけて漢帝国が楽浪郡などを置いて漢民族が住み、半島のそのほかの地域は諸民族が混在する未開地域であった。その諸民族のなかには日本人もいたかもしれない。

　3世紀になると、魏が楽浪郡（平壌）やそれより南に置いた帯方郡（黄海道周辺）を支配し、半島南部でも徐々にクニらしきものができ始めていた。ただ、日本列島が「その風俗は淫らならず」とされたのに対して、半島南部は「ただ囚徒・奴婢の相聚まれるがごとし」とされており、文明的に遅れていた。

　4世紀には、高句麗が楽浪郡などを滅ぼし、日本では大和朝廷が統一国家を成立させ、それぞれ、半島南部に進出し、徐々に成長しつつあったソウル付近の百済や慶尚北道の新羅も含めた小国群を従えようと争った。この時点では、朝鮮民族などというものはなかったので、侵略ということではない。

　高句麗は満州の扶余族であり、百済の王室は高句麗王室の分家だとされているが、新羅王室の祖は卵から生まれたといい、三つある王家のひとつは日本のタバナ国、おそらく丹後（京都府）か但馬（兵庫県）あたりの日本人だった（反対に半島出身者が日本の支配者になったということはいっさい史書にも伝承にもない）。いずれにせよ、新羅（辰韓）と百済（馬韓）では言語系統も風俗も違うと中国の史書に書いてある。

　この四つの国の興亡は、412年に没した高句麗の好太王（広開土大王ともいい、自衛隊機にレーダー照射をした艦船の名前になっていた）の記念碑（吉林省 集安市の鴨緑江河畔に所在）にも詳しく書かれている。

　この時期に日本が半島南部で覇権を確立して支配地を持っていたことは史書からも前方後円墳が全羅南道に多く見つかっていることからもわかり、日本の領土になっていた地域を『日本書紀』では任那と呼んでいる。

　しかし、高句麗が南下し、新羅が成長するなかで、日本はソウル付近の国土を高句麗に奪われた友好国百済のために任那の一部を2度にわたり割譲し、残った土地も新羅に侵略された。7世紀になって、新羅は唐の暦や服制を採用するなど従属国化を受け入れた見返りに、大同江以南を領土として唐から認められた。

　遣隋使を日本が中国に派遣する以前には、百済在住の漢人たちの多くが日本に渡来して大陸文明を伝えた。百済は日本の支援を受け続けたが、新羅も唐を牽制する必要が出ると、日本の任那権益を部分的に認め貢納もした（写真は忠清南道扶余郡の定林寺址）。

北朝鮮Data　国名：朝鮮民主主義人民共和国（北朝鮮）（英）D.P.R Korea（仏）Corée du Nord［朝鮮語］Chosŏn（中）朝鮮　朝鮮　Cháoxiăn（正式名称）チョソン・ミンジュジュイ・インミン・コンファグツ［朝鮮語］／首都：平壌／言語：朝鮮語／面積：120.5千㎢／人口：25.6百万人／通貨：ウォン／宗教：仏教、儒教、天道教／民族：朝鮮民族

大韓民国、北朝鮮③
新羅か高句麗かで議論の分かれるルーツ

　高句麗につき、韓国、北朝鮮と中国の間で、朝鮮民族の国なのか中国の少数民族の国なのか論争がユネスコであった。基本的には中国の言い分が正しいが、高麗の複雑な建国経緯がゆえにコリアン側の気持ちも理解はできないわけでない。

　朝鮮半島統一について、高麗がまとめた『三国史記』では、新羅の「三国統一」のときだと理解していた。ところが、戦後になって、北朝鮮で高句麗の残党の一部が建国に参加して日本にも頻繁に朝貢使節を派遣していた満州北部の渤海も朝鮮民族の国であるという見解が出た。しかも、韓国もそれに従ったので、いまや「統一新羅時代」は消滅して「南北国時代」になってしまった。こういう調子で珍奇な歴史観が次々に生まれ外交問題を引き起こすのだから周辺国は迷惑である。

　新羅の末期には、新羅の王族のひとりが後高句麗を名乗って自立を図ったり、後百済という国が独立したりして（日本に支援を求めたが断られた）、「後三国時代」となったが、936年に後高句麗から出た「高麗」が全土を統一した。建国者の王建は名前からしても漢民族だが、こうした建国経緯があったので、高麗は新羅だけでなく高句麗の継承者であることを主観的には意識した王朝だった。首都は現在は北朝鮮で38度線に近い開城だった。

　建国当初は高麗は自立心旺盛で、また、中国が混乱期にあったので短期間だが皇帝を名乗ったり、日本にも積極的に交流を求めてきたりしたこともある。しかし、モンゴルが台頭すると、都を捨てて江華島に避難し、やがて、降伏し、世子（皇太子）を人質に出し、王妃をモンゴルから迎え、大勢の美しい女性を毎年、献上することになった。そして、元とともに日本を侵略しようと攻撃して撃退された（いわゆる元寇）。

　その後、拉致被害者の奪還や元寇による国土の荒廃がゆえに倭寇の活動が始まった。やがて、元は滅び明に代わったので、高麗はこれに乗じて領土拡張を図ったが、それに反対して明に従属することを主張して建国したのが李成桂の李氏朝鮮である。室町幕府と若干の交流はあったが、基本的には最初は百済王家の末を自称する周防の大内氏、次いで、対馬の宗氏が交流の窓口となった。江戸時代には、日本に対しては朝鮮通信使を定期的に派遣し、清国に対しては屈辱的な従属関係となった。

教養への扉　慶長の役は日本軍は文禄の役の反省を生かして手堅く戦いを進めたが、豊臣秀吉の死で撤退した。苦戦というのは、撤退の過程で追撃を受けてのものだ。徳川家康は和戦両様で交渉をし、朝鮮通信使という一種の朝貢使節を派遣することで妥協が成立した。

明治新政府は、対馬藩を通じての外交をやめ、新政府が万国公法に基づく対等の外交を結ぶことを提案したが、朝鮮王国の実力者で国王の父だった大院君(たいいんくん)は、日本が「天皇」「勅書」とか書いた手紙をよこすのは清に対して失礼だと突っ返して混乱が始まった。

朝鮮では、大院君と閔妃(びんひ)が対立し、それぞれが日清を天秤(てんびん)にかけて提携相手を取っ替えながら大混乱を引き起こした。また、清との関係を重視する守旧派と日本をモデルにしたい改革派も対立した。

最後は日清戦争に発展してしまい、日本の勝利で朝鮮王国は完全独立し、のちに大韓帝国になった。これで、日本の影響を受け入れながら独立国として自立すれば誰も文句なかったのに、またもや、閔妃や高宗はロシアを引き込んで日本を抑え込もうとした。これでは日本も英米もたまったものではないので、閔妃暗殺事件(日本が関与したのは事実だが大院君など朝鮮側参加者との関係の詳細は不明)、高宗のロシア公使館への長期滞在や多くの政変を繰り返す火遊びが日露戦争になった。

日本の勝利により、諸外国は日本による保護国化を認めたが、高宗はハーグ密使事件で抵抗し、朝鮮統監に任命された伊藤博文(いとうひろぶみ)は統合は避けたい、統合となっても自治をそこそこ認めたいと動いたが、両班(ヤンバン)の安重根(あんじゅうこん)が伊藤を暗殺したこともあって、1910年に日韓併合となった。

日韓併合は強制ではないが、強い圧力のもとで行われたのはたしかだから、現代的には申し訳ないというのは、率直に認めたほうがいいと私は思う。ただ、原因は主として稚拙な外交を繰り返した韓国側にあるというのを否定する必要はないはずだ。

それからしばらく、統治体制が整うまでは強権的な朝鮮総督府による支配があり、第一次世界大戦後の世界的な民族主義の高揚のなかで三・一運動という独立要求事件があった。しかし、これを機に日本政府は、人員や予算を増やして、融和ムードで内鮮一体化路線を進めたので、極めて平穏に日本朝鮮統治は行われ、経済やインフラの開発、法制度の整備、教育体制の整備などで大きな成果を上げた。

ただ、統治にあたって、完全な一体化を目指すのか、自主性は認めるがその代わりに格差を容認するかについては、方針の対立が常に存在した。

教養への扉　内鮮一体化の急先鋒(きゅうせんぽう)は三・一事件当時の総理の原敬(はらたかし)で、みずからが戊辰戦争(ぼしん)で新政府と戦いながら最高権力者に上り詰めたことを引き合いに出し、朝鮮人も同じ立場になれると考えた。この路線の延長線上で、太平洋戦争末期には徴兵制が実施され、参政権の付与も決まった(朝鮮籍でも内地に住めば参政権はもともと認められていた)。

大韓民国、北朝鮮⑤
日本に責任はない南北の分断

　ポツダム宣言の受諾は、将来の朝鮮の独立を認めたが、即時であることは自明の理でなく、数年の時間をかけてもよかったはずだが、アメリカとソ連の密約で南北が分割占領され、日本人はただちに帰国させられた。南北分断について日本の責任をいう人もいるが、それはアメリカやソ連など連合軍の責任である。

　アメリカは信託統治するつもりだったが、ソ連が承知せず、1948年に韓国と北朝鮮が建国された。しかし、占領地統治の準備ができていたソ連に対して、アメリカはその体制がなく、日本人も追い出したので、南の混乱は続き、それを見た北朝鮮は38度線を越えて朝鮮戦争になった（1949〜1953年休戦）。

　ソウルはたちまち陥落し、釜山付近を残して占領されたが、アメリカ軍の態勢が整い逆に鴨緑江まで進んだ。しかし、ここで中国義勇軍が参戦し、結局は膠着状態になり南北分断が固定化された。この戦争で、朝鮮半島では、人口の20％ほどが亡くなり、国土は荒れ果てた。日本に責任はないが、まことに気の毒なことだった。

　しかも、南の李承晩政権は無能で南北には大きな格差がついた。それを挽回させるために、アメリカの強い要請で進められたのが日韓交渉だが、李承晩の非現実的な交渉方針ではまとまるはずもなく、1960年にクーデターが起き、さらに朴正煕の軍事政権が成立し、1965年に日韓基本条約が結ばれた。内容は国際的な常識では考えられないほど韓国側に有利なものだった。岸信介元総理を筆頭とする親韓派が、北朝鮮との対抗上、韓国を支援することを主張したからだ。

　日本の支援もあって、「漢江の奇跡」といわれる経済成長が実現され、1970年代には南北逆転。1988年のソウルオリンピック開催は、ひとつの到達点となった。このころには、政治も民主化されたのだが、その結果、各政治勢力が国粋主義的な反日路線を競うようになった。しかも、それに日本国内の一部勢力が同調して政府をゆさぶるので、韓国が前の政権よりエスカレートした要求をしても、資金であれ謝罪であれ要求を足して2で割る形で受け入れられる悪循環を繰り返した。

　そのひとつの頂点が慰安婦問題だったわけだが、不適切な事例がゼロとは言い切れないから謝ればあとに尾を引かないのでいいと不合理な判断をした結果、日韓関係は改善しないどころか、悪化の一途をたどるという馬鹿げた状況を生じさせた。「韓国がもういいというまで謝る」というのはありえない選択だ。

教養への扉　安倍晋三政権になり、慰安婦につき「完全かつ不可逆的な解決」をして、今度こそ正常化するかと思ったら、文在寅政権は前政権の約束も新政権が間違っていると思うなら「積弊」として清算対象と言い出し、さらに、非常識な裁判官を大法院の長官に任命して、条約すら間違いと思えば覆せるという徴用工判決が出た。

大韓民国、北朝鮮⑥
かつて「隠者の国」といわれた朝鮮王国

**　韓国、朝鮮の人々は個人の能力は日本人に比べて高く、国際的に活躍する芸術家、芸能人、政治家、スポーツ界の指導者などを数多く送り出している。だが、組織として動くことがあまり得意でないし、自分の所属する国や企業、団体の利益を十分に考えない。**

『隠者の国・朝鮮』という本を書いたのは、明治初期に日朝両国のすぐれた旅行記を書いたウィリアム・グリフィスだが、この時代に朝鮮を訪れた欧米人の報告を見ると、彼らの日本人に比べての体格のよさや、活発機敏さ、エネルギーと戦闘的精神、自律性と自由さに富んでいることなどに大きな可能性を見いだしている。

しかし、世襲の両班たちによる権力独占と腐敗した官僚機構、勇気のない軍人、不潔な生活、「男も女も見さかいのないほどの怒りを絶え間なく爆発させる」と指摘されている。また、あまりにも稚拙な外交がこの国にひどい損害を与えてきたと思う。もう少し分析的に見ると、①無礼である、②相手によって不公平、③目先の成功にこだわる、④政治家や官僚が国益より自分の利益のために外交をすることを容認しがち、⑤媚びると図に乗るが徹底して強く出ると弱い、ということが目立つ。

①は明治初年の国書受け取り拒否や最近の告げ口外交のように、外交儀礼を無視した文書や使節へのあまりにも非常識な対応だ。

②は他国への対応との違いがありすぎると許せないことだ。日本に歴史問題であれだけ抗議するなら、中国やソ連にはどうしてしないのだろうか。

③は外国に対して鬱憤晴らしになっても長期的観点や、経済などほかの分野への悪影響を軽視することで、北朝鮮の交渉中断、韓国の竹島問題への対応がそうだ。

④は嘘がばれたり強気すぎる対応で、あとで問題が出たりしても社会的に糾弾されないことだ。ES細胞問題の黄禹錫博士への妙に温かい同情や、テロリストを民族的英雄として称揚する一方、現実的な対応で結果的には国益を増進した人物への過酷な評価がある。

⑤は、慰安婦問題についての河野洋平官房長官談話が典型的だが、媚びたり理解を示したりすると図に乗るが、本格的に叩きのめされると意外に反発しないことだ。日本は下手に出すぎて傷口を拡大するが、中国などは韓国を思い切り屈辱的な目に遭わせてかえって上手に屈服させてきた。事大主義とは強い者に従うという哲学なのだ。

拉致問題の解決については、韓国をあてにすることはすべきでなく、直接交渉しかない。韓国では朝鮮戦争での離散家族問題が優先課題にならざるをえず、北との関係では、拉致問題も含めてほかの案件での被害者の救済の優先度は低い。

教養への扉　朝鮮統治について、「言語を奪った」というのは事実ではない。近代以前の韓国では書き言葉は成立せず、中国語が使用され、ハングルは正式には使われなかった。明治になり、福沢諭吉門下の井上角五郎が漢字ハングル混合文を創始し、ハングルの教育も日本統治下で始まった。日本が書き言葉としての朝鮮語をつくって贈ったといってほしい。

大韓民国、北朝鮮⑦
なかなか成果が出ない韓国、北朝鮮の外交戦略

　日本人は忘れがちだが、1970年前後までは北のほうが南より経済力も外交力も生活水準も上だった。いわゆる帰還事業もそうした背景で行われた。だが、日韓国交回復後の経済協力を機に韓国では産業の近代化がまず進み、さらに北に比べて遅れているといわれた農村対策がセマウル運動という形で進展した。

　北朝鮮への帰還事業は、韓国の李承晩政権が、当時は人口過剰なくらいだったので、在日朝鮮人の帰国を好まなかった時期に行われた。

　日韓国交回復のとき北朝鮮は賠償が含まれていないことを非難し、それは韓国内で圧倒的な支持を得て朴政権は倒れる寸前まで行った。ところが、名を捨てて実を取った韓国の大勝利だった。とくに、無償供与でなく返済義務のある経済協力主体にしたことは、ムダな投資を避ける意味があったといわれる。

　韓国の近代化に触発された北では、借款などにより産業の近代化を図ろうとしたが、ソフト面の軽視などで円滑に進まず、かえって対外債務が増えただけだった。北朝鮮が、この時期についた差を克服できずにいるのが南北の現状である。

　政治的には北朝鮮はまことにすぐれた外交力を持っている。とくに発展途上国の指導者たちを懐柔することに巧みだった。スタジアムなど大型施設をアフリカの指導者が欲しければ労働者ごと派遣して完成してしまった。カンボジアのノロドム・シハヌーク殿下がもっぱら平壌で暮らすことを好んだように、すばらしいホスピタリティを示した。

　アメリカのドナルド・トランプ大統領を首脳会談に引っ張り出した能力もたいしたものだ。金正恩委員長の話術も非常に品がよく巧みだといわれている。だが、こうした外交上の「成功」で満足して経済改革が遅れてしまった感がある。その結果、1970年ごろまでは韓国より上といわれたひとりあたりのGDPは20分の1とか30分の1とかいう水準にまで落ち込んでいる。

　それでも、彼らが自主独立でアメリカや日本と対峙していることに「南」の人々がある種の畏敬の念を感じているのがややこしいところなのだ。

　一方、そうこうしているうちに、北朝鮮は核兵器や高性能のミサイルまで手に入れてしまった。国民生活を守るために兵器はあるはずなのに、生活を破綻させて兵器を手に入れても北朝鮮にとってなんにもならないはずなのだが、そういう常識は通用しない（写真は首都・平壌の人民大学習堂に掲げられた金日成主席、金正日総書記の公式肖像画）。

教養への扉　日本としても、在日朝鮮人のなかで左翼系の色彩の強い人が中心に出て行ってくれるのだから好都合だったから、何も北朝鮮に奉仕したのではない。それに、北へ帰ったからこそ上級学校で学べた人も多いし、実際、金正恩の母親のように最高の幸運を手に入れた帰還者もいる。帰還事業への批判は多分に結果論である。

大韓民国、北朝鮮⑧
大阪からの「逆輸入」だった朝鮮焼き肉

　いわゆる「在日韓国、朝鮮人」はとくに大阪に多く、彼らが生み出した在日文化は日本でも高く評価されている。その典型は「朝鮮式焼き肉」であって、ホルモン焼きのソースで牛肉を焼いたらおいしいだろうというので発生したといわれている。日韓の文化のすばらしい融合だ。

　日本には約60万人の「在日」（普通は帰化した人は含まないが広義では含む）が居住するが、その多くは慶尚道出身者であり、済州島（チェジュとう）出身者も多い。一方、北朝鮮出身者がほとんどいないのは、北の人は主として満州に働きに行ったからだ。ソウル周辺では十分な雇用があったのだろう。

　私は在日の人々というのは、世界に誇るべきエスニック集団だと思う。政治的には、李明博（ミョンバク）元大統領は大阪生まれだし、金正恩委員長の母親も大阪生まれだ。戦後の長い時期、韓国がいまのように豊かでなかったころ、日本のとくに関西（かんさい）周辺の在日社会は、世界で最も豊かで充実したコリアン社会だった。

　芸能界における在日の人々の勢力を見れば、日本文化の発展に非常な貢献があったと思うし、パチンコも彼らの世界が育てた娯楽だし、孫正義（そんまさよし）に代表される活力ある多くの企業家を日本経済に輩出している。

　韓国、朝鮮料理はキムチに代表されるようにややワンパターンだが、日本料理や西洋料理との交流のなかで、これもわかりやすさを生かした新しい韓国料理が国際的にも評価を高めつつある。平壌の冷麺、全州（チョンジュ）のビビンバ、といった特色ある地方料理もある。名物の朝鮮人参（にんじん）を使った参鶏湯（サムゲタン）も人気がある。食器はステンレス製が主体である。

　庶民の日用品などですばらしいものがあるが、これも、柳宗悦（やなぎむねよし）などによって発見され評価されたものが多い。

　陶器では青磁がとくに日本で高い評価を受けているが、文禄・慶長の役のときに持ち帰った日用品の焼き物などを茶器として珍重するなど日本人好みなのである。

　儒教の影響もあってか、価値観が比較的一元的で、たとえば、「美人」といえばあるタイプの顔に好みが収斂（しゅうれん）し整形手術が盛んである。ドラマなども含めて大衆文化は単純でわかりやすく、それが国際的な「韓流（ハンりゅう）」ブームの背景にある。

教養への扉　日韓関係を改善するためには、帰化した人も含めた、広義の在日の人たちの前向きの役割を期待したい。移民は、双方の国のかすがいであり、友好の担い手だ。ところが、日本に好意的な人は沈黙したり、ルーツを隠したりする傾向があり、逆にかなり多くの人が一方的に韓国、朝鮮側に与して発言することで不和を拡大させているように見える。

57

西欧

［地域の歴史］西ヨーロッパ①
世界史とは人類のヨーロッパ化の歴史である？

ローマ帝国は滅びたが、カトリック教会を通じてローマ世界はヨーロッパ世界に生まれ変わった。その中核はフランスとドイツだが、この両国の争いが2度の世界大戦に発展した。EUはその反省のもとに新しい国際関係のルールを見いだそうとする試みだ。

「われわれ日本人も含めて、いまや人類はすべてヨーロッパ人だ」と私は信じている。「われわれはすべてギリシャ人である」と19世紀英国の詩人パーシー・ビッシュ・シェリーがいったのは、ギリシャ的な価値観や思考方法を全ヨーロッパ人が継承しているということだった。東洋文明の歴史がいかに長くとも、「個人の自由や民主主義といった価値観」「近代国家としての諸制度」「産業革命やIT革命」といったもののどれも生み出せなかった。

21世紀にあって西洋文明の行き詰まりを打破していくために、東洋思想で役に立つものがあるというのは正しい。イスラム教とキリスト教の先鋭的な対立を解決できるのが仏教的な発想だろうといったことにも一理あるが、それでも、われわれが属している文明の本流はこれからも、ヨーロッパに源流を持つものであり続けるだろう。

「国家」というものについても、そのコンセプトの基本はウェストファリア条約とフランス革命で決まったものだ。ウェストファリア条約というのは、ドイツにおける宗教戦争を終わらせるために1648年に調印されたのだが、この条約こそが国家同士は平等であり、国家は国民の権利と義務の単位であるという原則をつくったのだ。

この考え方は民族国家というコンセプトとも結びつき、第一次世界大戦のあとのヴェルサイユ条約、そして第二次世界大戦後の植民地解放でより普遍的なものとなった。

民主主義の考え方はギリシャ時代にまでさかのぼりうるが、近代の民主主義は、フランス革命によって人権や近代的な官僚機構、機会均等が保障された教育制度、徴兵制度とともに確立された。

この伝統的な国家観からの脱却も、アジアやアメリカからではなくヨーロッパから始まりつつある。つまり、人権だとか経済政策、消費者保護のルールは国際社会（国連やEU）が決め、国家や地方自治体はその枠内でしか行動できないことになりつつある。安全保障も国際社会で担う方向にあるし、戦争犯罪など人道への罪も国家の主権を超えて裁くことが一般化しつつある。

教養への扉　産業革命以来の消費型文明の克服という環境問題への取り組みもヨーロッパから始まったものであることはいうまでもない。そうした意味において、われわれは、再び自分たちもヨーロッパ人であることを確認すべきときにあるのではないか。

[地域の歴史] 西ヨーロッパ②
ブレグジットはEUが深化するチャンス

　日本のマスコミでは、ロンドン発でヨーロッパのニュースを報道するので、欧州統合については、ほとんど常に悲観論だ。マーストリヒト条約のときから統一通貨はうまくいかないと論じていたが、それが崩壊する気配など何もない。

　欧州統合の中心はフランスとドイツである。フランスとドイツは1870年の普仏戦争、1914年の第一次世界大戦、1939年の第二次世界大戦と3度にわたって戦う悲劇を引き起こした。さすがに懲りて、仏独が二度と戦わないような仕組みをつくろうという声が強くなった。

　最初は、戦争の原因となった石炭と鉄を共同管理するために、1952年に前年調印されたパリ条約に基づき設立されたECSC（欧州石炭鉄鋼共同体、ヨーロピアン・コール・アンド・スティール・コミュニティ）である。

　さらに関税同盟を基軸とするEEC（ヨーロピアン・エコノミック・コミュニティ）が1957年のローマ条約に基づき翌年発足し、この二つの機関と欧州原子力共同体の3機関が合同したEC（ヨーロピアン・コミュニティ）がブリュッセル条約に基づいて1967年に発足した。さらに、1992年のマーストリヒト（オランダ南部の町）条約によってEU（ヨーロピアン・ユニオン。写真はEU旗）が翌年発足し、共通通貨ユーロの導入やシェンゲン（ルクセンブルクの地方名で仏独と3国が国境を接する地点）協定に基づく国境管理の廃止まで実現し、外交政策などの統合に向かって進んでいる。最初の加盟国は6カ国だったが、現在では27カ国に増えている。

　EUには本部はないが、事務局はブリュッセル、議会はストラスブール、裁判所はルクセンブルク、中央銀行はフランクフルトというように、ライン渓谷に沿い、ラテン語圏とゲルマン語圏の境界地域に集中している。

　英国は、2016年の国民投票で、あまりよく考えもせずに脱退を決めてしまった。具体的に何が起きるか真面目に検討して、それも含めた是非を問うわけでない。とくに、アイルランドと北アイルランド国境をめぐる普通には解決不能な問題（バックストップ問題。現在は国境線がないが、離脱するなら必要になる）を忘れていたようだ。しかし、これまで英国の反対で進まなかった欧州統合の深化ができるならいいことだ。

教養への扉　あまり知られていないが英国のボリス・ジョンソン首相の父祖はオスマン帝国の高官で姓はケマルだ。ジョンソンは祖父が結婚相手の家名を名乗ったものだ。東ドイツの首相にロタール・デメジエールという人がいたが、これは何世紀も前に移住したフランス系のユグノーでフランス語ではド・マジエールだ。

［地域の歴史］西ヨーロッパ③
西ヨーロッパの起源となったメロヴィング朝

　西ヨーロッパとは、ローマ帝国が分裂して東西に分かれ、教会もギリシャ正教会と袂（たもと）を分かったとき、カトリック教会の管轄に属した地域のことである。

　「ローマ帝国の滅亡」は、476年に西ローマ帝国の皇帝ロムルス・アウグストゥルスが傭兵隊長オドアケルによって退位させられイタリアを統治することを認められたことをいう。

　ただ、ゲルマン人の多くはイタリアのランゴバルド王国やスペインの西ゴート王国のように異端であるアリウス派だった。496年に、フランク族（投げ槍を得意としていたことに由来する名前）の王だったメロヴィング家のクロヴィス王が原始宗教からカトリックに改宗し、フランス、旧西ドイツなどを統一した。このクロヴィス王のキリスト教改宗と戴冠が、西ヨーロッパの誕生とされる。

　セーヌ川に浮かぶパリのシテ島に不気味な中世風の要塞がある。マリー・アントワネットが断頭台の露と消える前夜を過ごしたコンシェルジュリーで、最高裁判所として使われているが、クロヴィスの王宮が改修を重ねられたのちの現在の姿だ。

　メロヴィング家が分割相続による気ままな王国分割を経つつ3世紀ほど続いたあと、宮宰のカロリング家のカール（シャルル）・マルテルはポワティエの戦いでサラセン軍の侵攻を食い止めてヨーロッパの救世主と称えられた。

　ピピンは、北イタリアでローマ教皇を圧迫していたランゴバルド（ロンバルディア）王国を滅ぼし、中部イタリアの一部を教皇に寄進したのが教皇領の起源で現在のバチカン市国につながる。

　カール大帝は日本ではカール大帝というドイツ語が主流だが、フランス語ではシャルルマーニュで英語でもこれを使うことも多い。800年に皇帝として戴冠され東ローマ帝国から自立した。しかし、ゲルマン族は分割相続の習慣だったので、孫の代になって帝国は東、西、中に3分割された。フランクはフランスに、東フランクはドイツに発展し、中フランクはイタリアとライン川流域の回廊地帯が領土だった。

　カール大帝の宮廷があったアーヘンを含む独仏中間地帯（ロタリンギア）とイタリアとプロヴァンスに分割され、南西部はさらに、ブルグント（スイスとその周辺）とプロヴァンスに分かれ、やがて西フランクを除いて神聖ローマ帝国に包含された。しかし、地形からいって不自然だったのでフランスはライン川を国境とする戦いを続けた。

教養への扉　地味な存在だったメロヴィング家が、21世紀になって急に有名になったのは、映画にもなった小説『ダ・ヴィンチ・コード』のおかげだ。イエス・キリストとマグダラのマリアの娘でフランスで布教した伝説を持つサラの子孫という設定だった。

フランス①
「男系男子」で1000年続くフランス王家

　西ヨーロッパは、フランク王国がドイツ、フランス、イタリアに分かれたものだといわれる。そのうち、ドイツとイタリアがそののち離合集散を繰り返したのに対して、フランスは独立と統一をおおむね維持してきた。

　フランスでは、その王統譜を語るときに、クロヴィスのメロヴィング家から始め、シャルルマーニュのカロリング家、987年に即位したユーグ・カペーに始まるカペー家とつないでいくのが慣例である。

　その後、ヴァロワ家、ブルボン家、オルレアン家というように続くが、これらはすべてカペー家の分家である。サリカ法典という継承法によって、王位は男系男子どころか、正妻の子しか継げないから男系男子嫡系である。

　遠縁のプリンスが王位につくこともあるが、ユーグ・カペーの子孫は、共和国になったいまも1000年前のご先祖からパリ伯を受け継いだジャン4世が王政復古でフランス国家が危機を迎えたら登場する可能性があると思っている人も多い。

　そんなわけで、フランスの歴史を追っていくのが流れを知解するのに好都合である。ローマ帝国が滅びてからの中世ヨーロッパは貧しい暗黒時代だったが、10世紀から11世紀にかけて、ノルマン人の侵入、東ローマ帝国の衰退、十字軍の派遣などを通じてヨーロッパの主要な国がだいたい今日の形に近づいていった。

　ゴシック様式の大聖堂が建てられたのは12世紀からである。ロマネスク様式では、大きな窓や柱のない広い空間を取るのが難しかったのが、アーチの巧みな利用で、街中の人が一堂に会せるような大聖堂が建設可能になり、華麗なステンドグラスもつくられた。

　ルネサンス（14〜16世紀）が花開いたあとの宗教戦争（16〜17世紀）では、新旧両方の勢力が拮抗したフランスやドイツでとくに凄惨な戦いが繰り広げられたが、フランスではカルヴァン派の新教徒（ユグノー）だったブルボン家のアンリ4世が国王となり、王自身はカトリックに改宗するが新教も公認することでうまく収まった。

　この安定を背景に、ルイ13世の宰相だったリシュリュー枢機卿はドイツの新教徒やオスマン帝国とまで手を結んだ外交を繰り広げて領土をライン川に向かって広げた。さらに、太陽王ルイ14世はヴェルサイユ宮殿を建設し、絶対王政のもとで強力な中央集権国家を確立した。そして、これがフランス革命とナポレオン帝政を経て近代国家のモデルに発展したのである。

フランスData　国名：フランス共和国（英）France（仏）France（中）法国　法国　Fǎguó（正式名称）レピュブリク・フランセーズ／首都：パリ／言語：仏語／面積：551.5千㎢／人口：65.2百万人／通貨：ユーロ／宗教：カトリック83〜88％／民族：フランス人77％、ベルネル人2％／国旗：三色旗（トリコロール）。3分割旗の代表。個々の色に特別な意味はないが、3色そろって「自由、平等、博愛」（61項写真）。国歌は『ラ・マルセイエーズ』。

　フランス革命から200年にあたる1989年に、パリで開かれた先進国首脳会議で「人権宣言」などを記念する華やかな行事に参加した英国のマーガレット・サッチャー首相は不機嫌だった。民主主義の歴史ではマグナ・カルタも重要だと異議を唱えたが、アメリカの元国務長官だったヘンリー・キッシンジャーにまで、国民主権、立憲政治、人権についての普遍的な原則といった近代民主主義の原点はフランス革命にあると論破されてしまった。

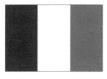

　近代国家の確立には、革命だけでなく、ナポレオン・ボナパルトという制度構築の天才が不可欠だった。隙のない法典、充実した公教育、均一的な地方制度、全国民を基礎にした軍隊、安定した通貨などは、ナポレオンの創造物である。

　そのナポレオンがロシアでの失敗から立ち直れず消えたあと、王政復古、立憲主義に基づく七月王政を経て、1848年のフランス革命（二月革命）、第二帝政が続き、フランス経済は発展し、植民地も拡大された。

　だが、フランス自身が諸国民の民族主義的自覚を呼び覚ました結果は、皮肉にもリシュリューが仕組んだ「ゲルマンの自由」（ドイツの分裂）を解消へと向かわせた。ナポレオンをならった強力な国家をつくりあげたプロイセンのオットー・フォン・ビスマルクは1870年の普仏戦争でフランスを破り、ヴェルサイユ宮殿でヴィルヘルム1世にドイツ皇帝としての戴冠式を挙げさせ、ルイ14世らが獲得した貴重な防御線である「自然国境」のアルザスとロレーヌを奪った。

　しかし、フランスでは第三共和政が国力の回復に努め、第一次世界大戦ではドイツに勝利して領土を取り戻し、第二次世界大戦では、いったん降伏したものの、レジスタンス（抵抗）を繰り広げてリベラシオン（解放）に成功した。1世紀に3回も戦って仏独はさすがに懲りたので、再び戦うことがないように欧州統合へ向かった。

　フランスの地方制度については、フランス革命前には大小さまざまな地域が封建的な経緯で成立した歴史を反映していたが、革命後は、80あまりのサイズがほぼ同じ県（デパルトマン）に分割され、さらに、その下に郡（アロンディスマン）、さらに市町村（コミューン）の3層制となった。現在はさらに数県を単位として州（レジオン）が設けられ四層制になっている。また、州や県の首長は官選から公選になった。

教養への扉　フランスは世界で最も早く公教育の体制が完成し、明治日本でも真似られた。現在、高校（リセ）では卒業資格試験をバカロレアという全国共通試験で行う。一般大学はバカロレアを通れば入れ、必要な単位を取得すれば卒業資格が取れる。高等職業訓練学校（グランゼコール）では、厳しい入学試験がある。国立行政学院（ENA）、高等師範学校（エコール・ノルマル・シュペリウール）、理工科学校（エコール・ポリテクニーク）など。

フランス③
フランス人を読み解くキーワードは「明晰」

　本物のフランス人は、輪郭がはっきりしたものを好む。「明晰ならざるものはフランス語にあらず」というくらいで、デカルトの国らしく、物事の考え方はひたすら論理的だ。価値観の普遍性を信じ、なんでも順位をつけたり、格づけをしたりすることに情熱を燃やすのは、レストラン・ガイドの「ミシュラン」を見てもわかるとおりだ。

　一般に外国人には、それぞれの国の格調高い芸術よりは、庶民的な風景とかB級グルメのほうが理解されやすい。とくに、日本人の場合はその傾向が顕著であって、中世の面影が残るドイツの民家とか、イタリアのパスタとかピザとかが大好きだ。

　ところが、フランスでは、モーリス・ユトリロの描くモンマルトルの風景は少しみすぼらしく見えるらしく日本ほどの人気はない。シャンソンも日本でいえば浪曲のようなものだからそんなに人気はない。

　ガブリエル・フォーレという作曲家がいて、天使の奏でる音楽のように美しい「レクイエム」など日本では大人気だが、フランス人の間ではもうひとつで、「フォーレは好きだが演奏してお金になるのは日本でだけ」とフランス人音楽家はいう。

　フランスの田舎もいいが、イタリアなどと比べて地域ごとの個性には乏しい。だが、いい点は、全国どこでも安心できる一定水準の公共サービスが充実し、ホテルに泊まれば星の数に応じた快適さが得られることだ。

　フランスの田舎に行くと、田園のなかを立派な並木が美しい道路がひたすら真っすぐ延びていることに驚かされる。絶対君主制時代の土木技師たちが、猛烈な抵抗を排して近代国家をつくろうという信念でつくり続けた努力の賜物だが、私は見るたびに「これこそ国家だ」と感動する。

　世界の外交官などにフランス人学校に子弟を入れることが好まれるが、その理由は、世界のどこでも同じことをしているので転校するときに不便がないからだ。

　もちろん、フランス人が集団主義だとか、個人の自由を尊重しないなどということではない。ただ、画一的でわかりやすいものの値打ちとか、曖昧なものの欠点もよく知っているということだ。

　エールフランスに搭乗すると男性のパーサーが多いし、レストランでも男性（ギャルソン）が主流だが、彼らのサービスは実にてきぱきしている。フランス人はやさしく無理を聞いてくれるやさしさより、客の要求に的確にスピーディーに反応してくれるほうを重視するからである。

教養への扉　アメリカ人のイメージするフランスといえば、フランス系移民の子孫であるウォルト・ディズニー（フランス語だとディズネ）のアニメに出てくる農家や『眠れる森の美女』のお城で、これも、フランス人の好みとは少しずれがあって、フジヤマ、ゲイシャの日本イメージみたいなものだ。

フランス人と京都の人は似ているといわれるが、両方とも個人主義だがエゴイズムを嫌う。個人の自由は尊重するが、他人に迷惑をかけることはしない。言葉もおしゃれも「よそいき」が好きだ。庶民であろうが、高齢者であろうが、それなりの品格を保つが、よそ者から見ると少し意地悪に感じられるのも共通だ。

フランス料理は世界一といわれるが、その代わり、食べるほうも身構えなくてはならない。レストランでしっかり時間をかけ、安くない代価を払い、おいしいものを食べるぞ、という真摯さがあれば、すばらしい体験が約束される。その半面、手軽に食べられるファストフード的なものは、イタリアや中国のほうが上かもしれない。

美術、工芸、ファッション、文学などは世界最高峰だが、音楽とスポーツは同じではない。工業製品では超音速旅客機コンコルドに象徴されるように、技術的には最高だが、実用性はそれほどでもないものが得意で、経済的にはよく失敗する。「最高のもの」ではあるが、しばしば「過剰性能」なのだ。

パリやヴェルサイユなどその周辺の記念碑的建造物や町並み、それに美術館のすばらしさはいうまでもない。教会は全国どこにでもすばらしいものがあるが、シャルトル大聖堂のステンドグラス、モン・サン＝ミシェルの奇観、南西フランスのロマネスク寺院の数々、20世紀最高の建築家だったル・コルビュジエが設計したロンシャンの礼拝堂など最高だ。

ローマの水道橋ポン・デュ・ギャール、ロワールのお城の数々、マルセイユの港、新しい天空に浮かぶミヨーの橋やルーヴルのガラスのピラミッドなどもすばらしい。

田園風景はどこでも美しいが、全国にすばらしいレストランがあるのが驚異だ。星とは無縁のビストロも魅力だが、地方の三つ星レストランで、世界最高クラスのシェフが、ビジネス客でなくわざわざ数百km以上の道をやってきてくれた客を相手に真剣勝負で提供する食事の質の高さはフランスならではだ。

ナポレオン3世の第二帝政ののち、独裁者の復活を嫌ったフランス第三共和政と第四共和政では比例代表制を議会に採用したので、政権は安定しなかった。そこで、1958年に政権を取ったシャルル・ド・ゴールは第五共和政を樹立し、大統領は直接選挙、国民議会（下院）は小選挙区制にし、議会の権限も制限した。その結果、比較的安定した政治が続いており、この方式はロシアや韓国など多くの国で模倣されている。

教養への扉　戦後に極端な少子化に悩んでいたフランスでは、積極的で広範囲な少子化対策を取った結果、1994年に1.66と底を打った出生率が、2010年には2.00超まで回復した。

　神聖ローマ帝国（サクルム・ロマヌム・インペリウム）に首都というものはなかったが、皇帝の選挙や戴冠式は、はじめはカール大帝の宮廷があったケルン西方のアーヘンという小さな町で行われ、のちにはフランクフルトに移った。ヨハン・ヴォルフガング・フォン・ゲーテが生まれ、いまは欧州中央銀行がある都市だ。

　中世ドイツの国王はだいたい神聖ローマ皇帝を兼ねた。ドイツ（民衆の意）では東フランク王国のカロリング家が断絶し、911年に母方がカロリング家出身のコンラート1世が王位につき、以降は、諸侯の選挙で選ばれるようになった。

　そして、オットー1世はイタリア王ロタール1世の未亡人アーデルハイトと結婚し、イタリアに遠征して教皇位をめぐる紛争を収拾して、ローマ帝国の皇帝という称号を得た（962年）。

　帝国の範囲は時代によって違うが、だいたい現在のドイツ、オーストリア、ベネルクス3国、チェコ、スイス、スロベニア、フランスの東部、ポーランド西部、イタリアあたりがその帝国の範囲だが、この範囲はなかなか重要な意味を今日でも持つので、よく覚えておいてほしい。

　また、神聖ローマ帝国の名は後世において使われ始めたものだが、普通にはオットー1世をもって初代とする。さらに、ドイツ王にはなったが皇帝戴冠はされなかった王者も多いが、それも神聖ローマ皇帝と呼ぶ人も多い。

　こののちイタリアとのかかわりのために、ドイツの皇帝と騎士たちは、暗く生産力が低いドイツよりイタリアでの生活を好み、あるいは十字軍に参加して中東へ向かったので、本国はおろそかになった。また、皇帝と教皇はしばしば対立し、皇帝は教皇との戦いのためにドイツの騎士の助力が必要だったので、皇帝の権力を思う存分にはドイツで振るえなくなった。

　商人たちは活躍の場を広げ、ハンブルクなどハンザ同盟の諸都市や南ドイツのアウグスブルクが栄えた。十字軍のおかげでイタリアは東方から古代文明の遺産を獲得し、14世紀にはルネサンスが始まり、メディチ家のフィレンツェや教皇のお膝元であるローマ、十字軍の兵士たちを運んだヴェネツィアなどの諸都市で豪奢な花が咲いた。

ドイツData　国名：ドイツ連邦共和国（英）Germany（仏）Allemagne（ドイツ語）Deutschland（中）德国　徳国　Déguó（正式名称）ブンデスレプブリーク・ドイチュラント／首都：ベルリン／言語：独語／面積：357.6千㎢／人口：82.3百万人／通貨：ユーロ／宗教：プロテスタント34%、カトリック34%／民族：ドイツ人88.2%／国旗：黒、赤、金旗。ナポレオンと戦ったプロイセンの義勇兵の制服の色が起源。「世界に冠たるドイツ」で始まる国歌はフランツ・ヨーゼフ・ハイドン作曲。

ドイツ②
ヴェルサイユ宮殿で誕生した「第二帝国」

　プロイセンは、ベルリンを中心とするブランデンブルク選帝侯国とバルト海沿岸のプロイセン王国の同君連合で、主体はブランデンブルクだが、神聖ローマ帝国の範囲外だったプロイセンが王国という格上の存在だったので、そちらがのちのち国名として使われた。

　ローマのサン・ピエトロ大聖堂は、コンスタンティヌス1世が建立したのだが、このころ老朽化し崩落の危険が迫っていた。そこで、再建工事のために免罪符を発行したことが反発を呼び、ドイツではマルティン・ルターによる宗教改革が始まった。

　これが三十年戦争（1618～1648年）となり、ハプスブルク家への反発から、スウェーデンやフランスもプロテスタント側に立って戦い、オスマン帝国も連動した。ドイツの国土は荒れ果て人口の3分の1が失われたともいう（過大な数字という批判もある）。

　結局、ウェストファリア条約で、神聖ローマ帝国に属していた領邦がいずれも対等な国家としての地位を認められた。帝国は事実上解体してプロイセンやバイエルンがハプスブルク家のライバルに成長し、スイスの永世中立とオランダの独立も確定した。

　啓蒙君主フリードリヒ2世のときハプスブルク家継承の混乱に乗じてシレジア（ポーランド南部）を獲得し、ポーランド分割でさらに領土を広げた。

　しかも、ナポレオン戦争の結果、神聖ローマ帝国は名実ともに消滅、オーストリアは中欧国家となり、西ヨーロッパの政治の表舞台から消えた。ドイツの300もの小領主は整理され、35の領邦と4の自由都市に再編され、やがて民族を単位とする国民国家への理想のもと、プロイセン王がドイツ皇帝となった。いわゆる第二帝国である。この戴冠式は、普仏戦争の余燼がさめやらぬヴェルサイユ宮殿の鏡の間で行われた。

　第一次世界大戦ののち、領土を失い巨額の賠償金を払わされたヴェルサイユ条約に不満が強かったドイツではオーストリア生まれのアドルフ・ヒトラーが出て第三帝国をつくり、オーストリア、チェコスロバキアを併合したが、第二次世界大戦で、プロイセン、ポメラニア、シレジア地方を失い、さらに冷戦下で東西に分裂させられた。

　だが、ソ連におけるペレストロイカから始まった冷戦の終結のなかでヘルムート・コール首相のすぐれた外交手腕が冴え渡り、一瞬だけ訪れたチャンスを生かして強引に統合に持ち込んだ。下院は比例代表で選ばれ、ドイツキリスト教民主同盟・キリスト教社会同盟（CDU・CSU）とドイツ社会民主党（SPD）が二大政党。ナチと共産党は非合法。州権が強いが州同士の話し合いで全国統一にすることが多い。

教養への扉　「ゲルマンの自由」（分裂したドイツ）の擁護者であるフランスは本来なら妨害に回るところだったが、欧州統合の進展のなかでフランソワ・ミッテラン大統領が意外にも素直にゴーサインを出して救ってくれた。仏独首脳が平均で1カ月に1回会談をするほど緊密な関係を築いてきたことがものをいったのである。

66 ドイツ③
365
数多くの哲学者を輩出した国民性

　ビールを飲んで歌って騒ぐバイエルンのカトリック教徒と、プロイセンの謹厳なプロテスタントとはだいぶ違うが、ごつごつしたドイツ語に象徴されるドイツ人らしさはたしかにある。身体が大きく自己鍛錬をいとわないのでスポーツは得意だ。

　彼らの日常生活でのモットーは他人に迷惑をかけないこととルールを守ることだ。アパートでは午後10時以降になると風呂に入るのはもちろん、トイレの水を流すのもはばかられる。警官に追われた暴動参加者は「立ち入り禁止」の芝生に入るのをためらって捕まる。自動車教習所では交通違反をした歩行者ははねてかまわないと教えるし、ひとりずつだと内気だが、集団になると急に気が大きくなって要求を通そうとしがちだ。

　彼らの美的センスは音楽において最高に発揮される。とくに、論理性と構築力の精華である交響曲になるとルートヴィヒ・ヴァン・ベートーヴェン（写真）、ヨハネス・ブラームス、グスタフ・マーラー、アントン・ブルックナーに比肩する外国人はいない。演奏でもオーケストラや合唱のような集団芸が得意だ。個人個人の奏者が名人ぞろいとは思えないが、世界一のオーケストラといえばベルリン・フィルかウィーン・フィルだと戦前からいわれている。

　美術、工芸、建築、あるいはファッションは頭で考えすぎて、よくできているけれども垢抜けていない。ノイシュヴァンシュタイン城とかブランデンブルク門とかマイセンの陶磁器など見ればわかるだろう。町並みは、プリミティブなところが非ヨーロッパ人にはわかりやすいところでもあり、ロマンティック街道は日本人専用の観光名所だ。高嶺の花より隣のお姉さんの感覚が日本人は好きだ。

　哲学や思想は論理的なだけに得意中の得意だ。カント、ヘーゲル、マルクスなどがこの国から出たのは偶然ではない。酒はビールか甘いワイン。材料に恵まれないのでソーセージなど豚の加工品やジャガイモでお茶を濁す。よそいきのレストランにはフランス語の名前ばかりがついている（欧州経済統合が進んでから冬でもいい材料が手に入るようになって事情はかなり変わっているが、それ以前は夢想だった）。

　産業ではマイスターの伝統が生きる機械ものが得意だ。自動車産業が強いのも当然だ。統一国家ができるのが遅れたので、道路の質が非常に悪かった。そこでヒトラーが一気に挽回を試みたのが速度制限のないアウトバーンである。

教養への扉　西ドイツの首都はボンだったが、東西統一後にベルリンに移った。以下の州などから連邦は構成されている。シュレースヴィヒ＝ホルシュタイン州（キール）、自由ハンザ都市ハンブルク、メクレンブルク＝フォアポンメルン州（シュヴェリーン）、ニーダーザクセン州（ハノーファー）、自由ハンザ都市ブレーメン、ベルリン、ブランデンブルク州（ポツダム）、ザクセン＝アンハルト州（マクデブルク）、ザクセン自由州（ドレスデン）、テューリンゲン自由州（エアフルト）。

英国①
イングランド、イギリス、大英帝国の違い

「グレートブリテン及び北アイルランド連合王国」という長い国名をうとましく思っているのは日本人だけではない。外交の世界では、連合王国（略してUK）というし、グレートブリテンや形容詞としてのブリティッシュをつけてブリティッシュ・ガバメントというなどブリテン島の名前が使われることもある。

　日本では、イングランドは厳密にイングランドに限定して論じるときに使う。サッカーやラグビーでは、スコットランド、ウェールズ、北アイルランドも別のチームを持っている。イギリスは、ポルトガル語のイングレスが訛ったものだ。イングランドを指す言葉だが、イギリスとか英国というと連合王国と同じ意味と受け取る人が多い。

　大英帝国といわれるのも、ブリティッシュ・エンパイアの誤訳だ。旧植民地の大部分などを加盟国とする英連邦にしても、もともと1931年にウェストミンスター憲章によって「国王に対する共通の忠誠によって結ばれた対等な独立国家の自由な連合体」と定義されて発足したブリティッシュ・コモンウェルスであって、イングランドという言葉は含まれていない。

　そのうえ、1949年以降は国王に対する忠誠も外されて、単にコモンウェルスあるいはコモンウェルス・オブ・ネーションズに改称したのであるから、英連邦と訳し続けているのは二重に誤りだ。

　イングランドとスコットランドとは、1603年に同君連合となり、1707年にグレートブリテン王国に統一され、1801年にはアイルランドも加わった。ただし、1999年にはスコットランド議会が復活し自治権も拡大され独立運動も広がっている。

　ウェールズは13世紀以来、イングランドに合同されたのでユニオン・ジャック（国旗）にはスコットランドやアイルランドと違い、これを象徴するものはないが、歴代の皇太子がウェールズ公を名乗り、1997年からは独自の議会ができた。

　ブリテンはケルト系の原住民を「地方の人」というような意味で呼んだのだという。イングランドは、ユトランド半島の「隅」のほうから来たアングロ人に由来する。スコットランドは「放浪」するスクイド人、ウェールズは「外国人」が語源などという。だが、いずれも確証はない。

　ロンドンはローマ都市ロンディニウムのときから引き継がれた都市名で、ケルト人たちの言葉で「野性」を意味するようだ。

英国Data　国名：イギリス（グレートブリテン・北アイルランド連合王国）（英）United Kingdom（仏）Royaume-Uni（中）英国　英国　Yīngguó（正式名称）ユーナイテッド・キングダム・オブ・グレートブリテン・アンド・ノース・アイルランド／首都：ロンドン／言語：英語／面積：242.5千㎢／人口：66.6百万人／通貨：英ポンド／宗教：キリスト教72％／民族：アングロサクソン、ケルト系81.6％／国旗：ユニオンジャック。イングランド、スコットランド、北アイルランドのそれぞれの十字旗を組み合わせ。国歌は『ゴッド・セイブ・ザ・クィーン』（70項写真）。

「オルレアンの乙女ジャンヌ・ダルク」の出現でフランスの逆転勝利に終わったが、もし、イングランド王がフランス王になっていたら、イングランドはフランス王国の辺境、ちょうどいまの英国内のスコットランドのような立場になっていただろう。

　イングランドはケルト人（ローマ人は彼らをブリトン人と呼んだ）、ローマ人に次いでアングロ・サクソン人の支配下となった。9世紀に統一王朝が成立したのち、デーン人の侵略もあり混乱が続いていたのが、ノルマン征服（1066年）で安定し、そののちは、フランスのノルマンディー公だったウィリアム1世（ギヨーム）の子孫が国王となっている。だが、ウィリアムはフランス国王の臣下であるノルマンディー公であり続け、その墓もフランスのカーンという町にいまもある。

　そして、その子孫はフランス西部の諸侯との縁組みによってフランスの全土の半分近くの封建領主となった。しかも、フランス王家とも縁組みしたので、フランス王家で男系が途絶えそうになったときに王位継承権を要求したのが百年戦争（1337〜1453年）の起こりである。

　宗教改革の時代にイングランド王だったヘンリー8世は、離婚が認められないことに腹を立てて、ローマ教会から独立した。その娘のエリザベス女王（1世）は、海賊出身のドレークを登用して無敵艦隊を破り海洋帝国への道を踏み出したが、彼女は生涯未婚のままだった。

　そこで、スコットランドの女王でカトリック教徒のメアリー・ステュアート（フランス王妃だったこともあるが死別）がヘンリー7世の子孫だったので第1候補だったが、エリザベスを追い落とす工作に関与した。メアリーはエリザベスによって処刑され、その息子のジェームズ1世がイングランドとスコットランドの国王を兼ねることになった（1603年、合邦は1707年だが、いまも別法体系が適用）。

　そののち、清教徒革命による共和制、名誉革命による王権の制限を経て英国式の民主政治が確立されていった。王位の女子相続を認めているので、オランダのナッサウ家、さらにはドイツのハノーヴァー家に移り、ヴィクトリア女王、エリザベス2世も外国から夫を迎えて、そのたびに王朝名を変えている。

　現在の王家はウィンザー家と呼ばれるが、第一次世界大戦のときにドイツの地名を取ったハノーヴァー家ではまずいということになり、ロンドン郊外の離宮の名を使ったものだ。

教養への扉　チャールズ皇太子が即位したら父親であるエディンバラ公フィリップ・マウントバッテンの姓も組み込んでウィンザー・マウントバッテン家になるらしい。フィリップはギリシャ王家出身なので、若いころはフィリップ・オブ・グレースだったが、叔父の姓を名乗ったものだ。ただし、マウントバッテンはドイツのバッテンベルクのことであり、ドイツ起源になってしまう。

英国③
世界進出の原動力となったジェントルマン文化

　イングランドはさまざまな民族によって支配され、それが重層的に重なって現在の文化をつくりあげている。ケルト的な風土を基底に持ち「フランス文化によって洗練された勇猛なノルマン人」によって支配されるアングロ・サクソン人が多数の国と理解してはどうかと思う。

　イングランドは「もののふ」（武士）の国である。何しろ、ノルマンディーからやってきた騎士たちが貴族と呼ばれる支配層として1000年もこの国を支配しているのだから当然だ。「もののふの国」だけあって、スポーツには熱心だ。とくに、ルールを決めて疑似戦争をするのが好きで、サッカー、ラグビー、テニス、ゴルフは英国産だ。

　彼らに支配される農民（現代では労働者）たちは、国のことも社会のことも考えず、自分の勝手な要求だけする。いまでもサッカーのフーリガンたちの暴れっぷりは英国紳士の文化からは想像もつかない。

　この国のジェントルマンの文化が世界を制したのは、真似しやすいからだろう。フランス人の優雅さとかエスプリのきいた会話は簡単には真似できない。臨機応変を要求されるマナーも難しい。だが、英国人のすました態度やワンパターンのファッションはそのとおり真似すればいいだけだし、食事中の会話は天気の話以外はしないほうが無難なのだから外国人にも安心だ。

　音楽はケルト的伝統のゆえかわかりやすいメロディーが魅力の民謡にいいものがあり、それが、植民地だったアフリカの激しいリズムと結びつき、アングロアフリカン・ミュージックとなって世界を席巻している。

　英国式の庭園やガーデニングはすばらしい。近代日本の庭園も、山県有朋が京都の庭師小川治兵衛を指導して英国式の流儀を教え込み伝統を融合させたのが出発点だ。

　文学ではウィリアム・シェイクスピアをまず挙げねばならない。小説家としては、チャールズ・ディケンズ、ルイス・キャロル、アーサー・コナン・ドイル、ジョン・ロナルド・ロウエル・トールキン、ジョージ・オーウェルなど。

　アングロ・サクソンの教育は、私立学校が中心であることもあり、民族主義的でなく普遍主義的であることが世界で人気を博している。中等教育ではイートン・カレッジに代表される寄宿制のグラマースクール。大学では、オックスフォード大学とケンブリッジ大学が双璧だ。

教養への扉　18世紀の英国の貴族は武者修行代わりに「グランドツアー」と呼ばれる大旅行でイタリアやフランスに出かけ、そこで見た思い出を生涯大事にして、イタリア風の寒冷地には向かないバルコニーがある館に住むのを好んだ。遺産整理をするまで荷ほどきさえしなかった巨匠たちの名画も博物館にたくさん寄付されている。

　料理はおいしくないのではなくて「まずい」。牛か羊か豚を焼いたのが交互に出てきて、焼きすぎて硬くなった肉の表面に塩を振ると結晶が転がっていった。ただし、朝食だけは世界からの来訪者に評価されている。ゲームを中断したくないために発明されたサンドイッチもアンチ・グルメの国らしい。

　ただし、欧州統合が進んでから長足の進歩で、まずい英国料理を食べたくても難しくなった。ブレグジットのあとは、あのフィッシュ・アンド・チップスとか、あのまずい英国料理が復活するのが楽しみだ。

　英語は珍しいことにイントネーション（高低）でなくアクセント（強弱）が主の言語だ。発音は難しいが、文法が簡単であることに加え、単語がフランス語と共通のものが多いことも普及を助けた。ただし、文法が簡単なことの半面として意味が曖昧になりがちで、法律や条約には不向きだ。

　スコットランドは、ローマ時代にはカレドニアといわれてケルト系民族がいた。ローマの支配はおよばず、ローマのハドリアヌス帝はいまは世界遺産になっている長城を築いた。11〜13世紀あたりにスコットランド王国ができたが、一時はイングランドに飲み込まれそうになったが撃退し、1314年にロバート・ブルースがイングランド軍を破り独立を確保した。

　ステュアート家は、フランス・ブルターニュ地方のケルト人だが、スコットランド宮廷の王室執事長となり、ブルース王家が断絶したのち、ロバート1世の女系の曽孫であるとして王位を継いだ。

　フランス王フランソワ2世と死別してスコットランドに帰ってきたメアリー・ステュアートはスコットランド王家の傍流でもあり、かつ、メアリーの祖母であるマーガレット・テューダーは、イングランド王ヘンリー7世の娘を共通の祖母とするダーンリー卿と再婚して生まれたのが、のちのイングランド王ジェームズ1世である。

　しかし、エリザベス1世は一生独身だったので、ジェームズ6世がイングランド王ジェームズ1世になって同君連合となった。これがステュアート朝である。イングランド王となったジェームズ1世とその子のチャールズ1世は、王権神授説による国王の絶対性を説いて議会と対立し、チャールズ1世は清教徒革命でオリバー・クロムウェルによって処刑された（1649年）。

教養への扉　英国の歴代王朝……ノルマン朝（1066〜1135年）、プランタジネット朝（1154〜1399年）、ランカスター朝（1399〜1461年）、ヨーク朝（1461〜1485年）、テューダー朝（1485〜1603年）、ステュアート朝（1603〜1714年）、ハノーヴァー朝（1714〜1901年）、サクス゠コバーグ゠ゴータ朝（1901〜1917年）、ウィンザー朝（1917年〜現在）。

71
365

アイルランド
ブレグジットで揺れる英国との微妙な関係

　アイルランドでは新大陸原産のジャガイモ導入で飛躍的に人口が増えた。1845年にジャガイモの病気蔓延(まんえん)で飢饉(ききん)となり、アメリカ大陸や英国へ移民を大量に送り出した。アメリカに4000万人のアイルランド系市民がおり、ケネディ一家やグレース・ケリーも。英国ではビートルズのメンバーもリンゴ・スター以外の3人がアイルランド系だ。

　ギリシャやローマ文明の時代、北の世界に住んで、金髪や茶色の髪の毛をし、背が高く肌の色が白い人たちといえば、ゲルマン人でなくケルト人のことだった。ケルト人は、鉄剣と馬車を操って恐れられた。カエサルと戦ったガリアの人々は彼らだ。英国でも原住民で、彼らのDNAはイングランドにも残っているし、スコットランドではより濃厚。アイルランドやウェールズ、フランスのブルトン語もその流れ。

　ウェールズでは5〜6世紀にアーサー王伝説のモデルが活躍したが、13世紀にイングランドに征服され、王太子（のちのエドワード2世）がプリンス・オブ・ウェールズを名乗って伝統になっている。エリザベス女王らのテューダー家はウェールズ貴族の家柄だ。

　アイルランド（西の意）がキリスト教化されたのは4〜5世紀のことで、修道院などがつくられた。戦国時代のような状態が続いたが、12世紀のイングランド王ヘンリー2世に征服され、子のジョンにアイルランド卿を名乗らせた。1541年になってヘンリー8世がアイルランド王を名乗り、イングランドからの入植者が増えた。

　1801年にはグレートブリテン王国と合邦したが、20世紀はじめから独立運動が盛んになり、1922年に自治領となったが、1938年には独立し1949年に英連邦も脱退した。プロテスタントが多い北アイルランドは英国に残留。

　北アイルランドでは数のうえで優勢な英国派に「アイルランド共和軍」（IRA）がテロなどで対抗したが、1998年にブレア政権との北アイルランド和平合意が成立した。こうした合意は欧州統合の深化により北アイルランドはアイルランドとも英国とも国境がない状態になったからだ。しかし、ブレグジットによってどちらかの国境を復活する必要が生じ、ブレグジットが一時、暗礁に乗り上げたし、いまも、根本的な問題解決に至っていない。

　ジョナサン・スウィフト、ジェイムズ・ジョイス、ジョージ・バーナード・ショー、オスカー・ワイルドなど文学者も多く出し、パブなどでギネスビールを飲みながら歌うことが好き。近年ではエンヤが人気。

アイルランドData　国名：アイルランド（英）Ireland（仏）Irlande（アイルランド語）Éire（中）爱尔兰　愛爾蘭　Aiěrlán（正式名称）エール／首都：ダブリン／言語：英語、アイルランド語／面積：69.8千k㎡／人口：4.8百万人／通貨：ユーロ／宗教：カトリック87％／民族：アイルランド系87％／国旗：緑旗、オニールのハーブ。カトリックとプロテスタントの和解。

[地域の歴史] 旧オーストリア＝ハンガリー二重帝国
第一次世界大戦で崩壊した中欧の大国

　第一次世界大戦まであったオーストリア＝ハンガリー二重帝国については、どうせオーストリアが主導権を取った国でハンガリーは抑圧されていたのだろうと想像する人が多いが、ハンガリーは対等の地位を持っていた。

　二重帝国の正式名称は「帝国議会において代表される諸王国および諸邦ならびに神聖なるハンガリーのイシュトヴァーン王冠の諸邦」（ディー・イム・ライヒシュタット・フェルトレーテネン・ケーニヒライヒ・ウント・レンダー・デル・ウント・ディー・レンダー・ハイリゲン・ウンガリシェン・ステファンスクローネ）である。

　ハプスブルク家はスイス東北部のライン川上流の出身だが、1273年にルドルフが神聖ローマ皇帝（厳密にはドイツ王）に選出され、15世紀からは帝位を世襲するようになった。ただ、16世紀からはカール5世のあとを息子のフェリペ2世がスペイン、弟のフェルディナント1世がオーストリアに分かれた。

　後者は結婚を通じてボヘミア王、ハンガリー王などを獲得して大帝国になり皇帝位も継承した。だが、ナポレオン戦争のときフランツ2世はオーストリア皇帝を称することにしてドイツ帝国から中欧帝国へと模様替えした。だが、帝国統治の安定化のためにハンガリー人の協力が必要になり、1867年に二重帝国となった。オーストリアとハンガリーは帝国を二分し、ハンガリーに属したのが、現在のハンガリーのほかにスロバキア、クロアチア（ダルマチアはオーストリア）、トランシルヴァニア（現ルーマニア北西部）などだった。サラエボ事件が起きたボスニア・ヘルツェゴビナはオーストリアと共同管理だった。

　フン族がハンガリーという国名の由来だともいわれるが、現在の国は同じ系統のマジャール人の建てた国に始まり、国名も現地語ではマジャロルサーグだ。イシュトヴァーン王がローマ教皇から王国として認められたのは1000年ごろのことだ。

　オスマン帝国の攻撃を受け国土の大半を取られた。ヤギェウォ家の国王ラヨシュ2世の戦死ののち、王妃の兄だったオーストリア大公フェルディナント（カール5世の弟）に王位が渡り、神聖ローマ帝国の枠外にもかかわらず、ハプスブルク皇帝家の世襲になった。首都はオスマン帝国の攻撃を避けてポジョニに長く置かれていた（1541〜1784年）。現在のスロバキアの首都ブラチスラヴァだ。しかし、第一次世界大戦の結果、帝国は瓦解し、オーストリアとハンガリーはいずれも小国として存続することになった。

リヒテンシュタインData　国名：リヒテンシュタイン公国（英）Liechtenstein（仏）Liechtenstein（ドイツ語）Liechtenstein（中）列支敦士登　列支敦士登　Lièzhīdūnshìdēng（正式名称）フルステントゥーム・リヒテンシュタイン［ドイツ語］／首都：ファドーツ／言語：独語／面積：0.2千k㎡／人口：3.8万人／通貨：スイス・フラン／宗教：カトリック76％／民族：リヒテンシュタイン人66％。

オーストリア、リヒテンシュタイン
ドイツの「辺境」から生まれた国々

マリア・テレジアやヴォルフガング・アマデウス・モーツァルトの時代の雰囲気は郊外のシェーンブルン宮殿にはあるが、市内では実質的な最後の皇帝であるフランツ・ヨーゼフと美しいエリザーベト皇妃をしのぶべきだ。忘れてはならないのが美術史美術館で、ブリューゲルの絵を見て、フランドルも領土だったことを思い出そう。郊外のウィーンの森も楽しい。

オーストリアのウィーンでは、オペラの切符が取れたら最高。何しろオーケストラは、あのウィーン・フィルなのだ。次にはデメルかホテル・ザッハーでザッハトルテを楽しむ。食事は、イタリア料理かハンガリー料理でハプスブルク帝国の時代をしのびたい。

国民党と社会民主党の二大政党だったが、極右の自由党が勢力を伸ばして国民党との連立政権になった。しかし、党幹部がロシアと連携しているのが判明して、今度は国民党と緑の党との連立政権になった。

オーストリアは東の国という意味。9世紀に成立した辺境伯がルーツ。ドナウ川の河港だったウィーンの語源はケルト語のウィンドボナである。

モーツァルトの故郷であり、音楽祭が開かれ、『サウンド・オブ・ミュージック』の舞台であるザルツブルクは岩塩の産地に由来する。冬季オリンピックが開催されたインスブルックを中心とするチロルともども歴史的にはオーストリアには含まれない。

スイスとオーストリアの国境にある**リヒテンシュタイン**（Dataは72項に掲載）は、スイスのチューリッヒとオーストリアのインスブルックを結ぶ鉄道が通っているが、気づかないうちに通過する。私もそのおかげで訪れたことがある国がひとつ増えた。

18世紀に神聖ローマ帝国のカール6世から諸侯としての地位を認められ、シェレンベルク男爵領とファドゥーツ伯領を購入した。たまたまオーストリアとスイスの国境にあったので、ドイツ帝国に参加せずにすんで独立の永世中立国となっている。

第一次世界大戦までは、オーストリアの付属国のようなもので大公もウィーンに住んでいた。元首の称号であるフュルストは侯とも大公とも訳されるが、ヘルツォーク（公爵）の下位、グラーフ（伯爵）の上位なので侯爵が正しい。

ハンス・アダム2世によって2002年にウィーンの邸宅を修築し、リヒテンシュタイン美術館とした。悪質なマネーロンダリングに加担していることがドイツの税務当局への内部告発で明らかになり、国家的危機だと大騒ぎだ。

オーストリアData 国名：オーストリア共和国（英）Austria（仏）Autriche（ドイツ語）Österreich（中）奥地利 奥地利 Aòdìlì（正式名称）レプブリーク・エスターライヒ［ドイツ語］／首都：ウィーン／言語：独語／面積：83.9千㎢／人口：8.8百万人／通貨：ユーロ／宗教：カトリック74％／民族：オーストリア人91％／国旗：十字軍遠征で、白い軍服がベルト部分を残して敵の返り血で赤に染まった故事から。国歌はヴォルフガング・アマデウス・モーツァルト作曲といわれるが異説も。

ハンガリー
オーストリアと二重帝国を形成

　ハンガリーのブダペストはマリア・テレジアが女王だった18世紀の雰囲気をよく伝える。ドナウ川もここではほどよい幅だし、両岸にブダ地区とペスト地区の美しい町並みがあって、こちらのほうが、よほど『美しく青きドナウ』らしい。

　オーストリア＝ハンガリーのハプスブルク家は、マリア・テレジアが継承者となったが、皇帝に女性がなるわけにはいかなかった。そこで、オーストリアやハンガリー、ボヘミアなどを相続したマリア・テレジアと結婚したフランス貴族ロートリンゲン（ロレーヌ）家のフランツを皇帝とし、半独立国だったロレーヌは、領地を失ったポーランド王（フランス王ルイ15世の舅）に譲り、その死後はフランス領とすることで妥協が図られた（マリア・テレジアは皇妃であるが女帝とするのは誤訳で彼女自身は皇帝ではない）。

　英国のそれに似た国会議事堂はペスト地区で、ブダ地区には戴冠式が行われたマーチャーシュ教会がある。「漁夫の砦」はパリのモンマルトルの丘にあるサクレ・クール寺院に似た東方的センスでアジア系民族が建てたハンガリーの首都にふさわしい。

　第二次世界大戦後は、ソ連に占領されたが1956年の政変で中立を宣言し、ハンガリー動乱の悲劇を生んだ。だが、ソ連は外交政策で忠実なら経済政策では市場経済を実験させてくれたのでそれほど息苦しくはなかった。

　名物はウィーンっ子も大好きなグラーシュというパプリカがたくさん入ったビーフ・シチューだ。ルイ14世も大好きだったトカイという貴腐ワイン、それにフォアグラだ。社会主義時代が終わって間もなくのころは、こんがりウェルダンに焼き上げるので脂っこいレバー炒めにすぎなかったがだいぶ改善されたらしい。ドナウ川沿岸の湿地帯には鳥が多く羽毛を産す。また、温泉が多いのも珍しい。スズキ自動車が進出している。

　ハプスブルク時代から、ウィーンは音楽家たちの供給源で、その代表選手は、作曲家にして名ピアニストだったフランツ・リストである。ただし、彼の『ハンガリー狂詩曲』などは、ジプシー音楽であってハンガリーの民族音楽ではないと、バルトーク・ベーラやコダーイ・ゾルターンなどがのちに主張することになる。

　穴場はブダペスト西駅のマクドナルドだ。ギュスターヴ・エッフェルの設計なのだ。世界でいちばん美しいマックという名声は当然だ。

　極右の民族主義政党が与党で、難民の受け入れを拒否してEU本部と対立している。スポーツが盛んでサッカー、レスリングなど名選手を多く出し、ひとりあたりの金メダル数は歴史的にトップクラス。

ハンガリーData　国名：ハンガリー（英）Hungary（仏）Hongrie（マジャール語）Magyarország（中）匈牙利　匈牙利　Xiōngyálì（正式名称）マジャール・ケスタールシャシャーグ／首都：ブダペスト／言語：ハンガリー語／面積：93.0千㎢／人口：9.7百万人／通貨：フォリント／宗教：カトリック52%／民族：マジャール人92%／国旗：赤は愛国者の血と力、白は純潔と平穏、緑は希望。

［地域の歴史］旧チェコスロバキア
20世紀に生まれて世紀末に消えた国家

チェコスロバキアが「ビロード離婚」してチェコとスロバキアに分かれたのは、二つの国がそれぞれ歴史的には神聖ローマ帝国とハンガリー王国に属していたので、一緒にやっていくのに無理があったからだ。

ボヘミアは神聖ローマ帝国内におけるスラヴ人たちの居住地だったが、1212年に正式に王国に昇格した。14世紀には、神聖ローマ皇帝をボヘミア王だったルクセンブルク家から出したこともあり、プラハは帝国でも中心的都市のひとつとなった。

ハプスブルク家が王位を兼ねるようになったが、あくまでも別の王国であるという建て前で『皇帝ティートの慈悲』をボヘミア王としての皇帝レオポルト2世の戴冠式用に作曲した。第一次世界大戦ののち、チェコが独立することになったが、独立運動の指導者だったトマーシュ・マサリクは、小国であると周囲の大国に軽んじられることを危惧し、旧ハンガリー王国の一部だったスロバキアも誘うことにした。しかし、世界有数の工業国だったチェコにとって遅れたスロバキアはお荷物になったし、反対にスロバキア人もチェコ人優位に不満を募らせた。

また、スラヴ人の国になるなどと夢にも思わず移住してきていたドイツ人たちが怒るのも当然だった。これを見て、アドルフ・ヒトラーはドイツ人が多いズデーテン地区を併合し、さらにチェコ全域を占領して第二次世界大戦の伏線になった。

第二次世界大戦ののちは、チェコスロバキア、ハンガリーはソ連の衛星国になった。ソ連軍によってナチス・ドイツから解放された恩義もあるし、もともとこの国の人は親露的だったからこれを歓迎した。

だが、ソ連は西欧的な民主主義の伝統を無視して、この国にタタール的な専制主義を押しつけた。どうにも我慢できなくなったチェコスロバキアの人々は「プラハの春」（1968年）で自由化を試みたが、ソ連は戦車を送ってシャットアウトした。

それから二十数年後の1990年、平和的な「ビロード革命」で自由化されたチェコとスロバキアは、1993年協議離婚した。言語こそ同じようだとはいえ、違う歴史を持つ二つの国が共同生活を送ることには無理があることがどちらにもわかっていた。

教養への扉　スポーツが昔から盛んで体操のベラ・チャスラフスカや陸上長距離のエミール・ザトペックを生んだ。チェコはアイスホッケー、スロバキアはカヌーが盛んで強豪だ。

チェコ、スロバキア
離合集散を繰り返した二つの民族

音楽は『新世界より』などのアントニン・ドヴォルザークと『モルダウ』を含む連作『わが祖国』などのベドルジハ・スメタナという偉大な作曲家を生んだ。ヴォルフガング・アマデウス・モーツァルトの歌劇『ドン・ジョヴァンニ』はプラハで初演された。

　かつての「チェコスロバキア」は、1918年の建国時に、チェコ民族とスロバキア民族によるひとつの国家として建国されたものであるが、日本では「チェコスロバキア」の短縮形として単に「チェコ」を使うこともあった。

　もともと神聖ローマ帝国の領域内で、スラヴ人たちが住み着いたところがあって、それがチェコである。**チェコ**は「最初に来た人」といった意味らしいので、彼らのうちはじめのころに住み着いた人々の自称であろう。ここにはスラヴ人より前にケルト系のボイイ人が住んでおり、それにちなんでラテン語でボヘミア、ドイツ語でベーメンという。

　首都プラハ（ドイツ語ではプラーク）はエルベ川の支流であるヴルタヴァ（ドイツ語でモルダウ）川に沿った町。中世ドイツの雰囲気がドイツのどの大都市より純粋に残っている。大きな戦乱などに巻き込まれたことがないのだ。聖人たちの彫刻が欄干に並ぶカレル橋がヴルタヴァ川にかかり、丘の上にプラハ城が偉容を見せ、市街には教会の鐘楼が林立する。ユダヤ人街であるゲットーが奇跡的に昔ながらの姿をとどめる。

　工芸品ではボヘミアン・グラス（75項写真）が人気。西部の都市プルゼニはドイツ語ではピルゼンで、いま世界中で普通に飲まれている澄んだタイプのビールはここで開発された。**スロバキア**のブラチスラヴァは、10世紀に栄えたモラヴィア王国の王の名にちなむ。かつてのハンガリーの首都としての記念物が多い。聖マルティン大聖堂はマリア・テレジアもハンガリー女王としての戴冠式を行った場所だ。ハンガリー王の戴冠式を再現する「ブラチスラヴァ戴冠式フェスティバル」というのもある。西部にはカルパティア山脈のブナの原生林など自然がよく残り、巨大な廃墟であるスピシュスキー城なども世界遺産に登録されている。

　スロバキアはハンガリーと同じワイン文化である。人口の1割がハンガリー系だが、そのなかに、テニスのマルチナ・ヒンギスがいる（スイスに移住）。

チェコData　国名：チェコ共和国（英）Czech Republic（仏）Rép. tchèque（チェコ語）Česko（中）捷克　捷克　Jiékè（正式名称）チェスカー・レプブリカ／首都：プラハ／言語：チェコ語／面積：78.9千km²／人口：10.6百万人／通貨：コルナ／宗教：カトリック27％／民族：チェコ人90％／国旗：赤・白・青は伝統色。青い三角形はカルパチア山嶺。

スロバキアData　国名：スロバキア共和国（英）Slovakia（仏）Slovaquie（スロバキア語）Slovensko（中）斯洛伐克　斯洛伐克　Sīluòfákè（正式名称）スロベンスカ・レプブリカ／首都：ブラチスラバ／言語：スロバキア語／面積：49.0千km²／人口：5.5百万人／通貨：ユーロ／宗教：カトリック69％／民族：スロバキア人86％、ハンガリー人10％／国旗：ロシア旗と同じ旗、左側に国章、族長十字とタトラ、マトラ、ファトラ三山。

スイス

国際社会が認める「永世中立国」の起源

　多言語国家というのは不便なものだが、スイス（酪農場の意か）ではドイツ語、フランス語、イタリア語、ロマンシュ語が国語になっている。ジュネーヴ、ローザンヌとその周辺がフランス語地域で、残りの多くはドイツ語である。小さな貨幣や切手に何種類もの国名を書くわけにはいかないのでラテン語の「コンフェデラチオ・ヘルヴェティカ」が刻印されている。

　「スイス」というのは1291年、ハプスブルク家に反抗して中部のウーリ、シュヴィーツ、ウンターヴァルデンの三つの州の代表者たちが集まり自治独立のための永久盟約を結んだことを記念し、シュヴィーツ州の地名を取ったものである。シラーの戯曲やロッシーニのオペラで知られるウィリアム・テルはこのころの伝説的英雄だ。

　宗教改革ではジュネーヴでカルヴァンが活躍し新旧両派に分かれたが、三十年戦争に巻き込まれないように中立を宣言し国境防衛軍を設けた。これが永世中立の起源で、ナポレオン戦争ののちのウィーン体制のもとで国際的認知を受けた。神聖ローマ帝国から離脱したのは、1648年のウェストファリア条約によるものだ。国際連盟には加盟したが、途中で脱退し、国連には2002年まで加盟しなかった。

　EU加盟も2001年の国民投票で否認したが、フランス語地域では加盟論が優勢で、もしかすると国家分裂ということもありうるとすらいわれる。長く女性参政権がなかったが、1971年に認められ普通の国になった。住民集会という直接民主制も一部だが残る。兵役の義務は厳しく、男性は定期的に軍人としての訓練を受けねばならない。

　スイス銀行という言葉が、マネーロンダリングに使われたり独裁者の秘密預金で話題になったりするが、たしかに匿名口座が認められ、世界中から怪しげな預金を集めてきた。預金だけでなく、金正恩とその兄弟もスイスに留学させていた。

　こういう抜け道というか、息抜き国家というべき存在は、建て前だけでは動きが取れない状況を解消する効用もたしかにあるのだが、このところ、風当たりが強くなってきた。

　スイスには手つかずの自然などなく、マッターホルン、ユングフラウ、モンブラン（仏伊国境だが）など3000mくらいまでケーブルカーやロープウェイで楽々登れる。ただし、料理は悲惨だ。とくにドイツ語圏はひどい。チーズ・フォンデュなど、チーズをぐつぐつ煮てパンに巻きつけてワインで流し込んでどこがおいしいのか。アルベルト・アインシュタインに代表されるように科学者も多く人口比では世界で最高だ。産業では時計王国だ。

スイスData　国名：スイス連邦（英）Switzerland（仏）Suisse（ドイツ語）Schweiz（中）瑞士　瑞士Ruìshì（正式名称）シュバイツェリッシェ・アイトゲノッセンシャフト［ドイツ語］／首都：ベルン／言語：独語、仏語、イタリア語、ロマンシュ語／面積：41.3千㎢／人口：8.5百万人／通貨：スイス・フラン／宗教：カトリック42%、プロテスタント35%／民族：ドイツ系65%、フランス系、イタリア系／国旗：連邦十字旗。赤地に白の十字。

スペイン①
「国土回復運動」から生まれた国

イベリア半島の北部にあるアルタミラにはクロマニョン人が残した洞窟絵画がある。フランス中部のラスコー洞窟と双璧だ。そののち、イベリア人などが住んだ。イベリア半島は彼らの民族名で、エブロ川に由来する。カルタゴやローマの支配を受けた。エスパーニャの語源はフェニキア語のウサギらしい。スペインはその英語名。

4世紀におけるゲルマン民族移動の結果、西ゴート族はトラキア（ブルガリア）からイタリア半島を経て南フランス方面に定住し、トゥールーズ（トロサ）を首都とした。だが、フン族に圧迫されてイベリア半島に移動し6世紀にはトレドを首都とした。これが、スペイン国家のルーツだ。

8世紀にはサラセン人がアフリカから侵入し、ダマスカスから逃れてきた後ウマイヤ朝がコルドバに建国し、バグダード、コンスタンティノープルと並ぶ世界三大都市とすらいわれた。西ヨーロッパに古代文明の知識を伝え、ルネサンスへの架け橋となった。

コルドバには、メスキータと呼ばれる縞模様の列柱が印象的なモスクが残り、銀細工やレース製品がかつての栄光をしのばせる特産品だ。

スペインのレコンキスタは、西ゴート貴族ペラーヨが722年にイスラムの討伐軍を迎え撃って撃退し、かろうじてイベリア半島最北部への侵攻を食い止めたときから始まる。1031年の後ウマイヤ朝の滅亡を機に力は逆転し、カスティーリャやアラゴンといったのちのスペインのもとになる王国やポルトガルが成立した。その間にエル・シッドのような民族的英雄も出た。

1492年には、最後までグラナダで抵抗を続けていたイスラム教徒のムハンマド12世王がシエラネバダの峠を越えてアフリカに落ち、カトリック両王といわれるイサベル1世（カスティーリャ女王）と夫のフェルナンド2世（アラゴン王）がアルハンブラ宮殿に入城し、イベリア半島はすべてキリスト教徒の手に戻った。しかも、同じ年にイサベル女王の支援でパロスを出航していたコロンブスの船隊がアメリカを発見した。

そして、アラゴンはイタリアのナポリやシチリアなどを領していたから、彼らの相続人はポルトガルを除くイベリア半島と、南米、イタリアの一部を得ることになった。

スペインData　国名：スペイン王国（英）Spain（仏）Espagne（スペイン語）España（中）西班牙 西班牙　Xībānyá（正式名称）エスパーニャ／首都：マドリード／言語：スペイン語、カタールニャ語、ガリシア語、バスク語／面積：506.0千㎢／人口：46.4百万人／通貨：ユーロ／宗教：カトリック94%／民族：スペイン人／国旗：血と金の旗。王冠、5盾紋、2本のヘラクレスの柱が描かれる。国歌には歌詞がないのでつけようとしたら大論争になって延期に。

スペイン②
王位が空席となったフランコ将軍の時代

　イサベル1世のひとり息子だったフアンが早世した結果、娘のフアナとハプスブルク家のフィリップの子であるカルロス（フランス語でシャルル・カン、神聖ローマ皇帝カール5世、スペイン王カルロス1世）が相続人となった。シャルル（カルロス）はハプスブルク家のドイツにおける領地や神聖ローマ帝国の帝位のほか、母方の祖母を通じてブルゴーニュ公領であるフランドルまで受け継ぎフランス語を母国語とした。

　カルロス1世の帝国は広すぎて不便なことも多く、神聖ローマの帝位とオーストリア大公の地位はシャルル・カンの弟のフェルディナントに譲られたが、残りの領土はスペイン王を継いだフェリペ2世のものとなった。さらにレパントの海戦で無敵艦隊がオスマン・トルコを破って地中海の制海権を獲得した。晩年にはエリザベス女王（1世）の英国に敗北したものの、フィリピンなどへの植民が進み、さらに、ポルトガルの王位を手に入れることでアフリカ、アジア、ブラジルなども獲得した。

　フランドルではオランダが宗教弾圧への反発もあって1581年に事実上の独立宣言を行い、ポルトガルは統合が進まないまま、同君連合も1640年に解消した。18世紀にはハプスブルク家断絶に伴い、ルイ14世の孫であるフェリペ5世が即位したが、1713年のユトレヒト条約などで、ベルギー、ミラノ、ナポリをオーストリアに、英国にジブラルタルやフランス領カナダの一部などを割譲することになった。

　このことで、スペインはイベリア半島以外では、アメリカ大陸とフィリピンに版図を限定された。さらに、ナポレオン戦争後に南米は独立し、19世紀末の米西戦争でフィリピンとキューバも失った。

　この王朝は、19世紀になって、国王フェルナンド7世に男子がなかったので、サリカ法典に基づく王位継承法を無理に改正し、娘のイサベル2世を女王としたが、安定せずに、共和制への移行、王政復古を経て1936年には人民戦線内閣が成立した。

　これを不満としたフランシスコ・フランコ将軍が反乱を起こし、ヘミングウェイの『日はまた昇る』やピカソの『ゲルニカ』でおなじみのスペイン内戦となってフランコが勝利を収めた。フランコは、当初の枢軸国寄りの外交を巧みにアメリカ寄りへ舵を切り、国連加入にもしばらくたってからだが成功した。

　フランコ体制のもとで、「国家元首継承法」によって、スペインは王国でありながら王位は空席で、フランコは終身元首であり、後継者を指名できるということにし、現国王フアン・カルロス1世を手元に置いて、これに帝王学をたたき込んだ。フランコへの評価では左右の対立が激しいが、最近も左派政権がフランコの墓を移転させてひと騒動だった。

教養への扉　北東部にあるサンティアゴ・デ・コンポステーラのカテドラルは聖ヤコブの聖地とされ全ヨーロッパから巡礼者がこの地を目指した。北東部のビルバオにあるビルバオ・グッゲンハイム美術館は建築も含めて現代美術の聖地だ。

スペイン③
「ピレネーより南はアフリカ」から西欧主要国へ

もともと夏など朝から午後3時くらいまで休みなく働いて、午後4時ごろから昼食、長いシエスタのあと、10時を過ぎてから夕食だったが、この優雅な習慣も崩れつつある。長い間、ヨーロッパの中心から外れ、「ピレネーより南はアフリカだ」とナポレオン・ボナパルトに叫ばせたが、欧州統合への参加で歴史の軛(くびき)から解放されて、本来の国力に見合った地位を占めつつある。

フランコ総統の死（1975年）によって王政復古となったが、フアン・カルロス国王は民主主義的改革を進め、名君としての誉れが高かった。しかし、在位の後期には評価が落ちていった。スペイン語圏会議の席上でベネズエラのウゴ・チャベス大統領を「黙れ!」と一喝して話題になった。経済危機のときにアフリカでのサファリが批判されたりもした。そして、2014年に生前退位して息子のフェリペ6世が即位した。レティシア王妃は元テレビ・キャスターで離婚経験がある。ただし、民事婚だけで教会での結婚式はしていなかったのでカトリック教会にとっては初婚扱い。

世界帝国を築いたカルロス1世の子であるフェリペ2世は、修道院のようなエスコリアルに閉じこもって、ひたすら書類に目を通しカトリック世界のために戦ったが、スペインの絶頂期は過ぎていった。そのあたりの物語は、フリードリヒ・フォン・シラーが戯曲にし、ジュゼッペ・ヴェルディが歌劇にした『ドン・カルロス』でもおなじみだが、真摯な信仰と裏腹を成す異端審問所や火あぶりの残虐な臭いがこの国にはある。

この国の建築や絵画はイタリアほど美しくないが、力強く心に迫る。エル・グレコ、ディエゴ・ベラスケス、フランシスコ・デ・ゴヤ、パブロ・ピカソ、サルバドール・ダリを生んだ国だ。文学ではミゲル・デ・セルバンテスの『ドン・キホーテ』が世界中で愛読されている。

ギターはこの国の楽器で、『禁じられた遊び』の大ヒットやフォークソングに使われて世界中で愛されている。フラメンコもいいが、やはり、闘牛は見逃すべきでない。いつ動物愛護を理由に見られなくなるかもしれない。料理はパエリアとか、アンギラス（ウナギの稚魚）の蒸し焼き、子豚の丸焼きといった荒々しいものだったが、最近ではフランスやイタリアに迫る水準向上ぶりで、世界で最も予約の取りにくいレストランなども出てきている。

教養への扉　西ゴート王国の首都で画家エル・グレコが活躍したトレドの町をタホ川の対岸の丘から見た風景は、レコンキスタの戦いの時代に誘う。グラナダのアルハンブラ宮殿やコルドバのメスキータ、セビリアのヒラルダの塔はキリスト教徒が壊すのを躊躇したのも当然と納得する美しさである。

スペイン④、アンドラ

カタルーニャ分離運動とフランス国境の独立国

スペイン人の心の故郷は、やはりカスティーリャ地方だ。お菓子のカステラの語源である。スペイン人はイベリア半島の北部から興り、ブルゴスを経てマドリードに進出した。スペイン人はレコンキスタを戦い抜いただけに、騎士たちの国である。イタリア人と違って、あまり融通が利かない。日本人でいえば、イタリア人が関西人なら、スペイン人は九州男児といったところで、誇り高く勇気があるが、うまく立ち回ることは苦手だ。

ピレネー山脈の西部の大西洋（たいせいよう）に近い部分はバスク地方である。言語的にもルーツが不明で、ベレー帽など独特の風俗がある。太平洋岸のサン・セバスティアンには、かつては、政府機関が夏の間は移ってきていたこともある。現在では、ピンチョス（カナッペなど）が名物のグルメ都市として世界的に人気だ。独立運動が激しく、スペインにとって頭痛の種。フランシスコ・ザビエル、『ボレロ』で知られるモーリス・ラヴェル、チリの独裁者アウグスト・ピノチェト、チェ・ゲバラなどがこのバスク人だ。

地中海側の東部はカタルーニャ地方で、バルセロナが州都である。たまたま、スペインに入ったがフランスでもおかしくなかったところだ。フランシスコ・フランコ政権下ではカタルーニャ語は弾圧されたが、いまや道路標識にも登場している。ガウディのサグラダ・ファミリア教会（80項写真）が世界でトップクラスの観光資源にのし上がった。最近は観光客が多くなりすぎて観光公害が問題になり始めた。

カタルーニャ分離運動が盛んで、政府の制止を振り切って州政府が行った独立を問う住民投票で独立派が勝ったが、政府は関係者を逮捕するなど強硬策に出て紛争は激化し、独立を警戒する企業も続々と州外に脱出している。

カタルーニャはフランス側にもまたがっているが、国境の一角に**アンドラ**があって、9世紀から領主だったウルゼル伯の相続人であるフランスのフォア伯と、ウルゼル伯からアンドラを寄進されたスペインのウルゼル司教とが争い、1278年に共同君主となった。16世紀になってフォア伯の肩書は、ナバラ王アンリのものとなったが、その彼がフランス国王アンリ4世となってフランス王に引き継がれ、さらに、その地位は現在のフランス共和国大統領に受け継がれている。1993年には、国連にも加盟し、独立国らしい体裁を整えた。

アンドラData 国名：アンドラ公国（英）Andorra（仏）Andorre（カタロニア語）Andorra（中）安道尔 安道爾 Āndàoěr（正式名称）プランシポテ・ダンドール［仏］／首都：アンドララベリャ／言語：カタルーニャ語、仏語、スペイン語／面積：0.5千㎢／人口：7.7万人／通貨：ユーロ／宗教：カトリック／民族：スペイン系43％、アンドラ系33％／国旗：ラテン語で「結合した力はより強大なり」。

| 西欧 |

ポルトガル
大航海時代の主役になった理由

　ポルトガル（暖かい港の意）は、レコンキスタが進むなか、レオン・カスティーリャ王国においてフランス人貴族アンリ・ド・ブルゴーニュが領地を与えられ、その子アフォンソ・エンリケスが1143年に独立王国を建てたことに始まる。

　イスラム教徒を追い払ったあと、海外へ進出していったことはアフリカなどの章で紹介する。ナポレオン戦争では、王室がブラジルに逃げ出し、貴族や富豪がそれに続いたために、ブラジルの文明化は大いに進んだが、ブラジルの自立を招いた。

　この戦争で助けてくれた英国にブラジル貿易の権利を分与し、ポルトガルは英国主導の自由貿易体制に組み込まれて、従属的な農業国とされて産業発展を邪魔され、英国べったりだった王室は追い出されて、1910年に共和国となった。

　この国をともかくも安定させたのは、1932年に政権についた経済学者アントニオ・サラザールである。サラザールは、緊縮財政を徹底し、あらゆる変化を嫌い、組合主義によって過当競争を排除した。植民地についても、サラザールのもとで大量の移民が本国から送り込まれ、彼らは、現地人ともよく同化し、産業開発も進められた。

　第二次世界大戦では、スペインが中立を守ったものの親枢軸国だったのに対して英米寄りの中立で、戦後、スペインがNATO（北大西洋条約機構）やECなどから長く排除されたのに対して、同じファシスト的国家と非難されつつも、国際的孤立を免れた。

　だが、サラザールの死後、アフリカ独立に抵抗して派兵したものの負担に耐え切れなくなり、1974年に軍と左翼が組んだカーネーション革命が起こった。翌年にはアンゴラ、モザンビークの独立を認め、東ティモールも独立したが、その後インドネシアに奪われた。

　新しい政権は、共産党などの左派勢力の影響が強かったが、普通の西ヨーロッパ型の体制に移行し、EU委員長に首相だったジョゼ・マヌエル・ドゥラン・バローゾを送り込んだのに続いて国連の事務総長にアントニオ・グテーレスを送り込むなどしている。

　アフリカから帰ってきた人々も、欧州統合のなかでポルトガル国内に限らず新天地を求められる幸運に恵まれ、心配したほど混乱はない。

　近年、旅行先として日本でも大人気になってきた。リスボンは坂の多い町で「交通機関」としてのエレベーターがある。タイルを多用した涼しげな建物やコルクの木が印象的。料理はイワシのグリルが日本人に人気だ。ポルト酒は昔からおなじみで、スペインのシェリー酒とともにアペリティフに最適だ。FCポルトはサッカーの強豪チームとして知られる。クリスティアーノ・ロナウドはマデイラ島の出身だ。

ポルトガルData　国名：ポルトガル共和国（英）Portugal（仏）Portugal（ポルトガル語）Portugal（中）葡萄牙　葡萄牙　Pútáoyá（正式名称）ルプブリカ・ポルトゥゲザ／首都：リスボン／言語：ポルトガル語／面積：92.2千㎢／人口：10.3百万人／通貨：ユーロ／宗教：カトリック85％／民族：ポルトガル人／国旗：緑紅旗。緑は希望を、赤は十月革命を表す。盾と天球儀の国章。

[地域の歴史] ベネルクス3国
分割されたカール大帝の帝国

　ベネルクス3国というのはオランダ、ベルギー、ルクセンブルクのことだが、そのもとになったのは中世のブルゴーニュ公国であり、さらにさかのぼれば、カール大帝の帝国が3分割されたときに仏独の間に設けられたロタリンギアと呼ばれる地域である。

　カール大帝の帝国は、その孫たちによって、東フランク、西フランク、それにロタール1世の中フランクに3分割され、中フランクはその子の代にイタリア、プロヴァンス、そして、スイスからライン河口までを含むロタリンギアにまた3分割された。そのあと王子たちに後継者がいなかったので争いになり、プロヴァンスはフランスに、ロタリンギアはドイツに併合された（870年のメルセン条約）。

　ところが、ライン川中流域で自然の国境からドイツが大きく西へ食い込み、その一方で、ライン川流域の河口部分はフランス側という国境は無理があって、紛争の種になり続けた。それでも、中流域の狭い意味でのロタリンギア（ロレーヌ）やアルザス方面ではフランスが徐々にライン川に近づいて現在の国境が定まっていったのであるが、フランドルと呼ばれた河口部は王侯たちの結婚と相続のたびに分割を繰り返された。

　ブルゴーニュ家とは、フランス王家の分家で男系相続が続く限りという条件でブルゴーニュを保有していた親王家である（だいたい何世代かで男系が維持できなくなって国王に返還されるのが常だった）。

　だが、歴代のブルゴーニュ公は結婚を通じてフランドル周辺（ベルギー、オランダ）を手に入れたので、飛び飛びではあるが、ライン河口部からスイスに近い地方までをほぼ独占し、ロタリンギアを復興する勢いとなった。

　とくにスペインの項で紹介したシャルル・カン（カール5世）の曽祖父であるシャルル豪胆公はフランドルの商工業を背景にヨーロッパきっての豪奢な王侯となり、公国をフランスから独立目前までに成長させた。

　だが、不覚にもつまらない小競り合いで戦死し、娘のマリー・ド・ブルゴーニュだけが残されたので、ブルゴーニュはフランス王に返還されたが、フランドルはハプスブルク家に嫁したマリーのものとなった。しかも、その息子のフィリップがスペイン王女フアナと結婚したので、スペインの項でも書いた相続のいたずらで、フランドルのゲントで生まれ、フランス語とドイツ語のフランドル方言しか話せないこのシャルル少年（シャルル・カン）は、皇帝カール5世にしてスペイン王カルロス1世にしてブルゴーニュ公の後継者となったのである。

教養への扉　このシャルル・カンと対抗したのが、レオナルド・ダ・ヴィンチを保護したことで知られるフランソワ1世だが、シャルル・カンはブルゴーニュを、フランソワはフランドルとミラノを互いに「取り戻す」ことを狙い、絶え間ない争いになってしまったのである。

ルクセンブルク
大国の狭間で存在感を発揮する小国

　カール5世のあと、フランドルはシャルル・カンの息子でスペイン王位を継いだフェリペ2世のものになったのだが、スペイン人総督アルバ公の厳しいプロテスタント取り締まりへの反発などから反乱を起こし、1579年のユトレヒト同盟を経て1581年にネーデルラント連邦共和国（オランダ）として独立を認められた。

　だが、南部はカトリックが優勢であり、総督パルマ公アレッサンドロ・ファルネーゼの活躍もあって、スペインにとどまった。この反乱のときに、担がれてリーダーとなったのがオラニエ＝ナッサウ家のオラニエ公ウィレムである。彼の子孫がオランダとルクセンブルクで君主になっているので、少しこの家の歴史を見てみよう。

　もともとナッサウ伯というドイツの小さな貴族だった。ケルンの東にあるディレンブルクというところが生地である。ナッサウ伯家は縁組みでオランダのブレダ（ベラスケスの傑作『ブレダの開城』で知られる）を中心に領地を獲得し、甥のルネ・ド・シャロンはフランスのオランジュ（オランダ語ではオラニエ、英語でオレンジ）公領を相続した。これを従兄弟のウィレムが引き継ぎ、オラニエ＝ナッサウ家と呼ばれるようになった。

　これで富裕になったウィレムは、オランダ反乱の際にフェリペ2世が強硬な弾圧をプロテスタント諸侯に加え領地を没収されたのに反発して、反乱側からホラント州とゼーラント州の総督に推され、ユトレヒト同盟の盟主となった。

　ナポレオン戦争ののちにはナポレオンの弟ルイが国王となり、次いで、フランスに併合されてしまったが、ウィーン会議で王国となることが認められ、オラニエ公ウィレム6世がオランダ（ネーデルラント）国王ウィレム1世となった。

　ルクセンブルク大公国だが、14世紀から15世紀にルクセンブルク家は神聖ローマ皇帝やボヘミア王を輩出したが、やがて廃絶し、ブルゴーニュ公国領になった。

　ナポレオン戦争後のウィーン会議によって、ドイツ連邦に加盟する一方、オランダ王が大公を兼ねるというルクセンブルク大公国となった。だがカトリックが多い国民の不満は大きく1839年に西半分をベルギーに割譲し、オランダが女王となったときに、男系相続しか認められないことを理由にオランダ王家の分家のナッサウ＝ヴァイルブルク家アドルフを大公として迎えた。

　国民が語学に堪能なこと、それに金融センターとして豊かなことから、EUでは人口不釣り合いな発言力を持っている。欧州裁判所もここにある。フランス語とドイツ語の境界線上にあり、国名もフランス語読みではリュクサンブールだ。

ルクセンブルクData　国名：ルクセンブルク大公国（英）Luxembourg（仏）Luxembourg（ルクセンブルク語）Lëtzebuerg（中）卢森堡　盧森堡　Lúsēnbǎo（正式名称）グラン＝デュシェ・ドゥ・リュクサンブール［仏］／首都：ルクセンブルク／言語：ルクセンブルク語、仏語、独語／面積：2.6千k㎡／人口：0.6百万人／通貨：ユーロ／宗教：カトリック87%／民族：ルクセンブルク人63%／国旗：かつてのルクセンブルク大公国の紋章の配色に基づく。

オランダ

日本の鎖国をかいくぐれた貿易戦略

オランダの国の商人たちは絵画には審美眼を持っていたらしい。隣のベルギーも含めてフランドルは、レンブラント・ファン・レイン、ピーテル・パウル・ルーベンス、ヨハネス・フェルメール、フィンセント・ファン・ゴッホなど世界市場に輝く力強く日常生活のなかでのふとした感情の機微を表現するすばらしい画家たちを生んだ。

オランダ（現地語ではネーデルラント）では共和国ながらオラニエ公がほぼ世襲で総督を務めたが、ウィレムは名誉革命によってイングランド王になったのでしばらくは英国と同君連合となった。だが、ウィレムに男子の継承者がいなかったので、オランダはオラニエ＝ナッサウ家の分家が継ぎ、女系相続した英国との連合は解消された。

フランス革命時にはバタヴィア共和国、オランダ王国（ナポレオンの弟ルイが国王）とめまぐるしく流転したが、その後は旧オーストリア領の南部も併せてネーデルラント王国となりオラニエ＝ナッサウ家のウィレム1世が初代国王となった。

オランダは「世界は神がつくったがオランダは人間がつくった」といわれるように干拓で国土の大半ができた国だ。世界に出かけて奴隷貿易でもなんでもやり、島原の乱では幕府に頼まれてキリシタンが籠もる原城に大砲の弾をぶち込むのもいとわなかった。

ポルトガルとつきあっていると植民地にされると騙して（そんな危険は露もなかったが）、貿易を独占した。おかげで日本は世界の新しい技術が入らなくなりひどく世界から後れを取り、そのために19世紀には危うく植民地化されかかった。

オランダ人は金もうけそのものが人生の目的なのか、贅沢な生活には興味がなく、プロテスタント地域では食べるものはまずい。オランダでも南部はカトリックが多いからましだ。オランダで会議などすると、ホテルの朝食とほぼ同じものに、スープを加えたものが会議室のテーブルに並べられただけの昼食を出されたりする。

町並みは華麗ではないが、よく整えられて風格がある。長崎のハウステンボス（写真）はオランダの町並みをいいとこ取りで再現したものだが、いつもどんより曇ったオランダと違って空と海は紺碧に輝き、食事もおいしいから、オランダへ行くより長崎に行くのが賢明だ。

音楽ではルードヴィヒ・ヴァン・ベートーヴェンは名前のとおりオランダ系ドイツ人だ。アムステルダム・コンセルトヘボウのオーケストラはベルリン、ウィーンに次ぐヨーロッパ3位の実力だし、そのホールの音響は大阪のザ・シンフォニーホールと世界の双璧か。

田園地帯は別におもしろくないが、風車は定番だしチューリップは見事。

オランダData 国名：オランダ王国（英）Netherlands（仏）Pays-Bas（オランダ語）Nederland（中）荷兰　荷蘭　Hélán（正式名称）コーニンクライク・デル・ネーデルランデン／首都：アムステルダム／言語：オランダ語、フリジア語／面積：41.5千㎢／人口：17.1百万人／通貨：ユーロ／宗教：カトリック30％／民族：オランダ人80％／国旗：赤・白・青の横三色旗は世界最古の三色旗。国歌も最古。

ベルギー

欧州統合に向かわせたドイツ占領の苦い経験

EUには本部というものはないが、議会はフランスのストラスブールに、政府にあたる事務局はブリュッセルにあるので、ブリュッセルとストラスブールのあいだには、フランスのTGVがパリ＝シャルル・ド・ゴール空港経由で運行されている。遠隔地からブリュッセルに行くのもド・ゴール空港からTGVということも多い。

スペインにとどまったフランドル南部だが、スペイン王家がハプスブルク家からブルボン家に代わったときに、オーストリア領になった。しかし、ウィーン会議でオーストリア宰相クレメンス・フォン・メッテルニヒは、防衛の難しいこの地を諦めてオランダに譲った（オランダはドイツ国内の領地を放棄した）。

しかし、カトリックが多い南部の不満は強く、1830年のフランス七月革命の余波でベルギー王国（現地語ではベルジュまたはベルギウム）として独立を宣言した。市民たちはフランス王ルイ・フィリップの息子を国王に望んだが、列強との紛争を恐れたルイ・フィリップはドイツのザクセン＝コーブルク＝ゴータ家のレオポルドを国王として王妃をフランスから出すことで満足した。これがベルギー王家である。

このとき列国は、永世中立を認めたのだが、2度の世界大戦ではドイツによって占領された。この苦い経験が、この国を欧州統合に向かわせている。

この国の宗教はカトリックだが、言葉はフランス語とオランダ語に分かれていて、しかも、両方使われるのでなく地域によってどちらかに決まるという愚かなことをして意地を張っている。国ができたときはフランス語優位だったが、いまは互角なのは、石炭の時代には南部が豊かだったがいまは貧しくなったからだ。ブリュッセルは中間地帯だ。

ベルギーのゲントとかブリュージュの町並みはまさに北方のヴェネツィアでブルゴーニュ公国の栄華をしのばせる。アントウェルペン（アントワープ）は世界のダイヤモンド取引のセンターである。

この国でいいのは、オランダの隣とは思えない料理のすばらしさだ。庶民的なところではムール貝の白ワイン蒸しとポテト・フライは単純だが世界で最もおいしいもののひとつだ。チョコレートのゴディバもここが本拠。白濁したベルギー・ビールも名物。

ブリュッセルはアール・ヌーヴォーの建築家エクトール・ギマールの活躍した町で自宅など遺産が多く残る。グラン＝プラスは世界で最も美しい広場だとヴィクトル・ユーゴーからお墨つきをもらった。

ベルギーData 国名：ベルギー王国（英）Belgium（仏）Belgique（オランダ語）België（中）比利时比利時 Bǐlìshí（正式名称）ロワヨーム・ドゥ・ベルジーク［仏］／首都：ブリュッセル／言語：オランダ語、仏語、独語／面積：30.5千k㎡／人口：11.5百万人／通貨：ユーロ／宗教：カトリック75％／民族：フラマン人58％、ワロン人31％／国旗：黒地に赤い舌を出した金色の獅子像のブラバント公の家紋の配色から。

ストックホルムの合唱団は世界最高といわれるが、クラウディオ・アバドの指揮でベルリン・フィルと共演してヨハネス・ブラームスの『ドイツ・レクイエム』を演奏したのをサル・プレイエル（パリ）の2階席から見ていたら、イタリア人であるアバドは黒い髪、ベルリン・フィルは平均的には茶髪、スウェーデンの合唱団は金髪であることを発見したことがある。

「スカンディナヴィア」の語源は不明だが、もとはスウェーデンの南部を指し、このあたりがゲルマン民族の故郷だ。金髪蒼眼で体格が立派な人ばかりで、ヒトラーは自分たちオーストリア人が純粋のゲルマン人ではないことを発見して歯ぎしりしていたに違いない。

スウェーデンでは1250年にヴァルデマー王によって統一王朝が成立した。デンマークのマルグレーテがノルウェーも含めた3国合同君主になることに成功したこともあるが（1397年）、16世紀に解消された。17世紀には三十年戦争で、グスタフ2世が新教徒側の勇将として介入し、デンマークからスカンディナヴィア半島南部を獲得し、エストニア、ラトビア、北ドイツまで領土を広げた。

18世紀のカール12世は、ピョートル大帝と北方の覇権をめぐる大決戦のあげく敗れて、バルト海沿岸を失った。さらに、ウィーン体制では、フィンランドをロシアに、ポメラニアをプロイセンに譲り、代わりにデンマークからノルウェーを獲得したが、ノルウェーは1905年に独立してしまった。

つまり、スウェーデンはロシアとドイツに北方の大国としての野望を阻まれた残滓なのである。ただし、両大戦で中立を保ったことで大金持ちの国になった。

フランス革命のころのグスタフ3世は、貴族の政治関与を制限して強力な国家をつくろうとしたり、漫画『ベルサイユのばら』で知られる美男子のハンス・アクセル・フォン・フェルセン（漫画ではフェルゼン）をヴェルサイユの宮廷に送り込んでフランス（王妃）との協調でロシアに対抗しようとしたりしたが、専制政治に貴族の不満が募り仮面舞踏会の最中に暗殺された（この事件から想像力たくましく筋書きをつくったのが、ジュゼッペ・ヴェルディの『仮面舞踏会』だ）。

だが、愛するマリー・アントワネットの仇を討ちたいフェルセンの働きかけもあり、極端な反ナポレオン外交を展開して領土を失った。これを挽回するため、ナポレオン軍の将軍であるジャン＝バティスト・ジュール・ベルナドットを新国王に招聘したが、彼は状況の変化に柔軟に対応して反ナポレオン連合にまで加わり、ノルウェーを同君連合の形でデンマークから奪った。

スウェーデンData 国名：スウェーデン王国（英）Sweden（仏）Suède（スウェーデン語）Sverige（中）瑞典 瑞典 Ruìdiǎn（正式名称）コゥーネゥンガリケト・スベリエ／首都：ストックホルム／言語：スウェーデン語／面積：438.6千km²／人口：10.0百万人／通貨：スウェーデン・クローナ／宗教：ルーテル教会（スウェーデン国教会）87％／民族：スウェーデン人／国旗：金十字旗。エーリク9世のフィンランド攻略の直前、空に金の十字架を見たという故事から。

スウェーデン②

福祉国家をつくりあげた「北国」の国民性

スウェーデンでは労働時間は短いし、男女の差別も少なく、保育所は完璧だ。だが、賃金はあまり高くないし、税金は高く、ものやサービスの選択肢は少なく、やたらと身分証明書を見せるように要求される。弱者も自助努力をとことんすることが要求され、甘えは許されず、合理的だが温かいやさしさは望み薄だ。

19世紀以降、スウェーデンに限らず、寒冷地の発展が見られるのだが、これは、産業革命を通じて石炭の利用が進み、暖房が普及したことが主因である。これに対して、20世紀後半においては、冷房の普及で気温が高いところや多湿の地が発展している。あまり語られないが、人類の歴史において、寒さを克服した19世紀、暑さが気にならなくなった20世紀は革命的な時期なのである。

それに加えてスウェーデンは鉄鉱石の生産地で、良質の鋼は武器に最適だった。罪滅ぼしで始めたノーベル賞で知られるノーベルもダイナマイトで巨億の財を成した「死の商人」だったが、この国は、第一次世界大戦と第二次世界大戦では中立を保って、国を挙げて武器輸出で富を築き、それによって福祉国家をつくりあげた。ボルボの車はその副産物だ。スウェーデンをほめる人はだいたいこの話題を避けて通るが、それはないだろう。

1週間の労働時間が30時間内になると週4日労働で十分だ。だが、それに労働組合は反対らしい。そんなことをしたら職場の問題を討論したりする時間が取れなくなるというのだ。あるいは、長い週末には郊外の別荘に行ってしまって地域活動も成り立たなくなるというわけだ。

女性が働く環境は整っているというより、夫だけの収入ではやっていけず、子育てに専念などできないようになっているだけだ。子育てが社会化されているということでは、スパルタや、ベニート・ムッソリーニのイタリアや、北朝鮮と同じようなものだ。

町並みは清潔だが楽しくはないし、家具も機能的でそれなりに美しいが没個性だ。スモーガスボードに並ぶ食べ物はニシン料理とかミートボールなど単調な味ばかりで、それからインスピレーションを得た帝国ホテルのバイキングとは大違いだ。

ひとことでいえば、無印良品とユニクロと生協だけで買い物をできればデパートもコンビニも通販もいらないという人ならスウェーデンで満足して人生を送れるだろう。だが、少なくとも私はまっぴらだ。

厳しすぎる言い方だと思われるだろうが、あまりこの国がほめられるから天の邪鬼で書いたところもあると了解してもらおう。

教養への扉 ドロットニングホルムのロココ式宮殿でのモーツァルト歌劇は大人気だし、スコーグスシュルコゴーデンの葬祭場と墓地はこの分野で20世紀を代表するもので、葬祭ビジネスでも始めたい人には必見の場所だ。エンゲルスバーリの製鉄所、ファールンの銅鉱山、カールスクルーナの軍港など見事な近代遺産である。

デンマーク
激動の歴史とは無縁の静かな国

デンマークは静かな国だ。風景はほどほどに緑が広がっているだけで山もなければ谷もない。壮麗な記念物もないし、人々は大声で話したり歌ったりしない。女王様は庶民と並んで買い物をし、デンマーク語がうまくない夫の故郷であるフランスの田舎で過ごすのがお好きだ。皇太子はオーストラリア人の庶民的な女性と結婚した。

有名人も童話作家のハンス・クリスチャン・アンデルセン（写真）くらいしかいないし、コペンハーゲンの人魚姫の像はブリュッセルの小便小僧とともに、訪れていちばん失望する観光名所として著名だ。

だが、クロンボーの古城は美しくはないが素朴な趣があるし、軽い風味のカールスバーグやツボルグはビールの苦さがいやな人におすすめだ。チーズも特有の臭いがあまりないのでチーズ嫌いな人がどうしても食べなければいけないのなら最適だ。ただ、最近は世界最高のレストランのひとつといわれるノーマの登場で料理の世界でも注目されている。

刺激というものが嫌いな人にはこれほど向いている国はないから、スウェーデン人が本国の厳しさに堪えかねて息抜きのためにやってくることには十分納得できる。ただ、玩具の「レゴ」だけはこの国の大発明だと誰しもが称賛する。

10世紀のゴーム老王に始まる王家のハラール青歯王（せいしおう）がキリスト教を受け入れ、子のスヴェン双叉髯王（そうさひげおう）がイングランドを征服してイングランド、ノルウェーの王を兼ねた。ウィリアム・シェイクスピアの『ハムレット』はこの時代の話だ。14世紀の王女で摂政となったマルグレーテはデンマーク、ノルウェー、スウェーデンを合一し、「カルマル同盟」を成立させた。神聖ローマ帝国のホルシュタイン公国（乳牛の品種の語源。現在はドイツのシュレースヴィヒ＝ホルシュタイン州）を封建領主として確保していたが、ドイツ統一の過程でオットー・フォン・ビスマルクに切り取られ国土の約30％を失った。こののち酪農を軸にした国づくりを進め成功した逸話は内村鑑三（うちむらかんぞう）によって日本に紹介され、よく知られている。

こうして領土は減ったが、クリスチャン9世とルイーゼ王妃の子どもがギリシャ王、孫がノルウェー王になって分家したほか、娘は英国とロシアの皇后になった。

第一次世界大戦では、ドイツの機雷を敷設させ、第二次世界大戦ではドイツに占領され協力もしたが、ユダヤ人の大半を逃がしたのが評価されて痛い目に遭わずにすんだ。ECに加盟したがマーストリヒト条約をいったん国民投票で否決した。だが、冷戦終結によって戦略的重要性がなくなっていたので、「いやなら出て行け」といわんばかりに扱われて、そのままの条約を、恥ずかしそうに再投票で承認した。

デンマークData 国名：デンマーク王国（英）Denmark（仏）Danemark（デンマーク語）Danmark（中）丹麦　丹麦　Dānmài（正式名称）コンェヒーエズ・ダンマハク／首都：コペンハーゲン／言語：デンマーク語／面積：42.9千k㎡／人口：5.8百万人／通貨：デンマーク・クローネ／宗教：福音ルーテル派95％／民族：スカンジナビア人／国旗：ダンネブロ。赤地に白十字。赤はカトリック教会のシンボルカラー。

ノルウェー
バイキングの国から悠々自適の国へ

バイキングの血が騒ぐのか、船乗りは尊敬され、かつては海運王国で日本からたくさん船を買ってくれたし、南極点に初めて到達したロアール・アムンゼンのような探検家も出ている。最近は脂の乗ったサーモンとサバが日本人のお気に入りになった。捕鯨の規制には敏感に、かつ過激に反対してくれるので、日本に対する風当たりを少し弱めてくれるので感謝したい。

バイキングの故郷ノルウェーをひとつの国にしたのはハーラル美髪王である（890年ごろ）。その後デンマークに併合され長い年月がたったが、ナポレオン戦争のあとスウェーデン王が国王を兼ねることになった（1814年）。だが、スウェーデンの人々は、ノルウェー人を気が利かない人々と思って馬鹿にしたので、1905年に独立してデンマークから国王を迎えることにした。

ホーコン皇太子は、3歳の子どもがいる未婚の母で元夫にはコカイン所持の犯罪歴まであり、彼女自身も薬物の使用経験の可能性も噂されていたメッテ＝マリットという女性と同棲し結婚した。ヘンリック・イプセンの『人形の家』を生み、女性の社会進出が世界でいちばん進んでいるといわれるこの国の人もさすがに躊躇したが、彼女が「薬物などに悩む人の社会復帰に貢献したい」というとあっさり許した。

この国の人がとくに働き者でもないが、急峻な河川は水力発電に最適だし、北海の油田は何もしなくとも莫大な富をもたらしてくれる。しかも、漁業資源は豊富で排他的経済水域を声高に叫んでおけばいいだけ。漁業の規制を恐れて2度もEU加盟を否決した。

ただし、料理はまったくひどいものだ。酒はアクアビットという馬鈴薯焼酎が伝統で、かつては大酒飲みの国民といわれていたが、販売を規制するなどして弊害を防いでいる。

音楽ではエドヴァルド・グリーグ、絵画ではエドヴァルド・ムンクという近代ヨーロッパでも有数の天才を生んだ。リレハンメル冬季オリンピックも開催した。氷河期の痕跡であるフィヨルドは世界的に人気のある観光地だ。フィヨルド観光の基地であるベルゲンはハンザ同盟の時代に繁栄した美しい町だし、バイキングたちが建てたウルスの木造教会は味わいがある。

ノーベル平和賞は、この国に選定が委ねられているが、実績でなく、自分たちの政治信条に合う人物をバックアップするために受賞させるという方針なので、ほかのノーベル賞のような値打ちを感じさせなくなった。

ノルウェーData 国名：ノルウェー王国（英）Norway（仏）Norvège（ノルウェー語）Norge（中）挪威 挪威 Nuówēi（正式名称）コングリーグ・ノルゲ／首都：オスロ／言語：ノルウェー語／面積：386.2千km²／人口：5.4百万人／通貨：ノルウェー・クローネ／宗教：ノルウェー教会派86%／民族：ノルウェー人89.4%／国旗：デンマーク国旗にスウェーデンの青十字の組み合わせ。赤、青、白3色は自由のシンボル。

アイスランド
バイキングの共同体社会から独立国家へ

オーロラは見たいが寒いのはいやという人はアイスランドがいい。暖流と火山活動のおかげでオーロラが見られる場所のなかではいちばん暖かい。ヘクラ山など活火山だらけの島で間欠泉も多い。ゲイシール間欠泉の名前は英語の普通名詞化している。そのおかげで地熱発電も盛んで電力供給の20%をまかなっている。

アイスランドは、ノルウェーからバイキングが9世紀にやってきて、「氷の土地」（イースランド）と呼んだことが国名の語源だ。合議制による共同体社会をつくり、シンク（民会）を持った。930年には、アルシング（国会）をシンクヴェトリルの野に開いて憲法を制定して民主的な立法と司法を行った。

デンマークの支配がおよんだが、1918年にデンマーク王のもとでの連合国として独立し、1944年に完全な独立を果たした。NATOに加盟しているが軍隊はない。アメリカ軍基地があったがこれもなくなった。漁業資源が人口の割合からすれば驚異的な豊かさで、これを独占し続けるために、EUには入らないことにしている。

金融センターとして隆盛したが、2008年の金融危機で大きなダメージを受けIMF（国際通貨基金）に救済された。火山や世界最大の露天風呂ブルーラグーンなどで観光地としても人気だ。同性婚をいち早く認めるなどLGBT先進国としても知られる。

グリーンランドは、デンマーク本土、フェロー諸島と対等の立場でデンマーク王国を構成して独自の自治政府がある。ECに入っていたこともあるが脱退した。ただし、住民はデンマーク市民権を持っているのでその立場で同様の扱いが期待できる。

地球温暖化でグリーンランドの氷が溶けると海面上昇の原因となるが、資源開発は活発化すると予想され、独立機運も高まっている。軍事的な価値が高く、アメリカのドナルド・トランプ大統領が購入を希望して話題となった。

フェロー諸島は、スコットランドのシェトランド諸島とノルウェー西海岸とアイスランドの間にある。バイキングの時代の風俗や、断崖絶壁が続く風景が注目されている。羊の放牧が盛ん。

アイスランドData 国名：アイスランド共和国（英）Iceland（仏）Islande（アイスランド語）Ísland（中）冰岛　冰島　Bīngdǎo（正式名称）リーズ・ベルディス・イースランド／首都：レイキャビク／言語：アイスランド語／面積：103.0千㎢／人口：0.3百万人／通貨：アイスランド・クローナ／宗教：ルーテル派81%／民族：ノルウェー・ケルト系アイスランド人94%／国旗：赤は火山、白は氷河、青は大西洋。青地に白十字、加えて赤十字。

イタリア①
ローマ帝国滅亡から統一までの長い道のり

　ナポレオン・ボナパルト失脚後のヨーロッパ政治を牛耳ったオーストリアの宰相クレメンス・フォン・メッテルニヒは「イタリア（子牛の意）は地理的名称であって、国の名前であってはならない」といった。ローマ帝国滅亡後、この半島がひとつの政治的なまとまりであったことはなかった。

　イタリアの国名の語源は、ギリシャ人たちが「子牛が多いところ」というのでビタリと呼んだのが語源とされる。はじめは半島南端部のことだったようだが、やがて半島全体を呼ぶ地理的な名称になった。たしかに、イタリア料理では子牛（ヴィテッロ）の料理が多いのである。

　西ローマ帝国を滅ぼしたオドアケルは東ローマ帝国の皇帝によってイタリア王とされた。そののち、イタリアの地はロンゴバルド族の支配するところとなり、それを滅ぼしたカール大帝以降も、ランゴバルド王国の系譜が重視される。

　戴冠式はその都だったパヴィーアで有名な鉄の王冠（イエス・キリストに打ちつけられた釘<ruby>釘<rt>くぎ</rt></ruby>を使用）を使って行われ、ナポレオンもこの儀式を行ったことがある。ミラノを中心とするロンバルディア州はその名残である。

　イタリア王国という言い方も、フランク王国が分裂したのちに使われたが、ドイツの神聖ローマ皇帝が国王を兼ねることとなった。

　首都ローマの語源は創始者ロームルスの名だとか、テヴェレ川の古名だとか、「流れ」の意味だとかいう。フィレンツェは「花咲く」、ナポリはギリシャ語のネアポリス（新しい町）が起源。イタリアの都市名などは、英語名などで知られているものも多いが、フィレンツェがフローレンス、ヴェネツィアがヴェニスである。

　アメリカではマフィアという地下帝国を握っている。ベニート・ムッソリーニはシチリアのマフィアをやっつけて普通の国を目指したが、戦争になるとマフィアはアメリカ軍の手引きをしてシチリアに戻ってきた。アメリカもイタリアの権力も彼らと縁を切るのに苦労しているのは、この経緯もひとつの理由だ。

　イタリア人でもミラノなど北部の人は南イタリアの人たちをひどく馬鹿にする。イタリア統一以来というものの、北部には貧しい南部の面倒を見させられているという気分が強い。フランスやドイツとの対抗上、ひとつの国になったが、欧州統合になった以上は、もう要らないのでないかというのが北部の人の本音だ。この国家の存在価値は、いまやサッカーのW杯のときしかない。

イタリアData　国名：イタリア共和国（英）Italy（仏）Italie（イタリア語）Italia（中）意大利　意大利　Yìdàlì（正式名称）レプブリカ・イタリアーナ／首都：ローマ／言語：イタリア語／面積：302.1千km²／人口：59.3百万人／通貨：ユーロ／宗教：カトリック90％／民族：イタリア人96％／国旗：三色旗（トリコローレ）。緑は国土、白はアルプスの雪と平和、赤は愛国者の血潮。王国時代は紋章もついていた。

イタリア②

統一運動を彩った英雄たち

ルネサンスのころ、詩人ダンテ・アギリエーリが出て『神曲』でトスカーナ方言をイタリア標準語として確立したし、チェーザレ・ボルジアのような天才政治家も出た。イタリアはヨーロッパで最も産業や技術が進んだ場所であったにもかかわらず、イタリアは統一されず、リソルジメント運動の成功は19世紀の後半を待たねばならなかった。

ナポレオン戦争の前の時代、イタリアは、教皇領、ヴェネツィア共和国（やがてオーストリア領になった）、両シチリア王国（ブルボン家分家）、トスカーナ大公国（マリア・テレジアの夫フランツに本来の領地であるロレーヌをフランスに渡す代わりに与えられた）、ミラノ公国（スペインからオーストリアに）、サルディーニャ王国（ピエモンテとサルディーニャ）などに分かれていた。

このうち、サルディーニャ王国は、もともとフランス王国のもとのサヴォワ（サボイ）公だったが、婚姻を通じてピエモンテ（トリノ）やサルディーニャ島を得て独立していた。そして、このサルディーニャ王国にカミッロ・カヴールという名宰相が出て、王家発祥の地であるがフランス王国の枠内だったサヴォワとニースをナポレオン3世のフランスに譲る代わりに統一への支持を取りつけ、北イタリアからオーストリアを追い出した。

このとき、ヴェネツィア共和国領地で、現在はクロアチア沿岸地方を成すダルマチアはオーストリアに立ち退き料のような形で譲られた（現在はクロアチア）。さらに、フランス領になったチュニジアなども含めて「未回収のイタリア」（イタリア・イレデンタ）の存在は、ムッソリーニの台頭に利用された。南チロルについては、第一次世界大戦の結果、オーストリアからイタリアが奪った。

両シチリア王国のブルボン家は腐敗していたので簡単に追い出せたが、問題はローマ教皇領だった。結局、カヴールは、いったんフランスが影響力を持っていた教皇領抜きにフィレンツェを首都とするイタリア王国を成立させ、次いで普仏戦争で手薄になった隙に教皇領も接収してローマを首都とした（1871年）。

サルディーニャ王国のカヴールという首相が、王家発祥の地であるサヴォワとニース（ニッツァ）をナポレオン3世のフランスに引き渡す代わりにイタリア王国の創立を認めさせたのである。このイタリア統一運動をリソルジメントといい、そのゲリラ的に活躍したガリバルディと政治的にこの事業を仕上げたカヴールの2人の名前は、イタリア中の町に地名として残っている。

教養への扉 ジュゼッペ・ヴェルディの歌劇『ナブッコ』の『行け金色の翼に乗って』という合唱曲はサッカーでもおなじみだ。亡国のイスラエルの民がバビロン捕囚からの脱却を願っての歌だが、これをリソルジメント時代のイタリア人はみずからの境遇に重ねた。ヴェルディの葬儀ではトスカニーニが指揮してこの曲を演奏した。

　イタリア人は大理石という素材に恵まれたこともあろうが、建築や土木に異常な才能があり、ローマ時代から中世、ルネサンスを経て現代まで一貫している。しかし、ローマ人たちの国を動かす組織力や制度構築能力はどこかで忘れてしまったらしい。長い間、しっかりした権力がなかったので、なんでも融通無碍（ゆうづうむげ）に、縁故など個人的なつながりでものを解決するようにできている。それがよかったり悪かったりする。

　ベニート・ムッソリーニのときに少々背伸びして統一国家らしく行動したが、やっぱり無理でろくなことはなかったのを身にしみて思い知った。ただし、ミラノの立派な駅や、ローマ郊外のエウルという新都心や、高速道路を見ると、この独裁者の遺産は相当なものだとも思う（写真はミラノのスフォルツェスコ城）。

　絵画、工芸、ファッション、映画など、見て美しいものをつくる能力はなんでもすばらしい。職人気質や女性に気に入られたいという気分がいい方向に生かされている。戦後、まず、日本人を魅了したのは映画だ。『鉄道員』とか『自転車泥棒』など思い出の名画だ。

　音楽もこの国で生まれた西洋音楽が世界を制した。いまでもピアノとかフォルテとかアンダンテとかフェルマータといった音楽用語は世界共通でイタリア語だ。オペラというものが西洋芸術の魅力てんこ盛りであることも間違いない。

　料理は、この国の良いところと悪いところの縮図だ。単純だがイタリア料理ほど食べることの喜びを満喫させてくれる料理はない。だが、肉でも野菜でもローストにするしか能がないし、なんでもオリーブ油まみれにしてしまう。

　ひとことでいえば、最高の家庭料理だが、プロフェッショナルな水準に達していないものが多いというのが、かつてのイタリア料理だった。だから、ミシュランのガイドでも三つ星はゼロで、二つ星もごくわずかという状態が続いた。だが、最近ではフランス料理の影響を受けて格段の進歩をした。目下、世界一のシェフといわれるアラン・デュカスがモナコのオテル・ド・パリでつくりあげた料理はフランス料理ともイタリア料理ともいえない独自の世界であり、このあたりから融合が始まった。

　パルマの生ハム、ピザに欠かせないモッツァレラ・チーズ、バルサミコ酢、白トリュフなどすばらしい素材がある。ジェラートやティラミスなどドルチェ（デザート）にもすばらしいものがあるが、これらはアラブの影響も強い。

教養への扉　イタリアの観光地について私のおすすめは、ヴェネツィアの運河沿いのいいホテルに少し張り込んで泊まること、トスカーナあたりの田舎の中級レストランでゆったり食事をすること、ナポリの郊外のアマルフィ海岸に泊まってカプリ島の青の洞窟に出かける、コモ湖など湖水地方で何泊かすること、そして、スカラ座でオペラを見ることだ。日本に来たスカラ座では意味がない。すばらしいのはミラノの観客だからだ。

イタリア④、バチカン市国
ローマ教会とイタリア政治の関係

　ローマ教皇を元首とするバチカン市国は、サン＝ピエトロ寺院周辺の数百ｍ四方だけの領土しかないが、サン・ジョバンニ・イン・ラテラノ大聖堂、サンタ・マリア・マッジョーレ大聖堂、カステル・ガンドルフォ教皇庁宮殿など、ローマ市内外の施設にも治外法権がラテラノ条約によって保障されている。

　教皇領の起源は、フランク王国のピピンがロンゴバルド王国を抑え込んで、その領地のうちローマからラヴェンナにかけての地域を教皇に寄進したことにある。

　19世紀になって、カミッロ・カヴールがイタリア統一国家を発足させたとき、とりあえず、中部イタリアに広がる教皇領抜きでスタートさせ、フィレンツェを首都とした（1865年）。フランスのナポレオン3世に後押しされ、オーストリアなどを追い出して成立したので、ナポレオン3世が嫌う教皇領の併合は後回しになったのだ。

　だが、普仏戦争のどさくさに乗じて教皇領も併合し、首都もローマに移した（1871年）。教皇庁はこれを中世のアヴィニョン捕囚の再現と抗議したが、1929年になって、ベニート・ムッソリーニがバチカン周辺などを領域とするミニ国家を設立するという知恵を出した。

　そのバチカン市国は、ここのところ、聖職者のセクハラなどが次々と暴露されて悩み深い。聖職者の妻帯禁止を続けるかどうかも大問題だ。現在のフランシェスコ教皇は、アルゼンチン出身で経済問題などでは左派的ですらあるが、堕胎とかLGBTのような独特面では保守的である。また、中国との関係は聖職者の叙任権をめぐってもめているが、この問題で安直な妥協をすれば日本などでは信頼を失うと思う。

　イタリアの政治はムッソリーニに懲りて戦後は大政党を嫌い比例代表制にしたことから、小党乱立で政治の安定が望めなかった。キリスト教民主党、社会党、共産党などが複雑にからみ合っていた。しかし、さすがに反省があって、一時は、左派がオリーブの木という形で選挙協力し、右派はベルルスコーニのもとに結集していた。

　しかし、アフリカから押し寄せる難民問題への対処などから、「レーガ」（かつての北部同盟）や「五つ星運動」といったポピュリスト政党が台頭して大混乱。2020年の段階では、中道左派の民主党と五つ星運動が連立を組んでいる。

　サッカーのセリアＡは、スペインのリーガ、英国のプレミア・リーグと並ぶ世界三大リーグのひとつだ。ユヴェントスFCはフィアットがバックでその本社があるトリノ、ミラノにはベルルスコーニ元首相がオーナーだったACミランに、長友佑都選手が活躍したインテルがある。スポーツではスキーも盛んだ。

バチカン市国Data　国名：バチカン（英）Vatican City State（仏）Etat de la cite du Vatican（ラテン語）Status Civitatis Vaticana（中）梵蒂岡城国　梵蒂岡城国　（正式名称）スタトゥス・キビタティス・バティカナ［ラテン語］／首都：バチカン／言語：ラテン語、仏語、イタリア語／面積：0.44㎢／人口：800人／通貨：ユーロ／宗教：カトリック／民族：イタリア人、スイス人／国旗：三重冠と金銀2本の「天国の鍵」を描く。国歌はシャルル・グノー作曲。

モナコ、サンマリノ、マルタ
イタリア周辺の三つの「ミニ国家」

イタリア周辺にはバチカン市国以外にも三つのミニ国家がある。モナコ公国、サンマリノ、マルタである。

サルディーニャ王国に囲まれた**モナコ公国**はフランスへのニース割譲の結果、フランスに囲まれる形になった。ナポレオン3世は併合はしなかったので、モナコはフランスの保護領として残った。これが、モンテカルロといった明らかにイタリア語の地名がある理由である。現在の君主はその息子のアルベールだ。長く独身だったが、アメリカ人ウェイトレスとジャスミン・グレースという娘、トーゴ人スチュワーデスとアレクサンドル・コストという息子を儲けて認知していたが、2011年に南アフリカの水泳選手であるシャーリーン・ウィットストックと結婚した。

モナコの君主の称号は英語でいえばプリンスであるから、グレース・ケリーは公妃であって王妃ではなかった。フィラデルフィアの実業家の家に生まれた。名字でもわかるとおり、アイルランド系のカトリック教徒である。

サンマリノは、『ルパン三世』に出てくるカリオストロの城のような山頂の砦である。ディオクレティアヌス帝の迫害を逃れたマリヌスというダルマチア人が籠もった場所だという。この天険を利用して中世以来、独立を維持し、1631年には、教皇ウルバヌス8世より独立を承認され、1815年のウィーン議定書で再確認された。1849年、オーストリアに敗れて逃亡中のジュゼッペ・ガリバルディを匿ったのである。これを怒ったローマ教皇が自領に編入しようとしたといったこともあったが、なんとか切り抜け、1862年には、革命に貢献した功績を考慮され、イタリアと友好善隣条約を締結。独立が再確認されたのだ。

なお、**マルタ**（Dataは97項に掲載）のほうは1814年から英領とされたが、1964年に独立した。言葉はアラビア語をローマ字表記するマルタ語である。一時は社会主義的な政権が成立したが、そのおかげで1989年には歴史的なブッシュ・ゴルバチョフ会談の舞台となった。

クルーズ船ブームのなかで人気観光地となって、とくに首都バレッタの港への入港風景は感動的だと人気がある。

モナコData　国名：モナコ公国（英）Monaco（仏）Monaco（中）摩纳哥　摩納哥　Mónàgē（正式名称）プランシポテ・ドゥ・モナコ［仏］／首都：モナコ／言語：仏語／面積：2㎢／人口：3.9万人／通貨：ユーロ／宗教：カトリック90%／民族：フランス人47%、モナコ人16%／国旗：赤は美徳、白は勇気。インドネシアと同じデザインだが縦横の比率が違う。

サンマリノData　国名：サンマリノ共和国（英）San Marino（仏）Saint-Marin（イタリア語）San Marino（中）圣马力诺　聖馬力諾　Shèng Mǎlìnuò（正式名称）セレニッシマ・レプブリカ・ディ・サンマリノ［イタリア語］／首都：サンマリノ／言語：イタリア語／面積：61㎢／人口：3.4万人／通貨：ユーロ／宗教：カトリック／民族：イタリア系／国旗：チタノ山頂の3城壁を描く。

　欧州連合（EU）のもとになったのは、1951年に調印されたパリ条約による欧州石炭鉄鋼共同体（ECSC）である。仏独の争いの種で2度の世界大戦の原因になった石炭と鉄鋼を共同管理しようというものであった（1952年発効）。

　これを提案したフランス外相ロベール・シューマンは、ロレーヌ地方を本籍とし、生まれたときはドイツ人だったが、第一次世界大戦の結果、フランス人になっていた。最初に参加したのは仏独のほか、イタリア、オランダ、ベルギー、ルクセンブルクで原加盟国という。

　さらに、ローマ条約で欧州経済共同体（EEC）と欧州原子力共同体（EAEC）が創設され共同市場が設立された（1958年発効）。まとめたのはカトリーヌ・スパークという女優の祖父としても知られるベルギーのスパーク外相だった。

　これら三つの共同体を統合した委員会が設けられたのが1967年からで、欧州諸共同体（EC）と呼ばれるようになった。

　さらに、マーストリヒト条約（1992年調印）では、通貨統合の推進などが謳われ、EUに模様替えされることになった。通貨については、欧州中央銀行が1998年にフランクフルトで設立され、2002年からは統一通貨が発行されている。また、シェンゲン協定に基づいて順次国境管理が廃止され、たとえば、仏独国境では検問所がないし、航空機も国内便扱いだ。

　共通の大統領や外相にあたる職務の設置などを盛り込んだ欧州憲法は2004年にいったん調印されたが、フランスとオランダの国民投票で否決された。だが、内容を簡素化したリスボン条約が調印された。

　加盟国の拡大は、英国（のち脱退）、アイルランド、デンマーク（1973年）に始まり、ギリシャ（1981年）、スペイン、ポルトガル（1986年）、オーストリア、スウェーデン、フィンランド（1995年）、ブルガリア、ルーマニア（2007年）と進み、トルコとクロアチアの加盟交渉も始まっているが難航している。なお、グリーンランドとフェロー諸島はデンマークの自治領だが、EUには加盟していない。

　なお、マルタ島には、十字軍が設けた聖ヨハネ騎士団がロドス島から追われて皇帝カール5世から与えられたこの島に移った。1565年にはオスマン・トルコの4カ月にわたる包囲を撃退した。騎士団はナポレオンに追われてローマに移り、いまでも買い物客でにぎわうコンドッティ通りにひっそり生き残り、国連ではオブザーバー、100近くの国と外交関係を保持している不思議な存在だ。

マルタData　国名：マルタ共和国（英）Malta（仏）Malte（マルタ語）Malta（中）马耳他　馬耳他 Mãërtã（正式名称）レプブリカ・タ・マルタ／首都：バレッタ／言語：マルタ語、英語／面積：0.3千㎢／人口：0.4百万人／通貨：ユーロ／宗教：カトリック98％／民族：マルタ人／国旗：紅白はノルマン公領ロジェール家の家紋の色。左上に聖ヨハネ勲章。

　第2のローマといわれ東ローマ（ビザンティン）帝国の首都だったコンスタンティノープルは1453年に陥落して、オスマン・トルコの首都イスタンブールとなった。そののち、ギリシャ正教の世界で第3のローマといわれたのは、モスクワだった。

　　　　　　　　　　　ローマ帝国でキリスト教を公認したコンスタンティヌスは、古い神々の信仰が残るローマを嫌い、ギリシャ人の都市ビザンティウムに首都を移した。ローマから膨大な芸術品が運ばれ、第2のローマはキリスト教の都にふさわしい聖なる都市になった。

　アジアとヨーロッパの境界にあり、ギリシャ語圏であるこの地への遷都とキリスト教の公認は、ヘレニズムとローマの文明を継承する帝国を確立した。

　コンスタンティヌス帝は、キリスト教の教義の一体化を図り、324年に開かれたニケーア公会議では、キリスト単性論（イエスは神ではないということ）が否定され、三位一体論に統一された。

　また、広大になりすぎた帝国をひとりの皇帝が統治するのは難しく、これ以前にも複数の皇帝が分割統治することがあったが、徐々に東西分割が定着することになった。

　コンスタンティヌス帝から半世紀ほどのちに、テオドシウス1世（379〜395年）が現れ、一時的だが、東西合わせた帝国ただひとりの皇帝となった。キリスト教を国教としたのはこの皇帝で、古代オリンピックも393年に廃止された。

　また、ユスティニアヌス大帝（483〜565年）は、一時的だがイタリアも回復し、『ローマ法大全』を編纂した。現在のハギア・ソフィア大聖堂も建築した。

　この広い領土は維持されなかったが、小アジア、ギリシャ、バルカン半島からなる帝国としては生き延び、10〜11世紀にはバシレイオス2世のもとで第2の全盛期を迎えた。そして、第4回十字軍によるラテン帝国の建国という中断はあるが、1453年にメフメト2世の攻撃に耐え切れず、ついに陥落するまで、1000年近く命脈を保った。

　この間、教会も分裂した。原因は、ひとつは東ローマでは偶像が禁止され、西はそれに従わなかったことだ。イスラム教と対峙する東では純粋であることが求められ、西では土俗信仰との妥協が必要だった。また、皇帝の権威を東の教会では強く認めていた。この対立は拡大し、1045年には互いに破門し合うことになった（写真は旧ソビエト連邦国旗）。

教養への扉　『ローマ法大全』は市民間の法原則を示したものとして、中世から近世にかけて法律のように扱われ、近代のナポレオン法典やドイツ民法典に影響を与え、それをモデルとした日本の民法の原点もここにある。契約とか債権債務の考え方はここから出発している。

ロシア②
建国したのはスラヴ人でなくバイキングだった

　バイキングの指導者だったリューリクという人物が、バルト海から少し内陸に入った交易都市ノブドゴロのスラヴ人たちに望まれて支配者となったことにロシア国家はルーツを持つ。その後、キエフに進出してギリシャ正教に改宗し、モンゴルの支配で自治を認められてモスクワ大公国を経てロシア帝国が成立した。

　ロシアの名のルーツであるルーシというのはバイキングたちが自分たちを呼んだ名前らしい。「オールを漕ぐ人」が語源だという人もいるがよくわからない。

　彼らの子孫はキエフ方面に進出し、さらに黒海沿岸のユダヤ教王国ハザールを滅ぼし、東ローマ帝国にも脅威を与えた。リューリクの曽孫であるキエフ大公ウラジーミルがキリスト教に改宗し、ロシア国家が始まった（988年）。それまでにロシアでは原始宗教が信仰されていたが、この改宗によってキリスト教社会からも友好的に受け入れられる存在になったのである。

　そして、東ローマ皇帝バシレイオス2世の妹アンナを娶った。このころの東ローマ帝国は皇帝の娘を外国人に与えることはほとんどなかったので、この結婚はウラジーミルの内外での権威を大いに高めることになった。

　西欧の名門との縁組みもできるようになり、彼の孫娘であるアンナ・ヤロスラヴナはフランス王アンリ1世の王妃となった（東ローマ帝国皇女の子孫ではない）。ローマ教会が近親者の縁組みを規制したので、西欧の王族で適任者がおらずお鉢が回ってきたらしい。彼女は文字が読めるというので、まだ女性に教育が普及していなかったフランス人たちを驚かせた。

　もっとも、フランスの駐ロシア大使がこの結婚を引き合いに出してフランスとロシアの長い絆を強調する演説をしたところ、ウクライナから抗議されるはめになった。キエフ大公国の継承国家はウクライナだというわけだ。

　ところが、このキエフ大公国（キエフ・ルーシ）は国威が振るわず、しかも、モンゴルに滅ぼされた。東スラヴ一帯は、キプチャク・ハン国（ジョチ・ウルス）による「タタールの軛」のもとに置かれることになり、ロシア国家はいったん断絶した（1240年）。

　このタタールの軛のなかからロシアとその周辺国がどのようにして独立し、ロシア帝国となり、さらに、ロシア革命によるソ連の成立、そして解体に至ったかを次項から説明していこう。

ロシアData　国名：ロシア連邦（英）Russia（仏）Russie（ロシア語）Rossíjskaja（中）俄罗斯　俄羅斯　Éluōsī／Éluósī（正式名称）ラスィーイスカヤ・フィジラーツィヤ／首都：モスクワ／言語：ロシア語、他に各民族語／面積：17,098.2千㎢／人口：144.0百万人／通貨：ルーブル／宗教：ロシア正教、イスラム教／民族：ロシア人80％／国旗：聖アンドレイ旗。横三色旗。白は高貴、神、白ロシア人、青は栄誉、皇帝、小ロシア人、赤は勇気、人民、大ロシア人を表す。ピョートル大帝がオランダ国旗を参考にしたともいう。

モンゴル帝国の支配下では、ロシアやウクライナはキプチャク・ハン国（ジョチ・ウルス。首都はヴォルガ川河口に近いサライ。ロシアのアストラハン近郊で現在は廃墟）、中央アジアはチャガタイ・ハン国の支配するところとなり、イスラム化、トルコ化された。タタール人というのは、ロシア人たちがこうしたモンゴル人たちを呼んだ名前である。

『アレクサンドル・ネフスキー』というのは、セルゲイ・エイゼンシュテイン監督の映画で、その音楽はセルゲイ・プロコフィエフが作曲し、独立のカンタータとして演奏されることもある。

主人公は、キプチャク・ハン国のためにドイツ騎士団（カトリック）の進出と戦った英雄だ。この勝利の結果、キプチャク・ハン国内での発言権を強め、ノヴゴロド公、次いでウラジーミル大公となって、それが自立への伏線になった。

一方、バルト3国のうちラトビアとエストニアはこのドイツ騎士団に淵源を持つ。

ウクライナはキエフ公国のうち主としてポーランドの東方進出で支配された地域であり、のちに自立を図るが力不足からロシア帝国に吸収されてしまう。

ベラルーシはキエフ大公国から派生したボロック公国に淵源を持ち、モンゴルの支配は受けなかったが、リトアニアの支配下にあったものが、ロシアに奪われたものである。

モンゴル人たちのキプチャク・ハン国のうち南部は、クリミア・ハン国（首都はバフチサライ。セヴァストポリ北方）となってオスマン・トルコの影響下に置かれ、18世紀になってエカチェリーナ2世がロシアに併合した。トランス・コーカサス（コーカサス山脈の南側）のアルメニア、ジョージア、アゼルバイジャンは、オスマン帝国やペルシア帝国からロシアが奪い取った地域である。

中央アジアではチャガタイ・ハン国は分裂するが、そのなかから出てきたティムールの出現によってダマスカスからモンゴルまでを勢力圏とする大帝国となり、あわや中国の再征服まで実現しそうになる。ティムールの死で大帝国は瓦解したが、その残党は中央アジアを支配し続け、一部はインドに逃げてそこでムガル帝国を建国した。

ペレストロイカののちに独立した中央アジア諸国（カザフスタン、ウズベキスタン、トルクメニスタン、タジキスタン、キルギス）は、結局のところ、チャガタイ・ハン国とティムールの帝国の故地に成立した国々なのである。

教養への扉 人種でいうとロシア人というのは、2億人近くもいることになっている。だが、ほかのヨーロッパ人種に比べて突出したこの数字は、血脈という意味での一体性ではないことを示している。ロシアでも中国でも人種は基本的に自主申告でしかない。レーニンの父もチュヴァシ人（トルコ系）とカルムイク人（モンゴル系か）の混血だし、母はドイツ系ユダヤ人であるが、それでもロシア人を名乗っていた。

ロシア④
もうひとつの「首都」サンクトペテルブルク

　ソ連時代に政府の代名詞だったのが「クレムリン」というモスクワ中心部の城塞だ。ウスペンスキー大聖堂はツァーの戴冠式の場としてロシア革命まで使われた。ここでのアレクサンドル3世の戴冠式に列席した山県有朋は壮麗で歴史の重みを感じさせる儀式に感銘を受け、その結果、大正、昭和天皇の即位儀礼は京都で行った。

　イヴァン3世はビザンティン帝国最後の皇帝コンスタンティノス11世の姪を妃に迎え、みずから「ツァーリにして専制君主」と称し、キプチャク・ハン国からの独立を宣言した（1480年）。コンスタンティノープル陥落から日が浅いころであるから、世界のキリスト教徒は、モスクワを「第3のローマ」としての期待を持って好意的に受け止めた。

　その孫でタタール人の母を持つイヴァン4世（雷帝）はキプチャク・ハン国が分裂してできたカザン・ハン国（1552年）、アストラハン・ハン国（1556年）を併合した。赤の広場にあるネギ坊主形の屋根が印象的な聖ワシリイ大聖堂は、カザン・ハン国に対する勝利の記念である。

　イヴァン4世の直系が絶えたあと、外戚でタタール人のボリス・ゴドゥノフが即位する。ムソルグスキーが作曲してロシア歌劇の最高峰といわれる『ボリス・ゴドゥノフ』の主人公だ。死んだはずの皇太子が生きていたとして偽王子を擁立したポーランド・リトアニア連合軍にモスクワを占領された逸話をモチーフにしている。

　ロマノフ王朝は、イヴァン4世の妃の姉妹を先祖としているが、この混乱の結果として帝位につき、ロシア革命まで続く。とくに、17世紀のピョートル大帝は、スウェーデンと戦ってバルト海に進出し、サンクトペテルブルクを首都とするヨーロッパ的な国家にロシアを生まれ変わらせた。その中心的な教会のひとつがアレクサンドル・ネフスキー寺院であることは、この都がスウェーデンに対抗するために建設されたことにも通じる。

　ただし、この美しい町並みやエルミタージュ美術館（冬宮）をつくったのは、ドイツ生まれで哲学者ヴォルテールとフランス語で文通した女帝エカチェリーナ2世である。軽やかなロココ文化の魅力を、西欧のどの都よりよく伝えてくれる。

　ここには、ドストエフスキーが暮らしたアパートも残るが、舶来品に囲まれた文豪としての贅沢な生活ぶりがしのばれ、作品から醸し出される苦悩の影がないのがおもしろかった。

教養への扉　サンクトペテルブルクは、第一次世界大戦中に敵国語のドイツ語地名だというのでペテルブルクに改名したが、革命後、レニングラードとなった。ペレストロイカのあと旧名に戻そうとしたとき、あえてドイツ語を選んだのは、『ペトログラードの労働者と兵士は』という革命映画のナレーションで聞き慣れたイメージがゆえにロシア語名が嫌われたからだ。

ロシア⑤
シベリア開発と「不凍港」を目指した戦い

　ロシアがオホーツク海（ツングース語で川を意味するが、ロシア語で狩猟の町の意にも取れるらしい）に進出したのは、17世紀の中ごろだが、バルト海には18世紀のはじめ、黒海にいたっては18世後半にようやく到達したのである。

　シベリアがロシアの領土になった時期は意外に早い。その名前は、キプチャク・ハン国が分裂してオビ川支流のトボリスク周辺に成立したシビル・ハン国に由来する。このころウラル以西では毛皮になる動物が枯渇しつつあったので、ストロガノフという毛皮商人が私兵を雇ってシビル・ハン国を攻撃し1598に滅亡させたのである（この子孫は家伝の料理としてビーフ・ストロガノフを世界に広めたことで知られる）。

　ロシア商人はその後も毛皮を求めて東へ進み、オホーツクに1648年にたどり着いたが、南シベリアの征服は遅れイルクーツクを手に入れたのはそれより4年後である。

　これに清の康熙帝は危機感を強め、ネルチンスク条約でスタノヴォイ山脈を国境とすることとなり、北方ではカムチャツカ（1700年ごろ）、アラスカ（1800年ごろ。1867年アメリカに売却）と進んでいったが、黒竜江左岸を獲得したのは、1858年のアイグン条約、念願の不凍港ウラジオストク獲得は1860年の北京条約による。

　アジア人としての立場で見れば、極寒の地で狩猟をする物好きな赤ら顔の夷人と思って放置しておいたのが、あとになって悔いになったというところである。樺太（サハリン）についても、初めてロシア人が国旗を掲げたのが1853年だから、それまでに日本が実効支配を確立しておかなかったのが惜しまれる。鎖国など馬鹿なことをしていたので、寒冷地での生活の知恵を学べず、開発を進められなかったのだ。

　ロシアは永久凍土とタイガ（森林）と戦いながらシベリア鉄道を開通させ支配を確固としたものとした。現在、シベリアはウラル連邦管区（首都エカテリンブルク）、シベリア連邦管区（首都クラスノヤルスク）、極東連邦管区（ハバロフスク）に分かれる。

　ロシア人は、権威好きである。ゴルバチョフのように格好良くても強さを感じない男は認められない。エリツィンのように粗野でも力があればより好まれるし、アルコール依存症でも許される。さらに、プーチンのようにすごみを感じさせるのならリーダーとして理想的だ。あの理不尽なまでの迫力あるやり口に酔いしれるのである。

　フランス革命期の著名な歴史家であるニコライ・カラムジンがいったように、ロシアには専制政治しか向かないらしい。ビザンティンとモンゴルの二つの伝統がそうさせている。

　この民族は勇猛ではないし本来はむしろ臆病である。だが、恐怖心のあまり、過剰防衛に走りがちで、それがゆえに、結果的には侵略して領土を無限に広げたり、一度手にしたものは極度に離したがらなかったりする。日本人に対しても、日露戦争で負けて領土を取られたトラウマがよほどひどいのも領土問題でかたくなな理由のひとつのようだ。いってみれば、気が小さいが恐怖心ゆえに暴れて手がつけられなくなるヒグマだと思ってつきあうべきだ。

　芸術に目を向けると、ロシア人は美術や料理には無頓着だ。仰々しくごてごてで金ぴかの工芸品は決して趣味がいいものではない。

　料理もボルシチとかピロシキといった家庭料理は素朴で温かみが感じられるが、きちんとした料理には見るべきものがない（料理とはいえないが、カスピ海のキャビアはやはり世界一の珍味だ。ロシア人はバターでベトベトにして食べるが、これが結構おいしい）。

　だが、文学と音楽とダンスには最高の才能を発揮する。人間についての深い洞察力に満ちたドストエフスキーやトルストイのロシア文学は世界が認めている。クラシック音楽の世界では後発であったにもかかわらず、国民楽派の運動の拠点となり、ソ連時代も世界最高峰の演奏家たちを生み出した。

　ロシアのバレエが世界を征服したのは、中央アジアの人々の踊り好きの伝統ゆえだろうか。史上最高の男性の踊り手といわれたルドルフ・ヌレエフがシベリア鉄道の車内で生まれたタタール人だったことは象徴的だ。

　学術の分野でもロシア人は大きな成果を上げているが、その理由は彼らほど役に立たないことに情熱を燃やせる人々はいないからだ。というよりは、実用性がないからこそ、インテリとして尊敬されるのだ。

教養への扉　モスクワの町にはスターリンがマンハッタンに対抗して建設したといわれるデコレーションケーキのような巨大建築がモスクワ大学など7棟ある（写真はモスクワの赤の広場に建つ聖ワシリイ大聖堂）。悪趣味の極致といわれながらも、結局はロシア人には好まれ、最近ではそれを真似たアパートが人気だ。

ウクライナ
「小ロシア」から「未完の大国」へ

キプチャク・ハン国（首都はヴォルガ川河口に近いサライ。ロシアのアストラハン近郊で現在は廃墟）のうち南部は、15世紀にはクリミア・ハン国（首都バフチサライ。セヴァストポリ北方）となってオスマン・トルコの支配下に置かれ、18世紀になってエカチェリーナ2世がロシアに併合した。

モンゴル支配は徐々に切り崩されていったが、旧キエフ公国のうち主としてポーランドが東方進出で獲得した地域がある。自立を図ったものの力不足からロシア帝国に吸収された。これがウクライナのルーツである。

この地域は「小ロシア」ともいうが、これは蔑称ではなく、古代にギリシャ本土を植民地域（マグナ・グラエキア）と区別するために小ギリシャと呼んだことにならってギリシャ正教会が使った言葉で、むしろ、未開地である大ロシアに対置させたものだ。

ウクライナの語源は「地域」とか「辺境」とかいわれるが不明である。いずれにせよ、キエフ地方を呼ぶ呼称として使われていたのを、革命後にソ連を構成する共和国名にした。ただ、キエフ大公国の故地で西洋文明の洗礼を受けたウクライナとしては、モスクワの田舎者の風下には立ちたくないらしい。だが、ロシアにしてみれば、石炭の大産地でもあるドネツ炭田や、1954年になってロシアから恩恵的にウクライナに移管されたリゾート地クリミア半島（本来のウクライナとは関係ない）、映画『戦艦ポチョムキン』の舞台となったオデッサなどを失ったことは納得のいかないところだろう。

戦後のウクライナはポーランドから獲得したハリチナー（ガリシア）地方なども版図に入れ、思いもかけぬ大国に成長した。ただし、ウクライナでは穀倉にもかかわらず多くの餓死者を出した集団化の失敗の傷跡も深く、炭田は老朽化し、豊かな生活水準を実現しているとはいいがたい。政治の安定と経済政策の善し悪しで良くも悪くもなりそうな「未完の大国」だ。

「鳥人」といわれた棒高跳びのセルゲイ・ブブカ、世界一のストライカーともいわれたアンドリー・シェフチェンコ、作曲家のセルゲイ・プロコフィエフ、ピアニストのウラディミール・ホロヴィッツ、そしてソ連時代の首相ニキータ・フルシチョフがこの国の英雄である。ロシア料理の代表的なメニューであるボルシチ（赤カブ入りのスープ）は元来、ウクライナ料理だという。ガーリックバターを鶏肉で包んで揚げたキエフ風カツレツも昔からおなじみの料理だ。

キエフの聖ソフィア大聖堂には11世紀の創建当時の面影を残すモザイクがあり、キエフ・ペチェールスク大修道院はロシア文化圏最古の修道院。西部のリヴィウは旧ポーランド領の古都だ。

ウクライナData　国名：ウクライナ（英）Ukraine（仏）Ukraine（ウクライナ語）Ukraina（中）烏克蘭　烏克蘭　Wūkèlán（正式名称）ウクライナ／首都：キエフ／言語：ウクライナ語、ロシア語／面積：603.5千㎢／人口：44.0百万人／通貨：フリブニャ／宗教：ウクライナ正教／民族：ウクライナ人78%、ロシア17%／国旗：大空（青）の下に広がる小麦畑（黄）を表す。

ベラルーシ、モルドバ
かつては「白ロシア」といわれたベラルーシ

ロシア、ベラルーシ、ウクライナの3国の相違は、本当の意味での民族的違いではなく、言語などもそれぞれ方言が歴史的事情から独立しただけのことだ。ベラルーシはリトアニア、ウクライナはポーランドの領土だったがギリシャ正教地域だったのでロシアが取り上げたのだ。

ベラルーシは、かつて日本では「白ロシア」と呼ばれ、「小ロシア」といわれたウクライナとともに国連に加盟していた。英連邦各国の加盟に難色を示したヨシフ・スターリンへの譲歩で取られた措置だった。「ベラ」は「白い」という意味で、空の色とか人々の肌の色とかもいうし、モンゴルの支配を受けなかったことだともいう。

キエフ大公国から派生したポロツク公国に淵源を持つともいわれ、モンゴルの支配は受けなかったが、リトアニアの支配下にあったのち、ロシアに併合された。

平原が続くが、沼沢地が多く、実り豊かというわけでもない。首都はミンスクだが、歴史的な景観はあまりない。鉄道の分岐点となってから産業が発展した。「ミン」は交易、スクは「津」といった意味らしい。

世界遺産になっているのはミールという城である。ウクライナほど誇り高くないので親露的だ。旧ソ連のなかでは地理的に西欧に近いのが強みで見通しはそれなりに明るい。資源では泥炭が豊富。

有名人としては画家マルク・シャガール、それに両親がベラルーシの出身で、1986年に隣国ウクライナで発生したチェルノブイリ原発事故を避けて一家が避難したシベリアで生まれた女子テニスのマリア・シャラポワがいる。

オスマン帝国の保護下にあったモルダヴィア公国のうち東半分にあたるベッサラビアはロシアに併合されたのち、1918年にはいったんルーマニアに併合された。が、1940年にソ連に併合されモルダヴィア共和国とされ、ソ連崩壊とともに**モルドバ**として独立した。語源はダキア語の「多くの砦」だという。

いずれルーマニアに合流する可能性もある。首都であるキシナウは「新しい泉」を意味するといい、現在も中心部にその泉がある。ロシア時代に中心都市となった。人気音楽グループのO-Zoneはここの出身だ。

ベラルーシData　国名：ベラルーシ共和国（英）Belarus（仏）Biélorussie（ベラルーシ語）Belarus'（中）白俄罗斯　白俄羅斯　Báiéluósī（正式名称）レプブリカ・ベラルーシ／首都：ミンスク／言語：ベラルーシ語、ロシア語／面積：207.6千㎢／人口：9.5百万人／通貨：ベラルーシ・ルーブル／宗教：東方正教／民族：ベラルーシ人81％、ロシア人11％／国旗：赤と緑に伝統的手織り紋様。

モルドバData　国名：モルドバ共和国（英）Moldova（仏）Moldavie（モルドバ語）Moldova（中）摩尔多瓦　摩爾多瓦　Móěrduōwǎ（正式名称）レプブリカ・モルドバ／首都：キシナウ／言語：モルドバ語、ロシア語／面積：33.8千㎢／人口：4.0百万人／通貨：レイ／宗教：東方正教／民族：モルドバ人78％、ウクライナ人8％、ロシア人6％／国旗：中央に国章の鷲。

ウズベキスタン
モンゴル人がつくったシルクロードの国

　シルクロードの忘れられた遺跡なら中国のタクラマカン砂漠へ行くべきだが、美しいオアシスの都市ならウズベキスタンのサマルカンドだ。青い空とタイルが美しい砂漠の宝石である。最近は日本でも人気の旅行先だ。

　古代から栄えた都市だが、14世紀から15世紀にかけてティムール帝国の首都として栄華を誇った。レギスタン広場（写真）という巨大な空間にはティムールや孫ウルグ・ベクの墓があるグーリ・アミール廟がある。ウルグ・ベクがつくらせた天文台では、現在と比べ1年間が1分以内の誤差で記録されていたそうだ。

　ティムールはチャガタイに仕えた武将の子孫で、そのハン国の混乱のなかで勢力を伸ばしたが、チンギス家を主君とする姿勢は変わらず、肩書はアミール（総督）であった。その征服した土地は、ダマスカス、アンカラ、デリーにおよび、明征服まで計画した。

　ところが、キプチャク汗国系のウズベク人が北方から南下してサマルカンドを陥れ、ここにシャイバーニー朝が成立した（1500年）。これが分裂してできたブハラ・ハン国とヒヴァ・ハン国はロシアの保護国となったが（1868年と1873年）、ロシア革命までチンギス・ハンの子孫が君臨し続けた。

　ウズベク（オズベク）は、テュルク語で「自身が主君」を意味し、キプチャク・ハン国のウズベク・ハンの名に由来するといわれる。

　ウズベキスタンの首都はタシュケントで中央アジアの中心都市だ。サマルカンドのほかに、ブハラも世界遺産だが、こちらは、モンゴル以前の遺産も健在だ。

　イスラム・カリモフ大統領の独裁が国際世論から批判されたが、国の発展にも尽くした。子どものころ、母親に「日本人捕虜は、ロシアの兵隊が見ていなくても働く。他人が見なくても働く。お前も大きくなったら、必ず他人が見なくても働くような人間になれ。おかげで母親の言いつけを守って、今日、俺は大統領になれた」と語ったこともある。

　ソ連時代にアムダリヤ川、シルダリヤ川の大規模灌漑で綿花の栽培が広がったが、乾燥地帯だけに無理があり、二つの川が流れ込むアラル海の縮小という環境問題を引き起こしている。原油、天然ガス、亜炭、金など地下資源が豊富である。

ウズベキスタンData　国名：ウズベキスタン共和国（英）Uzbekistan（仏）Ouzbékistan（ウズベク語）O'zbekiston（中）乌兹别克斯坦　乌兹别克斯坦 Wūzībiékèsītǎn（正式名称）オズベキスターン・レスプブリカスィ／首都：タシュケント／言語：ウズベク語、ロシア語、タジク語／面積：449.0千㎢／人口：32.4百万人／通貨：スム／宗教：イスラム教／民族：ウズベク人80％、ロシア人6％／国旗：青は空、白は国土と平和、緑は自然、赤は国土防衛の決意と民衆の生命力。イスラムの象徴、三日月と星。星は12州。

カザフスタン、タジキスタン
中央アジアとロシアの緩衝的存在に

　カザフスタンはステップが広がる遊牧民の地だ。カザフ人は、15世紀にウズベク人が南下するとき、このあたりの草原に残った人々らしい。カザフという言葉の語源は「独立した」「放浪する」といった意味で、ロシアの「コサック」と同じである。

　カザフスタンは、チンギス・ハンの子孫でキプチャク・ハン国系の王を戴き、バルハシ湖の南のセミレチエ地方（アルマアタ周辺）でカザフ・ハン国を成したこともあるが、3部族に分かれて遊牧していた。ロシアには1860年代に併合され、ロシア革命後、共和国となった。

　ロシア人の割合も多く、ソ連時代からの有名政治家であるヌルスルターン・ナザルバエフ大統領の存在もあり、ほかの中央アジア諸国とロシアの緩衝的存在だ。人口はウズベキスタンより少ないが、面積は世界第9位で存在感の大きな国だ。核実験場はなくなったが、バイコヌールの宇宙基地は健在。ウランの埋蔵量が大きいことで注目されている。

　ロシア革命後の首都はクズロルダだったが、1927年に南部のアルマアタ（カザフ語ではアルマトイ）に移り、1997年に黒川紀章が設計した北部のアスタナ（首都という意味。現ヌルスルタン）に移った。アクモリンスク、次いでツェリノグラードと呼ばれた町だ。前衛的な建築の展覧会のような様相となっている都市だ。南部のテュルキスタンにあるホージャ・アフマド・ヤサヴィ廟のティムール時代の巨大なモスクが世界遺産。

　タジキスタンは、ペルシア系の民族だがスンナ派が多い。もともと国らしい形は取っていなかったが、ロシア革命後、ブハラ・ハン国東部などを切り取って設立した。首都はドゥシャンベだが、歴史的な背景のある町ではない。国名は中国でサラセン帝国のことを呼んだ「大食」（タージー）と同じ起源だ。アンチモンの世界的産地のひとつである。過去に国家を形成していたわけでなく、ブハラ・ハン国の一部などから人工的につくりだされた共和国である。首都のドゥシャンベも歴史的な背景のある町ではない。

　この地域の国々は、ソ連になってから歴史地理的経緯とは関係なく、「民族別」に多数を占める地域を基準に決められた「共和国」を引き継いだものだ。

カザフスタンData　国名：カザフスタン共和国（英）Kazakhstan（仏）Kazakhstan（カザフスタン語）Qazaqstan（中）哈萨克斯坦　哈薩克斯坦　Hāsàkèsītǎn（正式名称）カザクスタン・リスプブリカス／首都：ヌルスルターン／言語：カザフ語、ロシア語／面積：2,724.9千㎢／人口：18.4百万人／通貨：テンゲ／宗教：イスラム教47%、ロシア正教44%／民族：カザフ人57.2%、ロシア人27.2%／国旗：太陽と鷲は自由と希望。左に民族伝統の装飾紋様。

タジキスタンData　タジキスタン共和国（英）Tajikistan（仏）Tadjikistan（タジク語）Tojikiston（中）塔吉克斯坦　塔吉克斯坦　Tǎjíkèsītǎn（正式名称）ジュムフーリーイ・タージーキスターン／首都：ドゥシャンベ／言語：タジク語、ロシア語／面積：142.6千㎢／人口：9.1百万人／通貨：ソモニ／宗教：イスラム教90%／民族：タジク人80%、ウズベク人15%／国旗：王冠（タージ）を様式化して描く。

キルギス、トルクメニスタン
イスラムとの関係が深いシルクロードの要地

シルクロードの交易が衰えたのはイスラム教徒のせいではない。喜望峰回りや西回りの航路が開発されたからだ。また、遊牧民たちが政治的に主導権を取れなくなったのは、鉄砲の時代になって騎馬兵の優位が失われて歩兵の時代になったことが大きい。

キルギスは天山山脈の北側の渓谷地帯に広がり、気候は地中海性である。テュルク系民族のひとつで（語源不明）、とくに国を持っていなかったが、ロシアによる併合（1865年）、キルギス・ソビエト社会主義共和国の成立（1936年）を経て独立した。

首都のビシュケクは馬乳酒をつくるときに使う攪拌機に由来する。ソ連時代には、ロシア革命時の赤軍司令官で当地生まれのフルンゼを都市名としたが、独立後に元の名に戻した。首都ビシュケクはソ連時代はフルンゼと呼ばれた。綿花、タバコ、水銀、金などを産す。

トルクメニスタンは歴史的にはイラン北東部とともにホラーサーンと呼ばれた地域にあたる。世界遺産「国立歴史文化公園古代メルフ」には、さまざまな時代、多様な宗教の遺跡が併存している。テュルク系だが、各部族の独立性が強く民族としての一体性に乏しい。

ロシアによってカフカス（コーカサス）総督管区内のザカスピ州（範囲はもう少し広かった）とされ、綿花の栽培で栄えた。ロシア革命後に共和国となる。天然ガスの世界的な宝庫として注目。紀元前後に栄えたパルティアは、中国では安息と呼ばれていた。アレクサンドロス大王の死後、ペルシアはセレウコス朝が支配したが、それに取って代わり、サーサーン朝が興隆するまでの時期に栄えた国である。

最初の都がこの国の首都であるアシガバートの近郊にあった首都ニサ（世界文化遺産）である。ロシア帝国のもとでは綿花の栽培が盛んにされた。テュルク系で国名もそれにちなむが、関連するアシガバートはパルティアの君主号である「アルサケス」にちなむらしい。

初代大統領サパルムラト・ニヤゾフの独裁体制は有名で、永世中立を記念したニュートラリティ・アーチの頂上には金メッキの像が24時間回転し続ける。アシガバートはロシアによって建設された町だが、古代パルティア王国が一時首都としたニサの近郊である。

キルギスData 国名：キルギス共和国（英）Kyrgyzstan（仏）Kirghizistan（キルギス語）Kyrgyzstan（中）吉尔吉斯斯坦 吉爾吉斯斯坦 Jíěrjísīsītǎn（正式名称）クルグズ・レスプブリカス／首都：ビシュケク／言語：キルギス語、ロシア語／面積：199.9千㎢／人口：6.1百万人／通貨：ソム／宗教：イスラム教75%、ロシア正教20%／民族：キルギス人65%／国旗：草原に輝く太陽を表す。

トルクメニスタンData 国名：トルクメニスタン（英）Turkmenistan（仏）Turkménistan（トルクメニスタン語）Türkmenistan（中）土库曼斯坦 土庫曼斯坦 Tǔkùmànsītǎn（正式名称）トルクメニスタン／首都：アシガバット／言語：トルクメン語、ロシア語／面積：488.1千㎢／人口：5.9百万人／通貨：マナト／宗教：イスラム教／民族：トルクメン人85%／国旗：特産品の絨毯グルの紋様を描く。

東欧	[地域の歴史] **コーカサス**
	宗教、人種、歴史のさまざまな民族が入り乱れる地

　アーリア民族だけでなくアラブ人などを含む集団をコーカソイドと呼ぶ。白人、黒人、黄色人種といった肌の色の見かけに代わるDNAの枝分かれを基準にした分類だ。このコーカソイドの語源は、コーカサス地方（ギリシャ語でカウカーソス、ロシア語でカフカス）がアーリア民族の故郷に近いことに由来するものだ。語源は古代スキタイ語の白い雪だそうだ。このあたりは、小麦の原産地でもあるらしい。

　この地方は、黒海とカスピ海に挟まれ、険しい山々の谷間の小盆地に分かれているために、イラン、トルコ、アラブ、ビザンティン、ロシア、モンゴルなど諸民族と、同じキリスト教やイスラムでもさまざまな宗派が流れ込み、複雑怪奇な民族のるつぼとなっている。

　モスクワでもタクシーの運転手のかなりはコーカサス地方出身者だという。険しい山岳地帯で縦横無尽に馬を乗りこなす男こそ女性にモテるという伝統が、いまではトラックやタクシーの運転手になるコーカサス人が多いという現実につながっているのだそうだ。

　しかも、彼らは民族ごとの団結心が強い。それが、闇物資の輸送にも使われたり、軍事物資や技術の中東への拡散に利用されないかなど、ソ連崩壊期には心配された。女性はロシア、イラン、トルコなどさまざまな民族のいいとこ取りをしたような美女が多く、とくにジョージアは世界一だと中世の西欧人は信じていたという。

　ロシア連邦に含まれる北コーカサスは、チェチェン共和国は紛争で知られるし、スタヴロポリ地方はゴルバチョフの出身地であり、北オセチアは指揮者ヴァレリー・ゲルギエフや露鵬（相撲力士。大麻問題で解雇）の故郷だ。南側は「向こう側」ということでトランス・コーカサスと呼ばれる。ロシア語ではザカフカジエだ。北コーカサスは英語で「こちら側」ということでシスコーカサスという。

　ロシア革命後、コーカサス連合が独立、1922年にトランス・コーカサス共和国としてソ連に加盟、1936年には3共和国に分裂、1991年にソ連の崩壊によりそれぞれ独立した。だが、宗教も人種も歴史もさまざまな民族が入り乱れて、各国のなかで自治を認めざるをえない地域がある。ジョージアではロシアへの帰属を求める南オセチアや独立を主張しているアブハジアがあり、事実上、支配はおよんでいない。

教養への扉　北コーカサスでは1831〜1864年にイスラム教徒のシャミールを首領とする抵抗勢力とコーカサス戦争が戦われるなどロシアへの併合は困難を極めた。現在、七つの自治共和国が設けられているが、そのうち、チェチェンの独立をめぐる戦いがロシアにとっての悩みの種となっている。北コーカサスはクラスノダール地方とスタヴロポリ地方、それにアディゲ共和国、カラチャイ・チェルケス共和国、カバルダ・バルカル共和国、北オセチア共和国、イングーシ共和国、チェチェン共和国、ダゲスタン共和国からなる。

ジョージア
いち早くロシアに併合されたスターリンの故郷

　もとはグルジアといったが、英語読みのジョージアを国際的な通称にしたいと要望して日本でもそれが定着しつつある。ただし、現地ではギリシャ時代にも記録されているカルトリ人という民族の名にちなんでサカルトヴェロといっている。

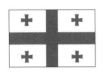

　オセチアをめぐってロシアとグルジアが争ったのだが、もともとは、この二つはともにギリシャ正教を信仰する友好国だった。オスマン帝国とサファヴィー朝ペルシアの間に挟まれたキリスト教王国カルトリ＝カヘティアがロシアの保護を求めてきた。

　グルジアはこの国の守護聖人である聖ゲオルギオス（古代ローマ末期の殉教者で竜を退治した伝説で知られる。イングランドの守護聖人）のロシア語読みに由来する。アメリカのジョージア州と同じ意味だが、あちらは国王ジョージ2世にちなむものなので、関連はない。

　グルジア語は南コーカサス語族のひとつだ。4世紀後半からキリスト教化され、5世紀にはアンティオキア総主教庁（そうしゅきょうちょう）よりグルジア正教が分離した。さまざまな民族に支配されたが、12世紀から13世紀のタマル女王の時代が黄金期とされている。南コーカサス3国のなかで比較的早くロシアの影響下に置かれた。オスマン帝国とサファヴィー朝ペルシアの間に挟まれたキリスト教王国カルトリ＝カヘティアがロシアの保護を求めてきたのである。

　ロシアは1783年にこれを保護国化し、1801年に併合した。王家や貴族はロシア帝国の貴族として優遇され、ナポレオン戦争の英雄ピョートル・バグラチオン将軍を出した。

　グルジア美術は絵画などに見るべきものが多い。良質のワインの産地であり、日本でもロシア料理店のワインといえばグルジア産だった。有名人の筆頭はなんといっても首都トビリシ郊外出身のヨシフ・スターリンであるが、その右腕で大粛清の張本人といわれたラヴレンチー・ベリヤもアブハジア出身である。ミハイル・ゴルバチョフ時代の外相だったエドゥアルド・シェワルナゼは祖国の独立後に一時期だが大統領を務めた。

　首都のトビリシは暖かいという意味で温泉に由来する。ロシア風にティフリスと呼ばれたこともあった。スターリンの出身地であるゴリが76km西にある。

　ロシアの南下政策が進みつつあったとき、両側をイスラム国に囲まれたグルジアと連絡するためにコーカサス山脈を越えて建設されたのがグルジア軍用道路である。北オセチア共和国の首都ウラジカフカスとトビリシを結ぶもので、現在ではその絶景を楽しむ観光ルートになっている。黒海沿岸の古都ムツヘタやシルクロードの要衝クタイシなどにグルジアを代表する遺跡がある。

ジョージアData　国名：ジョージア（英）Georgia（仏）Géorgie（ジョージア語）Sakartvelo（中）格魯吉亜　格魯吉亜　Gélǔjíyà（正式名称）サカルトベロ／首都：トビリシ／言語：ジョージア語、ロシア語／面積：69.7千㎢／人口：3.9百万人／通貨：ラリ／宗教：ジョージア正教84%、イスラム教10%／民族：ジョージア人84%、ロシア人9%、アルメニア人／国旗：大きな十字の四隅に小さな十字を四つ配したデザインはエルサレム十字と呼ばれる（写真）。

アゼルバイジャン
長らく係争が続いた石油産業の発祥の地

　カスピ海に面した首都バクー周辺では、古代から石油や天然ガスが噴出しており、拝火教といわれるゾロアスター教が盛んだったのも自然なことだった。タンカーやパイプラインなどを使用する近代石油産業の技術もここで開発されたものだ。

　首都バクーは風が強い町で、ペルシア語で「風の道」「風が吹きつけた」に由来するなどという。

　ノーベル一家（ノーベル賞とは関係ない）がパイプラインやタンカーの開発に成功したこともあって、20世紀初頭には世界の石油産出の半分ほどを占めていた。

　いわゆるゾルゲ事件のゾルゲや、チェリストのムスティスラフ・ロストロポーヴィッチはバクーの出身である。

　アゼルバイジャン語はテュルク語系である。シーア派イスラム教徒が多い。アレクサンドロス大王の遠征のあとアトロパテネ（火の国）という国があり国名の語源になっている。その後は、長くロシア、ペルシア、トルコの係争地となっていたが、1813年のギュリスタン協約によってバクーなど北部はロシア、タブリーズなど南部はペルシアに分割された。

　アゼルバイジャン人は、人口からいえばイランに住む人々のほうが多く、ペルシアを支配したサファヴィー朝は彼らを母体としている。

　アゼルバイジャンはアルメニア人が多いナゴルノ・カラバフや飛び地になっているナヒチェヴァンをめぐってアルメニアと対立している。

アゼルバイジャンData　国名：アゼルバイジャン共和国（英）Azerbaijian（仏）Azerbaïdjan（アゼルバイジャン語）Azərbaycan（中）阿塞拜疆　阿塞拜疆　Āsāibàijiāng（正式名称）アゼルバイジャン・レスプブリカス／首都：バクー／言語：アゼルバイジャン語／面積：86.6千㎢／人口：9.9百万人／通貨：マナト／宗教：イスラム教93％／民族：アゼルバイジャン人91％／国旗：青は伝統色、赤は生命力、緑はイスラム教。八稜星（はちりょうせい）は8支族。

アルメニア

イスラムに翻弄された「ノアの方舟」の舞台

「ノアの方舟」が漂着したのは、旧約聖書によれば、アララト山の頂だということになっている。古代の人々は世界一の高山はこの山だと信じていたのである。アルメニアの首都エレバンからもよく望むことができるが、山頂はトルコ領になっており、アルメニアの人々はそのことが悔しくてならないようだ。

アルメニア語はギリシャ語に少し似ているが、単語はペルシア語からの借用も多い。民族名の自称はノアの曽孫の名に由来するハイで、ハヤスタンというのが自称国名だ。国際的にはアルメニアというが、伝説的英雄のアルメナクに由来するともいう。詳細は不明だ。

しばしばアルメニア人は「コーカサスのユダヤ人」といわれる。人種的にも宗教的にもなんの関係もないのだが、オスマン帝国で銀行など金融業はこの二つの民族が担っていた。

アルメニア国家の起源はセレウコス朝崩壊ののちの混乱のなかに見られる。キリスト教の公認は301年ごろで、コンスタンティヌス帝のミラノ勅令による公認より10年ほど早く、世界初のキリスト教を国教とした国だ。506年に教義上の理由からアルメニア正教会として独立した。

アルメニア王国は東ローマ帝国とサーサーン朝ペルシアに分割され、9世紀ごろ独立したが長続きしなかった。十字軍時代にトルコ南東部にキリキア公国を建国したことがある。

1828年のトルコマーンチャーイ条約でエレバンなど東アルメニアがロシアに併合された。さらに、1878年には西アルメニアもトルコからロシアに併合された。ロシアがイランからエレバンなどを奪取し、ここにアルメニア州をつくった。

一方、オスマン帝国では19世紀後半からトルコ民族主義の高揚のなかでアルメニア人への風当たりが強くなっていたが、第一次世界大戦中にロシアと結び利敵行為をしているのでないかと疑われ、東方へ強制移住させられた。この過程で100万人前後が死んだといわれる。移送中の事故なのか、ホロコースト的な民族浄化策なのかについてトルコとアルメニア人の間に論争がある。トルコでは虐殺だといえば犯罪になるが、フランスでは虐殺を否定すれば犯罪となる立法が行われたほどで、トルコのEU加盟の障害にもなっている。

ソ連時代の著名人にアナスタス・ミコヤン副首相や作曲家のアラム・ハチャトゥリアンがいる。海外のアルメニア人としては、マケドニアからオーストリアに移住した先祖を持つ指揮者のヘルベルト・フォン・カラヤン（ギリシャ風にいうとカラヤニス）、イズミルの財務官を祖父に持つフランスのエドゥアール・バラデュール元首相、シャンソン歌手のシャルル・アズナヴール、テニス選手のアンドレ・アガシらがいる。

エチミアジンの大聖堂はアルメニア正教の総本山であり、ゲハルトの修道院はキリストの脇腹を突いた聖槍が発見されたところとされる。

アルメニアData　国名：アルメニア共和国（英）Armenia（仏）Arménie（アルメニア語）Hayastan（中）亜美尼亜　亜美尼亜　Yàměiníyà（正式名称）ハヤスタニ・ハヌラペトチュン／首都：エレバン／言語：アルメニア語／面積：29.7千k㎡／人口：2.9百万人／通貨：ドラム／宗教：アルメニア使徒教会／民族：アルメニア人98%／国旗：オレンジは色づく小麦と神の恵み、民衆の勇気。

リトアニア
ポーランド、ロシアへの併合と独立を繰り返す

　ドイツ騎士団とは、ハンザ同盟で知られるリューベックの巡礼病院で十字軍に参加するために結成されたが、中東撤退後に、ダンツィヒ（ポーランドのグダニスク）、ケーニヒスベルク（ロシア飛び地カリーニングラード）、リトアニアなど東方地域への布教や開拓を目指した（1226年）。いってみれば屯田兵である。

　ドイツ騎士団を招いたのはポーランド王国だったが、ドイツ人の横暴に困って抑えにかかり、勃興してきたリトアニア大公国もポーランドと協力しドイツ騎士団を沿岸部に押し込めた。国名は、ネマン川上流域の古称「リエタ」（流れの意）に由来する。

　このリトアニアはヨガイラ（ヤギェヴォ）王がポーランド女王と結婚して同君連合を組み（1386年）、そののちも連合関係は続け、タンネンベルクの戦いではドイツ騎士団を破った。だが、ロシアのリトアニアへの圧迫が強まるなかで、ルブリン合同によりリトアニアは実質的にはポーランドに併合され（1569年）、しかも、ウクライナのキエフ地方をポーランドに譲らされた。こののち、リトアニアは第三次ポーランド分割によってロシア帝国に併合された（1795年）。第一次世界大戦ののち独立したが、第二次世界大戦中の1940年にソ連によって併合された。このころの首都はカウナスで、ここにあった総領事館が杉原千畝によるユダヤ人への『命のビザ』の舞台となった。

　ペレストロイカのさなかの1990年に独立回復宣言をしてソ連崩壊への流れをつくり、2004年にはNATOとEUへ加盟した。

　バスケットボールが盛んで世界有数の強豪である。ヴィリニュスの町にはあまり古い建物はなく、バロック様式の建築が主流である。国名の語源は不明だが河川の名前ともいう。ドイツ騎士団が建てたプロイセンは、ドイツ人の国として生き残り、17世紀にはブランデンブルク選帝侯であるホーエンツォレルン家が大公を兼ねた。ポーランド王国の宗主権を否定、1701年にプロイセン王を名乗った。神聖ローマ帝国の枠外だから独自に王を名乗るのが可能だったのだ。哲学者イマヌエル・カントが生きたのはここである。

　第二次世界大戦後には、ソ連とポーランドによって分割され、ソ連崩壊後、カリーニングラードはポーランドとリトアニアに囲まれたロシアの飛び地になってしまっている。

　バルト海での漁業が盛んだが、おもしろいのは、日本で生まれた「カニかま」は世界で最も生産量が多いのはリトアニア、ひとりあたりの消費量が多いのはフランスだ。ただし、製造機械は日本製だそうだ。

リトアニアData　国名：リトアニア共和国（英）Lithuania（仏）Lituanie（リトアニア語）Lietuva（中）立陶宛　立陶宛　Lìtáowǎn（正式名称）リェトゥボス・レスプブリカ／首都：ビリニュス／言語：リトアニア語／面積：65.3千㎢／人口：2.9百万人／通貨：ユーロ／宗教：カトリック79％／民族：リトアニア人84％、ポーランド人6％、ロシア人5％／国旗：黄は小麦と太陽、緑は自然と希望、赤は愛国者の血潮と勇気。

ラトビア、エストニア
ドイツ騎士団が開拓した交易の要地

ラトビアのリガとエストニアのタリンはハンザ同盟に加盟して交易都市として栄え、いずれも古い都市景観をよく維持して世界遺産になってクルーズ船の寄港地としても人気がある。

プロイセンより北のバルト海沿岸にはバルト語系のラトビア人やフィンランド人と同じくウラル系のエストニア人がいたが、リヴォニア帯剣騎士団が入植を試みた。だが、あまりもの苛政にローマ教会もあきれ果て、ドイツ騎士団に吸収させた。そののち、スウェーデンやポーランドの支配を受けたが、18世紀にロシアの支配下に入った（エストニアが1721年、ラトビアが1730年）。

エストニアは「東の国」、**ラトビア**の語源は諸説ある。

エストニアの攻略はデンマークと協力して行われたもので、首都のタリンという名もデーン人の都市という意味で、13世紀の大聖堂などもデンマークに近い雰囲気がある。城壁も残っている。

ドイツ的な都市であるリガは旧ソ連でも有数の港湾都市として栄え、城壁は撤去されたが、経済的な力を反映してアール・ヌーヴォー様式の建築が多く見られる。語源は曲がりくねった川という説もあるが不明である。

両国とも機械工業が発展し、農業の生産性も高く、遠洋漁業も盛んで旧ソ連でも豊かな国である。リトアニアと同じく第一次世界大戦ののち独立したがソ連に併合され、1991年に独立、2004年にNATOとEUに加盟した。いずれも20％以上のロシア系住民を抱え、エストニアでは第二次世界大戦におけるソ連軍兵士の記念碑撤去をめぐり紛争が起きた。宗教はいずれもルター派のプロテスタントである。

バルト海の語源は諸説あるが、英語でボールティック・シー、ロシア語でバルチーイスカイェ・モーリェなどといい、日本語のバルトは英語の誤読だろうか。ドイツ語ではオストゼー（東海）でエストニア語ではレーネメリ（西海）だ。

ラトビアData 国名：ラトビア共和国（英）Latvia（仏）Lettonie（ラトビア語）Latvija（中）拉脱維亜 拉脱維亜 Lātuōwéiyà（正式名称）ラトビアス・レプブリカ／首都：リガ／言語：ラトビア語、ロシア語／面積：64.6千k㎡／人口：1.9百万人／通貨：ユーロ／宗教：プロテスタント（ルター派）、カトリック／民族：ラトビア人59％、ロシア人28％、ベラルーシ人4％／国旗：奮戦したラトビア人指揮官の血に染まった白布。現在は自由のために流された人民の血。

エストニアData 国名：エストニア共和国（英）Estonia（仏）Estonie（エストニア語）Eesti（中）愛沙尼亜 愛沙尼亜 Àishāníyà（正式名称）エースティ・バァパリーク／首都：タリン／言語：エストニア語／面積：45.2千k㎡／人口：1.3百万人／通貨：ユーロ／宗教：プロテスタント／民族：エストニア人69％、ロシア人26％／国旗：青は空、海、湖沼、白は雪、黒は大地。黒はエストニア人への干渉と弾圧の意も。

フィンランド
ロシアの圧政と戦い続けた外交手腕

　携帯電話メーカーであるノキアの成功や学力世界一などでフィンランドが注目を集めている。さして資源もないこの国が、平和裏に世界有数の豊かさを実現していることはやはり驚嘆ものだ。

　現地語の「スオミ」というのは湖沼のことらしいが、森と湖に囲まれ、夏には白夜が美しい国だ。まとまった国はつくらないまま、12世紀にスウェーデンに征服され、その枠内で公国となった。ナポレオン戦争の結果、ロシア支配下の自治大公国となって、ロシアのツァーが大公を兼ねた。

　ロシア流の圧政もあったが、ロシアの強引さに反発するなかで民族意識も向上してきた。日露戦争でのロシアの敗北を機にして民主化が進み、ロシア革命のあと独立を認められた。だがヨシフ・スターリンからはレニングラード防衛などを理由に領土の変更を求められ、拒否すると侵略された。このため、第二次世界大戦ではドイツ寄りの立場を取ったので、戦後は大変厳しい立場に置かれた。

　だが、軍事外交的にはソ連にかなり従属的であることを我慢する代わりに、経済社会は西側的な体制を維持するという曲芸に成功した。アメリカなどからは、「フィンランド化」という言葉をつくられて嫌みをいわれたが、現実的な利益は守られ、東西間で独特の重要な役割を担った。

　彼らの言葉はハンガリー語などと同じくウラル語族に属し、ウラル山脈あたりから出発して、2000年ほど前にこのあたりにたどり着いた。ハンガリー人とどこで分かれたのかはよくわからない。

　国民的な英雄ともいえる作曲家ジャン・シベリウスの『フィンランディア』は、1899年の作曲で、大いにフィンランド人たちの愛国心を鼓舞した。

　この国の人は、やや陰気だが、自然をとことん愛し、湖沼地域の別荘での生活を好み、サウナで汗を流すことを無上の喜びとする。童話作家トーベ・ヤンソンがつくりだした『ムーミン』は、この国の人々の性格をよく表す。

　ヘルシンキの町は、建築家アルヴァ・アールトなどのおかげで、まことに美しい。シンプルだが軽やかでぬくもりを感じさせる町並みだが、とくに夏には、昼間の淡い水色の空や、幻想的な白夜に美しく映えて息を飲むほど美しい。「アラビア」というブランドの陶器も、すぐれたデザインで世界的な人気だ（写真はフィンランドが故郷といわれるサンタクロース）。

フィンランドData　国名：フィンランド共和国（英）Finland（仏）Finlande（フィンランド語）Suomi（中）芬兰　芬蘭　Fēnlán（正式名称）スオメン・タサバルタ／首都：ヘルシンキ／言語：フィンランド語、スウェーデン語／面積：338.4千㎢／人口：5.5百万人／通貨：ユーロ／宗教：キリスト教85%（ルーテル派83%）／民族：フィン族93%／国旗：青は空と湖沼、白は雪のスカンジナビア十字。

ポーランド

3回にわたって消滅の憂き目を見た「平原」の国

ポーランド人は誇り高い。スラヴ民族のなかで最も文明人だと信じている。姿形も美男美女ぞろいだ。だが、現実にはここ数百年、ロシア人やドイツ人にやられっぱなしだ。そこですっかり皮肉屋になった。アネクドート（政治風刺の小話）はロシア人も得意だが、ポーランド人のほうが一枚上だ。

誇大妄想といいたいプライドの高さと皮肉屋ぶりを共通とするゆえか、フランス人とは伝統的に気が合う。フランス人の父親を持ってパリで活躍したフレデリック・ショパンや、フランス人と結婚してノーベル賞を二つも取ったマリ・キュリー夫人はこの両国民の幸福な共同作品だ。

ただ、この国にとって不幸なことは、仏独英あたりより少し人口が少ないことだ。大国として扱われず、EUでの投票権配分で1国だけ反対してほかの国を困らせた。

ポーランド（語源は平原）では、ミェシュコ1世が966年にキリスト教を受け入れ、ボレスワフ1世フローブルィが1000年に神聖ローマ皇帝より王冠を授与された。14世紀にはポーランドとリトアニアがヤギェヴォ王朝のもとで合一し、大国としてウクライナまで領土に加え、プロイセン地方に宗主権を行使し、ロシアまで攻め込むなど黄金期を迎えた。

クラクフを中心にルネサンス文化が栄え、コペルニクスを生んだ。西欧を追われたユダヤ人を多く受け入れたので、ユダヤ文化とポーランド文化は渾然一体となっている。

ワルシャワが首都となったのは16世紀である。だが、18世紀にはウクライナはロシアに併合され、東プロイセンへの宗主権も失われた。少数でも反対があれば決定が下せない過度の民主制が迅速な意思決定を阻害したのが原因といわれる。

しかも、1772年から1795年まで3回にわたってロシア、プロイセン、オーストリアの間で分割され国がなくなった。ナポレオンのもとでワルシャワ公国が復活したが、再びロシアの支配下に入り、独立は第一次世界大戦の終結ののちである。だが、すぐに港町グダニスクをめぐってのドイツとの紛争を機に、独ソで分割され再びポーランドは消滅した。

戦後は、東部3分の1をソ連に盗られ、代わりに、西部で伝統的なドイツ領を与えられた。ソ連の影響下でもカトリックの力は維持され続けたが、これが1980年のグダニスク造船所におけるレフ・ヴァヴェンサを指導者とした「連帯」運動が起こって自主管理が導入され、1978年のローマ教皇ヨハネ・パウロ2世の選出とともに、東欧解放のきっかけをつくった。

ワルシャワの町の中心部はナチスによって完全に破壊された。戦後の再建は、18世紀イタリアの画家カナレットの風景画をもとに再建された。古都クラクフは幸運にも破壊されずに古い東欧の雰囲気を感じさせる。

ポーランドData 国名：ポーランド共和国（英）Poland（仏）Pologne（ポーランド語）Polska（中）波兰 波蘭 Bōlán（正式名称）ジェチュポスポリタ・ポルスカ／首都：ワルシャワ／言語：ポーランド語／面積：312.7千k㎡／人口：38.1百万人／通貨：ズウォティ／宗教：カトリック90％／民族：ポーランド人97％／国旗：白は純潔と歓喜、赤は独立と民衆の流血。

　ポーランドなど中欧諸国が協力してオスマン・トルコからヨーロッパを守った1683年に行った第二次ウィーン包囲戦からオスマン帝国の領土をキリスト教徒が取り戻す流れになり、東ヨーロッパ史の転換点になった。

　この戦いが契機となって、教皇領、オーストリア、ポーランド、ヴェネツィアなどからなる神聖同盟が結成され、ロシアも連携してキリスト教徒の反撃が始まった。オスマン・トルコが初めて領土縮小を強いられたのは、カルロヴィッツ条約（1699年）で、オーストリアにハンガリー、トランシルヴァニア、スロベニア、ヴェネツィアにダルマチア（クロアチアのアドリア海沿岸）、ポーランドにウクライナ、そして別にロシアにアゾフ（ドニエプル川河口の港町）を割譲した。

　だが、オスマン帝国も西欧文明の吸収に努め、徴税請負制度の導入などで国力を回復して、ベオグラードも回復し、18世紀の前半は小康状態を得たが、ロシアのエカチェリーナ2世の圧力でクリミア・ハン国はオスマン帝国から独立し、ロシアに併合された。

　現在のモルドバとルーマニアにまたがる地方にはモルダヴィア公国があって、オスマン帝国の宗主権のもとにあったが、その東半分（ベッサラビア）がロシアに併合された（1812年）。現在のモルドバ共和国である。ギリシャは西欧諸国民の支援で独立闘争を繰り広げ、1830年に小さいながらも独立国となった。

　ブカレストを含むワラキアもオスマン帝国のもとでの公国だったが、モルドバの残りの部分と合併してルーマニア公国となり、露土戦争の結果、1881年に独立が確定した。

　ブルガリアは、露土戦争の結果、「サン・ステファノ条約」でエーゲ海にまでおよぶ領地を獲得したが、ロシアの南下政策に危惧を抱いた列強が干渉し、オットー・フォン・ビスマルクの仲介による「ベルリン条約」でとりあえず小国として自立が認められた。

　セルビアでは1817年にセルビア公国がオスマン帝国のもとで認められた。サン・ステファノ条約ではボスニアにも自治権が付与された。アルバニアは、イスラム教徒が多かったために1912年になって遅れて独立した。モンテネグロはサン・ステファノ条約とベルリン条約で完全な独立がすんなり認められた。

　こうしてバルカン半島はイスタンブール周辺のわずかの土地を残してオスマン帝国の軛から解放されたが、その一部はオーストリア＝ハンガリー帝国の新たな支配を受けたし、今度は第一次世界大戦の結果としての両帝国の崩壊により各民族は自立したが、民族同士のエゴが生でぶつかり合って新たな不幸に今日に至るまで見舞われるのである。

フィンランドData　ウィンナ・コーヒーの名前は東京・神田生まれだが、ホイップ・クリームを載せたコーヒーは、ウィーンの名物である。オスマン帝国がウィーン包囲戦に失敗して撤退するときに残していったコーヒー豆や器具に由来するといわれる。

ルーマニア
アメリカとソ連を手玉に取った独裁者の死

モルダヴィア地方にはフレスコ画の壁画が美しい修道院群があり、トランシルヴァニアでは要塞化された教会を中心にした集落が美しい。ドナウ川河口の自然も世界遺産になっている。ドラキュラの居城ブラン城（トランシルヴァニア地方にある）も人気の観光名所だ。

ルーマニアという名前はローマ人の国というところからくる。言語もだいぶスラヴ化しているもののラテン系に属する。ただし、ローマ時代にはダキアといった。

モンゴル来襲の混乱のなかで、14世紀にワラキア公国やモルダヴィア公国がダキア人の子孫たちによって建てられた。この時期のワラキア公のひとりがドラキュラで、貴族を串刺しにすることが多く恐れられたという。庶民を串刺しにするのはよくあることだが、貴族をというのが珍しかったのだそうだ。

15世紀から16世紀にかけてオスマン・トルコの支配を受け入れた。クリミア戦争を経てワラキアの自治が認められ（1859年）、やがてモルダヴィアと合同公国となり（1861年）、サン・ステファノ条約（1878年）でルーマニアとして完全独立した。両公国が合同したときの大公はアレクサンドル・イオン・クーザというモルダヴィア貴族だったが、保守派から嫌われ、ホーエンツォレルン＝ジグマリンゲン家のカールが迎えられてルーマニア王家となった。

第一次世界大戦ののちには、ハンガリーから北西部のトランシルヴァニアを獲得し、紆余曲折はあるがハンガリー系少数民族の保護を条件に保持している。第二次世界大戦後は共産化したが、チャウシェスクは石油資源を背景にソ連から自主路線を取ってアメリカを喜ばせる一方、極端な独裁政治を行った。

首都ブカレストは現地ではブクレシュティと呼び、日本語名はドイツ語に近い。ブクル（喜び）という名の羊飼いにちなむらしい。オスマン帝国保護下の1698年にワラキア公国の首都となった。ドナウ川からは60km離れ、周辺には美しい湖が多い。

首都ブカレストにある議会宮殿（旧名「国民の館」）はペンタゴンに次ぐ面積の巨大建築で豪華絢爛を誇った。だが、東欧の変革の嵐のなか、即席裁判で独裁者は夫人ともども処刑されてしまった。

モントリオールオリンピックで活躍したナディア・コマネチが最も知られたルーマニア人だ。

ルーマニアData　国名：ルーマニア（英）Romania（仏）Roumanie（ルーマニア語）România（中）罗马尼亚　羅馬尼亜　Luómǎníyà（正式名称）ロムニア／首都：ブカレスト／言語：ルーマニア語、ハンガリー語／面積：238.4千k㎡／人口：19.6百万人／通貨：レイ／宗教：東方正教87％／民族：ルーマニア人90％、ハンガリー人7％／国旗：赤は民衆の血、黄は穀物、青は空。チャド国旗と青の濃さが少し違うだけ。

ブルガリア
オスマン帝国の自治公国から脱却

　東西冷戦時代の東ヨーロッパで、旅行者がロシア語を使って市民から歓迎されるのはブルガリアだけといわれた。後進国ロシアの風下にあるのがいやでいやでしかたなかったほかの社会主義国と違って、素朴なブルガリア人はトルコやドイツから解放してくれたロシア人への好意を保ち続けていたのであった。

　ブルガリアは、ビザンティン帝国領内で681年に建国し、コンスタンティノープルを占領したり皇帝を名乗ったりしたこともある。キリル文字の始まりもブルガリアだ。チェコのモラヴィア地方でギリシャ語のアルファベットを改良したグラゴル文字が使われていたのを、9世紀にギリシャ正教に改宗したブルガリア王ボリスが庇護して聖書などのスラヴ語訳などを進めた。

　もっとも、この国を建国したのは、アジア系のブルガル人で、それが国名の由来だが、言葉も含めて急速にスラヴ民族に同化されたらしい。

　14世紀にはオスマン・トルコに征服され、1878年にサン・ステファノ条約で独立した。しかし、この「大ブルガリア」があまりにも強大だったので列強から認められず、ベルリン協約で大幅に縮小されオスマン帝国内の自治公国となった。

　ザクセン＝コーブルク＝コハーリ家からフェルディナント1世を迎え、1908年にはツァーを称し、翌年には国際的にも完全独立が認められた。1943年に6歳で即位したシメオン2世は、1946年に追われたが、社会主義崩壊後にスペインから帰国し、2001年からは一時、首相を務めた。

「リラの僧院」（写真）は、ブルガリア正教の総本山で、東欧でいちばんの観光名所のひとつだ。バルカン山脈とスレドナ・ゴラ山脈に挟まれた「バラの谷」はバラ香油の生産で世界の8割を占める。ヨーグルトもおなじみだ。

　オルペウスの故郷といわれるように、声楽、とくにバスには定評があって、ソフィアの国立歌劇場の合唱団は世界的名声を得ている。現在のブルガリアであるトラキアはローマ時代の剣闘士スパルタクスの故郷だが、「ポケット・ヘラクレス」とあだ名されたナウム・シャラマノフはブルガリア生まれのトルコ人だった。トルコに亡命してナイム・スレイマノグルに改名し、ソウルオリンピックから3大会連続で金メダルを獲得した。

　首都ソフィアはオスマン帝国のもとでルメリア州の州都として発展した。ソフィア（ギリシャ語で知恵）の名は1376年に聖ソフィア聖堂が創立されたことによるが、19世紀末まではスレデツという名がよく使われていた。

ブルガリアData　国名：ブルガリア共和国（英）Bulgaria（仏）Bulgarie（ブルガリア語）Bulgarija（中）保加利亜　保加利亜　Bǎojiālìyà（正式名称）レパブリカ・ブリガリア／首都：ソフィア／言語：ブルガリア語／面積：110.4千㎢／人口：7.0百万人／通貨：レフ／宗教：ブルガリア正教84％／民族：ブルガリア人83％、トルコ人9％／国旗：白、青、赤3色の汎スラブ旗のうち青を緑に修正。

[地域の歴史] 旧ユーゴスラビア
民族対立に翻弄された「モザイク国家」

　旧ユーゴスラビアを構成した六つの国は、いずれもスラヴ人が主たる住民で、言葉もほとんど違わない。アルバニア人が多数を占めるコソボ以外は、同じ南スラヴ人である。言語的にもマケドニア語はブルガリア語に近いが、あとは方言だ。

　何が違うかというと、宗教とどの国の領土だったかという歴史だ。宗教についてはスロベニアとクロアチアがカトリック、セルビア、モンテネグロ、マケドニアがギリシャ正教、ボスニア・ヘルツェゴビナとコソボがイスラムである。

　政治的にはスロベニア、クロアチア、ボスニア・ヘルツェゴビナはいずれもハプスブルク帝国領だが、スロベニアが神聖ローマ帝国に属し、したがって、オーストリアであるのに対して、クロアチア、ボスニア・ヘルツェゴビナは帝国の外側でハンガリーに属した。セルビアはオスマン帝国から直接に独立したが、マケドニアはいったんセルビアに吸収されたのちにユーゴスラビア内の共和国になった。モンテネグロはオスマン帝国に朝貢しつつも独立を維持していた。

　第一次世界大戦とハプスブルク、オスマン両帝国の瓦解を受けて、1918年にセルビア王を国王とするセルブ・クロアート・スロヴェーン王国に吸収され、1929年にはユーゴスラビア（南スラヴの意味）王国となった。

　第二次世界大戦では、いったん枢軸側に立ったがクーデターで親英仏派が政権を取ったのを見てドイツ、イタリアなど枢軸側に占領された。これに抵抗したのが、クロアチア人ヨシップ・ブロズ・チトーを首領とする左派パルチザンで、ソ連の助けなしに独力で解放を勝ち取り、非同盟政策と労働者自主管理を標榜して冷戦時代には世界的に重きを成した。

　だが、連邦維持のために少数民族を優遇し、最大勢力のセルビア人を抑えたので、セルビアではスロボダン・ミロシェヴィッチがチトーの死後に力を持ち、連邦権限の強化を主張するほかの共和国と対立した。そして、クロアチア、スロベニア、マケドニアは1991年に、ボスニア・ヘルツェゴビナはその翌年に独立を宣言した。

　だが、クロアチアとボスニア・ヘルツェゴビナにはセルビア系住民がいて分離に反対したが、クロアチアではセルビア系住民が事実上、追い出され、ボスニア・ヘルツェゴビナはセルビア人によるスルプスカ共和国と連邦国家となることで収まった。

セルビアData　国名：セルビア共和国（英）Serbia（仏）Serbie（セルビア語）Srbija（中）塞尔维亚　塞爾維亞　Sāiěrwéiyà（正式名称）レプブリカ・スルビヤ／首都：ベオグラード／言語：セルビア語／面積：77.5千㎢／人口：7.1百万人／通貨：ディナール／宗教：セルビア正教85%、カトリック6%、イスラム教3%／民族：セルビア人83%、ハンガリー人4%／国旗：青は空、白は光、赤は革命。

クロアチアData　国名：クロアチア共和国（英）Croatia（仏）Croatie（クロアチア語）Hrvatska（中）克罗地亚　克羅地亜　Kèluódìyà（正式名称）レプブリカ・フルバツカ／首都：ザグレブ／言語：クロアチア語／面積：56.6千㎢／人口：4.2百万人／通貨：クーナ／宗教：カトリック88%、東方正教／民族：クロアチア人90%／国旗：赤、白、青旗。国章の紅白のチェック紋様は中世のクロアチア王国の旗、加えて国内5地域の紋章も。

セルビア、モンテネグロ、北マケドニア

独立戦争で活躍した家畜商人の子孫が国王に

第一次世界大戦はセルビア人青年がオーストリアの皇太子夫妻を暗殺したサラエボ事件から始まった。ヨーロッパの火薬庫に火がついたのである。

セルビア（Dataは120項に掲載）にスラヴ人が移ってきたのは7世紀で、9世紀にギリシャ正教徒となり、12世紀には独立したが、1389年のコソボの戦いで敗れ、オスマン・トルコの支配下に入った。1830年になって自治国となったのち、徐々に自治権を拡大し、1867年にオスマン軍部隊が撤退、1878年のベルリン条約で独立した。家畜商人出身で、独立戦争で活躍したカラジョルジェの子孫が、1903年に正式に国王となった。

セルビア（スラヴから派生し奴隷の意か）の首都ベオグラードはドナウ川に面した町である。何度も戦争で破壊されただけに、あまり歴史的な景観はない。水力発電が盛んで褐炭を多く産し、アルミニウムが輸出産業だ。サッカーのドラガン・ストイコビッチが日本での有名人。テニスのノバク・ジョコビッチもセルビア出身。

モンテネグロ公国は、険しい山岳地帯でブラディカ（主教）を中心に神聖政治を行って独立性を維持し、17世紀終わりの主教ダニロ・ペトロヴィチが世襲制の公国にした。

モンテネグロは、いったんユーゴスラビアにとどまったが、やがて、セルビア・モンテネグロ連邦となり、2006年になって独立した。国名の由来はイタリアのヴェネト方言で「黒い山」。事実上の首都はポドゴリツァ（旧称ティトーグラード）だが、古都ツェティニェを憲法上の首都とした。亜鉛を産する。

ところが、**北マケドニア**の独立にあたっては、その国名や国旗などについてギリシャから猛反発があった。ギリシャ人にとって誇りであるアレクサンドロス大王の帝国の名前をスラヴ人が使うことに我慢がならないというのと、テッサロニキ周辺への領土要求を持ち出すのではないかという警戒感からである。結局、国際社会では、マケドニア・旧ユーゴスラビア共和国という名前で呼ばれている。

首都であるスコピエは1963年の大地震で壊滅的な打撃を受けたが、丹下健三の基本構想に基づいて再建された。湖畔の町である古都オフリドはブルガリアの首都だったこともあり、世界遺産に登録されている。

モンテネグロData 国名：モンテネグロ（英）Montenegro（仏）Monténégro（セルビア語）Crna Gora（中）黒山 黒山 Hēishān（正式名称）ツルナ・ゴーラ／首都：ポドゴリツァ／言語：セルビア語、モンテネグロ語／面積：13.8千㎢／人口：0.6百万人／通貨：ユーロ／宗教：東方正教74％、イスラム教18％／民族：モンテネグロ人43％、セルビア人32％、ボスニア人8％。

北マケドニアData 国名：北マケドニア共和国（英）North Macedonia（仏）Macédoine du Nord（マケドニア語）Make д ohuja（中）北马其顿 北馬其頓 BeiMǎqídùn（正式名称）セベラ・マセドニア／首都：スコピエ／言語：マケドニア語／面積：25.7千㎢／人口：2.1百万人／通貨：デナル／宗教：マケドニア正教64％、イスラム教33％／民族：マケドニア人64％、アルバニア人25％／国旗：古代紋章「ベルギナの星」を簡略化。

アルバニア、コソボ
コソボ問題で注目されたアルバニア民族の謎

コソボ問題で一躍注目を浴びたアルバニア人は系統不明の謎の民族だ。古代ギリシャ時代に王国を築いた古代イリュリア人の生き残りともいわれるが、よくわからない。

オスマン・トルコに支配されたころ、アルバニア人の多くはイスラム教に改宗し、帝国で中枢の地位を占めたので独立への動きは遅かった。第一次バルカン戦争ののち1912年に独立し、地元の名門アフメト・ゾグが王位についたが、1939年にムッソリーニの侵略を受け、イタリア国王がアルバニア王を兼ねた。王自身は「数個の石ころのために侵略といわれるのは馬鹿げている」といったが愚行を止められなかった。

英語国名の**アルバニア**は「白い国」の意味で、ローマ人が石灰岩が多いので名づけた。アルバニア語では「シュチパリア」で「鷲の国」。国旗も鷲の図柄で15世紀にオスマン帝国に抵抗して一時期だが独立した英雄スカンデルベクにちなむ。

中ソ対立時代は中国と同盟し、国連で台湾の国民政府を追放して北京政府を迎える提案はアルバニア案と呼ばれた。イタリアのファッション産業の下請けもする。コルカタで慈善活動をしたマザー・テレサはマケドニア生まれのアルバニア人である。

コソボは12世紀にセルビアが建国した地だ。しかも、「コソボの戦い」ではオスマン帝国とセルビアが戦い、ムラト1世を戦死させたものの敗れて王や貴族の多くが戦死した（1389年）。そして、セルビア人が追放されアルバニア人が入植した。

今世紀初頭にアルバニアが独立しようとしたときにコソボも領土に予定されたが、セルビアが反対して自分の領土とした。第二次世界大戦後に自治権を獲得し、ユーゴスラビア崩壊後は武力闘争を経て2008年に独立を宣言。欧米主要国や日本は承認したが、スペインの反対もあってEUは未承認である。ロシアや中国も独立に反対している。

一連の紛争でセルビアが悪者にされることが多いが、そもそも、カトリックのハプスブルク帝国がギリシャ正教地域まで領土化し、各国の境界に引き継がれたことが発端だ。セルビアが怒るのは当然だし、「ハプスブルク帝国はよかった」という能天気な議論は疑問だ。

アルバニアData　国名：アルバニア共和国（英）Albania（仏）Albanie（アルバニア語）Shqipëria（中）阿尔巴尼亚　阿爾巴尼亞　Āěrbāníyà（正式名称）レプブリカ・エ・シュチパリセ／首都：ティラナ／言語：アルバニア語／面積：28.7千km²／人口：2.9百万人／通貨：レク／宗教：イスラム教70％、アルバニア正教20％／民族：アルバニア人95％／国旗：双頭の鷲。赤地はオスマン朝旗の色に由来。

コソボData　国名：コソボ共和国（英）Kosovo（仏）Kosovo（アルバニア語）Kosoves（中）科索沃　科索沃　（正式名称）レプブリカ・エ・コソブス［アルバニア語］／首都：プリシュティナ／言語：アルバニア語、セルビア語／面積：10.9千km²／人口：1.9百万人／通貨：ユーロ／宗教：イスラム教、セルビア正教／民族：アルバニア人88％、セルビア人7％／国旗：青地に黄色で国土。6民族を表す六つの星。

クロアチア、スロベニア、ボスニア・ヘルツェゴビナ

ムッソリーニが併合を狙った「未回収の土地」

クロアチア（山の民が語源）のうちアドリア海沿岸地方をダルマチアという。『101匹わんちゃん』に出てくるダルメシア犬の故郷だ。かつてヴェネツィア共和国領で「アドリア海の真珠」といわれるドゥブロヴニクの美しさは格別だ。ローマ時代のディオクレティアヌス宮殿が残るスプリト、古都トロギール、プリトヴィツェ湖沼国立公園も世界遺産。

アドリア海沿岸は、イタリア統一のときの未回収の土地だという意識でムッソリーニなどが併合を狙っていたが、敗戦でトリエステだけ確保した。**クロアチア**（Dataは120項に掲載）の首都ザグレブはゴシックやバロックの建物が並ぶ美しい町で京都の姉妹都市。サッカーのフランスW杯で3位になった。ブルックナーを得意としてNHK交響楽団にも客演していたロヴロ・フォン・マタチッチはクロアチア人。フランス語でネクタイをクラバットというが、これはクロアチア人傭兵たちのファッションにちなむ。

スロベニアは石灰岩が多く「カルスト地形」の名もこの国の地方名に由来する。スロベニアはカトリック圏で、神聖ローマ帝国の領域内だった。クロアチアは、10世紀にカトリック王国となり、オスマン・トルコに一時占領されたが、早い時期にハンガリー王国の一部となった。スロベニアの首都リュブリャナはオーストリアの地方都市のような美しさ。ドイツ歌曲の作曲家フーゴ・ヴォルフやアメリカのドナルド・トランプ大統領のメラニア夫人はスロベニア人。

ボスニア・ヘルツェゴビナは、サン・ステファノ条約ではボスニアに自治権が付与されたが、ベルリン条約ではオーストリア＝ハンガリー帝国がオスマン帝国の名目上の主権を認めつつ支配することになった。1908年に東側のヘルツェゴビナとともにハプスブルク帝国に強引に併合したのに怒ったセルビア人が皇太子夫妻を暗殺したサラエボ事件が第一次世界大戦のきっかけになった。モスタルにあるスタリ・モスト橋と旧市街地区は世界遺産。サッカー日本代表チームの監督だったイビチャ・オシムはサラエボ出身。冬季オリンピックが1984年に開催された。ボスニアは川の名前、ヘルツェゴビナは軍司令官が語源。

スロベニアData　国名：スロベニア共和国（英）Slovenia（仏）Slovénie（スロベニア語）Slovenija（中）斯洛文尼亜　斯洛文尼亜　Sīluòwénníyà（正式名称）レプブリカ・スロベニヤ／首都：リュブリャナ／言語：スロベニア語／面積：20.3千㎢／人口：2.1百万人／通貨：ユーロ／宗教：カトリック58％／民族：スロベニア人83％／国旗：盾紋はトリグラフ山とアドリア海の海岸線。

ボスニア・ヘルツェゴビナData　国名：ボスニア・ヘルツェゴビナ（英）Bosnia and Herzegovina（仏）Bosnie-Herzégovine（ボスニア・ヘルツェゴビナ語）Bosna i Hercegovina（中）波斯尼亜和黒塞哥维那　波斯尼亜和黒塞哥維那　Bōsīníyà hé Hēisègēwéinà（正式名称）ボスナ・イ・ヘルツェゴビナ／首都：サラエボ／言語：ボスニア語、セルビア語、クロアチア語／面積：51.2千㎢／人口：3.5百万人／通貨：コンヴェルティビルナ・マルカ／宗教：イスラム教40％、東方正教31％／民族：ボスニア人44％、セルビア人31％、クロアチア人17％。

ギリシャ①
東ローマ帝国の中枢から半島の独立国へ

　アテネオリンピックの開会式でギリシャ選手団が入場するとき、場内アナウンスを聞いていたら、「ギリシャ」という言葉が出てこないことに気がついた。英語ではグリースだが、ギリシャ語ではヘラス（あるいはエラーダ）という。「ヘレニズム文明」という使い方は日本でもおなじみだが、それと同じ系統の言葉でギリシャ神話の女神ヘレネーが語源だ。

　それでは、ギリシャというのはどこからきたのかというと、南蛮人たちがポルトガル語で「グレーシア」といったのを耳で聞いたままに書き写したものである。

　いまでこそ、古代ギリシャ人の末裔であることを誇りとし、4年ごとのオリンピックでは各国選手団の先頭を誇らしげに行進するギリシャ人だが、18世紀ごろまでは、古代ギリシャ人のことなど異教徒として軽蔑していたのである。

　ギリシャというと真っ白い大理石の美しさが思い浮かぶが、古代ギリシャの時代にはミロのヴィーナスもアクロポリスの建築群も赤や青で彩色されていたし、パルテノン神殿のご本尊であるアテナイ神像は黒い象牙と黄金でできていた。つまり、ビザンティン美術とかロシア美術の色彩感覚そのものだったのである。自然の景観にしても古代のギリシャは鬱蒼とした緑にあふれていたはずだ。

　東ローマ帝国の言語をラテン語と誤解する人がいるが、ギリシャ語である。『聖書』でも原典はヘブライ語でもラテン語でもなくプラトンやアリストテレスの言葉で書かれたのだ。一方、真っ白い大理石の美しさは、近代西欧人の廃墟への憧れからきたものだし、それが日本へ入ってくると侘び寂びの感覚と結びついて、ますます極端なギリシャのイメージができあがった。

　ギリシャの国民性は、明るいが感情が濃く泣いたりわめいたり激しくムキになる傾向がある。そして、踊ることが大好きだ。ギリシャ料理はナスと挽き肉のグラタンであるムサカのように濃厚でレバント（東地中海）の香りがする。ワインは松ヤニ入りの白ワインがソクラテスの時代からギリシャ人のお気に入りだし、フランスのペルノーと同じウゾを原料としたリキュールは国民的な飲料である。

　ギリシャ料理のレストランは「タヴェルナ」といい、エスニック料理に慣れていなかったころの日本人は「タヴェルナでは食べるな」などとダジャレをいったものだ。コーヒーはトルコ・コーヒーで普通のコーヒーを飲みたければネスカフェというと教えられた。

　海外に国民の何倍ものギリシャ系の人々がいて、アリストテレス・オナシスのような海運業で成功した人も多い。その愛人だった20世紀最高のソプラノ歌手マリア・カラスはその風貌も人生もいかにもギリシャ的だ。

ギリシャData　国名：ギリシャ共和国　（英）Greece（仏）Grèce（ギリシャ語）Eláda（中）希腊　希臘　Xīlà（正式名称）エリヌィキ・ジモクラティア／首都：アテネ／言語：ギリシャ語／面積：132.0千㎢／人口：11.1百万人／通貨：ユーロ／宗教：ギリシャ正教98％／民族：ギリシャ人90.4％／国旗：赤字に新月のトルコに対する青地に十字。

ギリシャ②、キプロス
オスマン帝国からの独立を勝ち取る

　ギリシャ人は独立にあたり、目指したのは東ローマ帝国の再建であり、その首都はコンスタンティノープルと考えていたのである。だが、現実は厳しく、1830年に独立したときはほとんどペロポネソス半島だけに領土は限定されてしまった。このあとも、ギリシャはメガリ・イデアという運動のもと東ローマ帝国の領土をできるだけ取り戻そうとした。

　第一次世界大戦のあとには、イズミルなど小アジアを占領したが撤退に追い込まれ、テッサロニキなどマケドニアの一部、ロドス島、クレタ島などを得ただけであった。

　そこで心ならずも、オスマン帝国の田舎町でしかなかったアテネを首都にすることで我慢するしかなかった。だが、ギリシャ人は領土拡張を諦めない。

　独立後にギリシャはデンマーク王室から王を迎えた。コンスタンティノス2世はローマオリンピックのヨット競技で金メダルを取り、軍事政権に反対して亡命したが、民政になっても復帰してほしいという声はかからなかった。ただし、スペイン王妃は彼の妹だし、英国のエディンバラ公フィリップはギリシャ王家出身だから、王家のDNAは栄えている。

　アテネ以外では、予言で有名なデルポイ神殿、ミケーネやオリンピア、エピダウロスの野外劇場などギリシャ時代の遺跡（写真）のほか、奇岩の上に立つメテオラの修道院、アトス山、パトモス島、ロドス島の要塞都市など中世の遺跡も見逃せない。エーゲ海クルーズも人気だ。

　キプロスは、ヴィーナス（アプロディーテー）が海の泡から生まれた。パフォスの海岸がその伝説の地で、神殿跡などは世界遺産になっている。12世紀末から13世紀の十字軍時代、エルサレム王だったこともあるフランス貴族リュジニャン家のもとで繁栄した。

　15世紀にはヴェネツィアとなり、16世紀にはオスマン帝国に支配され、トルコ人が移住してきた。1878年、英国がオスマン帝国の容認のもとでその統治権を得て、第一次世界大戦後の1925年に併合したが、1960年に独立した。多数派のギリシャ系住民と少数派のトルコ系住民が対立して、北部のトルコ人地区は事実上の独立国となっている。

　こんなことになったのは、ギリシャ系の住民が本国との併合を目論んだのでトルコ系が反発したのであって、どちらかというとギリシャ人たちが悪い。だが、ギリシャはトルコが分裂を支援しているといって、トルコのEU加盟などを執拗に妨害し続けている。

　見どころとしては、ビザンティン時代の教会や十字軍の城塞もある。古代から甘い白ワインの産地として名高く、クレオパトラも愛飲したという。

キプロスData　国名：キプロス共和国（英）Cyprus（仏）Chypre（ギリシャ語）Kípros（中）塞浦路斯　塞浦路斯　Sāipǔlùsī（正式名称）キプリアキ・ディモクラティア［ギリシャ語］／首都：ニコシア／言語：ギリシャ語、トルコ語、英語／面積：9.3千㎢／人口：1.2百万人／通貨：ユーロ／宗教：ギリシャ正教78%、イスラム教18%／民族：ギリシャ系78%、トルコ系18%。

[地域の歴史] 東地中海①
東ローマ帝国の時代からオスマン帝国の時代へ

　トルコ最大の都市であるイスタンブールは、ギリシャ人が建設したビザンティオンに淵源を持ち、コンスタンティヌス大帝がローマ帝国の首都としてコンスタンティノープルと呼ばれた。ヨーロッパとアジアを分かつボスポラス海峡に面し、角のように突き出た三角形の岬になっている金角湾（きんかくわん）は天然の良港で、鉄の鎖で入り口を封鎖して不審船の侵入を防げる要害の地だった。

　ボスポラス海峡の東は黒海に通じ、西はマルマラ海からダーダネルス海峡を通ってエーゲ海に出る。この狭い海峡を挟んでアジアとヨーロッパが広がるが、その両方の世界を併せ支配したのは、最初はアケメネス朝ペルシアで、アレクサンドロス大王の帝国がそれに次ぎ、ローマ帝国と東ローマ帝国、そして、オスマン帝国と続いた。

　ただし、イスラム教の勃興以降は、東地中海世界の大半はイスラム帝国の支配下に入り、東ローマ帝国はローカル国家になっていたから、東地中海の王者は東ローマ帝国からイスラム帝国を通じてオスマン帝国に引き継がれたといってよいのだろう。

　ムハンマド・イブン＝アブドゥッラーフ没後、イスラム社会の最高指導者はアラビア語でハリーファ（継承者、英語ではカリフ）と呼ばれ、ローマ教皇兼神聖ローマ皇帝といったところだ。最初の4代のハーシム家（ハシミテ）カリフの時代は、正統カリフ時代（632～661年）と呼ばれる。その最後のカリフがシーア派が特別に崇拝するアリーである。

　ムハンマドのころには、アラビア半島を統一しただけだったが、正統カリフ時代にイランからリビアまでに広がり、サーサーン朝ペルシアを滅ぼし、東ローマ帝国を中東やアフリカから追い出した。

　ウマイヤ朝（661～750年）は、ハーシム家のライバルだったがムハンマドの娘婿となって帝国を継承し、ダマスカスを首都とした。その時代に、インダス川までのほか、中央アジア、マグレブ諸国、それにイベリア半島まで領土にした。ウマイヤ朝を打倒したのはムハンマドと同族から出たバグダードのアッバース朝（750～1258年）で、領土の大半を引き継いだ。

　そのころ中東ではセルジューク・トルコが興り、彼らが占領した聖地エルサレム奪回を目指して十字軍が組織される。だが、モンゴル帝国が東から中東やロシアを席巻し、かろうじて生き延びていたアッバース朝もバグダードを追われ、エジプトに亡命してその庇護下で形式的に存続することになった。

教養への扉　コンスタンティノープルは英仏語読み、ギリシャ語やラテン語ではコンスタンティノポリス、ロシア語はコンスタンティノーポリだ。イスタンブールはギリシャ語の「町へ」という意味の言葉に由来する。この呼称が確立したのは1930年のことらしい。

127
365

[地域の歴史] 東地中海②
オスマン帝国が解体されていった理由

　イスラム世界は第一次世界大戦まで、数世紀にわたりオスマン・トルコ帝国の宗主権の
もとにあって、各民族が平等に暮らしていたし、他宗教にも寛容だった。教祖ムハンマ
ド・イブン＝アブドゥッラーフの故郷であるアラブ世界も同様であったことは、映画『ア
ラビアのロレンス』でもおなじみである。ところが、英国が第一次世界大戦を有利に戦う
ためにアラブの自立を約束し、一方でパレスチナにユダヤ国家をつくる手形を切ったこと
が、その後のこの地域の惨禍の原因となった。

　この地域における近代国家群の成立は、オスマン帝国の行政区分とその崩壊過程のなか
に始まるものだが、ここでは、その前史からの大きな流れを概観してみよう。
　モンゴル帝国のうち、中央アジアにあったチャガタイ・ハン国の武将の家から出たティ
ムールは、東西に勢力圏を広げ、アナトリア（トルコのアジア側）で育ちつつあったオスマ
ン・トルコも一時は雌伏を余儀なくされた。
　その後、息を吹き返したオスマン・トルコは15世紀に東ローマ帝国を滅ぼし、その領土
をほぼそのまま引き継ぎ、16世紀に最盛期を迎え、バルカン半島からハンガリー、黒海沿
岸、イラク、メッカ、エジプトからアルジェリアまで版図に入れた。とくにエジプトを征
服しアッバース朝のカリフを滅ぼしたので、名実ともにイスラム世界の指導者となった。
　ハンガリーは17世紀にキリスト教徒に奪い返されたが、ロシアが黒海沿岸を手に入れたの
は18世紀だ。19世紀にはアルジェリアやチュニジアがフランス領に、エジプト、ギリシャ、
セルビア、ブルガリア、ルーマニアなどは独立し、第一次世界大戦の結果、中東は英国と
フランスに分割され、トルコは現在の領土に押し込められた。
　英仏によって支配されていた土地からは、イラク、クウェート、シリア、レバノン、イ
スラエルが創出され、アラビア半島ではサウジアラビアが生まれて現在に至っている。
　ムハンマドの時代から、聖地の守護者は、正統カリフ時代（首都はメディナからのちにイ
ラクのクーファ）、ウマイヤ朝（ダマスカス）、アッバース朝（バグダードからのちにエジプト
保護下へ）、オスマン朝（イスタンブール）、サウジアラビア（リヤド）と移ってきている。

教養への扉　現代においても、ほかの宗教が低迷するなかで、イスラム教は躍進している。日本人から
すれば不思議だろうが、ひとつの説明は、この宗教が、定期的に礼拝する、ラマダンを守る、喜捨をと
きどきする、という三つ以外は難しくない宗教だからだという。

　オスマン帝国を建てたテュルク語族は、日本語に似た文法を持つアルタイ語族のひとつ
で、中央アジア、モンゴル、シベリアのあたりがルーツである。東洋史では隋唐の時代に
全盛を誇った突厥が代表格だ。

　トルコ人は、紀元前7世紀に歴史の表舞台に登場し、匈奴もテュルク族だといっている。
552年になってアルタイ山脈の東麓で突厥が勃興したが、トルコ共和国では、552年の突厥
帝国をトルコの建国として、1952年に建国1400年祭が祝われた。

　突厥は583年に隋の圧迫で東西に分裂し、東突厥（ひがしとっけつ）は唐の建国に協力し、ここで書き言葉
としてのテュルク語が生まれた。やがて、西突厥（にしとっけつ）が支配するシルクロードのトルキスタン
地方にも唐の勢力がおよぶようになり、657年にいまのキルギスあたりにいた西突厥は滅亡
した。

　ウイグルは、8世紀に突厥に代わって建国され、安史の乱（あんし）のときに唐を支援して有力とな
り、彼らの宗教であるマニ教は中国全土に広がった。ペルシア系のソグド商人を保護して
東西交易で繁栄したが、840年にキルギスによって滅ぼされ、西方に移住して現在のトルキ
スタン（中央アジアの旧ソ連諸国と中国の新疆ウイグル自治区の総称）成立のきっかけとなっ
た。現代のトルコ人は、そこからまた、西へ進出していった人たちである。

　セルジューク朝は、アラル海東方のジャンド（現カザフスタン）にあるときイスラム教に
改宗し、1038年にニーシャープール（イラン東北部）に入城し、これをもって建国とする。
アッバース朝のカリフからスルターンの称号を得て（1058年）、聖地エルサレムまで支配し
たために十字軍の遠征を受けた。

　セルジューク朝では多くの地方政権が樹立され、アナトリア（トルコ）にはルーム・セル
ジューク朝があったが（11〜12世紀）、モンゴルの侵入で弱体化した。オスマン朝は中央ア
ジアからモンゴルに圧迫されて西に移り、ルーム・セルジューク朝に仕えてアナトリア東
北部に割拠した。オスマン1世が1299年にベイ（君侯）となり建国した。首都をブルサ、ア
ドリアノープル（エディルネ）と移しスルターンを称したが、アンカラの戦いでティムー
ルに敗れ頓挫（1402年）したのち、メフメト2世がコンスタンティノープルを陥落させて東
ローマ帝国を滅ぼした（1453年。イスタンブールと改称）。

　黒海沿岸では、キプチャク・ハン国から自立したクリミア・ハン国を属国とし（1475年）、
セリム1世は、メッカとメディナの保護者でもあったエジプトのマムルーク朝を滅ぼしたが
（1517年）、このときアッバース朝の末裔からカリフの称号を譲られたとしている。

教養への扉　オスマン朝で中東に初めて進出したスレイマン・シャーは、1227年にシリアで溺死した。
その墓は「テュルク・メザル」（トルコの墓）と呼ばれトルコの飛び地になっている。

[地域の歴史] 東地中海④
日露戦争の日本勝利がオスマン帝国に与えた影響

　オスマン帝国軍の主力は、遊牧民出身の騎馬兵士たちだったが、14世紀から戦争捕虜となったキリスト教徒からなる常備歩兵軍団で火器を使うイェニチェリ軍団が有力になった。中央アジア系の諸民族が火器の時代になって衰えたのに対して、オスマン帝国は時代に対応した。

　スレイマン1世は、ベオグラードからハンガリー領に進出し（1526年）、聖ヨハネ騎士団が盤踞するロドス島を陥落させた。イランのサファヴィー朝からイラクのバグダードを奪い、イエメンのアデンも制圧し、イランからコーカサス地方を奪い取った。

　ヨーロッパでは、フランスのフランソワ1世と同盟し、ウィーンを1カ月以上にわたって包囲した（1529年）。プレヴェザの海戦（1538）では、スペインやヴェネツィアを破って地中海の制海権を獲得し、この優位はレパントの海戦（1571年）まで続く。スレイマンはポルトガルの進出に対しても相当な牽制力を発揮した。

　ところが戦費の増大、大航海時代の到来による地中海貿易の縮小、新大陸からの銀流入による物価高騰などが帝国の基礎を崩し始めた。17世紀のキョプリュリュ親子は大宰相として挽回に成功したが、縁故主義がはびこり、手詰まりとなった。

　日露戦争での我が国の勝利の結果は、トルコにも大きな衝撃を与えた。トルコでは明治日本に先がけ1876年に「ミドハト憲法」が制定された。翌年には議会も召集されたが、スルターンは露土戦争での敗戦を口実にこれを停止してしまった。

　日本がトルコの宿敵であるロシアに勝ったことで、「立憲政治だから日本はロシアに勝った」という声が上がって復活した。しかし、これが諸民族の不満の表面化につながったし、トルコ人の間ではトルコ語の強制や中央集権を図るトルコ民族至上主義を盛んにして、アルメニア人への抑圧や、アラブ民族主義への弾圧につながった。

　第一次世界大戦ではドイツ・オーストリア側につき、戦争末期には、連合軍のイスタンブールの占領を受けてアンカラに軍人ケマル・アタテュルクの政府が樹立されたが、スルターンはこれに非妥協的態度で臨んだため追放されるはめになった。

　列強はトルコをアンカラ周辺の小国にしてしまおうとしたが、ケマルはエーゲ海沿岸へ進出してきたギリシャ軍を撃退し、アルメニア独立の動きを封じ込め、アンティオキア周辺をシリアから取り戻し、イスタンブールの確保にも成功した（写真はトルコのカッパドキア）。

教養への扉　オスマン帝国軍の主力は、遊牧民出身の騎馬兵士たちだったが、14世紀から戦争捕虜となったキリスト教徒からなる常備歩兵軍団で火器を使うイェニチェリ軍団が有力になった。中央アジア系の諸民族が火器の時代になって衰えたのに対して、オスマン帝国は時代に対応した。

中東

トルコ
イスラム国家でありながら西側陣営の砦に

　第一次世界大戦など相次ぐ戦役と内乱でトルコ人の死者は250万人に達し、オスマン帝国内で商工業活動を担っていたギリシャ人、アルメニア人、ユダヤ人などが去ったことから貧しい農業国になってしまった。クルド人の独立を封じ込め、「クルド人などという民族はない」として同化政策を取ったが、クルド問題は歴代の政府を悩ますことになる。

　ムスタファ・ケマルの改革の成果は、ローマ字の採用、教育も含めた非宗教化、国家資本主義的政策、不平等条約の撤廃など大きく、トルコは西欧的価値観に近い国家として自立した。第二次世界大戦では中立を保ち、終戦直前になって連合国に参加した。

　戦後のトルコは、ギリシャとともに、西側陣営の砦としてアメリカの後押しを受け、NATOにも加盟したが、キプロス紛争で欧米がギリシャの側に立ったのに反発した。近年はEU加盟交渉もなされたが、死刑制度の存続、アルメニアやクルドの問題もあり難航しているうちに、レジェップ・タイイップ・エルドアンが首相から大統領となり、独裁色を深めている。

　なお、歴史的事情から、ドイツに多くの移民や出稼ぎ労働者がいる。W杯のトルコ代表選手の多くはドイツへの移民の子やブンデス・リーガの選手である。とくにベルリンには、東西分割で人口が減少していた時代に多くのトルコ人が受け入れられ、イスタンブール、アンカラ、イズミルに次いでトルコ人人口が多い都市だといわれ、羊の蒸し焼きを薄く切ってパンに挟んだケバブはベルリンの郷土料理化している。

　トルコ料理を「世界三大料理のひとつ」と誰が言い始めたのか知らないが、それはイスラム料理を代表してのことだろう。といっても、ドイツ料理よりはましなのはたしかだから、ドイツでレストランに入るなら私は迷わずトルコ料理屋だ。トルコ・コーヒーは鍋に挽いたコーヒー豆と砂糖と水を入れ直接火にかけて煮出す。粘り気があるドンドゥルマというアイスクリームは日本でもおなじみだ。

　トルコ人はやや寡黙で尚武の民としての雰囲気を残す。オスマン帝国の軍楽隊はヨーロッパでも評価され、ヴォルフガング・アマデウス・モーツァルトは『トルコ行進曲』や『後宮からの逃走』に取り入れた。

　毛織物をはじめ繊維産業が盛んで海外からの送金や観光とともに経済を支えている。

トルコData　国名：トルコ共和国（英）Turkey（仏）Turquie（トルコ語）Türkiye（中）土耳其　土耳其　Tǔěrqí（正式名称）テュルキエ・ジュムフリイェティ／首都：アンカラ／言語：トルコ語／面積：780.0千k㎡／人口：81.9百万人／通貨：トルコ・リラ／宗教：イスラム教99％／民族：トルコ人65.1％、クルド人18.9％／国旗：新月旗。イスラム旗の代表的デザイン。赤はイスラムの聖戦の象徴。

　シリアやイスラエルなどの地方をレパント地方と呼ぶ。英国は第一次世界大戦が勃発すると、メッカのシャリフだったハーシム家のフサイン・イブン・アリーにアラブ国家建設を約束して蜂起させたが（フサイン＝マクマホン協定）、その一方で、ユダヤ人にもバルフォア宣言で国家建設を支持するという許しがたい二重手形を切った。また、フランスもキリスト教徒の多いシリア地区での権益確保に走った。

　中東では第一次世界大戦まで、オスマン帝国の支配がおおむね維持され、現在のイラクの領域には、モスル、バグダード、バスラの各州が置かれていた。シリア地区（レバノン、ヨルダン、イスラエルを含む）では、ダマスカス州、トリポリ州、アレッポ州、サイダ州などがあった。そして、アラビア半島の南西部にはイエメン州が置かれた。

　現代の国々のルーツは、しばしば西欧諸国の植民地に起源を持つといわれるが、中東においてはオスマン帝国における州にあるというのが正しいのではないか。

　19世紀の中東（ここではアラブ世界のアジア側）を総括すると、オスマン帝国は、ヨーロッパ、アフリカ、コーカサスでは後退していたが、中東ではエジプトの自治を認める代わりにアジア側への進出を諦めさせ、各州への支配を再強化していた。アデンは英国に植民地化されたものの、北イエメンを回復し、メッカ、メディナの支配権も確保した。

　ところが、1908年の青年トルコ人革命でトルコ民族主義が高揚し、中央集権やトルコ語の強制などが図られたので、アラブ人意識がこれに反発する形で芽生えた。そして、第一次世界大戦では、オスマン帝国はドイツ側に立って参戦した。

　そして、下記にある細かい経緯をすべて省くと、バグダード、バスラ、モスルの3州は英国の影響下でハーシム家のファイサルを国王としてイラク王国となった。

　レバント地方（シリア、パレスチナなど）の各州は英仏により分割され、北部にはフランスの影響下にダマスカスを首都としてシリアが成立したが、キリスト教徒の多い沿岸部の一部はレバノンとして自立した。南部は、ヨルダン川より西はパレスチナとされ、ここに世界中からユダヤ人移民が流入し、少数派であるにもかかわらずアラブ人たちを抑圧した支配体制を英国の後押しで築いた。一方、ヨルダン川の東側（トランス・ヨルダン）には、ハーシム家のアブドラを王とするヨルダン王国が成立した。

教養への扉　第一次世界大戦中に英仏露の3国は、サイクス・ピコ協定で、トルコの西部はロシア、トルコ南東部から中東にかけては北部はフランス、南部は英国が勢力圏とすることを決める（1916年）。終戦後にセーブル協定では、オスマン帝国はアンカラ、イスタンブール周辺のみとなり、上記協定に加えギリシャやイタリアも領土や勢力圏を確保し、アルメニアは独立し、クルディスタンも自立することでいったん決着した。

第一次世界大戦中に、英国はアラビア半島で、メッカのハーシム家のフセインとフサイン＝マクマホン協定を結んでアラブ国家の建設を約束した。同時に、バルフォア宣言でユダヤ人国家への支援も約束し、サウード家のイブン・サウードにも支援の約束をした。さらに、フランスやロシアともこの地域を山分けにする約束をしていた。

　アラビア半島ではイブン・サウードが勝利してサウジアラビアが成立し、その代わりに、国際連盟の委任統治領においてヨルダンとイラクにハーシム家の王国をつくった。そして、その後、イラク王国、ヨルダン王国は独立。フランス委任統治領からはシリア、レバノンが独立した。

　一方、パレスチナにはユダヤ人が大量に入植して、アラブ側との対立を深め、結局は、1948年にイスラエルが建国された。

　湾岸地方からアラビア海は英国の支配下となったが、そこにあった土侯国は英国の思惑で維持され、それが、やがてアラブ首長国連邦、カタール、オマーンとなる。

　クウェート地方はバスラ州の一部だったが、英国の後押しでサウード家と同系の部族出身の国王を立てて分離した。イエメンはオスマン帝国から独立し、英領から独立した南イエメン（アデンなど）と合同してイエメン共和国となって今日におよんでいる。

　パレスチナでは、第三次中東戦争で、イスラエルが東エルサレムやヨルダン川西岸を占領したが、1993年にPLO（パレスチナ解放機構）のヤーセル・アラファト議長とイスラエルのラビン首相が中東和平に関するオスロ合意をしてパレスチナ暫定自治協定が成立、1994年にパレスチナにはパレスチナ暫定自治行政府（実体はPLO）が設立された。

　このことによって、パレスチナ自治政府は、ヨルダン川の西岸とガザ地区を支配し、国連におけるトルコ、イラン、イラク、シリアの山岳部に住むクルド人たちは、第一次世界大戦後の一時期、自治を認められそうになったが、油田が発見されたので英国はイラクとの一体化を強行し、ついに独立国家を手にすることができないまま今日に至っている。

バーレーンData　国名：バーレーン王国（英）Bahrain（仏）Bahreïn（アラビア語）Al-Baḥrayn（中）巴林　巴林　Bālín（正式名称）マムラカット・アル＝バハライン［アラビア語］／首都：マナーマ／言語：アラビア語／面積：0.8千㎞²／人口：1.6百万人／通貨：バーレーン・ディナール／宗教：イスラム教81％、キリスト教9％／民族：バーレーン人62％／国旗：赤は流血、白は平和、ギザギザは聖戦。

ヨルダン
「イスラム世界の長」の夢の果てに

『インディ・ジョーンズ／最後の聖戦』の舞台となったペトラ遺跡（写真）は1世紀にナバタイ人という遊牧民が岩山に囲まれた谷に築いた都市である。屈指の人気を誇る世界遺産のひとつだ。アンマンからもイスラエルからも近い。

　　　　メッカの太守<ruby>太守<rt>たいしゅ</rt></ruby>だったムハンマド・イブン＝アブドゥッラーフと同系統のハーシム家のフサイン・イブン・アリーは、第一次世界大戦の混乱に乗じてイスラム世界の長となることを夢見て、メッカ、メディナなどアラビア半島西部を統べるヒジャーズ王国を樹立し、その子のファイサルは英国人の「アラビアのロレンス」の支援も受けてアラブ統一王国を建国するなら、その首都に最もふさわしい都市であるダマスカスを攻略した。

　ところが、分不相応にもカリフを称したことや親英的すぎることへの反発もあり、最終的には、統一王国どころかヒジャーズでもサウード家に追われた。しかし、英国はイラクにフセインの次男ファイサル、ヨルダンに3男のアブドラの王国を樹立した。

　第二次世界大戦後のヨルダンはイスラエル建国により、パレスチナ地域のうちヨルダン川西岸までも抱え込むことになり、苦難の道が続いたが、「中東のハムレット」といわれたフセイン王が意外にしたたかに欧米、アラブ、ソ連などの間を遊泳して安定させた。

　ヨルダンの正式名称はヨルダン・ハシミテ王国で、王家の名前にちなむ。美人で知られるラーニア王妃はパレスチナ人で、人口からいえば多数派である彼らへの融和的な意味がある。最初は国際連盟の委任統治領トランス・ヨルダンだったが、1946年に正式に独立した。ヨルダンは「川」を意味する。

　首都アンマンは古代エジプトの最高神アモンに由来するが、プトレマイオス朝時代にはプトレマイオス2世フィラデルフォスにちなんでフィラデルフィアと呼ばれた。

ヨルダンData　国名：ヨルダン・ハシェミット王国（英）Jordan（仏）Jordanie（アラビア語）al-'Urdunn（中）約旦　約旦　Yuēdàn（正式名称）アル＝マルラカ・アル＝ウルドゥニーヤ・アル＝ハーシミーヤ（アラビア）／首都：アンマン／言語：アラビア語／面積：89.3千㎢／人口：9.9百万人／通貨：ヨルダン・ディナール／宗教：イスラム教92％／民族：アラブ人／国旗：三角形はムハンマドとアラブ社会の結びつきを意味する。七稜星<ruby>七稜星<rt>しちりょうせい</rt></ruby>はコーランの7行の聖句に対応したもの。

イラク①
本来は3カ国に分かれているべき国

　人類文明が誕生した地のひとつであるチグリス、ユーフラテス川の流域だが、現在のイラクを成す三つの地方では、南部にシュメール、中部にバビロニア、北部にアッシリアといった古代文明が栄えたが、それぞれに別の時代のことである。

　この地方全体を本格的に支配した初めての古代国家はアケメネス朝ペルシアである。次いで、アレクサンドロス大王に征服され、王の死後はセレウコス朝がここにあった。ローマ帝国の時代にはパルティアが栄え、東ローマ帝国と対峙したのはサーサーン朝ペルシアだが（3世紀）、サラセン帝国の支配に入り（7世紀）、アッバース朝時代にはバグダードが首都になって、アラブ人が砂漠から大量に流入した。『アラビアンナイト』の時代である（8世紀）。

　だが、モンゴルが征服してイル・ハン国が営まれ（13世紀）、次いでティムール帝国の支配に入った。さらに、イランのサファヴィー朝の領域に一時は組み込まれたが、16世紀にオスマン帝国に征服された。

　この歴史のなかで、イラクがほかから区別できるひとつの国として存在したことは一度もない。本来なら、オスマン帝国での州区分に従い、バスラ（南部）、バグダード（中部）、モスル（北部）の三つの国であるべきなのだが、中部には石油が産出しないので独立を認めれば経済が立ちゆかず、南部が自立すると同じシーア派のイランとの関係が微妙であり（とくにイランとロシアが友好関係にあるときはなおさらである）、北部ではクルド人が独立すると同じクルド人が少数民族として存在するトルコやイランへの影響が懸念された。

　第一次世界大戦ののち、英国はハーシム家を国王とする委任統治領としてイラク（古代都市ウルクに由来）を成立させ（1921年）、やがて独立させた（1932年）。この王政は強力な統治能力には欠けたが、逆にケガの功名でシーア派やクルド人とも強い摩擦を起こさなかった。

　戦後、エジプトとシリアがアラブ連合共和国を建国させたことから、ハーシム連合としてのアラブ連邦をヨルダンと結成したが、自由将校団のクーデターにより王政が倒され（1958年）、シリアと同じバース党（アラブ社会主義復興党）が政権を取った。バース党は、本来はフランス的な共和思想に基づく非宗教的、やや社会主義的な党派である。

イラクData　国名：イラク共和国（英）Iraq（仏）Irak（アラビア語）Al-'Irāq（中）伊拉克　伊拉克 Yīlākè（正式名称）アル＝ジュムフーリーヤ・アル＝イラーキーヤ［アラビア語］／首都：バグダッド／言語：アラビア語、クルド語／面積：435.1千㎢／人口：39.3百万人／通貨：イラク・ディナール／宗教：イスラム教97％／民族：アラブ人64.7％、クルド人23％／国旗：アラブ統一色の4色。「神は偉大なり」の聖句。

　　バビロンやアシュールの遺跡からは、ドイツ人が大量に遺物を持ち帰り、ベルリンのペルガモン博物館に復元している。ナジャフやカルバラはシーア派の聖地。バグダードの名物料理は、マスグーフという鯉のグリルだ。

　バース党政権の2代目大統領がサダム・フセインであった。フセインはもともと脆弱な国家統合を維持するために国威発揚を試み、まず、イランでイスラム革命が起きてアメリカが新たな同盟者を模索していることに乗じてチグリス、ユーフラテス川の河口付近での国境紛争を理由にイラン・イラク戦争を起こした。

　だが、アメリカの支援にもかかわらず決定的な勝利は収められず、戦争中に起きたクルド人の反乱を化学兵器など非人道的な手段で抑え込んで禍根を残した（このときロナルド・レーガン政権はこれを黙認したのを忘れてはならない）。

　さらに、閉塞状態を打開するために、クウェートの併合を図り、軍事的に制圧したが(1990年)、アメリカなどの多国籍軍の介入を招き（湾岸戦争）、経済制裁によりますます困窮した。この戦争でアメリカはバグダードに侵攻せず、フセイン政権も温存したのだが、大量破壊兵器保有というデマが亡命者などにより流された。フセインもその疑惑を晴らせばよかったのに、交渉カードとしてちらつかせたのが裏目に出て、でっち上げ情報に踊らされたアメリカはイラク戦争に踏み切り、フセインはシーア派主導の新政府によって処刑された。

　アメリカは日本の民主化に似たプロセスを考えたようだが、馬鹿げていた。万世一系かどうかはともかく2000年にわたる安定した国家統合の枠組みを持つ日本となんの歴史的正統性もないイラクとは違うし、日本の場合には、「天皇制」と昭和天皇を維持したことで混乱を回避したという事情も無視した。

　しかも、日本では官僚の追放は最低限に止められたが、イラクではバース党関係者を広汎に追放したので、権力機構を一からつくり直さなくてはならなくなった。これではうまくいくはずがない。

　フランスのジャック・シラク大統領などはそうした事情を踏まえた真摯な忠告をしたのだが、日本政府は自国の占領経験からできる助言すらろくにせずへつらっただけで、この歴史的愚行を止めなかったどころか助長した。およそアメリカの真の友人にふさわしくない「悪友」ぶりだったというべきだろう。

教養への扉　バグダードではチグリス川が市内を貫通しているが、90km南東のユーフラテス川の畔に古代都市バビロンがある。アレクサンドロス大王はここで死んだが、後継者のセレウコスはセレウキアという都をバグダードの東26kmに建設した。このセレウキアと一体を成す兄弟都市クテシフォンは、サーサーン朝ペルシアの首都である。

クウェート、オマーン
シンドバッドが船出した中東の要衝

サダム・フセインはクウェートをイラクの一部だとして侵攻し、湾岸戦争となった。外交ルールを無視し、クウェート人が望んでもいないのに占領したのはムチャだが、じつはフセインの領土要求は荒唐無稽なわけではなかったのだ。

クウェートの地は、もともとオスマン帝国の支配がおよぶ地域の南限だった。ベドウィン（遊牧民）がここに定着し、ザバーハ家をオスマン・トルコとの交渉にあたる首長として選んでカーイカム（総督）とした。

そして、オスマン・トルコのバスラ総督府の管轄下に置かれたが、1899年に英国の保護下に入り、アル・カビール（大首長）を名乗った。

フセインはこの経緯から、バスラ総督府のもとにあった地方勢力が英国の傀儡として独立したとしたが、その指摘は正しい。ただし、もともとベドウィンである彼らがイラクの人々とルーツを異にしており、どちらの言い分が正しいともいえない。

ジャビル前国王は1961年に独立したあと石油収入を国民全般の生活向上につぎ込み、それはよかったが、外交面では鈍感でフセインのイラクによる侵攻を招いた。しかも、このとき、国王をはじめとする王族は真っ先に逃げ出してしまった。ボールを串刺しにしたような3本のクウェートタワーがシンボルになっている。

シンドバッドが船出したといわれる**オマーン**（永住地の意味）は、ポルトガルやイランに支配された時期もあったが、18世紀からサイード家の支配にある。ポルトガルに占領されたが間もなく追い出し、逆に東アフリカのザンジバル諸島まで進出した。現在のスルターンであるカーブース・ビン＝サイードは、ラジオも新聞も空港も皆無で、奴隷制が残るという苛政を敷いた父王を1970年に追放した。中東で香料として珍重される乳香の世界一の産地である。国王の叔母に日本人を母に持つブサイナ・ビント・タイムール王女がある。

海賊などに襲われるのを恐れて築いた堅固な要塞都市が残るが、ナツメヤシに囲まれたバフラはとくに美しい。マスカット郊外には超豪華なホテルもある。首都のマスカットはホルムズ海峡の喉元にあって、「山が海に落ちるところ」という語源が示すように、鋭い岬と沖合の島に外洋の荒波から守られた天然の良港である。

クウェートData 国名：クウェート国（英）Kuwait（仏）Koweït（アラビア語）al-Kuwayt（中）科威特 科威特 Kēwēitè（正式名称）ダウラ・アル＝クーワイト［アラビア語］／首都：クウェート／言語：アラビア語、英語／面積：17.8k㎡／人口：4.2百万人／通貨：クウェート・ディナール／宗教：イスラム教85％／民族：クウェート人45％、他のアラブ系35％／国旗：黒、緑、白、赤の4色で「アラブはひとつ」の理念。

オマーンData 国名：オマーン国（英）Oman（仏）Oman（アラビア語）'Umān（中）阿曼 阿曼 Āmàn（正式名称）サルタナト・オマーン［アラビア語］／首都：マスカット／言語：アラビア語／面積：309.5k㎡／人口：4.8百万人／通貨：オマーン・リアル／宗教：イスラム教／民族：アラブ人／国旗：国章に短刀カンジャルと2本の大刀。

　ペルシア湾といいならされてきたが南岸を占めるアラブ諸国では嫌われるのが当然である。近ごろでは、単に「湾」（ガルフ）などといったりする。このあたりには、いくつものアミールを君主とする国があったが、カタールとバーレーン以外がUAE（アラブ首長国連邦）を結成した。

　アラブ首長国連邦は、アラビア語では、アル＝イマーラート・ル＝アラビーヤトゥ・ル＝ムッタヒダだが、エミレーツ（イマーラ）は首長国のことであり、ムッタヒダは連邦（連合）を意味する。エミレーツ航空というのはこの国の航空会社である。

　アブダビやドバイなど七つの首長（アミール）を君主とする国が連邦を結成している。アミールは、もともと軍司令官で「総督」というのが本来適当な訳であろう。海軍提督を意味するアドミラルの語源でもある。

　最大の首長国であり、その首長がUAEの大統領を兼ねるアブダビを首都とする。昔は天然真珠の産地として栄えた。最近、ルーヴル美術館の分館ができた。近ごろでは、アブダビよりドバイのほうがジュメイラ・ビーチの人工島にある世界一のブルジュ・ハリファ（828m）やパーム・アイランドなどでリゾート地として有名になった。

　カタールは半島をなし、アラビア語のカトゥラ「噴出する」に由来する。首都は、W杯アメリカ大会の予選で日本が土壇場で出場権獲得を逃がした「ドーハの悲劇」で知られるドーハである。アルジャジーラの本拠があり、ムスリム同胞団と近いなどの理由でサウジアラビアとは対立関係にある。天然ガスの資源が世界有数だ。

　「エデンの園」は**バーレーン**（Dataは133項に掲載）という島国のことだといわれるのは、オアシスが島のなかにあるからだ。アラビア語で「二つの海」という意味で、島に湧く淡水と島を囲む海水を表すらしい。金融センターとなることを目指している。

　君主は首長（アミール）から国王に改称して、国名も王国（マムラカット、キングダム）に変更した。シーア派の住民が住んでいたのを、18世紀の終わりごろに、スンナ派のハリーファ家が制圧した。

アラブ首長国連邦Data　国名：アラブ首長国連邦（英）United Arab Emirates（仏）Émirats arabes unis（アラビア語）Imārāt（中）阿拉伯联合酋长国　阿拉伯连合酋长国　Ālābó Liánhé Qiúzhǎngguó（正式名称）アル＝イマーラート・アル＝アラビーヤ・アル＝ムッタヒダ［アラビア語］／首都：アブダビ／言語：アラビア語／面積：71.0千㎢／人口：9.5百万人／通貨：ディルハム／宗教：イスラム教96%／民族：アラブ人42%／国旗：アラブ統一旗の4色の配色。

カタールData　国名：カタール国（英）Qatar（仏）Qatar（アラビア語）Qaṭar（中）卡塔尔　卡塔爾 Kǎtǎěr（正式名称）ダウラトゥ・カタール［アラビア語］／首都：ドーハ／言語：アラビア語／面積：11.6千㎢／人口：2.7百万人／通貨：カタール・リアル／宗教：イスラム教78%、キリスト教9%／民族：アラブ人40%、インド人18%／国旗：白とえび茶（赤の褪色で変色した）に9のノコギリ歯（9行政区を表す）。バーレーン旗と同じ起源。

サウジアラビア

「聖地の守護者」サウード家の支配が続く

アブドゥルアズィーズ・イブン・サウードは1953年に死んだが、アラビア半島各地の土豪の娘たちに50人以上の王子を産ませ、王位はいまも、その子どもたちの兄弟のたらい回し。現在はサルマン国王だが、皇太子はその子のムハンマド・ビン・サルマーンだ。

ムハンマド・イブン＝アブドゥッラーフを生んだアラビア半島だが、イスラム教の発展に伴ってアラブ世界の中心はシリアやイラク、さらにはエジプトに移り、この地は再び後進的な群雄割拠に戻ってしまった。18世紀になって、コーランへの復帰によるイスラムの純化とピューリタン的な宗教戒律を主唱した神学者ワッハーブが出て、彼と「剣と宗教」の盟約を結んだサウード家がナジュド地方（リヤド周辺）から大きな勢力に発展した。

19世紀には、オスマン帝国が北部のハイール周辺にあったラシード家を支援してリヤドを攻撃したので、サウード家はクウェートに亡命したが、イブン・サウードが出てリヤドを奇襲攻撃で奪回した。英国と友好関係を結んでラシード家、次いで、メッカのハーシム家を追い、紅海からペルシア湾にまで至る大王国の建設に成功したのである。

サウード家は聖地の守護者という権威に加え、石油による富を得て、大きな存在感を持っている。第二次世界大戦中はアメリカと同盟し、戦後はハーシム家という共通の敵があるおかげでエジプトのガマール・アブドゥル＝ナセル大統領とも友好関係にあった。

サウジアラビア（アラビアは荒野という意味）は原理主義的であり、ウサマ・ビン・ラディンを生んだのも当然。公開斬首刑、手足の切断、鞭打ち、外国人労働者のパスポート取り上げ、女性差別など近代的な人権と縁遠い。ムハンマド皇太子は改革派だが、独裁者であり反政府ジャーナリストのジャマル・カショギ暗殺事件でみそをつけた。

メッカには世界中から巡礼が集まる。とくにラマダン明けに行われる犠牲祭には300万人が集まるが、混雑で将棋倒しの事故がしばしば起こる。メッカは海岸から40kmほど離れた谷間の町で、国際空港はオスマン帝国時代に総督府があった港町ジェッダにある。ダマスカスとヒジャーズ鉄道で結ばれていたが、アラビアのロレンスに爆破されてそのまま。最近、メッカとメディナとの間を新幹線で結ぶ計画が持ち上がっている。

料理は鶏肉、ヒヨコ豆、野菜、スパイス、乾燥レモン、ガランガ（ショウガに似ている）を使ったカブサというピラフ、ヒヨコ豆のスープに細かく切ったパンを入れたサリードなどが典型的。酒は厳禁。観光ビザの制度がなかったが、2019年に一部解禁。

サウジアラビア Data 国名：サウジアラビア王国（英）Saudi Arabia（仏）Arabie saoudite（アラビア語）As-Su'ūdīyah（中）沙特阿拉伯　沙特阿拉伯　Shātè Ālābó（正式名称）アル＝マムラカ・アル＝アラビーヤ・アッ＝スウーディーヤ［アラビア語］／首都：リヤド／言語：アラビア語／面積：2,206.7千㎢／人口：33.6百万人／通貨：サウジ・リアル／宗教：イスラム教100％／民族：アラブ人90％／国旗：緑はイスラムの聖色。「アッラーのほかに神はなく、ムハンマドはアッラーの使徒なり」の聖句（写真）。

イエメンには、ソロモン王との一夜の契りで知られる「シヴァの女王」の国、モカ・コーヒーの産地、欧州航路の寄港地アデンなど夢にあふれた国という印象があり、「砂漠の摩天楼シバーム」が旅行者に大人気だった。しかし、内戦が勃発し、それぞれの側にサウジアラビアとイランがつき世界で最も悲惨な状況に追い込まれている。

紅海の入り口にあって古代から重要な地勢を占めてきた。古代にはシヴァの女王の王国があったといわれるが、9世紀にはザイド派（シーア派の一派）のラシード朝が成立し、近代まで続いた。

オスマン帝国にはいったん支配下に入ったあと離脱したが、1839年に港町アデンを英国が植民地としたのを受けて、北イエメンは再び帝国に支配されるようになった。第一次世界大戦後にイエメン王国として独立し（のちにイエメン・アラブ共和国）、アデン周辺は1967年に南イエメン人民共和国として独立した（のちにイエメン人民民主共和国へ改称）。

1990年になって南北合邦でイエメン共和国となる。そののちも内戦を繰り返しているが、現在の内戦は、2011年の「アラブの春」で独裁者アリー・アブドッラー・サレハ大統領が辞任したのち、その後継のアブド・ラッボ・マンスール・ハーディー副大統領が大統領にとなったものの、シーア派系のフーシ派が首都サヌアを制圧し、南部のアデンに拠るハーディー派と戦っているというものだ。ところが、サレハ元大統領がフーシ派と結び（その後、仲違いをして死去）、ハーディー派を支援するサウジアラビア、UAEが非人道的な空爆をし、フーシ派はサウジアラビアにミサイルを多数撃ち込み、そして、南部分離派が登場してUAEがこれを支援するという複雑な関係にある。

首都のサヌアは「ノアの方舟」のノアの息子であるセムが建設したという伝説を持ち、日干し煉瓦でつくられた高層建築が立ち並ぶ。シバームはサウジアラビアとの国境（といってもあまりはっきりしないのだが）に近い砂漠のなかにある。

モカは港町の名前で、コーヒーはこの町から積み出されて世界に広まった。苦みは少し少ないがフルーティーな香りのモカ・コーヒーは、ブレンド・コーヒーに欠かせない。同時に、「モカ」という言葉はコーヒーの代名詞として使われることもある。モカとサヌアの間にあるザビードにはかつて大学があり、代数学発祥の地である。

イエメンの男たちは腰帯にジャンビーアと呼ばれる半月形をした短剣を差し、それを抜いて踊ることを好む。

イエメンData 国名：イエメン共和国（英）Yemen（仏）Yémen（アラビア語）Al-Yaman（中）也门 也門 Yěmén（正式名称）アル＝ジェムフーリーヤ・アル＝ヤマニア［アラビア語］／首都：サヌア／言語：アラビア語／面積：528.0千km²／人口：28.9百万人／通貨：イエメン・リアル／宗教：イスラム教／民族：アラブ人／国旗：エジプト国旗と同じ配色で文章がないだけ。

レバノン
イスラム教各派の争いから生まれた国

レバノンは古代にはフェニキア人の本拠であり、その文字は世界最古の表音文字であり、ギリシャ文字を通じてアルファベットの元祖である。首都ベイルートはリゾート地で、レバノン山地から海岸まで近いおかげで、1日のうちにスキーと海水浴を両方楽しめた。

シリアはもともと古代に栄えたアッシリア王国を語源とし、レバノン、パレスチナを含む範囲を「歴史的シリア」と呼ぶ。1920年にハーシム家のシリア王国の成立が宣言されたが、大戦中の密約もありフランスの委任統治領とされ、王家はイラクに転出した。

しかも、フランスはマロン派などキリスト教徒が人口の35%を占め、イスラム教徒も各派に分かれているレバノン山地とその麓の地中海沿岸をレバノンとして分離させた。のちに、レバノンが1943年、シリアが1946年に独立した。

だが、パレスチナ紛争で難民を多く抱え、それがイスラエルを攻撃するので、イスラエルから報復爆撃などを受けた。

しかも、憲法により宗派ごとに政治影響力を固定するシステムで、大統領はマロン派、首相はスンナ派、国会議長はシーア派と決まっており、議員数も各宗派別に割り当てられている。ところが、イスラム教徒は増え、キリスト教徒は海外に脱出したことから、現実の人口比率をまったく反映していないとイスラム教徒は憤慨する。

戦乱のなかで、中東のパリといわれたベイルートは見る影もなくなっている。その代わり、パリには大量のレバノン人が流れ込み、とくにセーヌ左岸の第15区あたりに多く住む。

カルロス・ゴーンは、父親の仕事の関係でブラジルで生まれたレバノン人で、レバノンにいったん帰国したのちパリで教育を受けた。もとはレバノンとブラジルの二重国籍だが、ルノーの役員になるときにフランス国籍も取って三重国籍らしい。

フランス人がいたおかげでレバノン料理はイスラム圏でも最高だ。ケバブ（羊の串焼き）、ムサカ（ナスと挽き肉のグラタン）など近隣の地中海各国と共通のメニューも多いが、レモンなどを多用し、野菜料理が豊富なのが特徴。お菓子も豊富で、とくにヌガーが名物だ。ビブロス（ジュバイル）はフェニキア発祥の地。バールバックにはカエサルによる太陽神の巨大な神殿の遺跡がある。カディーシャ渓谷と神の杉の森は、レバノン杉が多く残る。レバノンの国名は、アラム語で「ラバン」（白い）といったことに由来する。国旗にも取り入れられているように、頑丈なレバノン杉の産地として古くから知られた。

レバノンData　国名：レバノン共和国（英）Lebanon（仏）Liban（アラビア語）Lubnān（中）黎巴嫩　黎巴嫩　Líbānèn（正式名称）アル゠ジュムフーリーヤ・ッ゠ルブナーニーヤ［アラビア語］／首都：ベイルート／言語：アラビア語、英語、仏語／面積：10.5千km²／人口：6.1百万人／通貨：レバノン・ポンド／宗教：イスラム教60％、キリスト教39％／民族：アラブ人95％／国旗：国樹レバノン杉を表す。

シリア
十字軍の拠点で最古の都市といわれるダマスカス

　世界最古の都市といわれるのがシリアの首都ダマスカスである。紀元前10世紀にアラム人の都となってから継続的に栄えているからである。使徒パウロが復活したイエス・キリストに出会う体験をしたのもダマスカスへの道だが、7世紀にウマイヤ朝サラセン帝国の首都となった。ウマイヤ・モスクは世界最古のモスクのひとつ。

　ダマスカスは、十字軍へのレジスタンスの拠点でもあった。第1回十字軍は、シリア周辺にエルサレム王国、エデッサ伯国、アンティオキア公国、トリポリ伯国を樹立したが、最初にエデッサ伯国を倒したのがザンギー朝で、エルサレム王国を倒したのが、ザンギー朝から出て自立したクルド人サラディンである。

　サラディンは捕虜も寛大に扱い、イスラム教徒だけでなくキリスト教徒からも尊敬すべき騎士として称賛された。ダマスカスは彼らの都として栄え、サラディン廟にはドイツ皇帝ヴィルヘルム2世が贈った棺がある。1898年にヴィルヘルムはこの町を訪れて、「ドイツは3億人のイスラム教徒の友」と演説をし、アラブの英雄に敬意を表した。

　シリアは社会主義、人民民主主義国家としており、バース党を「国家を指導する政党」と憲法で定めている。多数派はスンナ派だが、世襲で就任したバッシャール・アル＝アサド大統領は、アラウィー派という土着的要素が強いシーア派の分派で、外交的にもイランやレバノンのヒズボラとの関係が強い。

　キリスト教徒も人口の1割を占めるが、非カルケドン派のシリア正教会派、東方正教会のアンティオキア総主教庁派、マロン派の東方典礼カトリック教会派、ネストリウス派などキリスト教の歴史を考えるうえで興味深い少数派の見本市のようだ。

　アンティオキアはセレウコス朝の首都でありローマ帝国3番目の都市だった。ローマ遺跡としては、ISISによってひどく破壊されたパルミラの神殿、ボスラのローマ劇場などがある。アレッポは十字軍時代にイスラムの拠点となった要塞都市で、城門が見事。最近はオリーブからつくった緑色の「アレッポの石鹸」が日本でも若い女性に人気だ。

　アップルの創業者であるスティーブ・ジョブズの実父はシリアからの移民である。

シリアData　国名：シリア・アラブ共和国（英）Syrian（仏）Syrie（アラビア語）Sūriyā（中）叙利亚 叙利亚　Xùlìyà（正式名称）アル＝ジュムフリーヤ・アル＝アラビーヤ・アッ＝スーリーヤ［アラビア語］／首都：ダマスカス／言語：アラビア語／面積：185.2千㎢／人口：18.3百万人／通貨：シリア・ポンド／宗教：イスラム教90％／民族：アラブ人90％／国旗：赤は革命、白は純潔、緑はイスラム原理、黒はイスラム暗黒時代。4色はアラブ統一色と呼ばれる。

イスラエル
世界史における「ユダヤ人」の定義とは

ユダヤ人とひと口にいうが、いくつかの流れがある。最大勢力は東欧系のアシュケナジムだが、ウマイヤ朝時代のスペインに住み着き、レコンキスタのあとの弾圧で四散して主にアフリカに移住したセファルディムが第2の勢力である。

ロシアがユダヤ教の国になりかかったという話がある。ロシア国家の創始者といわれるキエフ大公ウラジーミルは、原始宗教から近代宗教に改宗しようと思い立ち、イスラム、ユダヤ、カトリック、ギリシャ正教の聖職者たちを呼び集めた。

まず、拒否されたのがイスラム教である。ウラジーミルはこの宗教が飲酒を禁じていると聞き、「寒い大地に生きるわれわれにとって酒は友だ」といったのである。次いでユダヤ教のラビ（指導者）たちの話を聞いて大公は大変感心したが、「神に選ばれたユダヤ教徒がどうして世界を流浪することになったのか」と問うのに答えられなかったので退けられた。そして、最後に残った二つのうちでは、儀式が厳かなギリシャ正教が「ロシア人にはこちらが好まれる」として採用されたというのである。

もしこのとき、ウラジーミルがユダヤ教を選んだとしたら、ロシア人はみなユダヤ人になっていたところだった。変わったところでは、エチオピアにファラシャといわれる人たちがいる。肌の色は黒人だが古代からユダヤ教徒で、イスラエルではこれをユダヤ人と認めるか大論争の末に受け入れを決め、大空輸作戦を展開した。

世界中のユダヤ人のほとんどはディアスポラでローマ帝国によって四散した人々の子孫でもなんでもない。少数だがパレスチナの地にとどまり、アラビア語を話すミズラヒムという人々は、かぎ鼻などではなく、アシュケナジムとの人種的近接性はまったくない。

かつて世界の中心にあるとヨーロッパでも信じられていたエルサレムでは、ムハンマドが神の啓示を受けた「岩のドーム」が町のシンボルであり、ユダヤ教徒にとってはヘロデ王の宮殿のうちただひとつ破壊を免れた「嘆きの壁」が民族のアイデンティティのみなもとになっている。キリスト教徒のためには「聖墳墓教会」がゴルゴタの丘に立つ。

ベツレヘムには聖誕教会があり、コンスタンティヌス帝の母ヘレナ皇太后によって「発見」（326年）された洞窟のあとに立つ。アッコンは十字軍以来の港町。実質上の首都テルアビブはモダニズム建築の宝庫だ。死海は海抜マイナス400mという世界でいちばん低い土地だ。代表的なユダヤ料理としてファラフェル（ヒヨコ豆の揚げ物）がある。

イスラエルData 国名：イスラエル国（英）Israel（仏）Israël（ヘブライ語）'Isrā'īl（中）以色列 以色列 Yǐsèliè（正式名称）メディナット・イスラエル［ヘブライ語］／首都：エルサレム（※国際的には承認されていない）／言語：ヘブライ語、アラビア語／面積：22.1千㎢／人口：8.5百万人／通貨：新シェケル／宗教：ユダヤ教76％、イスラム教17％／民族：ユダヤ人75.5％、アラブ系／国旗：青と白は、ユダヤ教で祈禱用の肩掛け（タリート）の色。白は清浄さ。中央に「ダビデの星」。

中東

パレスチナ
英国の優柔不断が生んだイスラムとユダヤの対立

　ユダヤ教徒がエルサレムに格段の興味を持つのは当然であり、ここへ移住する者は中世以来、散発的にいた。しかし、シオニズムが本格化したのは、フランスにおけるユダヤ系軍人への冤罪事件であるドレフュス事件を機会にオーストリア人記者テオドール・ヘルツルが、ユダヤ国家の建設を唱え、バーゼルで第1回シオニスト会議が開かれてからである（1897年）。

　ウガンダにユダヤ人国家を、という案もあったが、第一次世界大戦中の1917年に英国外相のアーサー・バルフォアが「パレスチナにおけるユダヤ人国家の建設とその支援」を宣言し、ロシア革命の余波もあって移住が盛んになった。英国はユダヤ人国家の樹立になお慎重だったが、ユダヤ側は英国軍司令部へのテロまで行ったので、英国は自分でつくりだした混乱を放りだして撤退を決めた。国連は分割案を提示したが双方とも不満足のなか、1948年にイスラエルが（ヤコブを神の戦士と呼んだことに由来）建国された。アラブ諸国は認めず第一次中東戦争が起きたがイスラエルが勝利した。ただ、聖地がある東エルサレムは獲得できず、パレスチナの非イスラエル地域はヨルダンに併合された。第二次中東戦争はエジプトのガマール・アブドゥル＝ナセル大統領によるスエズ運河国有化に反対して英仏イスラエルが起こした戦争だが、これは実質エジプトの勝利に終わった。

　第三次中東戦争は、1967年にエジプトがしかけたが、イスラエルがエジプトのシナイ半島とガザ地区、シリアのゴラン高原、ヨルダンの東エルサレムとヨルダン川西岸全域を占領した（シナイ半島はエジプトとの和解によりのちに返還された）。

　PLOはアンマンで1964年に結成されたが、1970年にヨルダンを追われレバノンのベイルートに移った。1974年には国連総会のオブザーバー資格を得たが、イスラエルが侵攻してきたために1982年にチュニスに移った。

　オスロ合意が結ばれ（1993年）、パレスチナ（ペリシテ人に由来）暫定自治政府が成立した。ただ、ガザ地区とヨルダン川西岸にある故ヤーセル・アラファト議長派のファタハとガザを支配する強硬派のハマスの内部対立が深刻だ。さらに、ヨルダン川西岸にイスラエルが新たな入植地を建設したり、アメリカがエルサレムに大使館を移したりと波乱が続く。

　公平に見ても、ユダヤ人がパレスチナに国をつくる権利などまったくない。だが、砂漠の真ん中に豊かな国をつくるイスラエル人の努力はたいしたもので、両民族が協力してエデンの園をつくることができるなら結構なことだ。逆にいえば、そうしない限り、いつかイスラエルの民には再びシオンの地を離れざるをえない日が来かねない（写真はエルサレムの嘆きの壁）。

パレスチナData　国名：パレスチナ（英）Palestine（仏）Palestine（中）巴勒斯坦　巴勒斯坦　Bālèsītǎn（正式名称）フィラスティーン［アラビア語］／首都：ラマッラ（西岸地区）／言語：アラビア語／面積：6.0千㎢／人口：5.0百万人／通貨：自国通貨なし（イスラエル・シェケル）／宗教：イスラム教92%、キリスト教7%／民族：アラブ人95%／国旗：ヨルダン旗から七稜星を除いたもの。

エジプト①
ピラミッドからクレオパトラまでの3000年間

　エジプト文明のすごさはその繁栄の長さであって、それがゆえに遺跡や出土品の量も半端ではない。ピラミッドが建設されたのは紀元前26世紀のことだが、ツタンカーメンは紀元前14世紀の王であり、聖書にあるモーセの出エジプト記はその少しあとのことである。たびたび外国人に支配されたことはあるが、ギリシャ人のクレオパトラすら伝統的な衣装をまとうなど伝統文化を尊重した。

　エジプトは、プトレマイオス朝（最後の女王がクレオパトラだ）、ローマ帝国、ビザンティン帝国の支配のあとイスラム化され、やがてマムルーク（中央アジア出身の奴隷軍人層）が支配した。カイロはそのマムルークたちの都である。オスマン帝国の支配下になっても彼らは健在で、ともすれば帝国から独立した動きをしがちだった。

　だが、英国とインドとの連絡を絶つために侵攻したナポレオン軍に惨敗し、フランス軍の撤退のあと大混乱に陥る。そのなかで、オスマン帝国から派遣されたマケドニア民兵の指導者でアルバニア人のムハンマド・アリーが主導権を取り総督となった。

　ムハンマド・アリーはスーダンへ侵攻し、アラビア半島では内陸部ナジュド地方で興ったワッハーブ王国（イスラム厳格主義の運動で現在のサウジアラビアにつながる）を抑えた。ギリシャ独立戦争ではオスマン帝国から助力を求められ、成功報酬としてシリア地方4州の支配を約束された。結局、ギリシャは独立したので帝国は約束の条件は満たされていないとしたが、アリーは一方的にシリアを占領した。

　ところが、親仏的だったアリーを嫌って英国が介入し、アリーの子孫にエジプト総督職を世襲で認める代わりにシリアなどの帝国への返還、軍備の制限などを受け入れることで妥協が成立した（1841年）。

　エジプトは積極的に近代化を進め、その切り札としてフランスのフェルディナン・ド・レセップスらとスエズ運河開削に投資した。だが、投資を早期に回収できず、運河に対する権利を英国に譲らざるをえなかった。やがてオスマン帝国の宗主権のもとにありながら英国の保護国となり、第一次世界大戦ののち独立してエジプト王国となった（1922年）。

　第二次世界大戦後になり、王政はガマール・アブドゥル＝ナセルらの自由将校団によるクーデターにより倒れ、スエズ運河国有化、シリアとのアラブ連合共和国の建国（1958〜1961年）となったが、第三次中東戦争（1967年）で敗北して、その死後は親米派の政権が成立している。

教養への扉　エジプトの外相から国連の事務総長となったブトロス・ブトロス＝ガーリはコプト教というキリスト教の一派の信者だった。現代のエジプトではイスラム教徒がほとんどでアラビア語が話されるが、人口の1割近くがコプト教徒である。彼らが古代エジプト人の言葉を引き継ぐ。ただし、アラブ系エジプト人もDNA的には同じだという。

　古代エジプト人は自国のことをケメト（赤い砂漠に対する黒い土の国）とか、タ・ウイ（上エジプトと下エジプトからなる二つの国）などと呼んだ。ヘブライ語ではミツライムで、現代アラビア語での名称ミスルと同根だ。「軍営都市」の意味である。

　エジプトはギリシャ名アイギュプトスから来ており、メンフィスの別名フウト・カ・プタハに由来すると見られる。古代文明初期には上下（上流と下流の意）エジプトの境界地域で多くの支流に分かれる地点の北にあるメンフィスが首都で、その近くにピラミッドも建てられた。そののちルクソールに近い上エジプトのテーベが中心となったが、ツタンカーメン王の墓などがある「王家の谷」はその郊外だ。

　クレオパトラが女王だったプトレマイオス朝では、アレクサンドリア（当時の言葉でアレクサンドレイア、アラビア語の文語でアル・イスカンダリーヤ、口語でエスケンデレイヤ）が首都となり、ローマ時代にもエジプトの中心だった。

　イスラム時代になると、アラブ世界に便利で要害の地でメンフィス近郊のカイロが中心となった。アラビア語ではカーヒラで、「勝利者」の意味だ。世界最長のナイル川は、川を意味し、アラビア語では「ニル」だ。

　スエズ運河は年間1万5000隻から2万隻の船が通り、日本船だけでも400億円ほど通行料を払っている。

　観光地としては、カイロ近郊にあるピラミッドとスフィンクス、王都テーベの近くに展開するルクソール遺跡や王家の谷、アスワン・ハイ・ダムの建設での水没を避けるために移転した上流のアブ・シンベル神殿などが著名。この神殿の保存運動からユネスコの世界遺産制度が誕生した。

　ベリーダンスは古代から愛好されている。アラビア語ではラクス・シャルキーという。

　豪華なモスクが並ぶカイロや、最近、遺跡の発掘が続くアレクサンドリア、モーセが十戒を受けたシナイ半島の聖カタリナ修道院、それにダイバーたちの聖地であるシャルム・エル・シェイクなど紅海も魅力的だ。

　料理は地中海と中東の料理が混合したものだが、ハトのローストや詰め物をした料理、モロヘイヤのスープ、ターメイヤという豆のコロッケが知られる。エイシというパンは薄い皮で中が空洞になっており副食物を挟んで食べる（写真はエジプト考古学博物館）。

エジプトData　国名：エジプト・アラブ共和国（英）Egypt（仏）Égypte（アラビア語）Miṣr（中）埃及　埃及　Āijí（正式名称）ジャマーヒーリーヤ・ミスル・アル＝アラビーヤ［アラビア語］／首都：カイロ／言語：アラビア語／面積：1,002.0千k㎡／人口：99.4百万人／通貨：エジプト・ポンド／宗教：イスラム教90％／民族：エジプト人99.6％／国旗：圧政（黒）に代わり国家建設する（白）ために人民の血（赤）をささげる。イスラムの高貴の色の緑を外す。中央に国章「サラディンの鷲」。

チュニジア

「アラブの春」唯一の成功例

カルタゴの遺跡はチュニスの郊外に存在するが、ハンニバルの時代のものでなく、ローマ人が再建した遺跡だ。カルタゴ時代の遺跡としてはケルクワンがある。ローマ遺跡ではエル・ジェムやドッガが知られる。ケルアンは北アフリカ最大のイスラム教の聖地。バルド国立博物館も著名だが、テロ事件で日本人が死亡したことがある。

北アフリカはカルタゴが滅びたあと、ローマ帝国、ビザンティン帝国、サラセン帝国の支配を経て、13世紀には、チュニジアのチュニスにハフス朝、アルジェリア西部のトレムセンにザイヤーン王朝、モロッコのフェスにマリーン王朝などベルベル人の国が栄えた。

16世紀になるとレスボス島（ギリシャの島。レスビアンの語源となったのは女流詩人サッフォーの生地）出身の海賊バルバロッサ兄弟がアルジェを占領して、みずからオスマン帝国の傘下に入り、チュニスやトリポリにまで宗主権をおよぼし、現在の3国の原型となるアルジェ州、チュニス州、トリポリ州（リビア）が成立した。

チュニジア（チュニスの守護神だったフェニキアの神に由来）でもイスタンブールから派遣された軍人が支配したが、1705年にはクレタ島出身のフセイン家がパシャ（高官）となり、事実上、オスマン帝国から自立し、西欧諸国とも独自に条約を結んだ。

だが、フランスが進出してくるのを見て1871年になってオスマン帝国の宗主権を認めて保護されようとしたが、ときすでに遅く、10年後にはフランスに併合された。1956年に王国として独立したが、翌年には共和国となった。穏健な外交路線を維持する一方、PLOの本部を置くことを受け入れ、ハビーブ・ブルギバ大統領やザイン・アル＝アービディーン・ベン・アリ大統領の国際的な信頼度は高かったが、独裁体制は批判された。

その結果、2011年のジャスミン革命でベン・アリ大統領は追放された。その後も、政情は安定しており、「アラブの春」の唯一の成功例といわれ、チュニジア国民対話カルテットは2015年にノーベル平和賞をもらった。ヨーロッパ市場にとって農産物の「早場もの生産基地」で、さまざまな産物を輸出している。リン鉱石も豊富だ。神学者アウレリウス・アウグスティヌスや女優クラウディア・カルディナーレがこの国の生まれである。

チュニジアに限らず、北アフリカ全域に広く散らばって住むベルベル人はギリシャ人たちが英語のバーバリアンにあたる言葉で読んだことに由来し、彼ら自身はアマジグという。現在でもモロッコではアラブ人と拮抗し、アルジェリアでは有力少数民族である。

チュニジアData 国名：チュニジア共和国（英）Tunisia（仏）Tunisie（アラビア語）Tūnis（中）突尼斯 突尼斯 Tūnísī（正式名称）アル＝ジュムフリーヤ・アル＝テュニジア［アラビア語］／首都：チュニス／言語：アラビア語、仏語／面積：163.6千㎢／人口：11.7百万人／通貨：チェニジア・ディナール／宗教：イスラム教98％／民族：アラブ人98％／国旗：五稜星はイスラム教徒の五行。

147 中東 アルジェリア

365

日韓関係に似たフランスとの微妙な関係

　アルジェリア（島々を意味する首都の名）はオスマン帝国から派遣されたイェニチェリ軍団など軍人によって統治されたが、徐々に自立性を高めた。しかし、海賊行為が甚だしく、1830年にマルセイユの商人たちの要求でフランスが進駐し4年後には編入した。

　フランスは、チュニジアとモロッコの独立を認めたあともアルジェリアの独立は拒否した。100万人ものフランス人が入植してこの地を故郷としていたからだ。現地人の地位向上や本国への完全な併合で対処しようとしたが、独立運動は泥沼化した。そこで、シャルル・ド・ゴール将軍が政権についたが、将軍は意外にも独立を認めた。多くの犠牲者が出たこともあって、両国の関係はこじれて修復が難しい。フランス人に日韓関係を説明するときに、「フランスとアルジェリアの関係のようなもの」というと納得されるくらいだ。

　ただし、違うところは、フランスが「アルキ」と呼ばれるフランスに協力的だったアルジェリア人がフランス人となって生活することを支援し、政府高官などにも多く登用したことだ。日本国家にはそういう度量がないのが恥ずかしい。

　1992年に初めて完全な自由選挙を行ったところイスラム原理主義政党が圧勝したので、欧米諸国も選挙結果を無効にすることを黙認した。そののち、ブーデフリカ大統領の政権が20年近く続いたが、2019年に民主化要求が強まり退任し、大統領選挙が行われたが反政府派はこれを認めず、混乱が続いている。

　また、過激派の活動でイナメナスの石油天然ガスプラントがテロリストの襲撃を受け、邦人10名が犠牲となった。

「ここは地の果てアルジェリア」という歌詞の『カスバの女』で知られるアルジェのカスバ（要塞都市）は健在。ジェムラ、ティムガッドなどローマ都市の遺跡も多い。サハラ砂漠のムザブの谷の村の美しさはル・コルビュジエを魅惑したことで知られる。

　天然資源では石油、天然ガスが豊富。水銀も世界有数の産地。ワインは良質なものを産したが、政情不安定のなかで荒れている。アトラス山脈のマツタケは国産より香りが強く良質で、パリの日本人社会ではアルジェリア駐在員のお土産として大歓迎されている。

　サッカーのジダンはアルジェリア移民の子。フランスを代表する美人女優のイザベル・アジャーニーはトルコ系アルジェリア人とドイツ人の混血。女優の沢尻エリカの母親もアルジェリア系フランス人だ。エディット・ピアフの父もアルジェリア系。イブ・サン＝ローランや作家のアルベール・カミュもここの生まれ。

アルジェリアData　国名：アルジェリア民主人民共和国（英）Algeria（仏）Algérie（アラビア語）Al-Jazā'ir（中）阿尔及利亚　阿爾及利亞　Āērjíliyà（正式名称）アル＝ジュムフリーヤ・アル＝ジャザーイリア・アル＝ディグラーティヤ・アル＝シャビーヤ［アラビア語］／首都：アルジェ／言語：アラビア語、ベルベル語、仏語／面積：2,381.7千㎢／人口：42.0百万人／通貨：アルジェリア・ディナール／宗教：イスラム教99%／民族：アラブ人＝ベルベル人／国旗：緑、白、赤と三日月に月でイスラム世界の意匠。

リビア
英米仏の思惑の狭間で殺されたカダフィ大佐

カダフィ大佐の政権の時代には、大リビア・アラブ社会主義人民ジャマーヒーリーヤ国（アル＝ジャマーヒーリーヤ・アル＝アラビーヤ・アッ＝リービーヤ・アッ＝シャアビーヤ・アル＝イシュティラーキーヤ・アル＝ウズマー）が国名だった。

リビア（ギリシャ神話の女神に由来）の沿岸部にある「レプティス・マグナ」（偉大なるレプティス）はローマ帝国有数の都市で、カラカラ帝の父であるセウェルス帝はここで生まれた。かつて緑豊かな地であり、ローマ時代も帝国有数の穀倉地帯だった。

リビアではカラマンリー朝が1711年に自立したが、オスマン帝国の宗主権は認めていた。ナポレオン戦争時代のパシャであるユースフの時代、チャドとの砂漠を越えての交易で発展したが、退位ののち、オスマン帝国はリビアを直轄地とした（1835年）。

その後も、英仏などの思惑が錯綜するなかで植民地化を免れていたが、1911年に至り、地中海の対岸にあるイタリアがオスマン帝国に宣戦布告し植民地化した。第二次世界大戦後は英仏の共同統治領を経て、キレナイカ（東部）、トリポリタニア（西部）、フェッザーン（内陸部）の連合王国として独立した（1951年。のちに連邦制は廃止）。

カダフィ大佐によるクーデターにより王政は廃止され（1969年）、テロへの支援などでアメリカと厳しく対立した。

1985年には、西ヨーロッパでのテロ事件関与で経済制裁を受け、翌年にはアメリカ軍によって空爆されたが、今度は1988年にパンナム機を爆破した。

しかし、アメリカ同時多発テロ事件以降はアメリカと協調路線に転じたのだが、2011年に反政府運動が起きるや、英国のデーヴィッド・キャメロン政権とフランスのニコラ・サルコジ政権は政権転覆に与しカダフィは殺された。

ところが、カダフィ亡きリビアは大混乱になってしまった。内戦が深刻化し、現在もトリポリの政府に対してベンガジにハリファ・ハフタル将軍の政権が拠り、それをエジプト、サウジアラビア、それにフランスが支持しているようである。

リビアのためにも追放は失敗だったが、それだけでなく、混乱したリビアからは難民があふれ、しかも、サハラ以南からもリビア経由でイタリアに押し寄せている。また、アメリカや日本は、北朝鮮に核兵器を放棄したらリビアのように世界は金政権を受け入れるといってきただけに信用を失った。リビアはポセイドンの愛人の名にちなむ。トリポリは英語で、アラビア語ではタラーブルスという。最近の生物学の研究で世界中の猫はリビアにルーツがあることがわかった。主要産業は石油である。

リビアData 国名：リビア（英）Libya（仏）Libye（アラビア語）Dawlat Libiyā（中）利比亚　利比亚　Lìbǐyà（正式名称）ダウラット・リービーア［アラビア語］／首都：トリポリ／言語：アラビア語／面積：1,676.2千㎢／人口：6.5百万人／通貨：リビア・ディナール／宗教：イスラム教97％／民族：アラブ人・ベルベル人97％／国旗：政変により王政期時代の国旗が復活。赤はフェザン地方、黒はキレナイカ地方、緑はトリポリタニア地方を表す。中央の白い三日月と5角星はイスラムを示す。

　小麦を蒸してひき割りにしたうえにスープをかけるクスクスはマグレブ諸国のどこにもあるが、モロッコが本場かもしれない。肉を入れてもいいが、羊肉の辛いソーセージであるメルゲーズ入りもおすすめ。ミントティーが大好きで、高く急須を掲げて杯に注ぐと、乾いた空気に芳香が立ち上り気分をリラックスさせる。

　モロッコにはかつてイスラム教時代のスペインにいたユダヤ人が多く移住して定着していた。モロッコは彼らのイスラエル移住を認めたので、現在のイスラエルでは、彼らが最大勢力のひとつ。

　オスマン帝国の勢力はおよばず、17世紀にムハンマド・イブン＝アブドゥッラーフの子孫と称するアラウィー朝が成立し、1912年から1956年までフランスの保護領にはされたもののそのまま君臨した。ムハンマド5世は、フランスからの独立運動を指導し、マリク（国王）となった。現在の国王はムハンマド6世で、フェズ大学教授の娘でコンピュータ技術者のラーラ・サルマと結婚した。

　ベルベル人は北アフリカの原住民である。アラブ人に同化された者も多いが、モロッコでは人口の半分ほどがベルベル人、つまりベルベル語を話す人たちだ。アラブ人と見かけで区別するのも難しいが、印象としてはより精悍な顔立ちに見える。

　彼らの文化が色濃く感じられるのがアトラス山脈の麓にあるマラケッシュで、アフリカとアラブ世界のフロンティアを実感できる。「ジャマ・エル・フナ」という広場には、大道芸人、呪術師、占い師、物売りがあふれ、中世の世界へ誘ってくれる。「ラ・マムーニア」はチャーチルが愛してやまなかったホテルだ。モロッコの国名もこの都市の名から来ているようで「要塞」が語源か。

　中世都市としての美しさではフェズにまさるものはない。城壁と迷路のような通路、バザール、宮殿（写真）、モスクのすべてが在りし日の姿を完璧に残し、絨毯の名産地としても知られる。近年、日本からの団体旅行の行き先としても人気が出ている。首都はラバト。映画でおなじみの近代都市カサブランカ、アフリカのヴェルサイユといわれるメクネス、リゾート都市エッサウィラ、それにサハラ砂漠にアトラス山脈と楽しみが多い。

　リン鉱石、鉛、コバルトなどが豊か。農業ではオリーブが国際的な競争力を持ち、産業もそこそこ発展している。

　サッカーとか陸上競技などスポーツでも有名選手を出している。かつて性転換手術の名医がいてタレントのカルーセル麻紀もここで手術を受けた。

モロッコData　国名：モロッコ王国（英）Morocco（仏）Maroc（アラビア語）Al-Maghribīyah（中）摩洛哥　摩洛哥　Móluògē（正式名称）アル＝マムラカ・アル＝マグリビーヤ［アラビア語］／首都：ラバト／言語：アラビア語、ベルベル語、仏語／面積：446.6千㎢／人口：36.2百万人／通貨：ディルハム／宗教：イスラム教99％／民族：ベルベル人45％、アラブ人44％／国旗：赤はアラウィー朝の赤単色旗を継承、国民の勇気、情熱、愛国心の意も。

150
365
中東 | ## モーリタニア、西サハラ
西サハラ独立問題で対立激化

大阪のたこ焼きに使うタコはモーリタニアやモロッコからやってきている。地元の明石など国産品は冷めると硬くなるのでお持ち帰りに不向きなのである。何事もそうだが、日本料理だから国産品、地元のものがいちばんであるとは限らない。

　マグレブ諸国といわれるのは、モロッコ、アルジェリア、チュニジア、西サハラ、それにときとしてリビアとモーリタニアも含まれる。日の昇るところを意味するマシュリクに対する西方の地域を意味する。

　ムーア人というとウィリアム・シェイクスピアの『オセロ』などを連想するが、語源も黒い人とか、フェニキア人の言葉で「西国の人」だとかもいう。さまざまに使われるが、モーリタニアのムーア人の国から来ているともいう。

　モーリタニアは11世紀にベルベル人のムラービト朝の支配下に入りイスラム化した。砂漠の拡大もあってスーダン人は南へ移り、ムーア人（もとはベルベル人。のちにアラブ人も含めるようになった）がこの地方とスーダン人を支配するようになった。

　15世紀からは奴隷やアラビアゴムの交易を行ったが、20世紀はじめフランスが占領し、フランス領西アフリカの一部とした。フランス統治時代はセネガルのダカールから統治されていたので都市らしいものがなく、独立に際して近代的な計画都市ヌアクショットが首都として建設された。「風が吹き抜ける町」といった意味らしい。

　1960年に独立し、1975年に西サハラ問題で南部を領有しようとしたが、西サハラの独立を目指すポリサリオ戦線の抵抗で戦争となり放棄した。旧スペイン領の**西サハラ**では、1975年にスペインが撤退したあとモロッコとモーリタニアが分割統治を始めた。だが、独立派のポリサリオ戦線がサハラ・アラブ民主共和国を名乗ってモーリタニアを撤退させたが、モロッコは国土の大半を占領し、東部の砂漠地帯の一部のみを独立派が抑えている。

　1884年にスペイン領となったが、1976年に撤退。モロッコが併合を狙い国土の大半を占拠しているが、独立派はサハラ・アラブ民主共和国を名乗っている。先進国は承認していないが、アフリカ諸国を中心に80カ国が承認し、AOU（アフリカ機構）にも加盟している。

モーリタニアData　国名：モーリタニア・イスラム共和国（英）Mauritania（仏）Mauritanie（アラビア語）Mūrītānīyah（中）毛里塔尼亚　毛里塔尼亜　Máolǐtǎníyà（正式名称）エル・ジェムフーリエ・エル・イスラーミエ・エル・モーリターニエ／首都：ヌアクショット／言語：アラビア語、プラール語、ソンニケ語、ウォロフ語、仏語／面積：1,030.7千㎢／人口：4.5百万人／通貨：ウギア／宗教：イスラム教／民族：ムーア人・ムーア系アフリカ人70％、黒人30％／国旗：三日月、星、緑がイスラムの象徴。

西サハラData　国名：西サハラ（サハラ・アラブ民主共和国）（英）Western Sahara（仏）Sahara occidental（アラビア語）as-Sahrāwīyâ（中）西撒哈拉　西撒哈拉　Xīsāhālā（正式名称）アル＝ジュムフリーヤ・アル＝アラビヤ・アズ＝サアフラビアード・ディムラティア［アラビア語］／首都：アイウン／言語：アラビア語／面積：2,660.0千㎢／人口：5.7百万人／通貨：モロッコ・ディルハム／宗教：イスラム教／民族：サハラウィー人、アラブ人、ベルベル人、ハラティン／国旗：三日月に星を描く。

イラン①
ペルシア人に学んだイスラム国家の運営術

　アーリア人がイランにやってきたのは紀元前2000年ごろのことである。彼らのうちファールス地方（中心都市はシーラーズ。ペルセポリスはその近郊）から興ったアケメネス朝が大帝国を築いたのは紀元前6世紀である。ファールスをギリシャ人たちが国名代わりに呼んだのがペルシアの語源で、アーリアが訛ったのがイランである。

　イスラム革命が起きてイランのパフラヴィー国王（シャー）が追放された引き金になったのが、1971年にペルセポリス遺跡で豪華絢爛に挙行したペルシア建国2500年祭である。歴史絵巻のショーを見せ、シャーみずから建国者キュロスの霊魂に呼びかけるというイスラム国家とは思えぬ異教のお祭りだった。料理はパリのマキシムが出張して用意した。

　パフラヴィーはイスラム色を薄め、新しい国家の拠り所をアケメネス朝以来の歴史で代替しようとしたのである。このころテヘランで建築された公共建築物にはゾロアスター教を想起させるデザインすらあった。いかにも短兵急だった。

　案の定、さまざまな思惑の反シャーの人々がパリへ亡命していたルーホッラー・ホメイニ師を抵抗のシンボルとした。イスラム革命以前にテヘランに駐在した日本人外交官はホメイニ師の名前も聞いたことがなかったという。

　アレクサンドロス大王は紀元前4世紀にアケメネス朝を滅ぼし、インダス川流域まで進出したが引き返してバビロンで死んだ。現地の習慣を尊重し、現地人との結婚も奨励したが、イラクのセレウキア（バグダード南方）を都としたセレウコス朝もその方針を継承した。

　イラン北東部から起こりローマ帝国と対立したパルティアも対岸のクテシフォンを首都とした。だが、さらに黄金期を築いたのは、サーサーン朝ペルシアである（3世紀）。正倉院御物に残るすばらしいデザインの品々はこの王朝のものだ。

　サーサーン朝は東ローマ帝国との絶え間ない争いにさらされたが、7世紀になってイスラム教徒によって滅ぼされた。だが、イスラム帝国は広大な領土を管理する術をペルシア人から学び、ペルシア語も広く使われた。そののちトルコ人やモンゴルの来襲など支配者はめまぐるしく代わり、ペルシア人の国家は消えてしまった。

　それを復活させたのは、16世紀にコーカサス地方から興ったサファヴィー朝で、17世紀には「世界の富の半分」といわれたイスファハンを首都とした。この王朝がシーア派をイランの国教とした。

イランData　国名：イラン・イスラム共和国（英）Iran（仏）Iran（ペルシア語）Īrān（中）伊朗　伊朗　Yīlǎng（正式名称）ジョムフーリーイェ・エスラーミーイェ・イーラーン［ペルシア語］／首都：テヘラン／言語：ペルシア語、トルコ語、クルド語／面積：1,628.8千k㎡／人口：82.0百万人／通貨：リアル／宗教：イスラム教98%（シーア派89%）／民族：ペルシア人34.9%、アゼリー人（トルコ系）15.9%／国旗：文字はイスラム教の聖句タクビールをアラビア文字クーフィー体で記す。

イラン②
外交的には孤立を深めるが高い文化水準を維持

　イラン人は日本人が畳の上で生活するように絨毯の上で胡座をかく。ペルシア語は柔らかい語感とみずみずしい感情表現に適しており、多くの国で上流階級の言葉として使われた。それにイラン人の容姿が美しいことは、MLB投手のダルビッシュ有を見てもわかるとおりだ。男女とも「濃い顔」の美男美女が多い。

　イランでは、1925年にはパフラヴィー王朝となり、戦後の一時期に石油企業の国営化を図ったモハンマド・モサデク政権の時期を除いて1976年まで続いた。パフラヴィー朝のもとでイランはアメリカ製の軍備を大量に購入し、「湾岸の警察」とまでいわれた。

　イスラム革命後は大使館占拠事件などでアメリカと嫌悪な関係になり、イランに代わる代理人としてアメリカが担ぎ出したのがイラクのサダム・フセインだ。イラン・イラク戦争をけしかけイランを牽制したつもりが、フセインが図に乗ったので厄介な状況になった。

　現在の大統領は穏健派のハサン・ロウハニだが、宗教指導者のアリー・ハメネイ師が最高指導者。核開発問題について、2016年「包括的共同作業計画」（JCPOA）が成立し制裁を解除したが、2018年にアメリカは離脱して暗礁に乗り上げている。

　イランは世界第4位の原油埋蔵量および世界第1位の天然ガス埋蔵量を有する有数の産油国。日本とは同じ君主国同士として密接な関係があり、三井物産が中心になって石油化学プラントを建設していたが、イスラム革命で中止に追い込まれた。

　その後も、互いの国民感情は悪くないが、日本の行動はアメリカとの同盟によって制約されているし、北朝鮮とイランの軍事面を含む密接な関係は日本にとっても看過できないものだ。

　最近では2019年に安倍総理とロウハニ大統領が相互に訪問して、フランスなどとも連携しつつ、アメリカとイランの関係修復の模索が行われている。

　恐ろしく誇り高いイラン人だが、その文化水準を見れば当然だ。ペルセポリスや青いタイルで飾られた「王の広場」があるイスファハンは人類史上最も美しい都のひとつだ。料理はほかの中東料理と似てはいるが、炭火焼きのようなシンプルなものが多く、ライムなどさまざまなハーブが好まれるとか、ザクロやピスタチオが名物といったところか。唐辛子はあまり使わず辛くない。

　コメもナンとともに主食とされ、軽く炊いたチェロウや炊き込みご飯のポロがある。羊の肉をレモンなども入れて串焼きにしたキャバブや、煮込み料理であるホレシュなどが主流である。

教養への扉　ペルシア絨毯は世界で最も美しい調度品であり、細密画や錦織物の見事さもいうまでもない。すでに書いたが、イランでは家では靴を脱いで生活し絨毯に座る。

中東

アフガニスタン
石仏破壊、ターリバーンの出現……混乱が続く理由

　アフガン紛争は、1979年にソ連が共産政権を支援するためにアフガニスタンに介入し
イスラム教勢力との戦いで泥沼にはまり、モスクワオリンピックのボイコットやソ連の崩
壊につながった。1989年にソ連軍は撤退。しかし、各派の争いでイスラム原理主義に立
つターリバーンが1996年に政権を取り、同時多発テロの容疑者ウサマ・ビン・ラディン
を匿ったのでアメリカなどが介入してまた泥沼化した。

　ターリバーンの本拠地は、アフガニスタン南部の中心都市であるカンダハル。アレクサ
ンドロス大王が建設した都市で、「アレクサンドロス」のうち「アレ」が抜け落ち、「クサ
ンドリア」となり、それが訛って「カンダハル」になったのだという。

　この地方にパシュトゥーン人がいて、彼らをペルシア人たちは「山の民」を意味するア
フガン人と呼んでいたことが10世紀の地誌で知られる。そのパシュトゥーン人が18世紀に
現在のカブールや北西部のホラサン地方などを占領し、英国とロシアとイランの緩衝地帯
のような形で英国の保護国としたのがこの国のルーツである。ただ、パシュトゥーン人の
居住地の過半を占める南東部はパキスタンになってしまった。アフガン王国は1919年に独
立を回復し、1973年にクーデターで共和国となった。

　ソ連撤退後の、ターリバーン政権は原理主義を徹底し、バーミヤンの石仏像を破壊する
などした。2001年の同時多発テロののち、アメリカはビン・ラディンなどアルカーイダを
匿っていると引き渡しを要求し派兵してターリバーン政権を倒した。

　その後、国際連合の調停で2002年に暫定政権が成立したが、混乱は続き、ドナルド・ト
ランプ大統領はターリバーンとの和平を画策している。

　首都カブールはカブール川ないしは、チャガタイ・ハン国のカブール・シャーに由来す
るという。歴史上、日のあたる場所だったのはこの国の北部である。玄奘三蔵は亀茲（ク
チャ付近）からタシュケント、サマルカンドを経てバクトラ（マシュラバード近郊）、バーミ
ヤン（ターリバーンに爆破された大仏で有名）、カブールを通ってカイバル峠からインドを目
指した。帰路は南寄りの道を取り、カブールからパミール高原を横断してカシュガルに出
た。

　北西部のヘラートはホラーサーン地方と呼ばれティムール帝国の首都が置かれたことも
ある。

　アフガン犬といえば、毛が長く脚も長い立派な姿で人気があるが、アフガニスタン全体
を代表できる民族というものはないし、言語もない。

アフガニスタンData　国名：アフガニスタン・イスラム共和国（英）Afghanistan（仏）Afghanistan
（ダリー語）Afghānestān（中）阿富汗　阿富汗　Āfùhàn（正式名称）ジョムフーリーイェ・エスラー
ミーイェ・アフガーネスターン［ダリー語］／首都：カブール／言語：ダリー語、パシュトゥ語／面
積：652.9千㎢／人口：36.4百万人／通貨：アフガニー／宗教：イスラム教（スンニ派80%）／民族：
パシュトゥン人42%、タジク人27%／国旗：黒はイスラム世界、侵略と弾圧による暗黒の過去を表す。
中央にモスクや説教壇ミンバル。

インドの母なる川といえばガンジス川だが、「インド」の語源はインダス川流域地方を指すシンドゥから来ている。サンスクリット語で川とか水を意味する言葉で、ペルシア語のヒンズを通じて英語ではインドとなり、中国では「身毒」「天竺」などとなった。

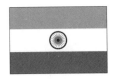

インドが独立するときに正式国名としたのは、伝説上の聖王バーラトの名前である。語源的にはバラモン教でいう「南に開けた国」（バーラトワルサ）に由来するのだそうだ。シンドゥ州もパキスタンでは都合が悪い。そこの州都はカラチであるし、古代にインダス文明が栄えたのもパキスタンだ。

ヒマラヤ山脈とカイバル峠で北を画され、インダス川とガンジス川の流域とデカン高原から成る半島部は、地形こそそまとまった世界を成して亜大陸とかいわれているが、この三つの地域を支配下に収めた王朝はマウリア王朝と最盛期のムガル帝国とインド帝国などごく短期間である。

ガウタマ・シッダールタ（シャカ）が前5世紀ないし6世紀に生まれたのは、ネパール南部のルンビニである。その話した言葉はパーリ語に近いマガタ語で、サンスクリット語の俗語である。だが、シャカ族は民族的にはモンゴロイドではないかという人もとくに日本では多い。現在、インドには多数派であるアーリア系、それに次ぐドラヴィダ系のほか、モンゴル系やオーストロネシア系も少数だが住んでおり、それらのほうが先住民族らしい。

そこへ、紀元前3500年ごろにイラン方面からドラヴィダ人が南下し、前2700年ごろにインダス川文明を栄えさせた。だが、前1500年ごろにアーリア人の侵入が始まり、ドラヴィダ人は南部に押し出された。

マウリア朝は北インドの統一を進め、シャカ入滅の1世紀ほどあとの紀元前3世紀のアショカ王のときに全盛期を迎えた。最大版図はアフガニスタンからデカン高原にまでおよんだ。アショカ王は仏教を保護し、宗教として大きく飛躍させた。

次いで現パキスタンのペシャワールを首都とするペルシア系のクシャーナ王朝が栄えて、ギリシャ文明の影響のもとでガンダーラ美術を生んだ。

次いで、4世紀から6世紀に北インドをほぼ統一したのがグプタ王朝だが、この時代にバラモン（ヒンドゥー）教が復興し、アジャンター石窟の壁画や「マハーバーラタ」「ラーマーヤナ」といったすぐれた文学を生んだ。

インドData　国名：インド（英）India（仏）Inde（ヒンドゥー語）Bhārat（中）印度　印度　Yìndù（正式名称）バーラト［ヒンドゥー語］／首都：ニューデリー／言語：ヒンディー語、英語／面積：3,287.3千㎢／人口：1,354.1百万人／通貨：ルピー／宗教：ヒンドゥー教81％、イスラム教13％／民族：インド・アーリア系72％／国旗：サフラン色はヒンドゥー教、緑はイスラム教、白は両宗教の協調、中央に仏教のシンボルであるアショカ王の法輪（写真）。国歌はゴダール作詞。

インド②
タージ・マハルを建てたムガル帝国の時代

　西洋人の進出とムガル帝国の時間的経過については、しばしば誤解がある。ヴァスコ・ダ・ガマがやってきたのはムガル帝国成立より前の1498年で、のちにポルトガル領の中心となるゴアの獲得も1510年である。ムガルも西洋諸国と横並びの外来勢力としてインドに来たし、ムガル帝国の衰退の主要原因も西洋諸国の進出ではない。

　イスラム教は9世紀にシンド地方に進出したもののヒンドゥー勢力に抑えられていたが、13世紀になると「奴隷王朝」などトルコ系の王朝がデリーを首都として栄え、14世紀のトゥグルク朝は南インドにまで支配をおよぼした（このころ南インドではチョーラ朝、ビジャヤナガル王国などがあった）。

　中央アジアではモンゴル帝国が分裂したあと、イスラム教化した一団がティムールを首領に大帝国を築き、その一族から出て、母方からはチンギス・ハンの血を受け継ぐバーブルがアフガニスタンからインドに侵入してデリーを制圧し、ムガル帝国を建国した（1526年。「ムガル」は「モンゴル」を意味する）。

　だが、イスラム教徒は税金さえ払えばということで、異教徒にも寛大だったので、カースト制度も含めてヒンドゥー教徒の習慣や地方領主の勢力は維持された。とくに、3代目皇帝のアクバルは、ほかの宗教に寛大だった。

　17世紀前半には皇帝の亡き妃の霊廟としてタージ・マハルが建てられるなど全盛期を迎えたが、17世紀後半には原理主義に傾き、地方の離反を招いた。

　インドでの植民地の獲得は、地方政権の内紛に介入して謝礼に領地や徴税権の割譲を受ける形で行われた。有名なプラッシーの戦い（1757年）もベンガル州長官の地位をめぐってフランスと英国が支持する勢力が争ったものだ。英国はベンガルのカルカッタ（コルカタ）、南部のマドラス（チェンナイ）、東部のボンベイ（ムンバイ。ポルトガル王女がチャールズ2世に嫁したときの嫁資）を管区中心都市として徐々にインドを支配し、インド軍を組織した。ところが、弾丸を包む油紙に牛脂、豚脂が含まれていたことからセポイの乱が起き、デリー地方の小領主化していたムガル皇帝が担がれた（1857年）。

　この反乱は有能な指導者を欠いたために鎮圧されたが、これを機会に英国政府はインド帝国を建国した。ヴィクトリア女王が親戚がみんな皇帝なのに女王では不足だったので、ベンジャミン・ディズレーリがごますりでやったということでもあった。首都はカルカッタだったが、1911年からデリー、のちには、郊外に建設されたニューデリーに移った。

教養への扉　英東インド会社が設立された当初は、東南アジアとの貿易が目的だったが、オランダが東アジア、英国が西アジアと住み分けが成立した。しかも、インドには綿織物という英国人好みの商品があったし、産業革命後は、英国から綿織物をインドに、インドからアヘンを中国に、中国から茶を英国に、の三角貿易が成立して富を生み出した。

　インド亜大陸では女性政治家が多いが、これはホームパーティーが盛んで女性が政治的会話に加わる機会が多いことも理由だ。インドではレストランなどでの食事より自宅に招いてのパーティーを好む。料理人も有象無象のために食事をつくるよりマハラジャのためだけに奉仕することが名誉と考えるので、レストランではいい料理人は働かないし、実際にいいレストランは少ない。

　英国はセポイの乱までは各地の藩王国を取り潰して直轄地にしたが、以降は取り込みに転じ、独立の段階では全土の3分の1ほどは535の藩王国の支配地だった。

　インド国民会議は知識人の懐柔のために設けたが、逆に反英勢力が集まり、ガンディーの登場で広汎な民衆の支持を集めたので、英国は全インド・ムスリム連盟を発足させた。

　第一次世界大戦では自治を餌にインドに協力を求めたが裏切り、そのために、第二次世界大戦では左派のスバス・チャンドラ・ボースが日本の援助でインド国民軍を結成して参戦した。ジャワハルラール・ネルーらは独立を協力の条件にしたが、英国は受け入れなかった。

　戦後、英国がインド国民軍参加者を裁判にかけようとしたのが反発を招き秩序再建は進まず、クレメント・アトリー労働党政権は独立を認めることにした。しかし、インドでは単一国家か複数国家か、地方分権を認めるか意見が分かれ、ネルーらは中央集権で社会主義的な国家建設を進めるために、イスラム勢力を分離したうえで、中央集権的な体制にした。

　こうして東西パキスタンが分離しヒンドゥー難民とイスラム難民が大流出して混乱した。残されたインドでは言語、民族ごとの独自性を求める動きが起き、結局、州を言語別の観点を入れて再編することを余儀なくされた。また、イスラム教地域であるカシミールでは、藩王がヒンドゥー教徒だったためにインド帰属を強引に選択し、これが原因で紛争が現在に至るまで続いている。

　イスラム教徒以外では、16世紀にヒンドゥー教から分離し、カーストを否定するシーク教徒が紛争の種だ。ターバンがおなじみだが、英国時代にはインド軍に多く参加し、現在でも知的な職業などに人口以上の勢力を持ち、それだけに他宗教からの反発も強い。

　戦後、ネルー・ガンディー家（娘のインディラ・ガンディーの婚家はマハトマ・ガンディーとは関係ない）が支配的な国民会議派が政権を握る時期が3分の2ほどあるが、ジャナタ党あるいは人民党という野党勢力が3分の1ほどは政権にある。現在のナレンドラ・モディ首相はヒンドゥー至上主義の傾向が強く2014年から政権の座にある。

教養への扉　インド経済は近年、驚異的な発展を見せてきたが、ここへきて減速している。高額紙幣の廃止によるブラックマネーの撲滅や、物品・サービス税（GST）導入による企業会計税務の明確化などの政策は正しいはずだが、機能するのに時間がかかり、信用の収縮を招き消費が低迷している。

インド④
数学に強い国民性でIT大国へ

　インド料理はカレーしかないといわれるが、それなら日本料理は醤油味のものばかりともいえるわけでインド人に失礼だ。カレーとはスパイシーな料理全般をいうが、トマトやタマネギが野菜の中心で、ターメリックの黄色い色と唐辛子の刺激、さらにクミン、コリアンダー、カルダモンなどをよく使う。

　日本のカレーは小麦粉をつなぎに使うが、インドではさらっとしている。主食は南部ではコメで、北部ではふんわりしたナンや薄焼きのチャパティといったパンだ。スパイシーな味を緩和するために、ラッシーというヨーグルト飲料や、チャイという砂糖をたくさん入れた濃いミルクティーを好む。

　インド人は世界で数学がいちばんできるといわれる。ゼロを発明したというくらいだから、抽象的な思考は得意なのである。逆に、インドから要請される無償援助のプロジェクト・リストはすぐに役に立つとは思えない最先端の科学技術に関するものがやたら多いと経済協力関係者は嘆いていた。これまでは、こうした傾向は、実際的な産業の場で役立たなかったが、IT時代になって、南インドを中心に最先端産業を発展させている。

　インド人は施しが好きだ。初めてインドへ行ったとき、車に近づいて手を伸ばす人が多いのに驚いたが、運転手が頻繁に小銭を彼らに与えるのも印象的だった。うっかりすると、自分や子どもの身体を傷つけて物乞いになる人も少なくないと聞いたが、路上生活者の多さも、貧しくとも気楽に生きることへの嫌悪感が相対的に小さい表れともいう。

　カーストの最高位にあるバラモンはベジタリアンである。そこで、ほかのカーストの人も豊かになるとベジタリアンになる人が多い。経済成長は金持ちになると消費を増やしてくれるからこそ起きるのであって、逆では成長しないのである。

　悪名高いカースト制度だが、それなりの助け合いの仕組みなのは事実だ。インド在住の日本人の奥様は多くの召し使いを使うのに気苦労が絶えないと思っても、たくさん雇うのが社会的義務だから自分で家事などやってはいけないと諭されたという。

　日本人と相性がいいのかどうかは判断に苦しむところだ。どうしたわけか、日本人女性と結婚するインド人男性は多いが、逆はほとんどないそうだ。

　22の言語があり、宗教の種類も多く、前近代的な風習へのこだわりや、リンチによる暴力は頭痛のタネ。伝統的価値観に反した女性を家族が恥だと殺したりすることも多い。

教養への扉　コルコタ（カルカッタ）は英国のベンガル地方進出拠点として建設され、インド最大の都市だったが、ここのところは不振である。ムンバイ（ボンベイ）は、ポルトガル領だったが嫁資として英国に。インド経済の中心だ。南部では先端産業の中心であるバンガロール、ハイデラバード、交通の要衝で自動車産業が盛んなチェンナイ（マドラス）など。

　パキスタンの国語であるウルドゥー語は1億を超える話者を持つ言語で、パキスタン（ウルドゥー語で清らかな国）の国語である。この言葉は、ヒンドゥー語と同系だが、ペルシア語の語彙を多く持ち、表記もペルシア文字でされる。

　ムガル帝国はモンゴル人の国だが、彼らはトルコ系の言葉を使っていた。ところが、2代目のフマーユーンは、一時期ペルシアに亡命していたことから、多くのペルシア人たちを連れ帰り、それ以降、上流階級はペルシア語を使っていたので、ペルシア語化されたヒンドゥー語であるウルドゥー語が生まれた。ただし、パキスタンの公用語は相変わらず英語である。法律などがすべて英語で書かれているので、ウルドゥー語の公用語化は実施されないままだ。

　パキスタン誕生の経緯については、すでに書いたとおりだが、指導者ムハンマド・アリー・ジンナーが独立の翌年に死去したこともあり、政治は常に不安定なまま現在に至っている。

　とくに、3次にわたる印パ戦争があった。第一次印パ戦争はすでに書いたように、カシミールの帰属をめぐるもので、パキスタンは辺境地域しか確保できなかった（1947〜1948年）。そののち、インドがソ連に接近したのに対し、軍事政権となったパキスタンはアメリカと接近したが、第二次印パ戦争では十分な支援を受けられず敗北し（1965年）、その余波のなかで第三次印パ戦争が起こり東パキスタンがバングラデシュとして分離した（1971年）。

　そののち、パキスタンでは、軍部とブット親子の人民党の対立などもあり、政局は混迷し、外交上はアメリカ、中国、北朝鮮と同時に結ぶというややこしい構図のなかで、アフガン情勢もからんで台風の目であり続けている。

　とくに、インドとは双方が核開発を進め、1998年にはいずれもが核実験を行い、世界の核不拡散体制を不安定なものにする元凶というべき状況にある。しかも、インドのナレンドラ・モディ政権がヒンドゥー至上主義政策を進めてカシミールでイスラム教優位の地方自治を否定したりして緊張が高まっている。

　独立当初の首都はインダス川河口に近いカラチだった。カラチは、ここに住み着いた漁師の名前というが、英国植民地時代に内陸部からの鉄道と結ばれる港湾都市として発展した。独立時には仮首都となったが、1958年に北部のラワルピンジー郊外にイスラマバードを建設して新首都とすることになった。イスラマバードは高原の盆地に人工湖をつくり、その周りに建設された都市である。

パキスタンData　国名：パキスタン・イスラム共和国（英）Pakistan（仏）Pakistan（ウルドゥー語）Pakistan（中）巴基斯坦　巴基斯坦　Bājīsītǎn（正式名称）イスラーミー・ジュムフーリーヤ・パーキスターン［ウルドゥー語］／首都：イスラマバード／言語：ウルドゥー語、英語、パンジャブ語／面積：796.1千km²／人口：200.8百万人／通貨：パキスタン・ルピー／宗教：イスラム教95%／民族：パンジャブ人45%、パシュトゥーン人16%、シンド人14%／国旗：イスラムのシンボル、三日月、星、緑が勢ぞろい。

バングラデシュ
旧東ベンガル州にして旧東パキスタン

　北海道の1.6倍しかないところに1億6000万人が暮らしており、それなりの国では最高の人口密度だ。コメを日本人の4倍食べている。かつてはジュート（黄麻）の産地として知られた。繊維産業が盛んだが劣悪な労働環境が問題視されることも多い。

　詩人ラビンドラナート・タゴールは、ベンガル語でその作品を書いた。日本の後押しでインド独立運動をしたスバス・チャンドラ・ボースもベンガル人である。ベンガル語はアーリア語系だが、もっぱらインド文字で書かれる。2億人の人々がこれを使い、世界で5番目の言語である。

　バングラデシュは、バング・アライア（バンガ人の土地）に国を表す「デシュ」をつけたものだ。

　バングラデシュはもともとインドの東ベンガル州である。ベンガル州では西部はヒンドゥー、東部がイスラムが多いことから英国植民地時代に分割されたものだ。

　東西に国土が飛び地になったままパキスタンは独立した。人口では西パキスタンとほぼ同じだが、政治的には阻害されていた。

　また、サイクロンの被害に政府が冷淡だったことがきっかけとなって、総選挙で地域政党のアワミ同盟が東部での議席のほとんどを占め、パキスタン国会全体でも第1党になることとなった。ところが軍事政権が国会の召集を遅らせようとしたことから反乱が起こり、インドの支援もあってバングラデシュは独立することになった。

　首都のダッカは、1608年にムガル帝国のベンガル太守イスラーム・ハーンがベンガルの州都をここに移し、そのときの皇帝にちなんでジャハーンギールナガルと命名し、1704年に現在はインドになっているムルシダーバードに移るまでベンガルの中心だった。

　そののち、20世紀になってベンガル州が東西に分けられたときに、東ベンガルの首都になって、新しい市街地も建設された。ダッカの名はダケスワリー寺院で祀られる隠された女神（実りの女神）の意味にちなむとも、ダクという木の名ともいう。

　ダッカは河港都市だが、大きな船は入れないので、最大の港湾都市は、東部のチッタゴンである。10世紀の戦勝碑の碑文に由来する名前だという。

　行政や経済システムが未発達なのをNGOが埋めている実態があり、マイクロクレジットと呼ばれる貧困層を対象にした比較的低金利の無担保融資を行っているグラミン銀行と経営者のムハマド・ユヌスがノーベル平和賞を受賞した。

　国旗は緑色の地に赤い円というデザイン。

バングラデシュData　国名：バングラデシュ人民共和国（英）Bangladesh（仏）Bangladesh（ベンガル語）Bānglādesh（中）孟加拉国　孟加拉国　Mèngjiālāguó（正式名称）ゴノプロジャトンリ・バングラデシュ［ベンガル語］／首都：ダッカ／言語：ベンガル語／面積：147.6千㎢／人口：166.4百万人／通貨：タカ／宗教：イスラム教90％、ヒンドゥー教／民族：ベンガル人／国旗：緑地はイスラムの伝統色で森林資源を表す。赤い円は民衆の血潮と昇りゆく太陽。

「世界で最初の禁煙国家」「GNPでなくGHN」（Hは幸福）などブータンのジグミ・ケサル・ナムゲル・ワンチュク国王が打ち出す政策は、世界の注目の的である。美しい王妃とともに来日して話題にもなった。

「仏教国」ということで「ブッタスタン」とイスラム教徒が呼んだことに由来するという説は、とてもわかりやすいが、サンスクリット語で「チベットの端」を意味する「ボータンタ」から来ているというほうが有力だ。

17世紀にチベット仏教でダライ・ラマの黄帽派と対立した赤帽派のシャブドゥン・ガワン・ナムゲルが逃れてきて建国したという。そののち、英国の支配がおよぶようになったが、1907年にワンチュク王朝による統一が成立して英国の保護下に置かれた。1910年から1949年までは外交を英国の指導のもとで行うことになり、それが現在ではインドに引き継がれている。ゾンカ語が主要言語だが、教育などは英語が主流となっている。国連には1971年に加盟した。

南方系のモンゴロイドだが、風貌が世界でいちばん日本人に似た国といわれるほどで、合わせ襟の着物も和服に似ている。

国内的にはドゥルック・ユル（竜の国）といっている。国旗にもドラゴンのマークが入っており、国王も「ドゥルック・ギャルポ」（ドラゴン・キング＝龍王）という。中世のヨーロッパと同じように、宮廷があちこち動き、定まった首都がなかったが、1961年にティンプー（神の高い土地）を恒久的な首都とし、本格的な王宮や都市が建設された。

このブータンの近隣にシッキムという国があった。もともとチベット系の国だが、英国は領地の一部だった高原都市ダージリンを割譲させ（1849年）、やがて王国を保護国とした（1890年）。インドに長期間滞在すると体調を崩す英国人が多かったので避暑地として目をつけたのがダージリンだった。女優ヴィヴィアン・リーの生地だ。SL（蒸気機関車）が健在で世界の鉄道ファンによく知られ、世界遺産になっているが、もっと有名なのは紅茶である。

英国人はネパール人労働者を導入し、彼らの一部はシッキムに流れ込み、乗っ取ったようになった。バルデン王は抵抗して、アメリカ人女性と結婚してアメリカの支援を求めたりしたが、追放され、インドに編入された。中国はこれをはじめ認めなかったが、インド政府がチベットを中国領として認めるのと引き換えにシッキムを見捨てた。

ブータンData 国名：ブータン王国（英）Bhutan（仏）Bhoutan（ブータン語）Brug.Yul.（中）不丹 不丹 Bùdān（正式名称）ドゥック・ユル［ゾンカ語］／首都：ティンプー／言語：ゾンカ語／面積：38.4千㎢／人口：0.8百万人／通貨：ニュルタム／宗教：チベット仏教75％／民族：チベット系50％、ネパール系35％／国旗：サフラン色は王家の権威、オレンジ色はチベット仏教、白は清浄。

ネパール

「麓の住まい」か「神聖な土地」か

グルカ兵といえば英国軍のネパール人部隊で、セポイの乱や第一次世界大戦で勇猛さを世界に轟かせた。もっとも、フランス軍のセネガル兵ともども西欧帝国主義国家の走狗としての役割を演じた傭兵として皮肉っぽいニュアンスで語られることも多い。

グルカは、カトマンズの西方80kmにあった土豪で、1768年にネパールを統一した。そののち、グルカ戦争では英国と戦い、現在の領土に押し込められたのち、英国と友好関係を築き、セポイの乱などでの活躍から、「独立」も形のうえでは維持された。

世界に衝撃を与えたのは、ビレンドラ国王とその家族が結婚に反対されて孤立した皇太子に集団道連れ自殺された事件である。かねて、共産党毛沢東派（マオイスト）がゲリラ活動を繰り広げ、王政の廃止を掲げ、ほかの政治勢力もそれを受け入れた。

ネパールはモンゴロイドとアーリア人種の境界地帯で、ヒマラヤ山脈に近いところにはモンゴロイドが住む。また、歴史的にはチベットの影響下に置かれたこともあるが、ヒンドゥー教の影響が強くなり、ネパール語もアーリア系言語である。

ネパールという国名は、サンスクリット語で「麓の住まい」（ニパアライヤ）だという説が有力だが、チベット語の「神聖な土地」（ニアンプル）だという人もいる。首都カトマンズはネワル族の都だったが、グルカ族に征服された。このために、国語はアーリア系のネパール語だが、首都で主に話されるのはチベット・ビルマ語系ネワル語だというややこしさだ。

17世紀の面影がよく残り、世界文化遺産になっている地区もネワル族の住む地域だ。カトマンズは17世紀の景観をよく維持し、ヒンドゥー教や仏教の寺院が並ぶ（写真はスワヤンブナート）。ただ、2015年の地震で大きな被害を受けた。

エベレストには世界中から登山客が殺到し、シーズンには山頂が混雑して長時間待たないと登れず、ゴミが大量に残される。チベット語ではチョモランマ（世界の女神。漢字表記では珠穆朗瑪峰）で、ネパールではサガルマータ（世界の頂上）。1852年に世界最高峰であると発見されたときの測量関係者ジョージ・エベレストの名を取って命名された。

ガウタマ・シッダールタは、現在はネパール領で世界文化遺産になっているルンビニーで生まれた。シャカ族は、モンゴル系ともいわれ、それがゆえか、アーリア的なバラモン教の論理と厳しく対立していた。

最近、ネパールから日本への出稼ぎが目立つ。

ネパールData 国名：ネパール連邦民主共和国（英）Nepal（仏）Népal（ネパール語）Nepā（中）尼泊尔　尼泊爾　Níbóěr（正式名称）サンギャ・ロクタントリック・ゴーナタントラ・ネパール／首都：カトマンズ／言語：ネパール語／面積：147.2千㎢／人口：29.6百万人／通貨：ネパール・ルピー／宗教：ヒンドゥー教81%、仏教11%／民族：チェトリ、ブラーマンヒル族／国旗：二つの三角形はヒマラヤ山系の眺望、または仏教とヒンドゥー教の融合。

スリランカ、モルディブ
インドとともに英国の保護領だった島々

スリランカ（獅子の国）は、旧名をセイロンといい、紅茶とルビーと大涅槃仏（だいねはんぶつ）で知られる。住民の74％がシンハラ人でその多くが仏教徒だが、北部の海岸地帯にヒンドゥー教徒のタミル人が住み、人口の15％を占める。

　スリランカではポルトガル人がシナモンを目当てにコロンボを拠点に植民地化を進め、西南海岸にあったコッテ王国を滅ぼした。内陸にあったキャンディ王国はオランダと組んでこれを駆逐したこともあるが、英領となった（1815年）。

　インド独立と連動して英連邦内で自治国として独立した（1948年）。シンハラ人の民族意識の高揚が仏教と結びつき、バンダラナイケ夫妻（シリマヴォ夫人は世界最初の女性首相として話題になった）らによってシンハラ人優位のスリランカ共和国となったが（1972年）、タミル人過激派は、LTTE（タミル・イーラム解放のトラ）を結成して北部の独立を要求している。

　1951年にジュニウス・リチャード・ジャヤワルダナ蔵相が国連で対日賠償請求を放棄する演説を行った。首都はコロンボ郊外のスリ・ジャヤワルダナプラ・コッテに移っている。

　近年は中国との関係を強化したいグループとインドとの関係を重視するグループで政権交代が繰り返されている。南部ハンバントタ港を巨額の借款で建設し、結局は99年の租借に出すなど中国の対外投資についての悪い例として引き合いに出される。

　巨大なシーギリヤ・ロック、キャンディ、ポロンナルワの涅槃仏などの仏教遺跡が人気。パワースポットとしても人気がある。料理は世界で最も辛いともいわれる。ココナッツを多用するのが特徴だ。紅茶の産地である。宝石での知られとくにルビーは人気がある。

　ハネムーンを過ごすのに理想的な場所だとして人気があるインド洋の島国**モルディブ**の住民は、スリランカのシンハラ族と近い人たちだが、イスラム教徒である。北アフリカのアラブ人アブル・バラカットが、処女を餌食にしていた悪魔を退治して、モルディブをイスラム教に改宗させスルターンになったのだという。

　ポルトガルが16世紀にやってきて、次いでオランダが続いたが、本格的な支配をしたのは英国で1887年に保護国とし、1965年に独立させた。最高地点でも海抜が2.4mしかないので、海面が1m上がると国土の80％が失われるらしい。

スリランカData　国名：スリランカ民主社会主義共和国（英）Sri Lanka（仏）Sri Lanka（シンハラ語）Shrī Laṁkā（中）斯里兰卡　斯里蘭卡　Sīlī Lánkā（正式名称）スリランカ・プラジャ・ターントゥリカ・サマージャワーディ・ジャナラジャヤ［シンハラ語］／首都：スリジャヤワルダナプラコッテ／言語：シンハラ語、タミル語、英語／面積：65.6千㎢／人口：21.0百万人／通貨：スリランカ・ルピー／宗教：仏教69％／民族：シンハラ系74％、タミル系／国旗：獅子はシンハラ人。

モルディブData　国名：モルディブ共和国（英）Maldives（仏）Maldives（ディベヒ語）Divehi（中）马尔代夫　馬爾代夫　Māerdàifū（正式名称）ディベビ・ラーッジェーゲ・ジュムフーリッヤー［ディベビ語］／首都：マレ／言語：ディベビ語、英語／面積：0.3千㎢／人口：0.4百万人／通貨：ルフィア／宗教：イスラム教／民族：南インド人、シンハラ人、アラブ人。

[地域の歴史] ASEAN
西欧の進出に屈した旧独立王国が中心

東南アジア諸国連合（ASEAN）が1967年にインドネシア、マレーシア、タイ、フィリピン、シンガポールによって結成されたあたりから、現在使われる範囲が明確化し、1969年には日本の外務省に「南東アジア課」が設けられた。現在、ASEANにはブルネイ、ベトナム、ミャンマー、ラオス、カンボジアも加盟している。

　東南アジア全域について多くの人々が持っている印象は、インドと中国という二つの政治、文化圏に挟まれた真空地帯、あるいは、混合地域であろう。その範囲についても、歴史的に別の歩みをしてきたフィリピンを外したり、ミャンマーを同じ英国の植民地だったインドとともに南アジアと処理したりすることもあった。

　インドシナという言葉もあった。かつてフランス領だったベトナム、カンボジア、ラオスを指す。

　しかし、いまやASEAN地域といった呼び名が東南アジアという地理的名称を駆逐してしまいそうな勢いである。政治的、経済的な要請が中国やインドに並び立つ世界をつくりあげたのである（人口は6億人、GNPでは中国は下回るがインドより少し多い）。

　ただし、パプアニューギニアは準加盟、東ティモールは加盟を容易には認められそうもないなど、なお植民地時代からの難しい問題を引きずっている。

　東南アジアの内陸ではジャングルが生い茂っているために河川交通が主で横の移動は難しい。このため、河口部に「ヌガラ」といわれる都市国家が成立することが多い。また、「ムアン」という山間部の大きな盆地に小王国もしばしば誕生した。

　インドネシアなどの海岸部では4、5世紀ごろインドで栄えたグプタ朝の影響がおよび、仏教やヒンドゥー教が伝わり、13世紀ごろからイスラム教が伝わった。ベトナムのみは中国の直接支配を受けた時期もあるが、ほかでは、中国の周辺民族が中国の政治状況とも連動して侵入したり、諸王国が朝貢貿易という形で交易を行うことが多かった。

　だが、インドや中国の影響は限定的で、国際的なパワーゲームの直接的な影響下に置かれるのは西欧人の出現を待ってからである。

　現代の大陸諸国は、ベトナムが10世紀に成立した大越、タイが13世紀、ミャンマーが11世紀に成立した王国に淵源がある。カンボジアには古くは6世紀に真臘が、9世紀にはクメール王朝があったが、このころは衰えていた。そのほかにも、それぞれに「クニ」はあったが、地域をまとめるような統一国家は存在していなかった。

教養への扉　この地域に人類が住み始めたのは現在の地形ができあがる前である。洪積世のジャワ原人は早い時期（1891年）に発見された原人の化石としてかつて著名であった。ただし、現生人類の先祖ではないということになってあまり語られなくなった。

ミャンマー

独立までの紆余曲折とアウンサン将軍

ビルマ（英語ではバーマ）という国際的に通用していた名称を、国内と同じミャンマーに変更すると軍事政権が決めたのは1989年。といっても、どちらも「強い人」の意味で訛りの問題だけだ。2006年には中部の行政首都ネピドーへ政府機関が移転した。旧都であるラングーンもヤンゴンに名称変更された。ヤンゴンはシュエダゴン・パゴダの黄金の塔がランドマーク。

中国西南部の雲南省には、唐の時代には南詔があり、宋代には大理（大理石の語源だ）があった。フビライに征服されその庶子フゲチを祖とする梁王国のもとで存続したが、明帝国になって銀の産地であることから漢民族が流入し独立性を失った。

ビルマは、雲南国家の強い影響を受けていた。ピュー人が建国した驃国があったが、南詔に滅ぼされ、チベット・ビルマ語系のビルマ人が侵入してパガン王朝を樹立した。マンダレー地区のパガンの仏教遺跡は東南アジアの三大仏教遺跡のひとつだ。

パガン王国は元に滅ぼされたが、タウングー王朝が14世紀から18世紀まで同じサルウィン川中流域に栄えた。山田長政が戦った王朝だ。清の乾隆帝のときには清に朝貢した。

このころ南ビルマのモン族が北へ進出しようとしたが、コンバウン王朝のアラウンパヤー王が南ビルマを征服した。インドのアッサムなども支配下に収め、ビルマ史上最大の領域を実現した。だが、このことは、英国との対立を招き、3次にわたる英緬戦争の結果、1886年にビルマは英領インド帝国に併合されてしまった。

だが、1937年にはインドから分離され英連邦内の自治領となり、第二次世界大戦中はアウンサンのビルマ独立義勇軍が日本軍と協力して戦った。1943年にはバー・モウを元首とするビルマ国が成立し、1944年には東京での大東亜会議にも出席した。だが、インパール作戦の失敗を機にアウンサンはクーデターを起こして英国に寝返った。

この結果、ビルマは英領に戻ったが、1948年に英連邦を離脱し独立した。アウンサン将軍は独立直前に暗殺され、ウー・ヌーがあとを継いだが、1962年からはネ・ウィン将軍の軍事政権となった。これに対して、アウンサンの娘であるアウンサンスーチーが民主化運動の中心となり、1990年の総選挙で勝利した。軍はアウンサンスーチーを軟禁したが、1991年にはノーベル平和賞を受賞した。英国人と結婚し子ども英国籍であることから大統領への就任は禁止され大統領国家顧問を肩書としているが、2016年から事実上の大統領である。しかし、西部ラカイン州のイスラム系住民であるロヒンギャ族の扱いについては、市民権も与えない強硬な姿勢を崩さず、欧米諸国での人気は地に落ちた。

ミャンマーData 国名：ミャンマー連邦共和国（英）Myanmar（仏）Birmanie（ミャンマー語）Myanma（中）緬甸 緬甸 Miǎndiàn（正式名称）ピタウンズ・ミャンマー・ナインガンドー［ミャンマー語］／首都：ネーピードー／言語：ミャンマー語／面積：676.6千㎢／人口：53.9百万人／通貨：チャット／宗教：仏教89％、キリスト教4％／民族：ビルマ人68％、シャン族、カレン族、ラカイン族／国旗：稲穂と歯車。星は連邦の14地域。

1939年にシャム（褐色の意味）から国号変更。「大」「自由人」の意味。バンコクは西洋人が勘違いで呼んだ名で現地ではクルンテープ（天使の都）と呼ばれる。エメラルド寺院が最大の観光地。南部にはプーケット・ビーチというリゾート地があるが、2004年に津波で大きな被害を出した。

　タイ族は中国やベトナムからインドまでの山間部に国境を越えて広く分布する。その故郷は中国の広西チワン自治区からベトナム東北部にかけてといわれている。

　モン族やクメール人が先住していたいまのタイの地まで南下したタイ人がスコータイ王朝を13世紀に建国した。15世紀から18世紀まで栄えたアユタヤ王朝の時代には貿易によって栄え東南アジア第一の強国となったこともある。

　日本人が多く来訪し、アユタヤに日本人町を形成した。戦国時代が終わったばかりの日本から武士がビルマとの戦いで傭兵として活躍した。山田長政もそのひとりである。だが、中国人などの反発を招き、1630年に長政が殺されて日本人町も焼き払われた。

　アユタヤ王朝がビルマの侵攻で滅び、潮州系華僑が建てたトンブリー王朝を経て、ラーマ1世がチャクリー王朝を1782年に創始し現代まで続いている。日本の幕末にあたるころのラーマ4世（モンクット王）はミュージカル『王様と私』で知られ、近代化への端緒を開いた。明治天皇の治世と同時期のラーマ5世（チュラーロンコーン大王）は、チャクリー改革を行い、交通、通信のインフラ整備や廃藩置県に似た政策を取った。

　このころ、英国とフランスに挟まれる形になったが、近代化の成果を示すとともに、両国の緩衝地帯となることで巧みに独立を保持した。第二次世界大戦中には日本の同盟国となったが、連合国とも接触を絶やさず、戦後も王政が生き延びた。

　前のラーマ9世（プミポン国王）は軍部と密接な関係を保ちつつも抑制した立場を堅持し、すぐれた政治手腕でベトナム戦争や民主化の嵐もくぐり抜けた。ラーマ10世（ワチラーロンコーン）現国王は身勝手な行動が目立ち不安がある。政治は貧困農民に人気があるタクシン・チナワット元首相派が国民に支持されているが、軍部によって抑え込まれ権力から遠ざけられている。

　タイの人たちは美術的なセンスに恵まれ、タイ・シルクや工芸品によいものがあり、工業発展の基礎にもなっている。料理は辛いものが多く、エビなどが入った酸っぱいスープである「トムヤンクン」が最も知られた料理だ。

　国民のほとんどが熱心な仏教徒である。ムエタイというタイ式ボクシングが国民的なスポーツだ。

タイData　国名：タイ王国（英）Thailand（仏）Thaïlande（タイ語）Thai（中）泰国　泰国　Tàiguó（正式名称）ラート・チャ・アーナーチャック・タイ／首都：バンコク／言語：タイ語／面積：513.1千㎢／人口：69.2百万人／通貨：バーツ／宗教：仏教95％／民族：タイ人75％、中国系14％／国旗：三色旗。青は王室、赤は国民、白は仏教。縞型五分割旗。トライトライロングという。

166

南アジア ┃ ## カンボジア

王国でありながら親中派の大虐殺を許す

密林のなかに埋もれるように眠るアンコールワット（4項写真）は、1860年にフランス人アンリ・ムーオによって「発見」され世界に知られるようになった。ただし、鎖国以前の日本人も訪ねて「これぞ祇園精舎」と勘違いして詳しい図面を送った武士もいた。

　五つの塔が印象的な寺院は、仏教、ヒンドゥー教の遺跡として、最高クラスの世界遺産である。とくに朝日に輝くころが最も幻想的。最初にヒンドゥー教寺院としてつくったのは、12世紀前半、アンコール王朝のスーリヤヴァルマン2世である。

　カンボジア（6世紀の王の名に由来）からベトナム南部には扶南という王国があったが、7世紀にはクメール人の真臘が取って代わり、サンスクリット文字から派生したクメール文字を使い始めた。9世紀にアンコール朝が成立し、黄金時代を迎えたが、アユタヤ朝シャムに攻められ、15世紀にはアンコールの都を放棄し、プノンペン近郊に移った。そののち、クメール人の勢威は振るわず、かろうじて生き延びただけだった。

　現在のカンボジア国王の王位継承権は、故ノロドム・シアヌークの高祖父であるアン・ドゥオン王の子孫と決められている。このアン・ドゥオンは、1840年代前半に、サイゴン（ホーチミン）をフランス軍が攻撃したのに乗じて戦いを展開したが、その途上で病死し、その子のノロドムのとき1863年にフランスの保護国となり、プノンペンを首都とした。

　そののち1887年に仏領インドシナに編入されたが、フランスのおかげでアンコール付近をシャムから奪還した。第二次世界大戦中は日本軍が駐留し、シアヌーク王は終戦の年にカンボジアの独立を宣言し、1949年には自立、1953年には完全に独立した。

　ベトナム戦争でシアヌークが領域内を北ベトナムやベトコンが通過することを黙認したのをアメリカは許さず、右派がクーデターを起こしたが安定せず、親中派のポル・ポト派が政権を取った。このポル・ポト派は、都市を否定するとともに、浄化政策を行い、200万人を殺した。結局、親ベトナム政権（1979〜1991年）を経て、日本などの仲介で1991年にシアヌークが復帰し、カンボジア王国として安定しているが、フン・セン首相の独裁化と中国への傾斜が憂慮すべき状態だ。

　東南アジア最大のトンレサップ湖は水上生活者で知られる。カボチャの語源は日本人にポルトガル人がカンボジアの野菜として知らせたことが由来。

カンボジアData　国名：カンボジア王国（英）Cambodia（仏）Cambodge（クメール語）Kâmpŭchea（中）柬埔寨　柬埔寨　Jiǎnpǔzhài（正式名称）プリアチ・リアチアナチャクラ・カンプチア［クメール語］／首都：プノンペン／言語：クメール語／面積：181.0千㎢／人口：16.3百万人／通貨：リエル／宗教：仏教96%、イスラム教2%／民族：クメール人90%／国旗：アンコールワットを描く。

ベトナム①
中国の属国からフランスの植民地へ

　ベトナム語は、かつては漢字で表記されたり、チュナムという仮名が考案されたりしたが、現在ではローマ字表記で使用されている。この文字についての移り変わりこそ、ベトナム国家の流転を象徴している。

　日本とのつながりは、遣唐使の時代に始まる。唐と行き来する船団は、途中で風向きが変わることが多く、しばしば南シナ海に流された。平群広成はフエ付近に都があった崑崙国（チャンパ王国）に漂流して抑留されたが、唐へ脱出し帰国している。同じく藤原清河と阿倍仲麻呂は、唐の領土だった安南（ベトナム北部）に漂着し、帰国を諦めた仲麻呂は唐に仕え鎮南都護・安南節度使というハノイの知事となった。

　ベトナム北部は秦漢帝国のころから中国の郡県制のもとに置かれ、中部にはチャンパ王国があり、南部はカンボジアと同じく扶南の領土だった。北部では唐末の戦乱のなかで939年に越人の王朝「大越」が成立した。13世紀に成立した陳朝大越国は、モンゴルの侵攻を撃退した。大越はチャンパと争い、17世紀にはカンボジア領であったメコン川流域まで併合して今日のベトナム領土の大枠が完成した。

　1804年に南部の支配者阮（グエン）朝は清から越南（ベトナム）国王に封ぜられた。阮朝は清に朝貢を行う一方、国内や周辺諸国には皇帝を称して、独自の年号を使用した。フランスの進出はナポレオン3世による宣教師保護を口実とする派兵に始まって、清仏戦争（1884〜1885年）で清に宗主権を放棄させた。首都フエがある安南国（ベトナム中部）、フエから任命されたハノイ総督が支配するトンキン（ハノイ地方）はフランスの保護国、コーチシナ（ベトナム南部）は直轄植民地とされた。

　フランスのもとでホンゲイ炭坑の開発や鉄道の敷設が行われた。また、ベトナム人は教育程度が高かったのでラオスやカンボジアの支配において、中堅層の官吏の職を占めた。第二次世界大戦からベトナム戦争についての経緯は次項で書いた。

　ドイモイ政策の成功で経済発展がめざましく、平成年間の経済成長率は世界2位で中国を上回った。工業も伸びているがコーヒー豆も世界有数の産地になった。また、ベトナム人労働者は日本にも多く来ている。ハロン湾は「海の桂林」といわれる景勝地。

　アオザイ（写真）は切れ目の入った上着とズボンからなる民族衣装。料理では生春巻（ゴイ・クォン）やコメの麺であるフォーが人気だ。

ベトナムData　国名：ベトナム社会主義共和国（英）Vietnam（仏）Việt Nam（ベトナム語）Việt Nam（中）越南　越南　Yuènán（正式名称）ベトナム・ザンチュコンホア／首都：ハノイ／言語：ベトナム語／面積：331.0千㎢／人口：96.5百万人／通貨：ドン／宗教：仏教9%、キリスト教7%／民族：ベト人86%／国旗：金星紅旗。赤は社会主義国家の成立、革命と自由独立のために流された人民の血。

ベトナム②、ラオス
それぞれの独立へ向けた戦い

ラオス領はメコン川の左岸を占めるが、ラーオ族は両岸にまたがり、タイ北東部イーサン地方に住む人口のほうが多い。ラオス語はタイ語と同系統だがラオス文字を使う。旧王都ルアンパバーンは世界文化遺産で、首都ビエンチャンはメコン川岸の商業都市だ。

　ラオスの歴史もミャンマーと同じく、中国雲南省にあった南詔の解体のなかで始まった。1353年に、タイ族の一派であるラーオ族は、統一王朝ラーンサーン王国を建国し、タイ北東部やカンボジア北部にまで広がった。だが、ルアンパバーン、ビエンチャン、チャンパーサックの3国に分裂し、やがてシャムの影響下に置かれたが、フランスと結び、1893年に保護国となり、仏領インドシナ連邦に編入された。

　第二次世界大戦中では、日本軍はドイツ占領下に成立したヴィシー政府の了解のもと1940年に北部仏印に、翌年、南部仏印に進駐したが、後者は太平洋戦争勃発の引き金のひとつになった。だが、ヴィシー政権が崩壊すると、日本軍は1945年にフランス植民地政府を解体しバオダイ帝のもとでベトナム帝国とし、カンボジアのシアヌーク国王、ルアンパバーンのシーサワーンウォン王（ラオス王国）にも独立を宣言させた。

　ラオスには、いったんフランスが戻ったが、1949年、フランス連合内のラオス王国として、1953年には完全独立した。右派、中立派、左派（パテート・ラーオ）による内戦が続き、サイゴン陥落とも連動して、1975年に左派がラオス全土を制圧し、ラオス人民民主共和国となった。しかし、社会主義体制の崩壊を受けて、チンタナカーン・マイ（新思考）と呼ばれる市場経済導入が図られ、IMFの指導も受けて成功した

　ベトナムでは、ハノイでホー・チ・ミンが独立を宣言し、これに対抗してフランスはバオ・ダイを国家元首として復帰させて独立させた。しかし、ディエンビエンフーの戦いでの敗北を機に1954年にジュネーヴ協定を結び、将来の統一選挙を条件に北緯17度線を境にベトナム民主共和国（北ベトナム）とベトナム共和国（南ベトナム）に分けた。だが、南のゴ・ディン・ジエム大統領はアメリカの支援を受けて約束を破ったので、ベトコンの活動が活発化しベトナム戦争となった。しかし、1975年にサイゴン（ホーチミン）は陥落し1976年に南北統一が実現した。

　ラオスのメコン川にはコーンの滝があるほか浅瀬も多く、何度も船を乗り換えながら進まざるをえない。タイ、ミャンマー、ラオスの国境地帯は「黄金の三角地帯」と呼ばれ、麻薬王クンサーが割拠して、アヘンの生産で知られていた時期もある。コーヒー豆や水力発電による電力の輸出、それに観光が経済を支えている。中国の進出が活発である。

ラオスData　国名：ラオス人民民主共和国（英）Laos（仏）Laos（ラオ語）Lao（中）老挝　老撾　Lǎowō（正式名称）サーターラナラット・パサーティパタイ・パサーソン・ラーオ／首都：ビエンチャン／言語：ラオ語／面積：236.8千㎢／人口：7.0百万人／通貨：キープ／宗教：仏教67％／民族：ラオ族55％／国旗：白円は満月、多民族国家の団結と仏教を象徴。赤は革命と流された血、青は国土と繁栄。

[地域の歴史] マレー半島、インドネシア群島

植民地化の前に存在したマレー人の王国

　白人、黒人、黄色人種などという単純な人種分類を昔はよくしたが、そんなとき、分類不能な第4の人種として紹介されていたのがマレー人である。言語でいうとオーストロネシア語族で、太平洋の島々、ニュージーランド、台湾、東南アジアの島嶼部、マレー半島、それにアフリカに近いマダガスカルにまで広がっている。

　このあたりの言語の原始的な形はアタヤル語群、ツォウ語群、パイワン語群といった台湾原住民（高砂族というのは中国系以外を総称して日本人が呼んだ名前）の言葉だ。国家形成の歴史を見ると、7世紀にスマトラで栄えタイ、カリマンタン島、フィリピンの一部にまで進出したシュリーヴィジャヤ王国が前史としてある。

　スマトラ島パレンバンの王子パラメスワラは、マラッカで1396年ごろに建国し、1414年ごろにイスラム教化して、香辛料の中継港として繁栄した。明の永楽帝の時代にはアフリカ大陸まで遠征した鄭和もやってきて、朝貢貿易でつながりを持った。

　胡椒や丁子、ナツメグなどの香料の貿易で栄えたが、1511年にポルトガルによって征服され王はジョホールに逃れた。マラッカはポルトガルの重要拠点となり、フランシスコ・ザビエルもここから日本へ向かった。だが、1641年にオランダの東インド会社がジョホールのスルターンの後押しを得てマラッカを占領した。

　そののち、英国がペナンを皮切りにマレー半島に侵出し、シンガポールが有名ホテルにその名を残すトーマス・ラッフルズによって1819年に開発され、マラッカも支配下に置き、錫鉱山を支配した。欧米でブリキの缶などの需要が高まっていたのである。

　東南アジアの人々は、やさしく人なつっこいが、ややいい加減でどちらかというと怠惰だといわれてきた。人から叱責されるといったことが大嫌いで、日本、それ以上に韓国の進出企業はこれが原因で摩擦を起こすとも聞く。

　自然の恵みが豊かで食べるのにそれほど苦労せず、気候は暑いが砂漠の国のように生命を危険にさらすほどのことでもなく、猛獣がうようよしているわけでもなく、大きな国のような緊張した社会でもなかったことの反映だろう。このため、働き者で利にさとい華僑や印僑が入ってくると経済の主導権は彼らが握ることになった。

教養への扉　料理では魚醤の一種であるナンプラーを出汁の基本にする。また、レモングラスなど酸っぱいものが好きだし、コリアンダーのような香草、プリッキーヌーと呼ばれる小さく強烈な唐辛子も使う。コメは細長く硬いが香ばしいインディカ種だ。日本でも有名なのは、そうしたものを入れたエビの酸っぱくて辛いスープであるタイのトムヤンクンとか、ベトナムの生春巻、インドネシアのナシゴレンと呼ばれる焼き飯だが、ここのところ世界的なエスニックブームで人気が高まっている。

ブルネイ、マレーシア
親日政治家マハティールの「ルック・イースト」

英国の支配のもとで、マレー半島は直轄の海峡植民地、マレー連合を成す小王国、その連合に属さない独立小国などまとめて英領マラヤを形成した。英国人は南米からゴム栽培を導入し、労働力としてインド人を招き入れた。マラヤではマレー人のほかに華僑やインド人も多く、民族運動もそれぞれの思惑で複雑な様相を呈した。

第二次世界大戦中は日本に占領されたが、これに厳しく抵抗したのは華僑である。戦後、英国はシンガポールを除外してマラヤ連邦を結成し、1957年にはマラヤ連邦として独立させた。一方、シンガポールは1959年に自治領となった。

ボルネオ島北部には、ブルネイ王国を挟んで、ジェームズ・ブルックによって1846年に建てられ白人王が3代続いたサラワクのブルック王国が西にあり、1881年には北ボルネオ会社が北東部のサバ地域を会社領としていた。英国は1888年に保護領とし、さらに、ブルネイ王国も1906年に保護国として傘下に収めた。**ブルネイ**（Dataは171項に掲載）は1959年に自治領、1984年に独立した。石油や天然ガスを産する超リッチなスルターン国である。マレーシアへの参加を断りミニ国家として独立した。ブルネイはココナッツとか亜麻が語源というが、たしかなことは不明である。正式国名のうち、ヌグラは「国」、ダルッサラームは「平和な土地」だ。

「世界一安全」ともいわれる治安のよさと、大理石の白に黄金のドームのオールドモスクなど豪華なイスラム建築が見どころになっている。

マラヤのトゥンク・アブドゥル・ラーマン首相は1963年にブルネイ以外でマレーシア連邦（マレーは山を意味する）を結成したが、華僑中心のシンガポールは1965年に追放された。**マレーシア**はマハティール・ビン・モハマド首相のもとでマレー人の経済進出を促すブミプトラ政策を成功させ、「ルック・イースト」政策で欧米でなく日本を見習う運動を展開し工業国として成功した。スルターンたちが互選で任期制の国王を選んでいる。クアラルンプールのシンボルは、アメリカ人シーザー・ペリの設計で、高さ452m、88階建てのペトロナスツインタワーは、イスラム風の雰囲気がうまく取り入れられている。

行政府は25km南方のプトラジャヤ（サンスクリット語で「勝利の息子」）に移転した。丘陵地帯に人工湖などが配され、黒川紀章設計のクアラルンプール空港からも近い。

サバの主要都市のひとつサンダカンは「からゆきさん」を題材にした『サンダカン八番娼館 望郷』の舞台である。たれをしみ込ませた肉の串焼きであるサテは人気がある郷土料理。

マレーシアData 国名：マレーシア（英）Malaysia（仏）Malaisie（マレー語）Malaysia（中）马来西亚 馬来西亜 Mǎláixīyà（正式名称）ムレイジャ［マレー語］／首都：クアラルンプール／言語：マレー語、英語／面積：330.3千㎢／人口：32.0百万人／通貨：リンギ／宗教：イスラム教60％、仏教19％、キリスト教9％／民族：マレー人50％、中国人24％／国旗：国内13州と連邦政府の統合を表す。

シンガポール
ビジネス最優先の「華人国家」

東インド会社に勤め、ナポレオン戦争ののち、マラッカなどをオランダに返還せず確保するように努めたトーマス・ラッフルズによって建設された。マラッカ、ペナンとともに「海峡植民地」（ストレイツ・セツルメンツ）として英国政府の直轄領だった。自由港として栄え、戦争中は日本軍に占領され、昭南市と呼ばれた。

シンガポールとはサンスクリットのシンガプラ（獅子の町）から命名されている。マーライオン（写真。上半身がライオン、下半身は魚の像）がシンボルになっている。

シンガポールはケンブリッジ大学出身の華僑リー・クアンユー首相のもとで厳しい規律で国民を縛る独特の政策を成功させて以来、世界経済の自由化の波にもうまく乗って都市国家として希有な成功を収めている。

ビジネスの環境を整えるための実際的な制度や対応、メイドを雇うとか自動車を持つ権利まで入札にかける市場機構の徹底した利用、公務員の質を確保するための好待遇といった経済論理を徹底した社会制度は見習うべきところが大きい。

しかし、一方で、タックス・ヘイヴン的な抜け駆け、農村部を持たないがゆえの有利な立場など、否定的に見るべき理由もあるし、たとえば、ヨーロッパなどではスイスなどと同じようにブラックな臭いのする国と見られているのも事実だ。

グルメでは、鶏の脂で炒めた白米を、チキンスープで調理し、ゆでた鶏肉を添えた「ハイナンチキンライス」（海南鶏飯）、チリソースがかかったワタリガニの「チリクラブ」などがよく知られている。南インドの人が多いので料理もそちらの影響がある。すぐれた機能を持つ国際空港として定評があるチャンギ空港は、所在するシンガポール東部の地区名を取ったものである。ラッフルズの名は、東南アジアを代表するホテルの名前として残っている。

シンガポールData 国名：シンガポール共和国（英）Singapore（仏）Singapour（マレー語）Singapura（中）新加坡　新加坡　Xīnjiāpō（正式名称）スインガプラ［マレー語］／首都：シンガポール／言語：中国語、英語、マレー語、タミル語／面積：0.7千㎢／人口：5.8百万人／通貨：シンガポール・ドル／宗教：仏教43%、イスラム教15%、道教9%／民族：中国系74.2%、マレー系／国旗：赤、白はマレー系の伝統色。五つの星は民主主義、平和、進歩、正義、平等。

ブルネイData 国名：ブルネイ・ダルサラーム国（英）Brunei Darussalam（仏）Brunéi Darussalam（マレー語）Brunei（中）汶莱伊斯蘭教君主国　汶莱伊蘭教君主国　（正式名称）ヌガラ・ブルネイ・ダルッサラーム［マレー語］／首都：バンダルスリブガワン／言語：マレー語、英語／面積：5.8千㎢／人口：0.4百万人／通貨：ブルネイ・ドル／宗教：イスラム教67%、仏教13%、キリスト教／民族：マレー系66%、中国系11%／国旗：王家、イスラム教、平和などを象徴する国章が中央に。

　ジャワ島中部に巨大な仏教遺跡でアンコールワットと並ぶ文化遺産とされるボロブドゥールを築いたシャイレーンドラなどが8～9世紀ごろ栄えたりした。だが、イスラム教の浸透や西洋人の来航のなかでインド的文化のもとで栄えた国々は内陸部に押し込められた。そんななかで、土着化したヒンドゥー文化の伝統は現代のバリ島に受け継がれ世界中から観光客を集めている。

　最初にやってきた西洋人はポルトガル人だが、1602年にオランダ東インド会社がジャワ島に進出し、1619年にはジャカルタを占拠して強固な城塞を築き、バタヴィアと改名し、18世紀にはジャワ島の全域を支配した。コーヒーなどのプランテーション経営による農園もでき、19世紀末からのアチェ戦争などを経てスマトラ島も支配し、現在のインドネシアの枠組みができた。

　インドネシアでは共通して使える言葉がなかったことから、比較的広域に浸透して交易に使われていたマレー語を基礎にインドネシア語がつくられローマ字で表記されるようになった。ただし、日常語として話す人の割合は少ない。インドネシアは「インド群島の国」といった意味の造語で、20世紀になってシンガポールで使われ始めたものだ。独立運動のなかで、「インドネシアというひとつの祖国、民族、言語」が確認され、日本の敗戦2日後にされた独立宣言でも国名として採用された。

　オランダは再植民地化を策動したが、1949年のハーグ円卓会議で独立が承認され、独立後の1955年には、第1回アジア・アフリカ会議（バンドン会議）を主催して、スカルノは「第三世界」「非同盟国家」のリーダーとして高い評価を得た。だが、共産党を重用しすぎ、クーデター騒ぎののちスハルト少将が権力を握った。スハルトは典型的な「開発独裁政策」で反対派を抑圧しつつ、経済成長をもたらした（1998年に失脚）。

　オランダはインドネシアへの郷愁を隠さず、「ライスターフェル」という20種類ほどもの料理をテーブルに並べてそれを中華料理風につついて食べるものが名物料理になっているほどなのに対して、インドネシア人はオランダに対する嫌悪感を露骨に示す。インドネシア料理ではナシゴレンという甘辛く魚醤で味つけしたチャーハンが人気。男性の正装としてバティックというろうけつ染めのシャツがある。絹かポリエステルである。

　2019年にカリマンタン（ボルネオ）への首都移転計画が発表された。カリマンタンはオランウータンの生息でも知られる。

インドネシアData　国名：インドネシア共和国（英）Indonesia（仏）Indonésie（インドネシア語）Indonesia（中）印度尼西亜　印度尼西亜　Yìndùníxīyà（正式名称）レプブリク・インドネシア／首都：ジャカルタ／言語：インドネシア語／面積：1,910.9千㎢／人口：266.8百万人／通貨：ルピア／宗教：イスラム教86%、キリスト教9%／民族：マレー系ジャワ人36.4%、スンダ人13.7%／国旗：高貴な二色旗。マレー文化圏で古来、赤は肉体、白は精神。現在、白は純潔と月。モナコとそっくり。

パプアニューギニア、東ティモール
西欧諸国による分割を乗り越えて独立

　独立後のインドネシアは、周辺への領土的野心を全開させた。マレーシア成立への反対、オランダが別の国として独立させようとした西イリアンやポルトガル領だった東ティモールの強制編入、アチェの独立運動弾圧などで、国際的な摩擦を生んだ。

　ニューギニア島は地球上でグリーンランドに次いで2番目に大きな島である。アフリカのギニアと気候も人も似ていると英国人が乱暴なこじつけでつけた名前である。パプアというのは縮れているという意味、イリアンは日の出の方角の意味。

　西部はインドネシアに併合されたが、東部は南北に分けられ、北半分がドイツ、南半分が英国（のちにオーストラリア）の植民地だった。第一次世界大戦の結果、北部もオーストラリアの委任統治領に。1975年に**パプアニューギニア**として独立した。最近は、ここにも中国の影響力が増している。

　日本人には、首都ポートモレスビー、珊瑚海、ラバウルといった太平洋戦争中の激戦地で知られている。ブーゲンビルは、山本五十六搭乗機が撃墜された島だが、オーストラリア資本の銅鉱山をめぐって現地人が反乱を起こし自治州となり、最近の住民投票でも独立派が多数。

　東ティモールは、オランダに東南アジア各地の島々を奪われたポルトガルにたまたま残された忘れ物のような植民地だった。ポルトガルでのカーネーション革命のあと、東ティモールでは左翼系のFRETILIN（東ティモール独立革命戦線）が優勢だったこともあって、インドネシアが強引に自国に併合した。だが、分割以来、何百年も経過するうちにカトリック化されていたので違和感が強すぎた。カトリック教会も抵抗し、カルロス・フィリペ・シメネス・ベロ司教と独立運動家のジョゼ・ラモス＝ホルタはノーベル賞を受賞した。さらに、オーストラリアやカトリックを通じてのつながりがあるポルトガルの支援もあり、2002年に独立した。

　昔は白檀の産地だったが、乱伐により消滅。コーヒー豆を細々と生産している貧しい国だが、南の海に眠っているかもしれない石油にひたすら望みをつなぐ。

東ティモールData　国名：東ティモール民主共和国（英）East Timor（仏）Timor oriental（テトゥン語）Timór（中）东帝汶　东帝汶　Dōngdìwèn（正式名称）レプブリカ・デモクラティカ・ティモール・ロロサエ［テトゥン語］／首都：ディリ／言語：テトゥン語、ポルトガル語、インドネシア語、英語／面積：14.9千㎢／人口：1.3百万人／通貨：米ドル／宗教：カトリック98%／民族：マレー・ポリネシア人、パプア人／国旗：黒は暗黒の植民地時代、黄金の矢は独立への闘争、赤は流された民衆の血、白星は未来への希望。

パプアニューギニアData　国名：パプアニューギニア独立国（英）Papua New Guinea（仏）Papouasie-Nouvelle-Guinée（中）巴布亚新几内亚　巴布亚新幾内亚　Bābùyà Xīn Jǐnèiyà（正式名称）インデペンダント・ステーツ・オブ・パプア・ニューギニア［英］／首都：ポートモレスビー／言語：ピジン語、英語／面積：462.8千㎢／人口：8.4百万人／通貨：キナ／宗教：キリスト教96%／民族：メラネシア系パプア人。

フィリピン
スペイン統治が残した遺産とは

いまやフィリピンはASEANの重要構成メンバーだが、歴史的な成り立ちからすれば、西からやってきたスペイン人が建てた国だ。フェルディナンド・マゼランである。世界一周をしたマゼランはフィリピンにやってきたが原住民に殺された。

1564年にメキシコ副王から派遣されてセブ島にサンミゲル市が建設されたころ、メキシコからアジアへは安全な航海ができたが、反対は逆風になった。しかし、アンドレス・デ・ウルダネータという神父が北太平洋を通る大圏航路を発見し、安定した航路ができた。

初代フィリピン総督となったミゲル・ロペス・デ・レガスピは1571年には中国人たちの交易地マニラ市(タガログ語で「藍の木が茂るところ」といった意味)を占領し中心都市とし、のちのフェリペ2世にちなんでフェリペナと名づけた。メキシコから銀を輸入し、中国や東南アジアから陶磁器や絹をメキシコ経由で輸出した。カトリックの布教は成功し、「パッション」という受難劇など土着信仰とも融合した文化も生まれた。バナナ、サイザル麻、南米原産のパイナップルなどが特産品。

建国の父とされるのは19世紀末のリサールで、スペイン領内での平等の要求に近かった。独立記念日は、米西戦争でアメリカと通じたアギナルドが独立を宣言した1898年6月12日だが、アメリカはスペインからフィリピンを購入し植民地支配を行おうとして抵抗に遭い、1916年には自治が、1934年には10年後の独立が予告された。

第二次世界大戦中は日本が占領し、第2共和国として独立したが、ダグラス・マッカーサーが戻ってアメリカ支配が回復された。だが、1946年には第3共和国が成立し独立した。フェルディナンド・マルコス、コラソン・アキノ、ジョセフ・エストラダ、グロリア・アロヨ、ベニグノ・アキノ3世、ロドリゴ・ドゥテルテなど個性的な大統領が登場している。

ミンダナオ島南部では、現代でもモロ・イスラム解放戦線の活動が続き、中国などと南沙諸島の領有をめぐって争っている。

フィリピンの人たちは、愛想がよく社交的センスに恵まれている。このことから、とくに女性は家事手伝い、看護、接客、芸能などに向いており、世界中に出稼ぎに出ている。「フィリピン人花嫁」も日本でも欧米でも大変人気がある。しかし、そうした女性の「出超(輸出超過)」のつけがどう解消されているのか、誰しもが不思議に感じるところだ。

主食はコメで、ライステラスと呼ばれる棚田が多い。バナナやパイナップルの生産も多い。料理はスペインの影響も強く、甘酸っぱい「アドボ」という煮込み料理、シニガンという魚介のスープなどがある。甘いデザートも大好きだ。

フィリピンData 国名:フィリピン共和国(英)Philippines(仏)Philippines(フィリピン語)Pilipinas(中)菲律賓 菲律賓 Fēilǜbīn(正式名称)レプブリカ・ナン・ピリピーナス/首都:マニラ/言語:フィリピノ語、英語/面積:300.0千km²/人口:106.5百万人/通貨:ペソ/宗教:カトリック81%/民族:タガログ族20.9%、ビサヤ族19%。

　太平洋の島々の人種や文化は大きな区分として三つに分けられる。つまり、ハワイ、イースター島、ニュージーランドを結ぶ三角形の内側がポリネシア、その西の島々のうち赤道より北がミクロネシア、南がメラネシアである。

　太平洋の島々では動植物の織りなす世界は多様だが、住む人間は似通っている。島々が比較的近い距離で連なっているので、隣の島への移動はそれほど難しくない。

　広大な海原をめぐっての重要な人の移動には3回の波があった。はるか数万年前、オーストラリア、タスマニア、ニューギニアはサフル大陸としてつながっていた。ここに渡ってきたのが、オーストラロイドと呼ばれるオーストラリア原住民アボリジニたちの先祖だ。第2の波は紀元前千数百年からのもので、オーストロネシア語族と呼ばれるモンゴロイドに近い諸民族が台湾あたりを起点に広がり始め、紀元前1000年ごろにタヒチ（写真）周辺に、さらに諸説はあるが紀元700年前までにはハワイにまで達した。

　だが、大航海時代に西洋人が来るまでは島ごとに小王国が成立していただけだった。西洋人がやってきてからも、金や銀があるわけでもないし、それほど貴重なほかの産物が多く獲れるわけでもないから、植民地化の歩みもゆっくりしたものだった。

　グアムとマリアナ諸島の一部はフィリピンとメキシコを結ぶ航路の寄港地だったから16世紀にスペインが領有を宣言した。だが、英国によるオーストラリア、ニュージーランド領有やニューギニア分割は19世紀の前半で、英国によるフィジー、フランスによるタヒチ、ニューカレドニアなどの領有が続いたが、それ以外は、ドイツがヴィルヘルム2世の個人的功名心で領土拡張を図ったのを機に、1880年以降になって線引きが行われた。

　フランスは、本国と同じ参政権をこれらの島々にも与えて「植民地」状態を解消し、住民たちの意向もフランス残留である。アメリカは戦略的に重要なハワイだけは50番目の州としたが、ほかの島については、英国、オーストラリア、ニュージーランドの支配地域と同じように自治は認めるにせよ、参政権のない植民地のままで多くの島での支配を続け、太平洋はアングロ・サクソンが気ままに支配する海であり続けている。

キリバスData　国名：キリバス共和国（英）Kiribati（仏）Kiribati（キリバス語）Kiribati（中）基里巴斯　基里巴斯　Jīlǐbāsī（正式名称）リパブリック・オブ・キリバス［英］／首都：タラワ／言語：キリバス語、英語／面積：0.7千㎢／人口：0.1百万人／通貨：オーストラリア・ドル／宗教：カトリック52％、プロテスタント40％／民族：ミクロネシア系99％。

ツバルData　国名：ツバル（英）Tuvalu（仏）Tuvalu（ツバル語）Tuvalu（中）图瓦卢　図瓦盧　Túwǎlú（正式名称）ツバル／首都：フナフティ／言語：ツバル語、英語／面積：26㎢／人口：1.1万人／通貨：オーストラリア・ドル／宗教：プロテスタント97％／民族：ポリネシア系96％。

　戦前の日本は、太平洋の島々に広い領土や信託統治領を持っていた。また、いまフィリピンと中国の間でもめている南沙諸島についても、1938年に台湾の高雄市に編入していた。さらに、国際連盟の信託統治領として南洋諸島を支配していた。

　小笠原諸島における最初の住民は、1830年にハワイからやってきた白人5人とハワイ人25人のようである。最初に誰が発見したかは、1593年に小笠原貞頼だとか諸説あるが、1675年には江戸幕府が調査船の富国寿丸を派遣して「此島大日本之内也」という碑を建てている。それが根拠となって、1862年に住民に日本領であることを告げ、1876年に正式に領有宣言した。

　サンフランシスコ講和条約ではアメリカの施政権下に置かれ、欧米系住民のみ帰島が許された。しかし、1968年には日本に返還された。

　ところが、1994年に発効した国連海洋法条約で、沿岸から200海里の「排他的経済水域」（EEZ）が認められた。自由航行は認めねばならないが、経済的には領海に準じる。これで、日本は国土面積の12倍ものEEZを獲得したが、小笠原諸島の貢献が大きかったことはいうまでもない。

　そんななかで、2004年に中国政府は、日本最南端の沖ノ鳥島は200海里のEEZが認められる「島」でなく12海里の効力しかない「岩」だと言い出した。いまさらの主張だが太平洋の覇権をめぐる日中米の厳しい戦いがこんな形で表面化している。

　結婚前の紀宮清子さま（黒田清子）がハワイを訪問されたとき、カメハメハ1世を記念するイベントに出席されて子孫とも会われたと話題になったことがあった。

　ハワイについては、かつては独立国だった。カメハメハ1世は、1795年にハワイ王国の建国を宣言し、1810年に全ハワイ諸島を統一した。そののち、カメハメハ3世の1840年に憲法が制定され、各国の承認を受けた。この王朝が1872年に後継者なく滅亡すると、アメリカの併合圧力が高まり、1893年に最後の女王リリウオカラニが入植者たちに倒され、1895年に王国は廃止された。

　それに先立つ1881年には、カラカウア王が世界一周旅行の最初の訪問国として来日し明治天皇に謁見し、王女を日本の皇族と結婚させることや連邦化の提案まであったというが、アメリカとの摩擦を恐れる政府はこれを断った。ただし、アメリカによる併合には大隈重信内閣が強く抗議してアメリカを驚かせた（当時はのちの加藤高明、若槻礼次郎内閣と違い立憲同志会より政友会のほうが親米だった）。

パラオData　国名：パラオ共和国（英）Palau（仏）Palaos（パラオ語）Belau（中）帕劳　帕劳　Pàláo（正式名称）ベルー・エル・ア・ベラウ／首都：マルキョク／言語：パラオ語、英語／面積：0.5千km²／人口：2.2万人／通貨：米ドル／宗教：キリスト教／民族：パラオ人（ミクロネシア系）／国旗：青地は太平洋の海の色。円は夜空の満月。

パラオ、ミクロネシア連邦、マーシャル諸島
戦前の「南洋諸島」から三つの国が誕生

　ヴェルサイユ条約で日本の委任統治領となったミクロネシアでは、パラオ群島のコロール島に「南洋庁」が開かれ、サイパン、パラオ、トラック、ヤップ、ポナペ、ヤルートの6支庁（戦時下でヤップ以下をトラックに吸収）に分かれた。沖縄などから移住も進み、1939年には7万7000人に達し、原住民の5万1000人をしのぎ、砂糖の生産などが行われた。

　ミクロネシアには、フィリピンやポリネシア方面からカヌーに乗って人が渡り住み、ヤップ島の王が周辺の島にも勢威を張っていたこともある。スペイン船が寄港し、1667年にはグアムやサイパンなどマリアナ諸島がスペイン領と宣言された。

　19世紀になって捕鯨船の来航、コプラ（ココヤシの乾燥果肉、鯨油の代替商品）のプランテーションが始まり、1886年までにスペインが北西のマリアナ諸島と南西のカロリン諸島、ドイツが東部のマーシャル諸島と赤道直南のナウル、英国がその東で赤道をまたぐギルバート諸島を獲得した。だが、米西戦争の結果、グアムはフィリピンとともにアメリカ領となり、スペインはカロリン諸島や北マリアナ諸島をドイツに売り渡した。第一次世界大戦では日本軍が占領し、委任統治領とし、第二次世界大戦後は、アメリカの信託統治領となった。

　カロリン諸島西部は1994年に**パラオ共和国**（Dataは176項に掲載。現在の首都は、コロール島と橋で結ばれている最大の島バベルダオブ島のマルキョク）となった。トラック諸島は1986年に**ミクロネシア連邦**（ボナペと呼ばれたポンペイ島のパリキールを首都）として独立した。

　マーシャル諸島（日本統治時代はヤルート島が中心。戦争で破壊され、首都はマジュロ島）は、ビキニ環礁が核実験場として使用され第五福竜丸事件という悲劇を生んだが（1954年）、1986年にアメリカとの自由連合盟約国となり、1990年には信託統治が終了、翌年には国際連合に加盟した。このほか、この地域には北マリアナ、グアムなどアメリカ領の島々がある。

　北マリアナはアメリカのコモンウェルスという植民地である。サイパンは日本人の集団自決、テニアンは原爆搭載機など日本空襲の基地となった。グアムはアメリカの自治的・未編入領域とされ、アメリカ下院に投票権のない代表を送っている。

ミクロネシア連邦Data　国名：ミクロネシア連邦（英）Micronesia（仏）Micronésie（中）密克罗尼西亚联邦　密克羅尼西亜連邦　Mìkèluóníxīyà Liánbāng（正式名称）フェデレーティド・ステーツ・オブ・マイクロネージャ［英］／首都：パリキール／言語：英語、ヤップ語など／面積：0.7千㎢／人口：0.1百万人／通貨：米ドル／宗教：キリスト教／民族：ミクロネシア系。

マーシャル諸島Data　国名：マーシャル諸島共和国（英）Marshall Islands（仏）Îles Marshall（マーシャル語）Aolepān Aorōkin Ṃajeḷ（中）马绍尔群岛　馬紹爾群島　Mǎshàoěr Qúndǎo（正式名称）リパブリック・オブ・ザ・マーシャル・アイランズ［英］／首都：マジュロ／言語：マーシャル語、英語／面積：0.2千㎢／人口：5.3万人／通貨：米ドル／宗教：キリスト教／民族：ミクロネシア系（カナカ族）。

トンガ、サモア、キリバス、ツバル

ハワイやタヒチも含まれる「ポリネシア」の定義

サツマイモは南米原産だが、ポリネシアの人たちは西洋人渡来以前からタロイモやココヤシとともに主食としていた。それを見て『コンチキ号漂流記』で知られるトール・ハイエルダールは、パピルスでつくった船で南米大陸から太平洋へ航海して見せたが、現在では、南米のインディオでなくポリネシア人たちのほうが南米との間で交易を行っていたらしい。

ポリネシア地域で**トンガ**は特別に尊敬されている。1900年から70年間は英国の保護領にならざるをえなかったが、王国としての主体性は守られていたからである。とくに2006年まで在位したタウファアハウ・トゥポウ4世は、209kgという巨体と、親日家ぶりで知られた。日本にカボチャを輸出している。ラグビーの強豪だ。

トンガの東にある**サモア**諸島も巨人たちの国だ。ドイツとアメリカが1899年のベルリン条約で東西に分割した。西部は第一次世界大戦後にニュージーランドの委任統治領、次いで信託統治領となったが、マウ運動という抵抗が続いた。1962年に立憲君主国西サモアとして独立し、1997年にサモア独立国と改称した。

キリバス（Dataは175項に掲載）は南ポリネシアの島々とハワイの間にあり、英国人探検家の名を冠したギルバート諸島のほか（キリバスはギルバートの現地語読み）、フェニックス諸島、ライン諸島（核実験場があったクリスマス島を含む）からなる。33の環礁からなるが、赤道付近の東経170度から日付変更線をまたいで西経150度まで。赤道が南米やアフリカ大陸を横切るより長い距離に散らばり、世界第3位の排他的経済水域だ。

エリス諸島の**ツバル**（Dataは175項に掲載）は、バチカン以外では最も人口が少なく、いちばん高いところでも海抜4.6m。地球温暖化で海面が上昇すれば、最初に沈む国のひとつだ。

この両国は1892年に一体として英国の保護領となったが、1974年にキリバス人がミクロネシア系、ツバル人がポリネシア系だとして分離し、キリバスは1979年に独立し1999年に国連加盟、ツバルは1978年に独立して2000年に国連加盟した。

ポリネシアを代表する島々はハワイとタヒチだが、これは別項目で紹介する。

トンガData 国名：トンガ王国（英）Tonga（仏）Tonga（トンガ語）Tonga（中）汤加 湯加 Tāngjiā（正式名称）キングダム・オブ・トンガ［英］／首都：ヌクアロファ／言語：トンガ語、英語／面積：0.7千㎢／人口：0.1百万人／通貨：パアンガ／宗教：キリスト教／民族：ポリネシア系／国旗：赤い十字架は信仰、赤はイエスの血の色、白は平和と純真。

サモアData 国名：サモア独立国（英）Samoa（仏）Samoa（サモア語）Samoa（中）萨摩亚 薩摩亜 Sàmóyà（正式名称）マーロー・サッオロト・ツートッアタシ・オ・サモア／首都：アピア／言語：サモア語、英語／面積：2.8千㎢／人口：0.2百万人／通貨：サモア・タラ／宗教：キリスト教98％／民族：ポリネシア系サモア人92.6％／国旗：赤は勇気、青は自由、白は純潔。左上に南十字星。

フィジー、ナウル、ソロモン諸島、バヌアツ

ギリシャ語で「黒い島々」と呼ばれたメラネシア

「黒い島々」をギリシャ語で意味するメラネシアという言葉は、1832年にフランスの海軍提督だったジュール・デュモン・デュルヴィルが、肌が黒い人が住むことからということで名づけた。学問的には疑問もあるが、現地の人々も一体感を持っており地域名として定着している。

　もともとオーストラロイドと呼ばれる人たちが先住し、そこにオーストロネシア語族が東南アジアから移住して混血し、ポリネシアにも広がっていった。

　フィジーではビティレブ島が最大の島で、島民がビティといったのを英国人が聞き違ってフィジーとなった。「太陽の昇る東の方角」の意味らしい。タスマンが発見し、薪水の補給基地、白檀の伐採、次いで綿花の栽培が行われ1874年に英国の植民地となった。英連邦内で独立したが（1970年）、少数派の現地人をインド人より有利に扱う枠組みが採用され混乱が続く。2007年からフランク・バイニマラマ首相在任。観光やサトウキビが主産業。

　ナウルは全島が鳥の糞をもとにしたリン鉱石でできている島で、国民がほとんど働く必要もないような国だった。だが、予想どおり資源は20世紀末には枯渇した。海外での資産運用も失敗し、経済は機能していない。1888年にドイツ領となり、第一次世界大戦のあと英国、オーストラリア、ニュージーランドによる委任統治領、信託統治領となり、1968年に英連邦内で独立した。国連加盟は1999年。

　ソロモン諸島（Dataは175項に掲載）は、スペイン人メンダーニャが黄金郷を求めた探検で発見したことによる。1893年に英国の植民地となり、ドイツ領ソロモン諸島北部も併合した。太平洋戦争では首都ホニアラがあるガダルカナル島が激戦地となった。ガダルカナルはアンダルシアの地名で、アラビア語で「運河の川」。1978年に英連邦内の独立国となった。

　バヌアツ（Dataは175項に掲載）はかつてニューヘブリディーズと呼ばれていた。ポルトガル人のキロスに発見され、のちに英仏共同統治（1906年）。英連邦内で独立したものの（1980年）、政情不安が続いている。カバという催眠作用のある飲み物があり、宗教的な儀式などでも使われる。木の蔓を足に巻いて飛び降りるナゴールはバンジージャンプのもとになった。

フィジーData　国名：フィジー共和国（英）Fiji（仏）Fidji（フィジー語）Viti（中）斐済　斐済　Fěijì（正式名称）リパブリック・オブ・ザ・フィジー・アイランズ［英］／首都：スバ／言語：フィジー語、英語、ヒンディー語／面積：18.3千㎢／人口：0.9百万人／通貨：フィジー・ドル／宗教：キリスト教65%、ヒンドゥー教28%／民族：フィジー人56.8%、インド系37.5%／国旗：ユニオンジャックと国章にはココアの殻を持つライオン、サトウキビ、ハト、バナナ、ヤシの木。

ナウルData　国名：ナウル共和国（英）Nauru（仏）Nauru（ナミビア語）Naoero（中）瑙鲁　瑙魯　Nǎolǔ（正式名称）リパブリック・オブ・ナウル［英］／首都：ヤレン／言語：ナウル語、英語／面積：21㎢／人口：1.1万人／通貨：オーストラリア・ドル／宗教：キリスト教93%／民族：ナウル人58%、ミクロネシア系26%／国旗：青は太平洋、黄は赤道、星印はナウルの位置を示す。

　ハワイとタヒチでは、ハワイの気候は比較的乾燥してさわやかだ。タヒチは湿気が多く、独特の気だるさがあり、豊かな植生とも相まってそれはそれで魅力的だ。甘い民族音楽は共通だが、ハワイアンがゆるやかなのに対して、タヒチのそれはアップテンポだ（写真はフラを踊るハワイの女性）。

　ミュージカル『南太平洋』や画家ポール・ゴーギャンが住んだことでも知られるタヒチ島は、ポマレ王朝が支配してきたが、1842年にフランスの保護領、1945年に海外領土となってフランス本国の政治にも参政権を持ち、1957年から大幅な自治権を獲得した。フランス系住民や混血も多く、独立派は少数派だ。現在は海外自治体という地位にある。

　水上ホテルが人気のボラボラ島、核実験場だったムルロア環礁などと併せて「フランス領ポリネシア」（ポリネジー・フランセーズ）と呼ばれる。特産品は黒真珠である。

　ニューカレドニアは、キャプテン・クックによって発見され（1774年）、スコットランドのローマ人による呼称にちなみ命名された。だが、ナポレオン3世によって1853年にフランス領とされたので、フランス語でヌーベル・カレドニーというのが正しい。流刑地だったこともあるが、19世紀後半からはニッケル、さらにはコバルトの世界的産地として栄えている。オーストラリアやニュージーランドの支援で現地人（カナック）の一部が独立運動を展開する一方、フランス系住民も多く、紛争が続いてきたが、1998年のヌーメア協定でそれまでの海外領土（ポリネシアなどと同じ）から特別共同体へ移行し、自治権が拡大するとともに、2014年以降に独立かフランス残留かの住民投票がなされることになった。森村桂の『天国にいちばん近い島』の舞台として知られ、人気のあるリゾート地である。

　ウォリス・フツナは1888年にフランスの保護領化され、ニューカレドニアの管轄下にあったが、1959年から独立したフランスの海外領土となった。2003年からは海外自治体という新しい地位となったが、いずれにせよ、フランス本国の参政権を持っており植民地というのは不適切である。いまも三つの王国からなり、慣習的な裁判なども一部で認められている。

ソロモン諸島 Data　国名：ソロモン諸島（英）Solomon islands（仏）Îles Salomon（中）所罗门群岛 所羅門群島　Suǒluómén Qúndǎo（正式名称）ソロモン・アイランズ［英］／首都：ホニアラ／言語：ピジン語、英語／面積：28.9千km²／人口：0.6百万人／通貨：ソロモン・ドル／宗教：キリスト教97%／民族：メラネシア系95%／国旗：青は水資源、黄は太陽、緑は森林資源、五つ星は南十字星と五つの行政区を象徴。

バヌアツ Data　国名：バヌアツ共和国（英）Vanuatu（仏）Vanuatu（ビスラマ語）Vanuatu（中）瓦努阿图 瓦努阿図　Wǎnǔātú（正式名称）リパブリック・ブロン・バヌアツ［ビスラマ語］／首都：ポートビラ／言語：ビシュラマ語（ピジン英語）、英語、仏語／面積：12.2千km²／人口：0.3百万人／通貨：バツ／宗教：キリスト教82%／民族：バヌアツ人99%／国旗：赤は太陽、黒は住民、黄は豊かさ、緑は森林。シダの葉は和合、豚の牙は財貨。

オーストラリア①
アジア人の流入を恐れて「白豪主義」を堅持した時代

　世界でも悪質な人種差別というと、南アフリカのアパルトヘイト、アメリカの黒人差別、そしてオーストラリア（ギリシャ語の南方大陸に由来）の白豪主義を、かつては思い浮かべた。白豪主義には、二つの側面がある。ひとつは、原住民アボリジニへの虐待であり、もうひとつは、英国系白人以外に厳しく閉ざされてきた移民政策だ。

　オーストラリア大陸とその周辺は、ほかの世界と海で引き離され、まったく独自の生物的進化を遂げてきた。カンガルーとかカモノハシ、コアラ（写真）など変わった生物がいるのはこのためだ。人間の交流もあまり多くなく、金属器を知らない人々が独自の文化をつくりあげてきた。東西交易のルートにあたらなかったことも理由のひとつだ。

　発見したのは、オランダ人のウィレム・ヤンツで1606年のことだ。だが、魅力的な産物がなかったので放置し、1770年に英国人のジェームズ・クックがボタニー湾（シドニー）で領有宣言をし、1788年には植民地建設に乗り出した。アボリジニたちは土地を取られ、病気が蔓延し、数十万人以上の人口が1920年には7万人になった。タスマニア島では絶滅した。

　アボリジニに選挙権が与えられたのは1960年代で、国土が彼らのものであったと認められたのは、1993年だ。1910年ごろから1970年代まで、アボリジニの子どもを親から引き離して「文明人」にしようという事業があり、「盗まれた子どもたち」は全体の1割にも上った。

　英国から自費で移民がやってくるには遠すぎたので、19世紀前半までは犯罪者たちの流刑地だった。窃盗犯が8割を占め、年齢的には16歳から35歳がやはり8割だった。1820年ごろのメリノ種の羊の導入で競争力のある輸出商品ができた。1850年代には、メルボルンを州都とするヴィクトリア州で金が発見され、ゴールドラッシュとなった。

　補助金をもらった労働者たちが移民してきたが、これも英国人中心だ。ヨーロッパ以外からの移民は事実上、締め出され、すでに移民していたメラネシア系住民の多くも追放された。日本人は特殊技能である真珠取りの漁師だけが歓迎された。

　南欧や東欧系が歓迎されるようになったのは、第二次世界大戦の経験からアジア人の攻撃から国を守るために白人の人口増を図る必要性を感じた戦後のことだ。アジア系移民の受け入れはベトナム難民受け入れから緩和されたが、最近では中国系の移民が増え、計画的に政界などに食い込んで岐路に立っている。

ニウエData　国名：ニウエ（英）Niue（仏）Niue（ニウエ語）Niuē Fekai（中）纽埃岛　紐埃島　niǔ āi dǎo（正式名称）ニウエ・フェカイ／首都：アロフィ／言語：ニウエ語（ポリネシア系）、英語／面積：0.3千㎢／人口：1,600人／通貨：ニュージーランド・ドル／宗教：キリスト教（プロテスタント）／民族：ニウエ人（ポリネシア系）90％。

オーストラリア②
日本との連携で大国の覇権を封じる

　首都はメルボルンとシドニーが争いメルボルンがやや優勢だったが、シドニーがあるサウス・ウェールズ州の連邦参加を促すため中間にキャンベラを建設することとなった（1908年）。

　英国政府は、オーストラリアの人口が増えてきたので、東部の各州に自治権を与えることにした（1852年）。この段階では、各州がそれぞれ本国とつながっていたのだが、やがてコモンウェルス・オブ・オーストラリアとなった（1901年）。「コモンウェルス」をどう翻訳するかは頭痛の種だが、一般には「連邦」とされている。

　英連邦内においてオーストラリアは、本国からの自立性を要求するのでなく、本国のアジア、オセアニア地域への関与を弱めないように要求する側にあったし、ヴェルサイユ会議では人種平等宣言に執拗に反対した。だが、太平洋戦争では英国が早々に日本軍に負けたために、アメリカ軍の支援を受けざるを得ず、アジア太平洋国家を目指す方向に舵を切った。

　日本とは戦争中の悪い思い出が双方にあったが、日本の第二次産業を軸とした高度成長は、オーストラリアの農業や鉱業にすばらしい経済的利益を与えた。しかも、日本が中国、アメリカ、ロシアの覇権を封じ、東南アジアのナショナリズムが暴走しないようにオーストラリアとの連携に価値を見いだしたこともオーストラリアの国益にかなうことだった。

　オーストラリアが表向きの提案者となったAPEC（アジア太平洋経済協力会議）構想はその結実である。さらに、安倍総理が進めた価値観外交では、オーストラリアはインドとともに重要な構成員として位置づけられ、そこに、英仏も参加することになっていった。

　オーストラリアならではの料理といえばカンガルーの尻尾のスープだ。捕鯨には反対でもカンガルー駆除はいいらしい。観光ではエアーズロック（ウルル）も人気だが、アボリジニーの信仰の対象だったとかいって登山禁止に。シドニーのオペラハウスは20世紀を代表する名建築のひとつだ。メルボルンの町も世界の住みよい都市として常連になっている。

　ココス（キーリング）島はインド洋東部にあり、1857年に英領となり、ロス家が所有していたがオーストラリア政府に売却した。ノーフォーク島はオーストラリア領の東にある島。オーストラリア連邦政府が管理する特別地域だ。

　クリスマス島はキリバスにもあるが、こちらは、ジャワ南方にあるオーストラリア連邦政府が管理する特別地域。中国系をはじめ2000人ほどの人口がある。

オーストラリアData　国名：オーストラリア連邦（英）Australia（仏）Australie（中）澳大利亚　澳大利亚　Aòdàlìyà（正式名称）コモンウェルス・オブ・オストレリーア［英］／首都：キャンベラ／言語：英語／面積：7,692.0千㎢／人口：24.8百万人／通貨：オーストラリア・ドル／宗教：キリスト教64%／民族：ヨーロッパ系90%／国旗：ユニオンジャックの下の七稜星は6州1直轄地。南十字星を配す。

ニュージーランド、クック諸島、ニウエ

ポリネシア系の島々が英国自治領を経て独立へ

オーストラリアの先住民たちと違って、ニュージーランドの先住民は、ポリネシア系で9世紀ごろ来たが、モアという大型のダチョウのような鳥がいて、狩猟が盛んだった。

乱獲がたたって絶滅したのだが、いまもキーウィのような珍しい鳥がいる。**ニュージーランド**では英語とマオリ語（現地語）が公用語とされるのだが、英語ではこの地を最初に発見したオランダ人に敬意を表して、かの国のゼーランド州にちなんでニュージーランドという。

マオリ語では「アオテアロア」といい「白く長い雲のたなびくところ」という意味。だが、第3の名前というべきなのがキーウィであり、愛称、蔑称、そして通貨であるニュージーランド・ドルの俗称としても使われる。

英国にとっては捕鯨の基地だったが、1830年代から開発が本格化し、1840年にマオリ族の首長との間にワイタンギ条約を締結し植民地化した。畜産、酪農には好適な自然条件で、冷凍輸送が実用化されてから市場を拡大した。英国の自治領を経て（1907年）、独立した（1947年）。元首はイングランド王がニュージーランド国王として務める。マオリ族とのワイタンギ条約で植民地化し、人口の割合も15％ある。

スポーツではオールブラックス（代表チーム）で知られるラグビーが盛ん。「ハカ」という雄叫びの儀式はおなじみ。アルプス地方に似た自然景観は『ロード・オブ・ザ・リング』のロケ地でおなじみだ。新自由主義的な行政改革が話題になった。また、女性首相のジャシンダ・アーダーンが2018年に産休を取って話題になった。

フィジーとタヒチの間、ニュージーランドの北に位置する**クック諸島**とニュージーランドの北東、トンガの東、サモアの南東にある**ニウエ**（Dataは181項に掲載）はニュージーランドと自由連合を結び外交を委ね、国民はニュージーランドの市民権を持っている。

日本はクック諸島と2011年、ニウエとは2015年に外交関係を持った。クック諸島は1994年に「アバイキヌイ」という名前に変更する住民投票が実施したが否決された。国連機関には加盟しているが、国連本体には加盟していない。

ニュージーランドData　国名：ニュージーランド（英）New Zealand（仏）Nouvelle-Zélande（マオリ語）Aotearoa（中）新西兰　新西蘭　Xīn Xīlán（正式名称）ニュージーランド［英］／首都：ウェリントン／言語：英語、マオリ語／面積：268.1千㎢／人口：4.8百万人／通貨：ニュージーランド・ドル／宗教：キリスト教54％（英国教会派15％）／民族：ヨーロッパ系67.6％、マオリ14.6％。

クック諸島Data　国名：クック諸島（英）Cook Islands（仏）Îles Cook（マオリ語）Kūki 'Āirani（中）库克群岛　庫克群島　Kù kè qúndǎo（正式名称）クキ・アイラニ［マオリ語］／首都：アバルア／言語：英語、マオリ語／面積：0.2千㎢／人口：1.7万人／通貨：ニュージーランド・ドル／宗教：クック諸島教会派56％、カトリック17％／民族：ポリネシア系91％。

184

365

[地域の歴史] アフリカ①

「人類の故郷」が「暗黒大陸」に甘んじた理由

アフリカは人類の故郷である。東アフリカ諸国を南北に貫き、紅海、アカバ湾、死海に至るタンザニアあたりの「大地溝帯」の谷間から300万年ほど前に類人猿から人類が分かれたということだ。その場所はボツワナあたりだという最新の研究もある。

現代の人類の共通した祖先としては、20万年ほど前に生きていた「ミトコンドリア・イブ」がいるのだとか、5万年ほど前にアフリカを出てアラビア半島に渡った1500人ほどの集団の子孫らしいといわれる。

つまりアフリカから人類は世界に広がっていったが、彼らは子孫を残すことはできなかった。そして、人類の歴史からごく最近といってもよい時代になってアフリカから旅立った集団が世界を征服したということになる。

だが、近代にあっては、「暗黒大陸」などと文明の恩恵に浴さない遅れた地域というイメージを持たれ、列強の植民地にされ、多くの住民が奴隷としてアメリカ大陸に売られた。一方、それに反発して、アフリカにも立派な文明が存在したが、文字がなかったので記録がないとか、高温多湿で遺物が残らなかっただけという説明も流行っているが、現代に存在する国家は、ヨーロッパ人たちが勝手気ままに分割した地域を単位にして独立したというのが現実である。

スーダンはエジプトの南隣の国名でもあるが、歴史的にはサハラ砂漠の南に広がる黒人居住地域全体を指す。アラビア語で黒い人という意味だ。このうち、西アフリカでは、岩塩と金の中継貿易による富を背景に比較的早くから強力な王国が現れた。

モーリタニア東部を中心にしたガーナ王国が4〜11世紀、マリ帝国がニジェール川上流のニアニを首都として13〜15世紀、ナイジェリア北部まで含むソンガイ帝国が15〜16世紀にかけて繁栄した。一方、東アフリカでは、アラブ人が沿岸部に根拠地を設けて内陸部の現地人と交易していた。

つまり、ヨーロッパ人が活動を始める前のアフリカは、サハラ砂漠をラクダに乗ってやってくる北アフリカのイスラム教徒と、季節風に乗って東海岸に着くアラブ人やペルシア人たちがアフリカ人の首長たちと貿易をしていたと理解しておけばよい。

教養への扉　サハラ砂漠がアフリカ大陸を二分し、その北にはコーカソイド（いわゆる白人）の一派であるアラブ人などが住み、南にはネグロイド（黒人）が住む。境界地域では混血が進み肌の色は明るい。イスラムやアラビアの商人たちの活動の場であった東アフリカのインド洋沿岸地方でも同じだ。アフリカ南部土着民であるコイサン族も黄褐色に近い肌の色だ。

［地域の歴史］ アフリカ②
奴隷の産地になってしまった背景

　大航海時代から19世紀はじめまで、最大の輸出品は奴隷だった。アフリカからアメリカへの黒人奴隷輸出は、その規模からいっても、人権侵害の程度からいっても人類史上最大の汚点である。その数は少なめに見積もっても、中米に500万人、ブラジルに500万人、そのほかの南米に100万人、北米に50万人ほどだ。

　アフリカ系の人々といっても、身長180cm以上が多いマサイ族から平均身長が150cm以下のピグミー族までさまざまだ。アフリカ系の人々のなかでわれわれがまず思い浮かべるアメリカの黒人は、主に西アフリカから奴隷として連れてこられた人たちの子孫だ。彼らは背も高くたくましくエネルギッシュだ。だから、スポーツでいえば、短距離走に向く。
　一方、東アフリカの住民はエチオピアやケニアのマラソン選手のように小柄で華奢だ。バラク・オバマ（アメリカ前大統領）は、アメリカの普通の黒人とはまったく違うイメージだが、それは、彼がケニア人男性とスウェーデン系アメリカ人女性の混血だからだ。
　最大の言語集団はカメルーンを起源として東アフリカにまで広がるバントゥー語系で、東アフリカでアラビア語の影響のもとでできたスワヒリ語も含まれる。
　アフリカでは、戦いで敗れた部族を奴隷にする習慣は広く存在した。だが、解放されて自由になるチャンスもあったし、有力者の側近として出世することも可能だった。スルターンに奴隷出身者がなることすら可能であった。ところが、アメリカ大陸の奴隷にそういうチャンスはほとんど与えられなかった。また、輸送中の死亡率も、17〜18世紀には25%にも達したといわれている。
　奴隷貿易の最初の主役はポルトガル人だったが、その利権はオランダ人たちによって取って代わられ、ポルトガルの植民都市の多くが奪われた。英国、フランス、スウェーデン、デンマーク人たちもそれに続いた。奴隷の輸出にはアフリカ人自身が深くかかわったというか、奥地から奴隷狩りをしたのはむしろ彼らだ。ただし、そのことが、ヨーロッパ諸国の責任を回避できることはないと認識されている。
　19世紀前半になると、奴隷制度は衰えて、順次廃止されていった。背景にはフランス革命以来の人権意識の高揚もあったが、同時に、一生にわたって生活や人生の全般の面倒を見なくてはならない奴隷より、時間単位で労働力を買うほうが合理的だと思うようになったからでもある。人道主義がある程度まで浸透すると、奴隷だけでなく植民地もインド人の召し使いも、採算が合わなくなってきた。

教養への扉　日本とアフリカの関係は希薄なままだ。在留邦人や観光旅行の行き先としては1%にも満たないし、ODA（政府開発援助）の減少の煽りをもろに受けている。企業などでも政情不安などで駐在員を引き上げるとそのままになりがちだ。そんななかで、W杯で南アフリカのチームと対戦したり南アフリカ出身の選手がヨーロッパや日本のプロ・チームで活躍したりしていることは、日本人の意識を変えるのに役立っている。

[地域の歴史] アフリカ③
ポルトガルのエンリケ航海王子が開いた海の要衝

　ポルトガルの首都リスボンの二大観光名所は、インド航路を開いたヴァスコ・ダ・ガマの墓とエンリケ航海王子の記念碑だ。この王子は、北アフリカのセウタを1414年に攻略したが、これはイスラム教徒に対するレコンキスタの延長だった。

　エンリケは、最後にイスラム教徒の手にあったグラナダを狙ったが、カスティーリャの反発が予想されるのでセウタにしたといわれる。セウタを任されたエンリケは大西洋に沿って南下しようとしたが、季節にかかわらず1年中北から南への風が吹いているので、逆風を乗り切る航海術が不足していた。

　この時代には、蛮勇をふるってボハドル岬（現西サハラ）を越えた船も二度と戻ってこなかった。だが、エンリケの根気強い支援は、のちに甘口ワインの産地として富を生むマデイラ島の発見（1419年）という成果を上げ、次いでボハドル岬も制覇し（1434年）、セネガル川とベルデ岬に到達（1444年）、スーダン地方との直接交易に成功した。

　ポルトガルは大量の金を手に入れ、エンリケの没年（1460年）にはシエラレオネまで到達した。そして、バルトロメウ・ディアスによる喜望峰の発見（1488年）、ヴァスコ・ダ・ガマによるインド到達（1498年）とポルトガルは東洋への道を手にした。

　ヴァスコ・ダ・ガマは、ケニアのマリンディに達し、ここでキリスト教徒の水先案内人を雇う幸運に恵まれ、一気に南インドのコーリコードに到達した。コーリコードの王はポルトガルとの通商を受け入れ、ここにアラビア人を経由しない貿易路が開かれた。

　だが、ポルトガルは、広い領域を植民地として支配することはせずに、拠点となる海の要衝を要塞化し、交易の拠点としたり、香料などを産出したりする島々を確保しただけだった。

　その嚆矢はガーナのエルミナ（1482年）だが、その後、インドのゴア（1510年）、マラッカ（1511年）、ホルムズ（1515年）、コロンボ（1517年）、モルッカ（1522年）、マカオ（1557年に居留権獲得）と展開されていった。

　ポルトガルは、19世紀までは、植民地の開発をろくにすることもなく、人口が足りなくなるほどひどい奴隷貿易を行っていた。だが、サラザールのもとで大量の移民が本国から送り込まれ、彼らは、現地人ともよく同化し、産業開発も真面目に進められた。

　しかし、それゆえに、他国の植民地が独立したあとも手放さなかったことはポルトガルの項で紹介した。だが、1974年に本国で革命が起こって植民地を手放した。

サントメ・プリンシペData　国名：サントメ・プリンシペ民主共和国（英）Sao Tome and Principe（仏）Sao Tomé-et-Principe（ポルトガル語）São Tomé e Príncipe（中）圣多美和普林西比　聖多美和普林西比　Shèng Duōměi hé Pǔlínxībǐ（正式名称）ルプブリカ・ドゥムクラティカ・ディ・サオントメ・イ・プリンシピ［ポルトガル語］／首都：サントメ／言語：ポルトガル語／面積：1.0千㎢／人口：0.2百万人／通貨：ドブラ／宗教：キリスト教78％／民族：アフリカ系／国旗：緑はカカオと森林。二つの黒星はサントメ島とプリンシペ島。

サントメ・プリンシペ、カーボベルデ、ギニアビザウ
奴隷貿易の拠点だったポルトガル語圏の国々

　ポルトガル語を話す国は意外に多く、ポルトガル語諸国共同体（CPLP）加盟国はアンゴラ、ブラジル、カーボベルデ、ギニアビサウ、赤道ギニア、モザンビーク、ポルトガル、サントメ・プリンシペ、および東ティモールの9カ国もあって、国連の公用語にすることを求めている。

　ギニア湾に浮かぶ**サントメ・プリンシペ**（Dataは186項に掲載）という国がある。サントメ島とプリンシペ島という無人島にポルトガル人が初めて到来したのは1470年のことであるが、間もなく、彼らはこれらの島を寄港地として支配することにした。

　やがてユダヤ人流刑囚を使った入植が始まり、サトウキビ栽培が始まった。だが、すぐに労働力が不足し、アフリカ大陸から奴隷を連れてきた。こうしてこの島は世界最大のサトウキビ生産地となり、その繁栄は16世紀後半にブラジルに取って代わられるまで続いたが、ブラジルへの黒人奴隷輸出の主要な基地のひとつになったのもこれらの島である。

　この島の主要産物はカカオとコーヒーに変わり、奴隷制も廃止されたが、過酷な黒人労働者の扱いは1975年に独立するまで続いた。

　カーボベルデは、ヴェルデ（セネガル。フランス語ではベール）岬の沖にある群島であり、サントメ・プリンシペと同じタイプの植民地だった。1444年、ディアゴ・ディアスによって発見されて、奴隷貿易の中継地として栄え、国際航路の補給地として一定の繁栄を続け、現在でも良好な経済状態である。

　住民の70%は白人と黒人の混血であるクレオール。言語はポルトガル語が公用語だが日常的にはクレオール語が使われる。

　ギニアビサウはセネガルの南に位置し、ジェバ川の河口のマングローブ林に囲まれたビサウ港とその周辺から成る。1446年にポルトガルが領有を宣言し、奴隷貿易の拠点としてにぎわった。カーボベルデと合併する動きもあったが自立を選んだ。通貨はCFAフラン。住民はクレオールもいるが黒人が主体だ。

カーボベルデData　国名：カーボベルデ共和国（英）Cape Verde（仏）Cap-Vert（ポルトガル語）Cabo Verde（中）佛埠角　佛得角　Fódéjiāo（正式名称）ルプブリカ・ディ・カーボベルデ［ポルトガル語］／首都：プライア／言語：ポルトガル語、クレオール語／面積：4.0千㎢／人口：0.6百万人／通貨：カーボベルデ・エスクード／宗教：カトリック／民族：ムラート（混血）71%、アフリカ系28%／国旗：青は大西洋、白は平和と安定、赤は民衆の血潮と精進。星は主要10島。

ギニアビサウData　国名：ギニアビサウ共和国（英）Guinea-Bissau（仏）Guinée-Bissau（ポルトガル語）Guiné-Bissau（中）几内亚比绍　幾内亜比紹　Jīnèiyà Bǐshào（正式名称）ルプブリカ・ダ・ギネビサウ［ポルトガル語］／首都：ビサウ／言語：ポルトガル語、クレオール語／面積：36.1千㎢／人口：1.9百万人／通貨：CFAフラン／宗教：イスラム教50%、精霊信仰40%／民族：スーダン系バランテ族30%、フラ族20%／国旗：横T字旗（トライバー）、汎アフリカ色。星は団結とブラック・アフリカへの指導性。

アンゴラ、モザンビーク
遅かったアンゴラなどの独立

　ポルトガルがアフリカに進出したころは、奴隷のほかは貴金属などだけを求めていたのだが、産業革命によって大量の原材料が必要となり、間接的な貿易でなく直接的な資源開発が課題になってきたし、市場として有望だという意識が出てきた。

　ビスマルクはベルリン会議（1878年）を主宰して、「勢力範囲の原則」と「実効支配の原則」、つまり、沿岸部を領有する国は、内陸の領有宣言をすることが可能だが、ほかの国が通商や交通できる安全を保障する義務も負うことになった。

　アンゴラにポルトガル人が来たのは1482年で、首都のルアンダが建設されたのは1575年で奴隷貿易の中継地だった。この地域から連れ去られた奴隷は500万人とも1350万人ともいわれ、深刻な人口減をもたらした。一時期オランダに取られたが、奴隷の供給源が断たれることを恐れたブラジル植民地軍がやってきて取り戻した。

　コンゴ川河口周辺には、コンゴ王国、ンドンゴ王国などがあり、ポルトガルは友好関係を結びキリスト教化した。コンゴ王は奴隷狩り出しに抗議し、ポルトガル国王に書簡を送った。国名の起源はンドンゴ王国の君主の尊称であるンゴラ（大王）。

　一方、**モザンビーク**ではジンバブエ国境地域にはモノモタパ王国が栄え、海岸地帯にはアラブ人がソファラ、モザンビークを中心に交易都市を建設した。ベルリン条約を受けて、ポルトガルは地域全体を植民地化しようとしたが、ケープタウンからエジプトの道を確保したい英国に抗議され、互いに隔絶した二つの地域を獲得したが、これらの地域の開発も十分に行えなかった。アンゴラ内戦で鉄道や教育制度などが破壊されたが、石油、ダイヤモンドのおかげで順調な回復が見られる。中国が資源利権を確保し、インフラ再建に労働力を送り込んでいる。

　アンゴラはバスケットが盛んで、サッカーも2006年のW杯に出場した。首都のルアンダは海岸地帯だが、国土の大半は標高1000mを超えるサバンナ地帯だ。コンゴ川河口の北にカビンダという飛び地がある。モザンビークはIMFの指導で経済再建が試みられている。

アンゴラData　国名：アンゴラ共和国（英）Angola（仏）Angola（ポルトガル語）Angola（中）安哥拉　安哥拉　Āngēlā（正式名称）ルプブリカ・ディ・アンゴーラ［ポルトガル語］／首都：ルアンダ／言語：ポルトガル語／面積：1,246.7千㎢／人口：30.8百万人／通貨：クワンザ／宗教：伝統宗教47％、カトリック38％／民族：バンツー系オヴィンブンド族37％、カンブンド族25％。

モザンビークData　国名：モザンビーク共和国（英）Mozambique（仏）Mozambique（ポルトガル語）Moçambique（中）莫桑比克　莫桑比克　Mòsāngbǐkè（正式名称）ルプブリカ・デ・モザンビーキ［ポルトガル語］／首都：マプート／言語：ポルトガル語／面積：799.4千㎢／人口：30.6百万人／通貨：メティカル／宗教：キリスト教41％、イスラム教18％、精霊信仰18％／民族：マクア族、ツォンガ族など。

南アフリカ
アパルトヘイトを推進したオランダ系アフリカーナ

日本で開催されたラグビーW杯で優勝した南アフリカは、長らくアパルトヘイト（隔離）という悪質な有色人種隔離政策で知られていた。英国の植民地だったが、差別政策の主な推進者はオランダ系のアフリカーナー（ボーア人ともいう）と呼ばれる人たちで、アパルトヘイトという言葉自体も、オランダ語から派生した彼らの言語から来ている。

オランダ東インド会社の社員だったヤン・ファン・リーベックは、1652年に喜望峰周辺に80名のオランダ人と入植した。アフリカ各地から奴隷を連れてきて農園経営を拡大した。オランダ東インド会社は1799年に倒産し、英国が1814年にケープタウンを領有した。アフリカーナーは、1850年代にオレンジ自由国（ブルームフォンテーン）やトランスヴァール共和国（ヨハネスブルク周辺）を樹立したが、オレンジ自由国のキンバレーでダイヤモンドが発見され（1867年）、トランスヴァールで金鉱が見つかると（1886年）、英国は2度のボーア戦争を経て併合し、南アフリカ連邦（ユニオン）が成立した（1910年）。

英国はボーア人との融和を図り自治を認めた。南アフリカ土着の黒人はコイサン族だが、バントゥー系族も進出し、ズールー王国も登場した。しかも、ボーア人と労働者として競合したので、白人の優先的権利が推進され、第一次世界大戦後に「雑婚禁止法」「人口登録法」「（人種ごとの居住地域を定める）集団地域法」を制定し、アパルトヘイト政策を確立した。

第二次世界大戦後、英国が差別の緩和を求めたのに反発して英連邦を脱退した。しかし、穏健派のフレデリック・ウィレム・デクラークが大統領になり（1989年）、ロベン島に幽閉されていた黒人指導者ネルソン・マンデラを釈放しアパルトヘイトを撤廃した（1991年）。マンデラは大統領となり、後継者のシリル・ラマポーザが腐敗を批判されつつ政権を維持している。行政府のあるプレトリア、立法府のケープタウン（写真）、司法府のブルームフォンテーンと首都機能が分散しているが、儀典的にはケープタウンが最も重要な役割を占めている。プレトリアに近いヨハネスブルクが最大の経済センターだが治安が悪い。W杯が2010年に開催されたが決勝戦はヨハネスブルクだった。

南アフリカData 国名：南アフリカ共和国（英）South Africa（仏）Afrique du Sud（アフリカーンス語）Suid-Afrika（中）南非共和国 南非共和国 Nánfēi Gònghéguó（正式名称）リパブリック・オブ・サウスアフリカ［英］／首都：プレトリア（ツワネ）／言語：英語、アフリカーンス語など／面積：1,221.0千㎢／人口：57.4百万人／通貨：ランド／宗教：キリスト教80％／民族：黒人79％、白人9％。

レソトData 国名：レソト王国（英）Lesotho（仏）Lesotho（レソト語）Lesotho（中）莱索托 莱索托 Láisuǒtuō（正式名称）キングダム・オブ・リストゥ［英］／首都：マセル／言語：英語、ソト語／面積：30.4千㎢／人口：2.3百万人／通貨：ロチ／宗教：キリスト教80％／民族：ソト族／国旗：ソト族の伝統武具。

ナミビア、レソト、エスワティニ
ドイツの植民地と小さなアフリカ人王国

ナミブ砂漠が観光地として人気のナミビアはもともとドイツの植民地だった。四辺を南アフリカに囲まれたレソトと、南アフリカとモザンビークと国境を接するエスワティニ（スワジランド）の二つのアフリカ人王国は、英国の保護領として生き延び独立国になった。

アンジェリーナ・ジョリーとブラッド・ピットが子どもの出産の地として選んだのが**ナミビア**であった。不毛の砂漠地帯として列強からも注目されなかったが、ウォルビスベイ港を除いて1884～1885年のベルリン会議でドイツ領南西アフリカとなった。

第一次世界大戦中に南アフリカ連邦軍が占領し、戦後、国際連盟委任統治領となった。第二次世界大戦後、住民の自治と将来の独立を認めるようすすめたが南アフリカはこの勧告を無視し、国連は「信託統治は終了し、国連の管理下に入る」ことと国名をナミビアとすることを決議した。国際司法裁判所も南アフリカ共和国に不法統治をやめ撤退するよう勧告したが、無視された。

だが南アフリカ共和国の政策転換で1990年に独立を達成した。ナミブ砂漠は海岸にまで広がり雄大な風景はサハラをしのぐ。コイサン語で「人のいない土地、何もない土地」だというのだ。首都ウィントフックはドイツが開発した標高1655mの高原都市だ。「煙の場所」という意味だという。ダイヤモンドやウランなど資源も豊富だ。

かつてバストランドといわれた**レソト**（Dataは189項に掲載）はボーア人の圧力に対して国王が英国の保護を求めたことから、1871年にケープ植民地に併合され、1884年に英国の保護領となったのち、1966年立憲君主国レソトとして独立した。

英国はスワジランドのトランスヴァールによる領土の一部併合を交換条件に1884年のロンドン協定で残余の地域でのスワジ人の主権を承認した。1902年に保護領化し、間接統治した。スワジランドは1968年独立を認められ、立憲君主国となった。国王による私物化、パーティーに集めて気に入った少女を妃にするといった前近代性が問題になっている。2018年に国名を**エスワティニ**に変更した。

レソトにはスキー場もある。エスワティニのシベベロックは花崗岩（かこうがん）の岩山で一枚岩としては、オーストラリアのエアーズロック（ウルル）に次ぐ大きさだ。

ナミビアData 国名：ナミビア共和国（英）Namibia（仏）Namibie（中）纳米比亚 納米比亜 Nàmǐbǐyà（正式名称）リパブリック・オブ・ナミビア［英］／首都：ウィントフック／言語：英語、アフリカーンス語、独語／面積：824.1千㎢／人口：2.6百万人／通貨：ナミビア・ドル／宗教：キリスト教80～90％／民族：黒人88％（オバンボ族50％）／国旗：青は太陽が輝く空、緑は大地、その間を斜めに赤、国家建設への決意。

エスワティニData 国名：エスワティニ王国（英）Eswatini（仏）Eswatini（スワジ語）Eswatini（中）斯威士兰 斯威士蘭 Sīwēishìlán（正式名称）キングダム・オブ・エスワティニ［英］／首都：ムババーネ／言語：スワティ語、英語／面積：17.4千㎢／人口：1.4百万人／通貨：リランゲーニ／宗教：原始宗教40％、カトリック20％／民族：バンツー系スワジ族82％／国旗：スワジ族の伝統武具を描く。

ジンバブエ、ザンビア
「石の家」と「巨大な水路」が国名の語源

　かつてローデシアといったジンバブエやザンビアは、南アフリカの植民地化を進めたセシル・ローズという人物が開発し自分で名前をつけた。デビアス社を通じて世界のダイヤモンド王となるとともに、「南アフリカ会社」を設立してジンバブエ（南ローデシア）に英国人入植者を送り込んだ（1889年）。

　ジンバブエは13世紀ごろに「アクロポリス」と俗称され、「石の家」を意味する国名の起源ともなったグレート・ジンバブエ遺跡を残したショナ族の王国、15〜17世紀にはモノモタパ王国が栄えてインド洋に面したモザンビーク方面と交易していたが分裂状態だった。

　ローズは世界三大瀑布のひとつヴィクトリアの滝があるザンベジ川の北に位置するザンビアまで南アフリカ会社の管理下に置いた。南ローデシアでは、植民地政府首相イアン・スミスによる白人中心のローデシア共和国が独立を宣言したが（1965年）、英国の調停により、100議席中、20議席を白人の固定枠とすることで合意し、ジンバブエ共和国が成立し、黒人のロバート・ムガベがはじめに首相、次いで大統領となった（1980年）。

　ムガベは白人との融和を尊重し、白人による農園経営で小麦を輸出できるほどの農業、石炭やクロムなどの鉱業、それに、経済制裁のケガの功名で発展した工業というバランスのよい経済を運営し高く評価された。だが、コンゴ内戦への派兵失敗などもあって経済は暗転し、ムガベが不満をそらすために白人農園の解体に乗り出したところ経済は破綻した。年に15万％超という記録的なインフレに見舞われたりしたが、2017年に軍部の圧力で退陣した。

　ザンビアは世界的な銅の産地である。中国と友好関係にあり、タンザニアのダルエスサラームまでの鉄道路線も中国が建設し、銅山労働者も多く送り込んでいるが、最近では反感も強まっている。独立したのは1964年の東京オリンピック中で、大会の開会式の日に北ローデシアからザンビアに国名や国旗が変更されて話題になった。

　国名は「巨大な水路」を意味するザンベジ川の名にちなむ。首都は、探検家デイヴィッド・リヴィングストンの名にちなむリヴィングストンだったが、1935年に中央部に位置するルサカに移された。

ジンバブエData　国名：ジンバブエ共和国（英）Zimbabwe（仏）Zimbabwe（中）津巴布韦　津巴布韋　Jīnbābùwéi（正式名称）リパブリック・オブ・ジンバーブウェイ［英］／首都：ハラーレ／言語：英語、ショナ語、ンデベレ語／面積：390.8千㎢／人口：16.9百万人／通貨：米ドル、南アフリカ・ランド／宗教：キリスト教、精霊信仰／民族：アフリカ系98％。

ザンビアData　国名：ザンビア共和国（英）Zambia（仏）Zambie（中）赞比亚　賛比亜　Zànbǐyà（正式名称）リパブリック・オブ・ジャンビア［英］／首都：ルサカ／言語：英語、ベンバ語、ニャンジャ語、トンガ語／面積：752.6千㎢／人口：17.6百万人／通貨：クワチャ／宗教：キリスト教50〜75％、イスラム教、ヒンドゥー教、精霊信仰／民族：アフリカ系99％。

マラウイ、ボツワナ
英国の保護領だった二つの国

マラウイは面積は小さいが人口は多く、南アフリカにも労働力を派遣して、アパルトヘイト時代の南アフリカと友好関係にあって、ほかのアフリカ諸国と対立していた。ボツワナはダイヤモンドで豊かだがHIV（後天性免疫不全症候群）の感染率の高さが悩みの種だ。

マラウイは、ニヤサランドと呼ばれていた。ここには、インド洋のザンジバル方面からアラビア商人が入って奴隷狩りをし、ドイツも勢力を伸ばしつつあった。ここにもセシル・ローズは介入し、英国の勢力下とすることに成功したが、南アフリカ会社の管轄でなく英国政府の保護領とされた。デイヴィッド・リヴィングストンが「発見」したマラウイ湖はチャンボなど固有種の珍しい魚が多く生息している。

かつてベチュアナランドと呼ばれたカラハリ砂漠の**ボツワナ**はツワナ族の国を意味する。バントゥー語系のツワナ人が移住してきたが、南アフリカのボーア人やセシル・ローズに狙われた。だが部族長らはこれを嫌い、英国保護領ベチュアナランドを経て（1885年）、英国の南アフリカ連邦駐在高等弁務官の直接管轄下に入った（1910年）。

アフリカ人の首長制支配が温存され、部族長のひとりであるカーマは英国留学中に白人女性と結婚したことから南アフリカと対立したが、彼は世襲の地位を捨てて独立運動に従事し、1966年にボツワナ共和国として独立したときには初代大統領となった。

所得が7584ドルにも達しているが、HIVの感染率はピークのときの38%からは減っているが、なお21%ほどあり平均寿命も50歳ほどである。独立に際してハボローネ（旧称ガベロンズ）を建設して首都とした。

最近、南部アフリカの旅行が日本でも人気だ。ジンバブエとザンビアの国境にある世界3大瀑布（ほかに南米のイグアスと北米のナイアガラ）のひとつであるヴィクトリアの滝を目玉に、巨象が見られるボツワナのチョベ国立公園、南アフリカではケープタウン、サファリ、ペンギンが住むボルダーズビーチなどを回る。首都プレトリアはジャカランダという紫色の花が人気。寝台車の旅やワインも人気だ。

マラウイData 国名：マラウイ共和国（英）Malawi（仏）Malawi（チェワ語）Dziko la Malaŵi（中）马拉维 馬拉維 Mālāwéi（正式名称）リパブリック・オブ・マーラウィ［英］／首都：リロングウェ／言語：英語、チェワ語／面積：117.7千km²／人口：19.2百万人／通貨：クワチャ／宗教：キリスト教80%、イスラム教13%、精霊信仰／民族：チェワ族、ニャンジャ族、ツンブーカ族、ヤオ族／国旗：黒は国民、赤は戦士の血潮、緑は常緑、日の出はアフリカの自由の夜明け。

ボツワナData 国名：ボツワナ共和国（英）Botswana（仏）Botswana（ツワナ語）Botswana（中）博茨瓦纳 博茨瓦納 Bócíwǎnà（正式名称）リパブリック・オブ・ボツワナ［英］／首都：ハボローネ／言語：英語、ツワナ語／面積：582.0千km²／人口：2.3百万人／通貨：プラ／宗教：キリスト教72%、精霊信仰／民族：ツワナ族79%、カランガ族11%／国旗：乾燥砂漠地帯における水資源の渇望を象徴。ボツワナの空と生命力の意も。

ウガンダ
英国支配から「人食い大統領」伝説へ

　ヴィクトリア湖では、魚のスズキの代用品として普及したヴィクトリア湖のナイルパーチが脂が適度に乗ってすこぶる味がよく、フライなどに好適で、いまやブランド力が高い高級魚になっている。アフリカの「地域興し」としての成功例である半面、固有種を駆逐する悪役でもある。

　英領東アフリカはケニアとウガンダから成るが、先に英国の支配に置かれたのは意外なことにウガンダだ。この当時は、ヨーロッパでナイル川の水源を発見することがブームになっていたが、デイヴィッド・リヴィングストンは、それがヴィクトリア湖であることを確認し、このあたりで最も勢力があったブガンダ王国と接触した（1862年）。

　ウガンダは、ブガンダ王国のスワヒリ語名で、ガンダ族の国を意味する。

　英国はキリスト教の布教に努め、一方、タンガニーカから勢力を伸ばしていたドイツを排除して保護領とした（1894年）。ただし、各部族の王国は温存された。

　1970年代にはイディ・アミン大統領の独裁のもとで30万人殺されたともいわれ、「人食い伝説」まで生まれた。アミンはインド商人を追放し、このために流通機構が麻痺し農業も荒廃してしまった。

　アフリカ東部ではウガリというものが主食である。トウモロコシやキャッサバといった穀類の粉をゆるいパン状にしたものをスープにひたして食べる。北アフリカのクスクスと似たようでもあるが、少し違うテイストだ。マチャラリは肉やジャガイモと一緒にバナナを煮る料理だ。

　1枚の派手な布をいろいろなバリエーションで身体に巻きつけるカンガが民族衣装として知られる。

　観光の目玉ケニアとタンザニアの国境にあるのはキリマンジャロとサファリ。火山であるキリマンジャロは標高5895m。万年雪が見られる。そのタンザニア側の麓にはセレンゲティ国立公園がありヌー（ウシ科の哺乳類）の大移動が目玉。キリンの群れがキリマンジャロを背景に遊ぶ風景もよく知られる。ケニア側にはマサイマラ国立保護区がある。ケニアのマサイ族は長身と独特の風俗で知られる。ケニアのトゥルカナ湖はフラミンゴの群れが見られる。ザンジバルの古い町並みは世界遺産になっている。

　タンザニアのアートはアフリカの民族芸術として人気。動物や人々の生活、精霊などを描いたティンガティンガや黒檀の彫刻マコンデ・アートなどが人気だ。

ウガンダData　国名：ウガンダ共和国（英）Uganda（仏）Ouganda（中）乌干达　烏干達　Wūgāndá（正式名称）リパブリック・オブ・ユーギャンダ［英］／首都：カンパラ／言語：英語、ルガンダ語、スワヒリ語／面積：241.6千㎢／人口：44.3百万人／通貨：ウガンダ・シリング／宗教：キリスト教84％、イスラム教／民族：ブガンダ族、バヤコレ族、バソガ族／国旗：国鳥カンムリヅル。黒は国民、黄は太陽、赤は同胞愛。

アメリカのバラク・オバマ前大統領の父親は、ケニアの少数派ルオ族の出身で、ヴィクトリア湖やウガンダ国境に近いコゲロ村の出身だ。ルオ族からはまだケニアの大統領は出ていない。マラソンなど長距離走が強く、日本ではハウス食品に所属していたダグラス・ワキウリ選手などがよく知られている。ケニアの首都であるナイロビやウガンダは高原地帯なので英国人に好まれた。

ケニアの沿岸はポルトガル人がやってきたころは、アラビア半島のオマーンに住むアラブ人が沿岸部の島であるザンジバルなどに植民都市をつくって内陸部と貿易していた。遅れてやってきた英国人は1884年にザンジバルのスルターンから貿易特許を取得し、内陸のウガンダとの取引のために英国東アフリカ会社を設立した。

1895年には英国の東アフリカ保護領となり、港町モンバサから鉄道建設が始まった。鉄道建設はインド人労働者が使われヴィクトリア湖に達し綿花が運び出されるようになった（1901年）。やがて首都はモンバサから高原部のナイロビに移転し、「ホワイト・ハイランド」という白人専用地の開発が本格化し、1920年には直轄植民地として王室領となり、ケニア植民地とされた。

だが、原住民の意識も徐々に芽生え、1924年にはキクユ中央協会（KCA）がケニヤッタを中心として結成された。ケニヤッタは民俗学者でもあり、この時期のアフリカを代表する指導者のひとりだった。

「白人がアフリカにやってきたとき、われわれは土地を持ち、彼らは聖書を持っていた。彼らはわれわれに目を閉じて祈ることを教えた。われわれが目を開いたとき、彼らは土地を持ち、われわれは聖書しか持っていなかった」という言葉が有名だ。

白人の殺害を標榜するマウマウ団の活動など激しい闘争の末に1963年に英連邦内の自治国として独立した。初代大統領の息子のウフル・ケニヤッタが2013年から大統領。中国との協力でモンバサ、ナイロビ間の新しい鉄道マダラカ・エクスプレスが完成した。

この地をケニアと呼び始めたのは英国人で、アフリカ第2の高山であるケニア山にちなむ。ケニアの語源はカンバ族の言葉の「縞模様」。首都ナイロビは標高1600mに位置し、快適な気候から東アフリカの中心都市として発展している。国際機関や日本企業の支店も集まる（写真はアンボセリ国立公園）。

ケニアData　国名：ケニア共和国（英）Kenya（仏）Kenya　（中）肯尼亚　肯尼亚　Kěnníyà（正式名称）リパブリック・オブ・ケーニャ［英］／首都：ナイロビ／言語：英語、スワヒリ語／面積：592.0千km²／人口：51.0百万人／通貨：ケニア・シリング／宗教：キリスト教78%、精霊信仰、イスラム教／民族：キクユ族21%、ルヒヤ族14%、ルオ族13%／国旗：マサイ族の盾と槍2本を記し自由と独立を象徴。

タンザニア、カメルーン
旧ドイツ植民地から英仏の委任統治領に

　第一次世界大戦前はドイツ領だった**タンザニア**の海岸はインド洋交易で栄えて、ザンジバル諸島からは唐の銅銭も出土。バントゥー語にアラビア語の語彙が取り入れられたスワヒリ語の故郷もこのあたり。**カメルーン**も元はドイツ領だった。

　ザンジバル諸島は1503年にポルトガルの保護下に置かれたが、18世紀にマスカット・オマーンが進出した。1840年にスルターンだったサイド・サイードは、ここを首都に東アフリカ沿岸を支配し、奴隷や丁子の交易を行った。1860年にはオマーンと分離したが、英国が1890年に保護領とした。ドイツは、1884年から進出し1885年には内陸部をドイツ領東アフリカとして保護領とした（1891年）。サイザル麻をフロリダから導入し、キリマンジャロ山麓でコーヒーを栽培し（強い酸味と甘い香りを持つキリマンジャロコーヒーは日本で人気）、鉄道もタンガニーカ湖まで敷設した。

　ヴェルサイユ条約で英国の国際連盟委任統治領となったが、ジュリウス・ニエレレのもとでタンガニーカ・アフリカ民族同盟（TANU）が結成され、1961年独立を達成し、ニエレレはアフリカ屈指の政治家として内外で尊敬された。ザンジバルは、1963年に立憲君主国として独立したが、翌年共和国となり、やがて**タンザニア**連合共和国となった。ただし、ザンジバルの独立性は強く国内でも入境審査までしている。1996年に国会は新首都ドドマに移転したが、官庁は旧都ダルエスサラームにある。ザンジバルの町並みや、キルワ・キシワニとソンゴ・ムナラの遺跡が世界遺産。

　カメルーンはポルトガル人がエビが多いので名づけた。ドゥアラの首長がドイツの保護領となる協定を結んだ（1884年）。第一次世界大戦後、英仏に分割して委任統治領となったが、仏領は1960年、英領は1961年に独立して連邦共和国となったが現在は共和国。経済の中心は港町のドゥアラ、首都は高原都市のヤウンデだ。

　カカオ、石油、ボーキサイトを産する。アフリカでは安定した国で、サッカーの強豪である。日韓Ｗ杯では大分県中津江村での合宿が話題となった。ガンバ大阪で活躍したパトリック・エムボマはフランスとの二重国籍だがカメルーン代表で活躍した。

タンザニアData　国名：タンザニア連合共和国（英）Tanzania（仏）Tanzanie（中）坦桑尼亚　坦桑尼亜　Tǎnsāngníyà（正式名称）ジャムフリ・ヤ・ムーンガノ・ワ・タンザニャ［スワヒリ語］／首都：ドドマ（ダルエスサラーム）／言語：スワヒリ語、英語／面積：947.3千㎢／人口：59.1百万人／通貨：タンザニア・シリング／宗教：イスラム教35％、精霊信仰35％、キリスト教30％／民族：アフリカ系99％／国旗：黒は国民、緑は国土と農作物、黄は鉱物資源、青はインド洋。

カメルーンData　国名：カメルーン共和国（英）Cameroon（仏）Cameroun（中）喀麦隆　喀麦隆　Kāmàilóng（正式名称）レピュブリク・デュ・カムルン［仏］／首都：ヤウンデ／言語：仏語、英語／面積：475.7千㎢／人口：24.7百万人／通貨：CFAフラン／宗教：キリスト教40％、精霊信仰40％／民族：バンツー系、カルメーン高地人／国旗：緑は南部の森林資源と希望、赤は中部の耕作地帯と主権、黄は北部の草原と太陽。

ナイジェリア、シエラレオネ
英国の分割統治を乗り越えて連邦共和国へ

　ナイジェリアの海岸部では、ポルトガル人が15世紀から進出し、ベニン王国などを介して奴隷貿易で栄えた。ベニンの青銅器は高い芸術性を示し、最高のアフリカ民族美術といわれる。首都のベニンシティは城壁に囲まれ道路はアムステルダムの数倍もあったと旅行者が書き残しているが、その富の源泉は奴隷貿易だったのだ。

　英国は1861年にラゴスを、ベルリン会議ではビアフラ湾岸地域の保護領化に成功した。1890年代には王立ナイジャー会社が内陸部の支配領域を拡大し、ルガード卿により南・北保護領が合併され、現在の**ナイジェリア**の原型ができあがった。

　英国は各部族の自治を尊重した得意の分割統治を行ってアフリカ人たちがひとまとまりにならないようにした。1960年にナイジェリアは独立し、旧ドイツ領西カメルーンの北部を編入、4州から成るナイジェリア連邦共和国が成立した（1963年）。石油資源を持つ東部がビアフラ共和国として独立を宣言し内戦となったが政府軍の勝利に終わった（1967年）。石油のおかげで経済発展し、GDPもアフリカトップとなり、人口は約2億人もいる。

　落花生やカカオ豆も産する。ギニア湾に面して鉄道の起点であるラゴスが首都だったが、1991年に国土の中央に位置し、基本計画を丹下健三が立てたアブジャに移転した。ラゴスの語源はラグーン（潟湖）のポルトガル語読みである。ナイジェリアからベナン、トーゴあたりの海岸は奴隷海岸（スレーブ・コースト）と呼ばれたことがある。

　北部ではイスラム過激派のボコ・ハラムが、2014年に中高一貫女子学校から276名の女子生徒が拉致された事件があった。南西部にある世界遺産「オシュン＝オショグボの聖なる木立」は原生林に祠が点在する。

　シエラレオネは、1462年にポルトガル人の探検家ペトロ・ダ・シントラの到来に始まり、1808年に英植民地となった。英海軍の奴隷貿易監視基地で、保護された奴隷を定着させたが、首都フリータウンはこの歴史にちなむ。1961年に独立したが、激しい内戦で混乱した。政治家の麻生太郎は若いころ、ここでダイヤモンド採掘の事業をしていたことがある。国名は「ライオンの山」の意味であるが、シエラリオーンが正しい。

ナイジェリアData　国名：ナイジェリア連邦共和国（英）Nigeria（仏）Nigeria（中）尼日利亚　尼日利亚　Nírìlìyà（正式名称）フェデラル・リパブリック・オブ・ナイジーリア［英］／首都：アブジャ／言語：英語、ハウサ語、ヨルバ語、イボ語／面積：923.8千km²／人口：195.9百万人／通貨：ナイラ／宗教：イスラム教50%、キリスト教40%／民族：ヨルバ族17.5%、ハウサ族17.2%、イボ族13.3%。

シエラレオネData　国名：シエラレオネ共和国（英）Sierra Leone（仏）Sierra Leone（中）塞拉利昂　塞拉利昂　Sàilā Lìáng（正式名称）リパブリック・オブ・シエラリオーン［英］／首都：フリータウン／言語：英語、メンデ語／面積：72.3千km²／人口：7.7百万人／通貨：レオン／宗教：イスラム教60%、精霊信仰30%／民族：メンデ族30%、テムネ族30%。

アフリカ

ガーナ、ガンビア
アフリカで最初に独立した国

　アフリカで最初に独立したガーナは独立運動が早くから盛り上がっていたところで、指導者がクワメ・エンクルマ元大統領だ。東側陣営に寄りすぎたのと独裁体制で評判を落とし、外遊中の軍事クーデターで失脚した（1966年）。

　ガーナは黄金海岸（ゴールド・コースト）と呼ばれた。内陸部で18世紀にアシャンティ王国が栄えたが、海岸地帯は部族国家に分かれ、ポルトガル人が城塞を築いた。英国は1874年に黄金海岸植民地を建設し、1902年に保護領とした。

　戦後、連合ゴールド・コースト会議の事務局長だったエンクルマが自治政府議会選挙で勝利して首相に就任した。旧ドイツ領で国連信託統治領トーゴランドとともに独立（1957年）。石油が発見され、ヴォルタ川のアコソンボダムで大規模な水力発電を行っている。ガーナチョコレートという商品名があるが、カカオ豆が特産物だ。

　1990年代のジェリー・ローリングス大統領が、民主主義と経済開発の模範生として評価が高い。コフィー・アナンは国際連合事務総長（1997〜2006年）を国連事務職員出身で初めて務めた。ボクシングの名選手が多いが、WBCフェザー級、スーパーフェザー級の2階級を制覇したアズマー・ネルソンは、ボクシング史上の名選手のひとりといわれる。ガーナは、9世紀ごろアフリカで栄えた王国にちなむ国名だ。だが、この王国があったのは現在のマリ共和国だった。

　ガンビアはギニアの高原に源流がある河川の両側だけを国土とする面積の狭い国である。15世紀中ごろ、ポルトガル人が商業拠点を建設したが、16世紀に英国が植民地とした（1783年）。奴隷貿易施設があった「ジェームズ島と関連遺跡群」は世界遺産になっている。

　自治領（1963年）、英女王を元首とする立憲君主国（1965年）を経て共和制に移行（1970年）。セネガルとセネガンビア連邦を形成したが（1982年）、解体した（1989年）。

　バンジュール国際空港はアメリカのスペースシャトルの不時着が可能なことで知られる（1989年）。『ルーツ』というアメリカ黒人が先祖である黒人奴隷の足跡を探ることをテーマにしたアレックス・ヘイリーの小説が話題になったが、この小説のなかで主人公の父祖の地とされた。

ガーナData　国名：ガーナ共和国（英）Ghana（仏）Ghana（中）加纳　加納　Jiānà（正式名称）リパブリック・オブ・ガーナ［英］／首都：アクラ／言語：英語、各民族語／面積：238.5千㎢／人口：29.5百万人／通貨：セディ／宗教：キリスト教69%、イスラム教16%、精霊信仰／民族：アカン族41.6%、ガ、エウェ、モシ族。

ガンビアData　国名：ガンビア共和国（英）Gambia（仏）Gambie（中）冈比亚　岡比亞　Gāngbǐyà（正式名称）リパブリック・オブ・ザ・ガンビア［英］／首都：バンジュール／言語：英語、マンディンゴ語、ウォロフ語／面積：11.3千㎢／人口：2.2百万人／通貨：ダラシ／宗教：イスラム教90%、精霊信仰／民族：マンディンゴ族42%、フラ族18%、ウォロフ族16%。

セネガル、ギニア①
フランス領の優等生と反逆児

　1958年に政権に復帰したシャルル・ド・ゴールは、アフリカ植民地の独立については、固有の自治権を持つが、外交、防衛、通貨、経済財政政策、教育、司法をフランス本国と共用する「フランス共同体」を提案し、各植民地でこの制度を選ぶか、あるいは、フランスの「保護」から完全に離れて独立するかの二者択一を迫り、セネガルなどは前者を選んだ。だが、ギニアのみは独立を選び、フランスは猶予期間なくいっさいの援助を停止しフランス人を引き揚げさせた。

　セク・トゥーレ首相は「隷属のなかの豊かさより自由のなかの貧しさを選択する」と意気軒昂（いきけんこう）だったが、社会システムは機能しなくなり、悲惨なことになってしまった。

　このあたりには、中世にはムラービト朝、マリ帝国の支配下にあり、その後、ヨーロッパ人が来航して奴隷貿易を行った。1444年にはポルトガルが進出したが、16世紀にフランスはセネガル川河口付近で交易を始め、17世紀には城塞をつくった。

　ルイ・フェデルブ総督のときフランスはダカール港を開港してピーナッツの栽培と輸出を進めた。19世紀末にはフランス領西アフリカを形成し、1902年、サン＝ルイに代わりダカールがフランス領西アフリカの首都となった。

　20世紀になって一部の現地人にも市民権が与えられ、第一次、第二次の世界大戦には多数のアフリカ人が活躍し、「セネガル兵」の名を高からしめた。

　一方、ギニアの内陸部ではイスラム教勢力が、サモリ帝国を樹立していた。沿岸部ではポルトガル人などが奴隷貿易を行っていたが、フランスの支配下に入った（1882年）。当初はセネガルの付属地「南部河川地方」とされていたが、独立の行政単位とされて（1890年）、サモリ帝国制圧後にフランス領西アフリカの一部とされ（1899年）、さらに保護領から植民地になった（1904年）。

「ギニア」の語源は不明。セネガルのヴェルデ岬からアンゴラまで、つまり、アフリカ大西洋沿岸地域のほとんどを指す。公用語のフランス語ではギネ、ギニアは英語名を誤読したもので、英語でもギニーと発音する。

　首都コナクリは世界でいちばん雨の降る町といわれる。ボーキサイトの世界的産地で埋蔵量は世界の3分の1だ。タムタムという太鼓や木琴の一種であるバラフォンを使った民俗音楽に見るべきものがある。日本で活躍するアフリカ人タレントのオスマン・サンコンの出身地だ（写真はギニアの子どもたち）。

ギニアData　国名：ギニア共和国（英）Guinea（仏）Guinée（中）几内亜　幾内亜　Jīnèiyà（正式名称）レピュブリク・ドゥ・ギネー［仏］／首都：コナクリ／言語：仏語、各部族語／面積：245.8千㎢／人口：13.1百万人／通貨：ギニア・フラン／宗教：イスラム教85%、精霊信仰／民族：プル族40%、マリンケ族30%、スース族20%。

セネガル、ギニア②
独立後もフランスと密接な関係を維持

　セネガルでは、独立から20年にわたりレオポール・セダール・サンゴールが大統領だったが、フランス語文法の国家博士（フランスでは非常に名誉ある肩書）で、フランス本国の代議士や閣僚も経験し、詩人としてアフリカ人として初のアカデミー・フランセーズの会員だった。

　フランスの植民地はいったんはフランスにとどまるはずだったが、インドの独立を認めた英国が、それほど独立機運が盛り上がったわけでも、準備ができていたわけでもないのに、諦めよく手放して進んだために、フランスの植民地も独立へ舵を切った。

　セネガルと仏領スーダンが「マリ連邦」を結成し、フランス共同体にとどまったままの独立を要求したので、いっせいに独立することになった（1960年）。

　そののち、セネガルはマリ連邦から離脱して単独の国として独立した。ただし、旧英領に比べてフランスとのつながりは濃厚だ。ダカールには、CFAフランを発行する西アフリカ経済通貨連合（UEMOA）の本部があるが、フランスの影響下で運用されユーロと連動するものだし、国際社会でのフランス語の地位保全は旧植民地諸国にとっても共同で追求する利益である。

　国内政治でもクーデター騒ぎでもあるとただちにフランス軍が来て収めてくれるのも便利で、いまでもフランスとの緊密な関係は変わっていないのである。なお、2019年には、このCFAフランを発展させて、旧仏領以外にも共通通貨を採用が図られることになった。

　セネガルでは、農業が盛んでヨーロッパにも輸出する。奴隷貿易で栄えたゴレ島、サン・ルイ島は世界遺産だ。パリ・ダカール・ラリーの終点だったがモーリタニアの政情不安で中止されている。セネガル川にちなむが語源は不明。

　サッカーは日韓W杯に出場したし、ロシア大会では日本と対戦した。料理文化は高水準で、炊き込みご飯のベンヌチンと、かけご飯のニャーリチンなどコメの料理が人気だ。布を巧みに結んで帽子にするムソールとか、脇の空いた派手な貫頭衣グランブーブーなどフランスとの深い関係も生かして西アフリカ・ファッションの発信源だ。

セネガルData　国名：セネガル共和国（英）Senegal（仏）Sénégal（中）塞内加尔　塞内加尔　Sāinèijiāěr（正式名称）レピュブリク・デュ・セネガル［仏］／首都：ダカール／言語：仏語、ウォロフ語／面積：196.7千㎢／人口：16.3百万人／通貨：CFAフラン／宗教：イスラム教94%／民族：アフリカ系90%（ウォロフ族43%、プラル族24%）。

ブルキナファソData　国名：ブルキナファソ（英）Burkina Faso（仏）Burkina Faso（中）布基纳法索　布吉纳法索　Bùjīnà Fǎsuǒ（正式名称）ビュルキナファソ［仏］／首都：ワガドゥグー／言語：仏語、現地語／面積：273.0千㎢／人口：19.8百万人／通貨：CFAフラン／宗教：イスラム教50%、精霊信仰40%／民族：モシ族40%、グルンシ族、セヌフォ族、ロビ族。

マリ、ニジェール、ブルキナファソ
フランス領だった砂漠の交易都市

トンブクトゥはサハラ以南における主要な交易地で、ヨーロッパや中東ではその富についての伝説が多く語られてきた。泥でできた建築はガウディにもインスピレーションを与えたという。アフリカを代表する世界遺産だが、イスラム過激派によって聖廟がひどく破壊された。泥のモスクで知られるジェンネとともに世界文化遺産になっている。

西アフリカ内陸部を流れるニジェール川は地中海世界でも有名な大河だったが、河口が不明で、モロッコ人の大旅行家イブン・バットゥータはナイル川の支流とした。ギニア湾が河口なのがわかったのは、1825年だ。ナイジェリアは同じ語源の英語読みだ。

マリでは、金と塩の交易で栄えたマリ帝国はイスラム教と学術の中心だった。15世紀にはソンガイ帝国も栄えたが16世紀にモロッコの侵入で滅んだ。19世紀後半にセネガルから来たフランスに植民地化され、1920年にフランス領西アフリカに編入された。セネガルと一時は連邦を組んだ。フランスの植民地だったころはスーダンと呼ばれていた。首都は上流部のバマコ。世界最貧国のひとつだがウランや金を産する。イスラム教が主だ。

ニジェールは、18世紀には北部にトゥアレグ王国が栄え、南部ではハウサ諸王国やフラニ諸王国があった。ナイジェリアとの国境を確定されフランス領となった（1898年）。独立（1960年）ののちの政情は安定しないが、ウランの埋蔵量が世界3位。首都ニアメはニジェール川の河港都市である。砂漠が続くアイル・テネレ自然保護区は世界遺産。

ブルキナファソ（Dataは199項に掲載）はかつてオートボルタと呼ばれた。首都ワガドゥグーは、モシ王国の首都で、14世紀にはニジェール川流域まで拡大し、衰えたものの近代まで王国を維持してきた。フランス軍は、モシ王国を保護領とし（1896年）、セネガル・ニジェール植民地の一部としたのち現在の国土の枠組みができた（1919年）。いったん分割されたがオートボルタとして統合され（1947年）、独立した（1960年）。

アフリカのチェ・ゲバラといわれたトーマス・サンカラ大統領が「清廉潔白な人の国」を意味する現国名にした（1984年）。サンカラを1987年に殺害して政権を取ったブレーズ・コンパオレは2014年まで大統領を務めた。サバンナが広がり粟とトウモロコシの産地。日本はゴマを大量に輸入している。

マリData 国名：マリ共和国（英）Mali（仏）Mali（中）马里　馬里　Mǎlǐ（正式名称）レピュブリク・デュ・マリ［仏］／首都：バマコ／言語：仏語、バンバラ語／面積：1,240.2千㎢／人口：19.1百万人／通貨：CFAフラン／宗教：イスラム教90％／民族：バンバラ族、マリンケ族、ソニンケ族、プル族。

ニジェールData 国名：ニジェール共和国（英）Niger（仏）Niger（中）尼日尔　尼日爾　Nírìěr（正式名称）レピュブリク・デュ・ニジェール［仏］／首都：ニアメ／言語：仏語、ハウサ語／面積：1,267.0千㎢／人口：22.3百万人／通貨：CFAフラン／宗教：イスラム教80％、精霊信仰／民族：ハウサ族55％、ジェルマソンライ族。

コートジボワール、トーゴ
フランス語で「象牙海岸」と呼ばれた美しい国名

　フェリックス・ウフェ＝ボワニはフランスの代議士や厚生大臣も務め、アフリカの穏健派の代表であった。農業重視政策が成功し、経済はアフリカの優等生となり、アビジャンは西アフリカの別天地といわれた。故郷のヤムスクロに首都を移した。

　コートジボワールはフランス語で象牙海岸を意味する美しい名前である。サハラ南縁であるこの国の北部にも、コング、ボンドゥクなど商業都市国家が繁栄した。沿岸のアシニの首長との間に保護領条約が結ばれ（1843年）、フランス領コートジボワール（1893年）を経てフランス領西アフリカに編入された（1904年）。第二次世界大戦後、部族長家の出で、コーヒー、ココア農民組合を基盤にしたウフェ＝ボワニが、独立運動を主導して独立した（1960年）。ウフェ＝ボワニの死後は政情不安が続く。カカオ豆の生産が世界一。

　首都ヤムスクロの平和の聖母聖堂（バジリーク・ノートルダム・ド・ラ・ペイ）はサン・ピエトロ大聖堂を模したが規模では上回り、高さ158mで1万8000人収容できるカテドラルだ。グラン・バッサムが首都だったが、黄熱病のために移転。アビジャンはギニア湾沿岸で最も文化的な大都市で、西アフリカの別天地といわれる。

　ドイツが英仏の勢力圏の真ん中に**トーゴ**を獲得できたのは、良港がなく見向きもされなかったからである。1884年、保護条約を結び、翌年のベルリン会議で承認された。

　首都ロメや港湾、鉄道を建設したが、第一次世界大戦の結果、東部はフランス、西部は英国の委任統治領となった。フランス領トーゴは、1960年にトーゴ共和国として独立し、西部はガーナに編入された。リン鉱石、綿花、カカオなどを産する。

　トーゴ湖に由来する国名だが、語源は明らかでない。首都の名を冠するロメ協定は1975年に結ばれ、EUと旧植民地の間で結ばれた支援に関する協定。

　世界遺産に登録されている、「クタマク」は、北東部カラ州近辺に住むバタマリバ人の居住地。タキヤンタと呼ばれる泥のビルディングからなる住居群がある。

コートジボワールData　国名：コートジボワール共和国（英）Cote d'Ivoire（仏）Côte d'Ivoire（中）科特迪瓦　科特迪瓦　Kētè Díwǎ（正式名称）レピュブリク・デュ・コート・ディボワール〔仏〕／首都：ヤムスクロ／言語：仏語／面積：322.5千㎢／人口：24.9百万人／通貨：CFAフラン／宗教：イスラム教39%、キリスト教33%／民族：アカン族42%／国旗：オレンジは北部草原地帯、緑は南部密林地帯、白は北部イスラム教徒と南部キリスト教徒の団結。

トーゴData　国名：トーゴ共和国（英）Togo（仏）Togo（中）多哥　多哥　Duōgē（正式名称）レピュブリク・トゴレーズ〔仏〕／首都：ロメ／言語：仏語、エウェ語／面積：56.8千㎢／人口：8.0百万人／通貨：CFAフラン／宗教：精霊信仰51%、キリスト教、イスラム教／民族：アフリカ系（エウェ族、ミナ族、カブレ族）99%／国旗：緑は農産物と希望、黄は鉱物資源と勤労精神、赤は民衆の血潮と博愛精神、白星は永遠と自主独立。

ベナン、ガボン
シュヴァイツァー博士とランバレネの病院

ベナンは以前は英語のベニンという読み方が多くされ、ナイジェリアの同名地名と紛らわしかった。1990年以前にはダホメと呼ばれていた。

ベナンは17世紀には海岸地帯の背後の丘陵部にアラーダ王国があって奴隷貿易で栄え、海岸は「奴隷海岸」と呼ばれていた。

そのアラーダ王国の王子が建国したのがダホメで、17世紀のことである。18世紀のアガジャ王のとき全盛を迎え、ヨーロッパ人と直接交易ができるように海岸部に南下した。

しかし、19世紀に入ってフランス保護領とされ（1892年）、フランス領西アフリカ（1904年）を経てダホメ共和国として独立し（1960年）、ベナン人民共和国と改めた（1975年）。農業国でとくに綿花を輸出する。

バスケット選手でアメリカで活躍中の八村塁選手の父親はベナン人で日本人女性とのハーフだ。

ハイチではベナンのフォン族が、黒人社会で優越的な地位にあり、トゥーサン・ルーヴェルチュールが中南米で初の独立国を建設した。

アボメイの王宮群は、ユネスコ世界遺産に登録されている。奴隷貿易などを一手に握って栄えた王国の王宮で、土製の建築物群である。

アメリカ在住の女性シンガーのアンジェリーク・キジョーはアフリカでも最も著名なミュージシャンのひとりでグラミー賞に4度ノミネートされたこともある。アルベルト・シュヴァイツァー博士が活動したランバレネは、**ガボン**にあった。アルザスのケゼルスベールでプロテスタント牧師の子として生まれた。皇帝のために建設された模擬中世風の城がある町だ。

ガボンに滞在しているうちに第一次世界大戦が起きて、アルザスはフランスに戻った。カルロス・ゴーンを見いだしたルノー会長のルイ・シュバイツァーの大叔父だ。

ガボンにはバントゥー系の民族によるロアンゴ王国があった。フランス海軍が奴隷貿易取り締まりのために土地を族長から入手して砦を築き（1843年）、奴隷を解放して入植させリーブルヴィル（自由の町）と命名した。総督を置き（1886年）、フランス領コンゴ、フランス領赤道アフリカの一部（1910年）を経て独立した（1960年）。

石油を産して豊かである。マンドリルが多く生息する。オクメ材と呼ばれる材木も有名。興福寺中金堂の再建工事ではカメルーンからの輸入材に頼るしかなかった。

ベナンData 国名：ベナン共和国（英）Benin（仏）Bénin（中）贝宁 貝寧 Bèiníng（正式名称）レピュブリク・デュ・ベナン [仏]／首都：ポルトノボ／言語：仏語、フォン語、ヨルバ語／面積：114.8千km²／人口：11.5百万人／通貨：CFAフラン／宗教：キリスト教43％、イスラム教24％、ブードゥー17％／民族：フォン族39％、アジャ族15％、ヨルバ族12％。

ガボンData 国名：ガボン共和国（英）Gabon（仏）Gabon（中）加蓬 加蓬 Jiāpéng（正式名称）レピュブリク・ガボネーズ [仏]／首都：リーブルビル／言語：仏語／面積：267.7千km²／人口：2.1百万人／通貨：CFAフラン／宗教：キリスト教65％／民族：バンツー系（ファング、パプヌ、ンゼビ族）。

チャド、中央アフリカ
2年間だけ「皇帝」が君臨

チャドは現地語で「大きな水域」という意味らしい。チャド、ニジェール、ナイジェリア、カメルーンの4カ国にまたがるチャド湖の2010年時点の面積は約1700平方kmある。1980年代後半から1990年代後半にかけて、面積が10%以下まで激減し消滅の危機にあった。1998年から水量は回復傾向に向かっているが依然危機的だ。

チャドは南北や東西交通の格好の目標であり、紀元後800年ごろカヌリ人がチャド湖北西岸に王国を興した。16世紀末にはカネム・ボルヌ王国が栄えた。

フランス軍が進駐し（1885年）、英仏で国境を定めた（1894年）。フランス領赤道アフリカ（1910年）を経てチャド共和国として独立（1960年）。首都は「ン」から始まる珍しい地名のンジャメナ（フォール・ラミ）。

綿花が主要産業だ。国旗はルーマニアのものとそっくりだが、ルーマニア国旗のほうが青色が若干薄い。1989年の民主化でルーマニアが国旗の中央にあった国章を外したのでこんなことになってしまったが、カメルーンには迷惑な話だ。

いまやエンペラーといえば日本の天皇だけだが、1976年から3年間だけであるが、**中央アフリカ**にジャン・ベデル＝ボカサ皇帝が君臨し、ナポレオン・ボナパルトを真似た戴冠式は世界中をあきれさせた。国際的にも皇帝（アンプルール）の称号は昭和天皇と同じように認められていた。

綿花、コーヒーのほか、ダイヤモンドも産するが、ボカサ皇帝からフランスのヴァレリー・ジスカール・デスタン大統領へダイヤモンドを贈った疑惑が報じられ、フランスに支援されたクーデターで失脚させたが、フランソワ・ミッテラン大統領誕生のきっかけのひとつとなった。

中央アフリカの南部はコンゴ川に面した熱帯雨林だが、北部は乾燥地帯である。19世紀に、フランスがコンゴ川下流とチャドから進出し、フランス領ウバンギ・シャリ植民地（1894年）、フランス領赤道アフリカの一部とした（1910年）。ほかの植民地と同時に独立し、国名を中央アフリカ共和国と称した（1960年）。コンゴ川支流ウバンギ川の大型船航行可能の終点にあたるバンギが首都である。

チャドData 国名：チャド共和国（英）Chad（仏）Tchad（中）乍得 乍得 Zhàdé（正式名称）レピュブリク・デュ・チャド［仏］／首都：ンジャメナ／言語：仏語、アラビア語／面積：1,284.0千㎢／人口：15.4百万人／通貨：CFAフラン／宗教：イスラム教53％、キリスト教34％／民族：サラ族28％、アラブ族12％、マヨ・ケビ族12％／国旗：旧宗主国フランスの三色旗を基調に、汎アフリカ色を組み合わせた。

中央アフリカData 国名：中央アフリカ共和国（英）Central African Repbulic（仏）République centrafricaine（中）中非 中非 Zhōngfēi（正式名称）レピュブリク・サントラフリケーヌ［仏］／首都：バンギ／言語：仏語、サンゴ語／面積：623.0千㎢／人口：4.7百万人／通貨：CFAフラン／宗教：キリスト教50％、精霊信仰35％／民族：バヤ族33％、バンダ族27％／国旗：赤帯はかつての仏領赤道アフリカの4地域の連帯を表す。

コンゴ共和国、コンゴ民主共和国
フランス領とベルギー領だった「二つのコンゴ」

モハメド・アリとジョージ・フォアマンの世界ヘビー級タイトルマッチが1974年10月30日にコンゴ民主共和国の首都であるキンシャサで行われた。全世界に中継され、世界のスポーツ史上に輝く名タイトルマッチであった。

現在のアンゴラ北部からコンゴ民主共和国、コンゴ共和国、ガボンにかけての広い領域を支配していたコンゴ王（マニ・コンゴ）はポルトガルと友好関係にあった。

コンゴ共和国はフランス人探検家ピエール・ブラザがコンゴ川をさかのぼり、バテケ族の首長と協定を結び（1870年）、フランス領コンゴ植民地を創設した。1920年にフランス領赤道アフリカとなり、ブラザビルが地域全体の首都になり、ほかの植民地と同時に独立した（1960年）。マルミミゾウやボンゴなど珍しい動物が多い。石油がある程度産出する。

探検家ヘンリー・モートン・スタンリーの協力を得たベルギー国王レオポルド2世は、アフリカ人の首長と条約を結び、1884〜1885年のベルリン会議でレオポルド2世の私領として認められたが、ゴムと象牙などを収奪しただけで、ベルギー王国の直轄植民地になった。

だが、相変わらず資源開発が重点で、教育などは放置し、まともな教育を受けた現地人はごくわずかだった（独立当時でも大学卒業者は20人だったという）。

第二次世界大戦後、独立運動が活発化し、1960年にコンゴ共和国が成立した。ジョセフ・カサブブ大統領とパトリス・ルムンバ首相が対立し、ベルギーが資源確保を狙って支援したカタンガ州（南東部）首相モイーズ・チョンベが分離独立を宣言し、コンゴ動乱が始まった。軍司令官のモブツ・セセ・セコが介入しルムンバは逮捕され殺害された。

国連が介入し、ダグ・ハマーショルド事務総長が現地に乗り込んだ際に事故死する事件もあった。チョンベ軍は鎮圧されたが、カサブブはチョンベを首相に任命し、**コンゴ民主共和国**が誕生したが（1964年）、モブツがクーデターで政権を握った（1960年）。

モブツは大統領就任後、首都の名称をレオポルドヴィルからキンシャサとし、地名などを現地語に改め、国名もザイールとした。クーデターののちコンゴ民主共和国となったが（1997年）、民族紛争が続き、エボラ出血熱も流行した。銅、コバルト（世界の生産量の半分）、ダイヤモンドなど鉱産資源が豊富だ。オカピという珍獣がいる。中国の影響が強い。

コンゴ共和国Data　国名：コンゴ共和国（英）Republic of the Congo（仏）République du Congo（中）剛果（布）　剛果（布）　Gāngguǒ（Bù）（正式名称）レプブリク・デュ・コンゴ［仏］／首都：ブラザビル／言語：仏語、リンガラ語／面積：342.0千㎢／人口：5.4百万人／通貨：CFAフラン／宗教：キリスト教50％、精霊信仰48％／民族：コンゴ族48％、ジャンガ族20％、テケ族17％。

コンゴ民主共和国Data　国名：コンゴ民主共和国（英）Democratic Republic of the Congo（仏）RD du Congo（中）剛果（金）　剛果（金）　Gāngguǒ（Jīn）（正式名称）レプブリク・デモクラティク・デュ・コンゴ［仏］／首都：キンシャサ／言語：仏語、リンガラ語、キングワナ語、キコンゴ語／面積：2,344.9千㎢／人口：84.0百万人／通貨：コンゴ・フラン／宗教：キリスト教70％／民族：バンツー系。

ルワンダ、ブルンジ
民族虐殺が繰り広げられた旧ドイツ領

　ドイツ領東アフリカは、ブルンジ、ルワンダおよびタンガニーカ（現タンザニアの大陸部）からなるドイツ帝国の植民地だった。1880年代から第一次世界大戦にかけて存在したが、第一次世界大戦でタンガニーカは英国、ルワンダとブルンジはベルギーに占領されたあと、国際連盟の委任統治領となった。

　ルワンダではフツ族によるツチ族の虐殺が繰り広げられた。先住民はピグミー系のトゥワ人だが、フツ人が農耕を始め、さらにそのあと牧畜をするツチ人がやってきて、彼らが支配層としてムワミ王国を形成していたらしい（本当は両民族に違いはないともいう）。

　隣のブルンジとともに、ドイツ領東アフリカの一部をなした（1889年）。第一次世界大戦後、ベルギーの委任統治、信託統治下にあった。女性議員が議席の61%を占め世界一である。紛争終結後、経済成長率は高い。

　日本銀行の服部正也が中央銀行の総裁を務めていたことがあり、『ルワンダ中央銀行総裁日記』（中公新書）はベストセラーになった。

　ベルギーはツチ族を使った間接統治を行ったが、フツ族主導でルワンダ共和国が誕生した（1962年）。大統領の飛行機事故死（1994年）を機にツチ族の虐殺が始まり100万人が犠牲になった。錫、タングステンなどを産する。コーヒー豆も良質で輸出産業として重要である。「千の丘の国」といわれるようになだらかな丘が続き、よく耕作されている（写真はルワンダにも生息するヒガシゴリラ）。

　ブルンジもルワンダとほぼ同じ歴史をたどり、ドイツの植民地からベルギーの統治下に移された。ルワンダとの連邦制も検討されたが、ルワンダがフツ人支配になったので、ブルンジ王国として独立した（1962年）。王族間での争いがあり、その後、共和政に移行した（1966年）。国軍をツチ族が握っており、多数派のフツ族が抑え込まれている。

　綿花などを産する。両国とも質のよいコーヒー豆を産し、全人口の55%がコーヒー豆の栽培で生計を立てているといわれるほどである。外貨収入の8割を占める。「熟したトロピカルフルーツ、柑橘類を思わせる複雑なアシディティ、果実の甘さ、フローラル感にあふれた」コーヒーといった評価がされている。ウラン、銅、コバルト、ニッケル鉱もある。

ルワンダData　国名：ルワンダ共和国（英）Rwanda（仏）Rwanda（ルワンダ語）Rwanda（中）卢旺达 盧旺達 Lúwàngdá（正式名称）レピュブリク・デュ・ルワンダ［仏］／首都：キガリ／言語：仏語、英語、キニアルワンダ語／面積：26.3千㎢／人口：12.5百万人／通貨：ルワンダ・フラン／宗教：キリスト教94%／民族：フツ族84%、ツチ族15%。

ブルンジData　国名：ブルンジ共和国（英）Burundi（仏）Burundi（ルンディ語）Uburundi（中）布隆迪 布隆迪 Bùlóngdí（正式名称）レピュブリク・デュ・ビュランディ［仏］／首都：ブジュンブラ／言語：仏語、キルンジ語／面積：27.8千㎢／人口：11.2百万人／通貨：ブルンジ・フラン／宗教：カトリック62%／民族：フツ族85%、ツチ族14%。

スーダン、南スーダン
英国・エジプト支配から「二つのスーダン」へ

2011年にスーダンから南スーダンが独立したが、これは、現在のところ世界で最も新しい国である。スーダンの首都ハルツームは青ナイルと白ナイルの合流地点に発展した。

スーダンは歴史的にはエジプトの影響下にしばしばあった、前8世紀にはスーダンにあった黒人によるクシュ王国がエジプトを征服したこともある。北部にはヌビア、青ナイルと白ナイルの合流点のハルツーム付近にはアルワという王国があった。

16世紀にはフンジ王国とダルフール王国がイスラム教国として交易で繁栄した。19世紀にはエジプトに征服された。このころ、マフディー（救世主）の反乱でハルツームが陥落したが、エジプトを実質支配するようになった英国に敗れた（1898年）。このとき起きたのがファショダ事件で、大陸横貫政策を狙うフランスが英軍と衝突したが、事件の処理を通じて英仏はむしろ接近した。英国とエジプトはスーダンを共同統治（コンドミニウム）下に置くことに合意し（1899年）、アングロ・エジプシャン・スーダンと呼ばれたが、エジプトに軍事革命が起き、共和国として独立した（1956年）。

首都は「象の鼻」を意味するハルツームで、ヴィクトリア湖から流れる白ナイルとエチオピアからの青ナイルが合流する地点の南側の両支流に挟まれたところにある。北部はイスラム圏で、南部にはキリスト教徒が多い。イスラム法の適用などをめぐって南北対立が激しかったが、2003年からは、北部のうち西部のダルフール州で非アラブ人の農耕民がスーダン政府と結託した集団から迫害されるというダルフール紛争が勃発した。

さらに、石油資源が豊富な南部各州は独立を望み、住民投票の結果、2011年に最も新しい国として**南スーダン**が独立した。首都はジュバである。しかし、治安が悪く日本も国連南スーダン共和国ミッション（UNMISS）に自衛隊を2012年から2017年まで派遣したが、これをめぐって日報が隠蔽されたとされる問題などが日本国内で政治問題化した。なお、スーダンではオマル・アル＝バシール前大統領が1989年から2019年まで権力を握っていた。これに深く食い込んだのが中国で、反政府派への理不尽な弾圧に手を貸していると欧米で非難が高まった。

スーダンData　国名：スーダン共和国（英）Sudan（仏）Soudan（アラビア語）As-Sūdān（中）苏丹　蘇丹　Sūdān（正式名称）ジュムフーリーヤ・アッ＝スーダーン［アラビア語］／首都：ハルツーム／言語：アラビア語、英語／面積：1,861.5千㎢／人口：41.5百万人／通貨：スーダン・ポンド／宗教：イスラム教（スンニ派）、キリスト教（少数）／民族：アラブ人70%、黒人。

南スーダンData　国名：南スーダン共和国（英）South Sudan（仏）Soudan de sud（中）南苏丹　南蘇丹　Nán sūdān（正式名称）リパブリック・オブ・サウス・スーダン［英］／首都：ジュバ／言語：英語、アラビア語、その他部族語／面積：658.8千㎢／人口：12.9百万人／通貨：南スーダン・ポンド／宗教：キリスト教、伝統宗教／民族：アフリカ系。

207

アフリカ 赤道ギニア、リベリア
365

平成30年間で世界一の経済成長率の国に

平成30年間の経済成長率を計算してみると、第1位はなんと赤道ギニアである。2位はベトナム、3位は中国だ。1990年代から石油開発が進んだ結果である。シドニーオリンピックではエリック・ムサンバニが水泳の100m自由形で、溺れているかのような超スローな泳ぎを見せ、世界的に大スターのように扱われた。

赤道ギニアはギニア湾の奥深くに位置し、ビオコ島と大陸部ンビニ（リオ・ムニ）に分かれる。首都マラボのあるビオコ島は1472年ポルトガル人フェルナン・ド・ポーが発見し、ポルトガル領となった。1778年、ポルトガルはブラジルの領有権と引き換えに、スペインに割譲した。本格的な開発は、スペイン領となってからだ（1904年）。独立（1968年）ののち恐怖政治が続く。石油で経済は急速に成長しており、人権抑圧に批判的だった欧米も政権にすり寄っている。石油産業の中心はビオコ島だが、分離独立運動もある。

リベリアはその名前が「自由」に由来するように、アメリカのキリスト教団体が解放奴隷を入植させ（1822年）、独立を宣言した（1847年）。コーヒーおよび砂糖のプランテーションが営まれたが、1870年代にブラジルやキューバの生産力の向上に敗れて貧困化した。1920年代にはアメリカのファイアストン社がゴム・プランテーションを建設し、アメリカの軍事基地が建設されるなどして、しばらくは順調な発展を見せた。解放奴隷の子孫アメリコ・ライベリアンが支配者として君臨し、現在でも人口比以上の力を持ち続けている。首都のモンロビアは、アメリカ第5代大統領のジェームズ・モンローにちなむ。

1970年代末には、経済不振に陥り内戦で混乱した。2005年には国連開発計画アフリカ局長だったエレン・ジョンソン・サーリーフがACミランで活躍したサッカー選手ジョージ・ウェアに辛勝して、アフリカ初の女性大統領となった。サーリーフは2期務め、ノーベル平和賞も受賞した。後任を決める大統領選挙ではジョージ・ウェアが勝利したが、このとき、サーリーフは継承候補と仲違いしてジョージ・ウェアを支持した。

最大の輸出品は鉄鉱石で、ゴムがそれに次ぐ。便宜置籍船制度によってリベリア籍船は約4160隻、約1億5000万GT（グロストン）、世界の公海で運航されている船隊全体の12%を占め、世界第2位の登録数。運営団体の本部はアメリカのバージニア州にある。

赤道ギニアData 国名：赤道ギニア共和国（英）Equatorial Guinea（仏）Guinée équatoriale（スペイン語）Guinea Ecuatorial（中）赤道几内亚　赤道畿内亜　Chìdào Jīnèiyà（正式名称）レプブリカ・デ・ギネア・エクアトリアル［スペイン語］／首都：マラボ／言語：スペイン語、仏語、ポルトガル語、ファング語、ブビ語／面積：28.1千㎢／人口：1.3百万人／通貨：CFAフラン／宗教：カトリック／民族：ファング族86％、ブビ族、ムドゥエ族。

リベリアData 国名：リベリア共和国（英）Liberia（仏）Libéria　（中）利比里亚　利比里亜　Lìbǐlǐyà（正式名称）リパブリック・オブ・ライビリア［英］／首都：モンロビア／言語：英語／面積：111.4千㎢／人口：4.9百万人／通貨：リベリア・ドル／宗教：精霊信仰40％、キリスト教40％、イスラム教20％／民族：クペレ族、バサ族、ギオ族などアフリカ土着民族。

エチオピア

近代化に貢献しながら殺害されたセラシエ皇帝

ハイレ・セラシエ皇帝は明治天皇を尊敬し、王族の妃に日本女性を望み（ベニート・ムッソリーニに邪魔されて中止）、戦後いち早く国賓として来日し、東京オリンピック・マラソンの金メダリストであるアベベ・ビキラの主君としても親しまれたが末路は哀れだった。

エチオピア（ギリシャ語で日に焼けた人の国）は、ソロモンとシヴァの女王との子であるメネリク1世を初代とする。前7世紀ごろイエメンからエチオピアに移動したのが、支配部族であるアムハラ人である。4世紀にキリスト教（コプト派）を国教とした（首都は北部のアクスム）。石をくり抜いて十字架状に彫り上げたラリベラの岩窟教会群（12～13世紀）は奇観として世界遺産になっている。近代になってアビシニア王国、のちにエチオピアと呼ばれ、イタリアをメネリク2世が撃退したが（1896年。第一次エチオピア戦争）、ムッソリーニに占領され、ハイレ・セラシエ皇帝は英国に亡命した（1935年。第二次エチオピア戦争）。

第二次世界大戦中、イタリア軍は敗退し、ハイレ・セラシエが帰国してエチオピア帝国として再独立を果たし、エリトリアと連邦を組み（1952年）、併合した（1962年）。憲法を制定し、奴隷制を廃止し、近代的な教育制度を導入した。アフリカ統一機構を設立し本部をアディスアベバに置き、アフリカ諸国間の紛争にあって調停者として活躍したが、干魃での大飢饉に対して、積極的な手を打たず（1972～1973年）、ソ連に支持されたメンギスツ・ハイレ・マリアムが政権につき、皇帝を暗殺したといわれる（1975年）。

メンギスツはソ連の支持で社会主義政策を展開したが、エリトリアの反乱やソマリアとの領土紛争で100万人の難民を出して失脚し（1991年）、中国の協力も得て経済の再建が進んだ。エリトリアとの和平を実現したアビィ・アハメド首相がノーベル平和賞を受賞したが、これに反対する大暴動が起きた（2019年）。

アフリカではナイジェリアに次ぐ大国で、農業、牧畜ともに盛んで、トウモロコシ、コーヒーなどを輸出する。テフという穀物の粉でつくるクレープ状で酸味のあるインジェラを、ワット（スパイスやヨーグルトで煮込んだシチュー）をつけたり包んだりして食べる。

エチオピア Data 国名：エチオピア連邦民主共和国（英）Ethiopia（仏）Éthiopie（アムハラ語）Ityop'iya（中）埃塞俄比亚 埃塞俄比亚 Āisāiébǐyà（正式名称）エチオピア・フェデララウィ・デモクラシヤウィ・リパブリク［アムハラ語］／首都：アディスアベバ／言語：アムハラ語、英語／面積：1,104.3千km²／人口：107.5百万人／通貨：ブル／宗教：エチオピア正教会44%、イスラム教34%／民族：オロモ族、アムハラ族。

エリトリア Data 国名：エリトリア国（英）Eritrea（仏）Érythrée（ティグリニャ語）Ertra（中）厄立特里亚 厄立特里亚 Èlìtélǐyà（正式名称）ハゲレ・エルトラ［ティグリニャ語］／首都：アスマラ／言語：アラビア語、ティグリニャ語、アファール語、英語、諸民族語／面積：121.1千km²／人口：5.2百万人／通貨：ナクファ／宗教：イスラム教、キリスト教／民族：ティグリニャ族、ティグレ族など。

ソマリア、ジブチ、エリトリア

海賊も現れる交通の要衝と「第2のローマ」

シナモン海岸と呼ばれ香料の産地だったソマリアがアフリカの角と呼ばれるのは、サイの角のような印象的な半島の形がゆえんである。1992年以来、中央政府が存在しない状態が続いたが、21世紀に入り少し落ち着いている。海域には海賊が出没している。

ソマリア（語源は不明）はイタリアがザンジバルのスルターンから、モガディシュなどの港の租借権を得て（1892年）、直接統治を完成した（1905年）。英国も北部をソマリランド保護領とし（1884年）、西部はフランスが支配した。

ソマリランドが独立（1960年）したあと南部と合体してソマリア共和国となった。

ジブチは紅海の入り口の要衝で、スエズ運河の建設に着工したフランスはスルターン藩王から租借し（1862年）ジブチ港を建設し（1888年）、フランス領ソマリ海岸という植民地とした（1897年）。スエズ運河を通る船の石炭補給港だった。

老朽化が進んでいたジブチ・エチオピア鉄道が電化のうえアディスアベバ・ジブチ鉄道として2016年に開業し、2018年には国際自由貿易区が完成した。フランス軍が大規模な基地を置いており、フランス以外の国家も続々とジブチに基地を設け、その利用料収入も大きい。

ソマリ人系のイッサ人とエチオピア系のアファル人が対立し、2度目の住民投票で独立を選択した（1977年）。日本も補給基地を持ち、中国も海軍基地を持っている。

エチオピア高原の北端の標高2400mという地点にイタリア人が建設した南欧風の美しい町だ。ラテン語やギリシャ語で紅海を意味する**エリトリア**（Dataは208項に掲載）はエチオピアの北側の海岸部を占めるが、鉄道はジブチに出るので、良港があるのに活用されていない。

16世紀のトルコによる占領から、エジプトの支配を経て、1890年にイタリアの植民地となった。第二次世界大戦後のエチオピアによる併合を経て1993年に正式に独立を宣言した。小麦などの穀物も輸入に頼り、世界の最貧国のひとつである。

首都のアスマラは標高2300mの高原都市で、ベニート・ムッソリーニが第2のローマ（ピッコラ・ローマ）を目指し、1920〜1930年代にイタリアのアール・デコ建築やモダニズム建築が多く建設され世界遺産になっている。

ソマリアData　国名：ソマリア連邦共和国（英）Somalia（仏）Somalie（ソマリ語）Soomaaliya（中）索马里　索馬里　Suǒmǎlǐ（正式名称）ジュムフーリーヤ・アッスーマール［ソマリ語］／首都：モガディシュ／言語：ソマリ語、アラビア語、英語、イタリア語／面積：637.7千㎢／人口：15.2百万人／通貨：ソマリア・シリング／宗教：イスラム教（スンニ派）／民族：ソマリ族85%。

ジブチData　国名：ジブチ共和国（英）Djibouti（仏）Djibouti（アラビア語）Jībūtī（中）吉布提　吉布提　Jíbùtí（正式名称）レピュブリク・ドゥ・ジブティ［仏］／首都：ジブチ／言語：アラビア語、仏語／面積：23.2千㎢／人口：1.0百万人／通貨：ジブチ・フラン／宗教：イスラム教94%／民族：ソマリ人60%、アファール人35%。

マダガスカル、コモロ

英国とフランスに翻弄された島々

マダガスカルの主たる住民はマレー系で10世紀ごろ移住してきた。ただし、海岸地帯はアフリカ系の住民の割合が相対的に多い。世界で4番目に大きい島で、独特の生態系を持つ。

マダガスカルでは17世紀に中央高地にアンドリアナ王国（のちのメリナ王国）を建設した。ポルトガル人が1500年ごろ来たが、1885年のベルリン会議でフランス領となった。

第二次世界大戦中に、英国軍が「日本軍の侵攻に備える」として占領し（1942年）、シャルル・ド・ゴールの自由フランス政府に引き渡した。独立ののち（1960年）も親仏的だ。世界のバニラの6割を生産する。

マダガスカルの動植物種のおよそ90％が固有種である。バオバブの木（写真）は、10mもあろうかという太い幹に30mもの高さ。葉や枝はてっぺん付近にしかついていない姿が人気。国章にもデザインされているタビビトノキやキツネザル、アイアイ、ロリスなどの猿類もユニークである。

名はマルコ・ポーロがソマリアのモガディシュのことをマデイガスカルと書いたのをポルトガル人が混同してつけたらしい。首都のアンタナナリボは海抜1276mの高原にある。

コモロはマダガスカル島とモザンビークの間に浮かぶ諸島で、奴隷と香料の交易が行われていたが、紅海やペルシア湾方面から移民が来ていくつものスルターン国をつくった。

マヨット島のスルターンはフランスに島を売却し（1843年）、全島がフランスの属領（1886年）、次いで植民地となった（1912年）。

戦後、住民投票を実施して3島がコモロ共和国として独立したが、マヨット島はフランスに残留した（1975年）。

輸出品はコプラ、バニラ、クローブなどの香料。住民はマレー、インド、アラブ、アフリカなどの混血である。生きた化石といわれるシーラカンスが生息する。

マダガスカルData　国名：マダガスカル共和国（英）Madagascar（仏）Madagascar（マダガスカル語）Madagasikara（中）马达加斯加　馬達加斯加　Mǎdájiāsījiā（正式名称）レピュブリク・デュ・マダガスカル［英］／首都：アンタナナリボ／言語：マダガスカル語、仏語、英語／面積：587.3千㎢／人口：26.3百万人／通貨：マダガスカル・アリアリ／宗教：精霊信仰52％、キリスト教41％／民族：マレー系（メリナ族、ベツィレオ族）。

コモロData　国名：コモロ連合（英）Comoros（仏）Comores（コモロ語）Komori（中）科摩罗　科摩羅　Kēmóluó（正式名称）ユニオン・デ・コモール［仏］／首都：モロニ／言語：仏語、アラビア語、コモロ語／面積：2.2千㎢／人口：0.8百万人／通貨：コモロ・フラン／宗教：イスラム教98％／民族：バンツー系黒人、アラブ人、マダガスカル人、インド人。

モーリシャス、セーシェル
アメリカの「不沈空母」とフランスの「海外県」

　セーシェル島のビーチの世界一ともいわれる美しさが世界的に知られるようになったきっかけは、『さよならエマニエル夫人』（3部作の第3部）の舞台となったことだ。人口はアフリカで最小だ。ウィリアム王子とキャサリン妃がハネムーンに訪れたことでもまた人気が高まった。

　インド洋の**モーリシャス**には16世紀末にオランダ人が植民を試み、奴隷を連れてきて黒檀を伐採したが撤退した。フランス人が植民を開始し（1715年）、サトウキビのプランテーションを開発したが、ナポレオン戦争のあと英領となった（1814年）。インド人労働者が多く、彼らの主導で英連邦内の自治国として独立した（1968年）。

　インド移民受け入れ施設アープラヴァシ・ガートが世界遺産になっている。はるか東のチャゴス諸島も一体だったが、島民をモーリシャスに移住させ無人化したうえで、ディエゴガルシア島をアメリカ軍基地に貸与している。アメリカの中東戦略上なくてはならない島で、まさに、インド洋に浮かぶ「不沈空母」である。

　2019年に国際司法裁判所から「英国には、チャゴス諸島の統治を可能な限り迅速に終結させるべき」との勧告がなされ、それを支持する国連総会決議もなされたが英国はこれを拒否している。

　セーシェル（Dataは212項に掲載）はフランス人が1742年に探検を始め、1770年代に定着を開始したが、1814年に英領となった。モーリシャスと一体だったが、英国の直轄植民地を経て（1903年）、英連邦内のセーシェル共和国として独立した（1976年）。

　マヨット島とモーリシャスの西にある火山島で渓谷の美しさで知られるレユニオン島はいずれもフランスの海外県であり、本国の参政権を持ち、国会にも議員を送り込んでいる。シャルル・ド・ゴール大統領のもとで首相を務めたミシェル・ドブレはここを選挙区にしていた。地元はロワール川流域のアンボワーズで、そこの市長でもあった。

　フランス人にとっては、遠隔地の領土として格別の愛着があり、パリのレストランでもレユニオン島のフルーツなど人気がある。

　南インド洋は漁業資源もあまりないこともあって非常に人間の活動が少ない地域で、マレーシア航空機がこの地域で姿を消しても手がかりが少なかったのもそれが原因である。

モーリシャスData　国名：モーリシャス共和国（英）Mauritius（仏）Maurice（中）毛里求斯　毛里求斯　Máolǐqiúsī（正式名称）リパブリック・オブ・モーリシャス［英］／首都：ポートルイス／言語：英語、仏語、クレオール語／面積：2.0千㎢／人口：1.3百万人／通貨：モーリシャス・ルピー／宗教：ヒンドゥー教48%、キリスト教32%、イスラム教17%／民族：インド・パキスタン系67%、クレオール27.4%。

[地域の歴史] 旧インカ帝国、旧アステカ帝国
旧大陸からの隔絶で独自の発展を遂げたインカ文明

　日本でいえば奈良時代あたりにメキシコ高原にテオティワカン文明、中米のユカタン半島にマヤ文明が栄え、ヨーロッパ人がやってくる直前の15世紀にはメキシコにテノチティトランを首都とするアステカ帝国や、ペルーのインカ帝国が最盛期を迎えた。

　インディオ（219項写真）やイヌイット（エスキモー）はモンゴロイドの一派である。彼らが新大陸にやってきたのは、だいたい1万2000年前のことで、日本で縄文時代が始まったのとさほど変わらない。意外に新しいのである。

　北海道も樺太や沿海州とつながっていた寒冷期に、シベリアとアラスカを隔てるベーリング海峡が陸地化し、歩いて渡ってこられた時期がある。この海峡を渡ったのはマンモスなど大型動物も同様で、むしろ人間はそうした獲物を追っかけているうちにやってきた。

　それから、何千年もかけて南下し、トウモロコシやジャガイモ、トマト、唐辛子など、この大陸独特の植物を栽培することに成功する。紀元前2000年ごろと推定されている。

　ところが、旧大陸から隔絶されていたために、馬、牛、羊、鶏はおらず、大型の動物は七面鳥やアルパカなどだけだった。金属はもっぱら装飾用に使われるだけで、武器や器具には使われず、「高度な石器文化」として独自の発展を遂げたのである。

　それでも土木技術はすぐれ、インカの首都であるクスコではカミソリも隙間を通さない堅牢な石組みの砦が出現し、マヤやアステカには巨大なピラミッドが建設された。テノチティトランは破壊されてその上にメキシコシティが建設されている。クスコには、遺跡を活用しながら現在の町がつくられたので精巧な細工の石畳などがいまも残る。

　ペルーでは、インカの謎の空中都市マチュピチュ（215項写真）が世界文化遺産でもトップクラスの人気観光地になっている。マチュピチュはアンデスの山中、標高2430mの断崖にある都市遺跡。15世紀半ばのインカ帝国時代に築かれ1911年に偶然に発見されるまで、深い密林に覆われており、天空の都市が非常に保存状態よく残されている。ペルーでは「ナスカの地上絵」も有名だ。

　テオティワカンは太陽のピラミッド、月のピラミッドなどが遺跡としてよく残っている。マヤ文明遺跡では、ティカル（グアテマラ）、コパン（ホンジュラス）、パレンケ（メキシコ）、それにマヤ人たちが高度な天文学の知識を持っていたことを示すチチェン・イッツァもある。

セーシェルData　国名：セーシェル共和国（英）Seychelles（仏）Seychelles（クレオール語）Repiblik Sesel（中）塞舌尔　塞舌爾　Sàishéěr（正式名称）リパブリック・オブ・セイシェルズ［英］／首都：ビクトリア／言語：英語、クレオール語、仏語／面積：4.6千㎢／人口：0.1百万人／通貨：セーシェル・ルピー／宗教：キリスト教93%／民族：クレオール（ヨーロッパ人と黒人の混血）。

アメリカ

バハマ
コロンブスが最初に「発見」した土地

ヨーロッパ人は、自分たちの大陸に対してアメリカのことを「新世界」とか「新大陸」とか呼ぶ。ヨーロッパ人で新大陸に初めてやってきたのはバイキングらしいが、その「発見」はその後のこの大陸の歴史につながらないから、歴史的な事件としてはクリストファー・コロンブスの「発見」がやっぱり最も重要だ。

　南米にはコロンビアという国があるし、アメリカ合衆国でもコロンビア州など、彼にちなむコロンビアという地名は多いが、最近では、原住民への収奪や殺戮行為を理由として、英雄として地名などにしたり、銅像を建てたりすることに批判が高まっている。首都ワシントンD.C.でも「コロンビア特別区」という名前を改名しようという動きがある。リベラル派が強いニューヨークのコロンビア大学などどうするのだろうか。

　もっとも、彼は自分が新大陸を発見したのでなくインドの一部だと信じ続け、新大陸だと認識し宣伝したのはイタリア人のアメリゴ・ベスプッチだったので、この大陸はアメリカと名づけられた。

　1492年10月12日の記念すべき日にコロンブスが「発見」したのは、サン・サルバドル島である。どこの国のことか正しく答えられる人はほとんどいないが、タックス・ヘイヴン（租税回避地域）や便宜置籍船国で悪名高いバハマである。

　コロンブスは、1492年10月12日にこの国のサン・サルバドル島を発見した。インディオたちは、グアナハニ島と呼んでいたが、コロンブスは救世主を意味するこの名をつけた。その後、英国人の海賊の名前を取ってワトリング島といわれるようになったが、1929年にバハマ政府がコロンブスが与えた名前に戻した。

　バハマ諸島は1783年に英領となった。スペイン語の引き潮（バハマール）が語源らしい。首都はサン・サルバドル島の西北西にあるナッソーでイングランド王ウィリアム3世の出身がオラニエ＝ナッサウ（ナッソー）家であることにちなむ。

　人口のほとんどはこの島で、タックス・ヘイヴンや便宜置籍船国、そしてカジノで知られる。2016年にはペーパーカンパニーのリストである「バハマ文書」が流出して各国で大スキャンダルになった。

バハマData　国名：バハマ国（英）Bahamas（仏）Bahamas（中）巴哈马　巴哈馬　Bāhāmǎ（正式名称）コモンウェルス・オブ・ザ・バハーマズ［英］／首都：ナッソー／言語：英語、クレオール語／面積：13.9千㎢／人口：0.4百万人／通貨：バハマ・ドル／宗教：キリスト教96％／民族：黒人85％、白人12％／国旗：黒い三角形はアフリカ系バハマ国民の団結と精神力、青は海、黄は太陽と砂浜。

ドミニカ共和国

コロンブスの「第2の拠点」にして永眠の地

　アメリカ大陸を「発見」したクリストファー・コロンブスの墓は、スペインのセビリア大聖堂にある。ところが、イスパニョーラ島のドミニカ共和国が首都サントドミンゴにあるものこそ本物だと主張してDNA鑑定をするとかしないといった大論争になっている。

　コロンブスはイタリアのジェノヴァ生まれだが、1506年にスペインのバリャドリードという町で死んで、セビリアの修道院に埋葬されたが、生前の希望に沿って、遺族の手でサントドミンゴにあるサンタ・マリア・ラ・メノール大聖堂に移した。しかし、ドミニカ共和国は1795年にフランス領となったので、遺骨はキューバへ移され、さらに米西戦争のためにセビリアに移されたのだ。

　ところが1877年に、サントドミンゴ大聖堂にコロンブスの名がある骨箱が見つかったので、ドミニカ共和国では「移した遺骨は偽物だった」といっているのである。この真贋論争はともかく、コロンブスの希望からすればドミニカ共和国こそが永眠の地としてふさわしいはずだ。

　コロンブスがサン・サルバドル島を発見したのち、さらに航海を続け、キューバにも上陸したし、イスパニョーラ島にも立ち寄り、第2回の航海ではここに本格的な拠点も築いた。これがいまのドミニカ共和国の首都サントドミンゴであり、ヨーロッパ人のアメリカ進出の最初の拠点として栄え、旧市街は世界遺産となっている。

　金鉱山も発見され栄えたが、1520年代あたりからスペインの植民活動の中心は大陸に移った。そののち、フランス時代を経て、スペインへの復帰を経て、独立してドミニカ共和国になった（1844年）。

　1930年から1961年までは、ラファエル・トルヒーヨを大統領とする独裁政権のもとにあった。経済開発では健闘したが、人権侵害やハイチ人大量虐殺、そして、全土の3分の1を一族の資産にした極悪非道ぶりだった。

　このトルヒーヨ政権のとき日本人が移住したが、約束と違うひどい土地で苦労し、独裁政権崩壊を機に多くが帰国し、日本政府に損害賠償請求がされる事件があった。

　野球が盛んでサミー・ソーサやアレクシス・ロドリゲス（生まれはアメリカ）などを生み、西半球ではキューバと並ぶ実力だ。

ドミニカ共和国Data　国名：ドミニカ共和国（英）Dominican Republic（仏）République dominicaine（スペイン語）Dominica（中）多米尼加共和国　多米尼加共和国　Duōmǐníjiā Gònghéguó（正式名称）レプブリーカ・ドミニカーナ［スペイン語］／首都：サントドミンゴ／言語：スペイン語／面積：48.7千㎢／人口：10.9百万人／通貨：ドミニカ・ペソ／宗教：カトリック95％／民族：ムラート73％、白人16％／国旗：青は神、赤は祖国、白は自由を表す十字旗。

アステカ帝国を滅ぼしたコルテスは現代のメキシコでも肯定的に語られるが、インカ帝国を滅ぼしたピサロへのペルー人の評価は厳しい。これには、アステカ帝国が周辺国からは嫌われていたというのも一因だ。

コロンブスやその後継者は、西インド諸島で原住民たちを酷使して金鉱山の開発などには成功したものの、新世界に高度な文明があることは知らなかった。

キューバにいたスペイン人エルナン・コルテスは、アステカ帝国に乗り込むと、なんと神の化身と間違われた。白い肌の神ケツァルコアトルが、いつかアステカに戻ってくるという伝説があった。この誤解ゆえに簡単にコルテスはアステカを手に入れた。

この国では、太陽の神に毎日、生贄の人間の動いた心臓をささげる儀式があったらしい。それを禁じようとしたら反乱が起こったので、手荒に原住民たちを殺した。

インカを征服したのは、パナマに住むスペイン人フランシスコ・ピサロだった。スペインは太平洋へ出るためにパナマ市を建設し、太平洋に沿って侵攻していった。インカ帝国の皇帝アタワルパは、部下たちに部屋いっぱいの金を集めさせてピサロに命乞いしたが、処刑されてしまった。

こうして、アステカ、インカ両帝国は滅び、日本でいえば荘園制に少し似た、エンコ・ミエンダという征服者が人民を半奴隷的に支配する制度がつくられた。

もう少し時代がたつと、スペイン王は、メキシコとリマに副王を置き、ヌエバ・グラナダ（ボゴタ、1717年）、リオ・デ・ラ・プラタ（ブエノスアイレス、1776年）にも副王が置かれた。アウディエンシア（行政立法院）はさらに細かく置かれ、のちの独立国としての単位につながっていった。

だが、間もなく、新大陸が旧世界を揺るがす事件が起きた。いまのボリビアでのポトシ銀山の発見である（1545年）。さらにメキシコでの銀山もそれに続いた。これにより、ヨーロッパへの銀の供給量が飛躍的に増え、「価格革命」が起こりドイツなどでは中世以来の豪商たちを没落させる一方、スペインは植民地から流れ込む富で世界一の強国となった。

中南米でも鉱山で働く人々の生活を支えるために農業、工業、商業のいずれもが発展し、豪壮華麗で装飾過多な文化が花開いた。

教養への扉　ウルトラバロック、チュリゲラなどと呼ばれるこの時代の中南米キリスト教美術は、1992年のセビリア万博のバチカン市国館で体系的な展示がされて大評判になったが、華麗なバロックに征服者たちのどろどろした欲望、そして垣間見えるインディオ土着芸術のセンスが入り交じって実におもしろかった。

[地域の歴史] スペイン新大陸植民地②
スペインと土着移民が混血した「メスティーソ」

インカ帝国やアステカ帝国に馬や火器がなかったことから、彼らの帝国を倒すことは実に容易だった。だが、その支配を維持しようとすれば、弓矢しか持たない敵すら厄介な存在となった。

スペイン人はのちの北米への移民のように多くの人数で到来したのではないから、西部劇のように原住民を殲滅してしまったら、たちまち労働力不足になってしまうジレンマがあった。ましてや、原住民も時間を経れば馬に乗り、銃を操るようになる。

英国の植民地ではインディアンを敵対する野蛮人としてしか扱わなかったが、中南米ではインディオたちを一人前の臣民として扱いはしたが、逆に労働力として酷使した。また、新大陸からも梅毒のような病気が旧世界に流れ込んだが、旧世界から新世界へもインフルエンザなどが襲来し、メキシコでは人口が半分以下になった。

しかも、スペイン本国はペニンスラールと呼ばれた本国からの派遣者を優遇して新大陸生まれの自国民を差別したが、彼らはクリオーリョと呼ばれる勢力となって徐々に現地の支配勢力として力をふるうようになったし、インディオとの混血であるメスティーソ、黒人との混血であるムラートもそれぞれに自己主張を始めた。

中南米での本格的な独立は、1807年にスペインでナポレオン軍の侵入によりブルボン王朝がいったん倒されたのをきっかけに始まった。だが、その前史としていくつもの本国への反乱や自立への試みがあった。

インカ帝国ではピサロによる征服ののちに傀儡皇帝となったマンコ・インカ・ユパンキが脱走し、その子どもたちはビルカバンバ渓谷で40年も抵抗した。フランシスコ・ピサロの弟やエルナン・コルテスの長男も本国の締めつけに反発して背いたし、アマゾンの奥地で独立を宣言してペルーを攻撃したホセ・アントニオ・アギーレの反乱もスペインの植民地支配を震撼させた。

原住民によるものとしてはカリフォルニアの拠点だったサンタフェを陥れたプエブロの反乱、チリでのアラウカ族の反乱がよく知られる。

だが、本格的な独立運動の予兆ともいえるのは、メスティーソでインカ残党最後の皇帝の末裔と称するトゥパク・アマル2世による反乱（1780年）であり、ペルーのお札にその肖像が使われていたほどだ。

教養への扉 チェコの作曲家であるアントニン・ドヴォルザークの交響曲第9番『新世界より』（フロム・ザ・ニューワールド）は、アメリカの音楽院長として招かれた作曲家がその滞在中に作曲したもので、ニューヨークで1893年に初演された。第2楽章でイングリッシュホルンが奏でる『家路』と呼ばれる旋律につき、「アメリカの黒人やインディアンの民族音楽の旋律を多く主題に借りている」といわれたことがあるが事実ではない。ただ、望郷の念とともに、アメリカの音楽の素朴さに触発されたのはたしからしい。

ベネズエラ
南米独立の立役者となった「2人の天才」

フランス軍に本国が占領されたとき、本国に頼れないので自治が拡大するのは自然の成り行きだったが、本国とつながりの強い人々と、クリオーリョなど現地勢力の間で対立が起こった。そこに、ホセ・デ・サン＝マルティンとシモン・ボリバルという2人の天才が現れた。

　副王領だったヌエバ・グラナダでは、ベネズエラのクリオーリョ有力者出身で、ヨーロッパで教育を受けたシモン・ボリバルがいた。1819年にヌエバ・グラナダ（大コロンビア）として独立し、1822年にはエクアドルもその傘下に収めた。

　ボリバルはアルゼンチンから独立運動を始めたサン＝マルティンとエクアドルのグアヤキル（高級チョコレートに使うカカオの積み出し港）で会見し、ボリバルは1824年にはペルー全土の解放を実現した。さらに、翌年にはアルト・ペルー（高地ペルー）地方を独立させ、新国家はボリビアと名づけられた。

　だが、独立後の各国では思惑が交錯し、ベネズエラとエクアドルは1830年にヌエバ・グラナダから分離した。

　世界有数の石油産出国であるベネズエラの国名は、油田地帯でもあるマラカイボ湖の風景がイタリアの水の都ヴェネツィアを連想させることから来ている。メスティーソが主体で人種意識は低い。国連でジョージ・W・ブッシュ大統領を悪魔にたとえる演説をして喝采を浴びたウゴ・チャベス大統領の失脚をアメリカは狙ったが、選挙で信任を受けており手が出せなかった。

　2012年にチャベスは、癌を理由にニコラス・マドゥロ副大統領を後継者として指名、翌年にチャベスが死去して行われた大統領選挙でマドゥロが勝利。しかし、経済危機は深刻で、総選挙で野党が勝つとマドゥロは憲法改正のための制憲議会を設置して対抗したので、フアン・グアイド国会議長が暫定大統領になって両者が対立したままになり、400万人が海外へ難民として出た。

　首都カラカスは北部の山岳地域の盆地にあり、南部はギアナ高地で落差約1000mのアンヘル（エンゼル）滝などがありエル・ドラード（黄金郷）伝説に満ちた秘境だ。その中間の谷間を、西から東にオリノコ川が流れる。

　ベネズエラの教育には、エル・システマというメソッドで行われる音楽教育が挙げられ、主に貧困層の児童を対象に無償で施されるクラシック音楽の教育で、そのなかから、世界的な指揮者グスターボ・ドゥダメルが出てシモン・ボリバル・ユース・オーケストラ・オブ・ベネズエラとレコーディングもしている。

ベネズエラData　国名：ベネズエラ・ボリバル共和国（英）Venezuela（仏）Venezuela（スペイン語）Venezuela（中）委内瑞拉　委内瑞拉　Wěinèiruìlā（正式名称）レプブリカ・ボリバリアーナ・デ・ベネズエラ［スペイン語］／首都：カラカス／言語：スペイン語／面積：929.7千㎢／人口：32.4百万人／通貨：ボリバル・ソベラノ／宗教：カトリック96％／民族：メスチソ64％、白人23％、黒人10％。

アメリカ

コロンビア、パナマ
もともとひとつの国だった「黄金郷」

コロンビアは1863年にヌエバ・グラナダが国名を変更した。世界第3位のコーヒー産出国で、ヨーロッパでは高級品の代名詞だ。だが、コカインこそが最大の産業といわれ、1970〜1990年代には麻薬王エスコバルに率いられたメデジン・カルテルが盤踞した。

コロンビアでは、エメラルドについては世界一の産出量を誇る。エル・ドラード（黄金郷）伝説は、族長が身体に金粉を塗って湖に入る儀式から生じた伝説だ。

美人が多い国として定評があり、東京の夜の町にも大量進出している。ボゴタは原住民の部族名ないし族長の名に由来する。サンタフェ・デ・ボゴタというのが正式名称だった時期もある。標高2640m。植民地開発の拠点だったカルタヘナにはスペインの要塞などが残り最大の観光都市である。

パナマはもともとコロンビアの一部。「魚の多いところ」という意味だ。1513年にバルボアが太平洋を発見し、気候がよい太平洋側にパナマ市が建設されて地峡はカリブ海と太平洋を結ぶ交通路として栄えた。やがて、二つの大洋をつなぐ運河が計画されたが、候補としてほかにも、コロンビアのアトラト川流域やニカラグアなどがあった。

1880年代にはスエズ運河を建設したフランス人フェルディナン・ド・レセップスが水平式の運河開削を試みたが失敗に終わった。やがてアメリカはコロンビア政府との協定が難航したのに業を煮やして、レセップスの利権を引き継いだフィリップ・ビュ・バリアらを扇動して独立宣言させ、新しいパナマ政府と運河地帯を実質的にアメリカの支配下に置く協定を結び、水門の操作で徐々に高い場所を越える閘門式運河を建設した。パナマ運河の規模は全長約80kmである。

協定は1979年に改定され、1999年に運河地帯もパナマ政府の支配のもとに置かれた。だが、アメリカ政府はパナマ内政に干渉を続け、1989年には独裁者マヌエル・ノリエガ将軍を拘束してアメリカの刑務所に入れるといった傍若無人ぶりである。2016年には大拡張工事が完成した。

金融センターとしても栄えているが、2016年にパナマの法律事務所、モサック・フォンセカによって作成された、租税回避行為に関する「パナマ文書」が流出して世界的なスキャンダルとなった。大リーグのヤンキースで守護神として活躍したマリアノ・リベラが最大の有名人。1994年W杯で、オウンゴールを献上したアンドレス・エスコバル選手が暗殺されたことがある。

コロンビアData 国名：コロンビア共和国（英）Colombia（仏）Colombie（スペイン語）Colombia（中）哥伦比亚 哥倫比亞 Gēlúnbǐyà（正式名称）レプブリカ・デ・コロンビア［スペイン語］／首都：ボゴタ／言語：スペイン語／面積：1,141.7千㎢／人口：49.5百万人／通貨：コロンビア・ペソ／宗教：カトリック90％／民族：メスチソ58％、白人20％、ムラート。

パナマData 国名：パナマ共和国（英）Panama（仏）Panamá（スペイン語）Panam（中）巴拿马 巴拿馬 Bānámǎ（正式名称）レプブリカ・デ・パナマ［スペイン語］／首都：パナマシティ／言語：スペイン語／面積：75.3千㎢／人口：4.2百万人／通貨：バルボア／宗教：カトリック85％／民族：メスチソ70％。

ペルー、ボリビア
日系人大統領と先住民大統領の栄光と蹉跌

　1990年に選出された日系のアルベルト・フジモリ大統領はセンデロ・ルミノソ（輝ける道）というゲリラを抑え込み経済再建にも成功したが、強権政治への反発とそれ以上にアメリカに対する虎の尾を踏むような政策で対立し失脚した。

　ペルーは、ケチュア族47％、メスティーソ32％、白人12％で前2者の対立が激しい。ケチュア語やアイマラ語も公用語になっている。ペルーはビルーという首長、あるいは川の名前に由来するなどといわれている。それが、ペルー副王領という言葉に採用され、そのまま独立後の国名になった。

　リマは征服者（コンキスタドール）フランシスコ・ピサロが建設した海岸に近い都市で、付近の川の名にちなむ。副王領の首都としての栄華をしのばせる豪華な建築にあふれている。インカ帝国の首都だったのは、標高3400mのクスコである。

　アンチョビやコカが特産品だ。ペルーでは、魚介類をレモン汁でマリネにし牛乳、ロコト（唐辛子）、セロリ、タマネギなどを加えたセビチェとか、牛の心臓の串焼きであるアンティクーチョ、ゆでたジャガイモに唐辛子入りチーズソースをかけたパパ・ア・ラ・ワンカイーナなど変わった料理が多い。ジャガイモはこのあたりが原産地だ。フジモリに大統領選挙で敗れたマリオ・バルガス・リョサは2010年にノーベル文学賞を受賞している。

　ボリビアはかつてポトシ銀山で栄え、その町は世界遺産になっている。現在は錫の世界的な産地である。憲法上の首都はスクレだが、政治行政機能は標高3600mのラ・パスにある。コカ栽培農家から出発した先住民出身初の大統領エボ・モラレスが資源国有化を掲げてアメリカと激しく対立していたが、2019年についに失脚してメキシコに亡命した。1967年にチェ・ゲバラが戦死したのもこの国である。

　鷲に似たコンドルが国鳥である。塩で真っ白い湖面で知られるウユニ湖、名前が印象的なチチカカ湖も観光地。スポーツでは高地でのサッカー試合が話題になる（写真は1820年ごろに描かれたブラジルのインディオの絵画）。

ペルーData　国名：ペルー共和国（英）Peru（仏）Pérou（ペルー語）Perú（中）秘魯　秘魯　Bìlǔ（正式名称）レプブリカ・デル・ペルー［スペイン語］／首都：リマ／言語：スペイン語、ケチュア語、アイマラ語／面積：1,285.2千㎢／人口：32.6百万人／通貨：ヌエボ・ソル／宗教：カトリック81％／民族：インディオ47％、メスチソ32％。

ボリビアData　国名：ボリビア多民族国（英）Bolivia（仏）Bolivie（スペイン語）Bolivia（中）玻利維亜　玻利維亜　Bōlìwéiyà（正式名称）エスタード・プルリナシオナル・デ・ボリビア［スペイン語］／首都：ラパス（※憲法上の首都はスクレ）／言語：スペイン語など／面積：1,098.6千㎢／人口：11.2百万人／通貨：ボリビアーノ／宗教：カトリック95％／民族：メスチソ30％、ケチュア人30％、アイマラ人25％。

チリ、エクアドル
民主主義的に選ばれた社会主義政権が存在

チリのワインはフランスでも高く評価されている。かつては硝石の生産で栄えたが、今日では銅が世界一の産出を誇る。日本はサーモンを多く輸入している。ウニも大変高品質だ。季節が反対なのでちょうど都合がよい。

アルゼンチンのホセ・デ・サン＝マルティンが、ペルーも含めた南米全体がスペインから独立すべきだと考え、のちにチリの国家元首となるベルナルド・オイギンスらとともにアンデス越えの奇襲を敢行し、1810年にサンティアゴで**チリ**の独立を宣言した。

アンデス山脈と太平洋に挟まれた細長い国であるチリは、ヨーロッパ系の血統を強く感じさせる。世界最初の民主主義的に選ばれた社会主義政権として1970年に誕生したサルバドール・アジェンデ大統領の政府は、3年後にはアウグスト・ピノチェト将軍のクーデターで倒れた。アメリカのロナルド・レーガンや英国のマーガレット・サッチャーから強く支持され、市場重視の経済政策も成功したが、激しい人権抑圧は世界から非難された。現在は左派的な色彩の強い政治に戻っている。

標高6960m（山頂はアルゼンチン領）のアコンカグアは、南米最高峰。石の巨像モアイで知られるイースター島もサンティアゴから2700km離れているが、チリ領。アタカマ砂漠は世界一乾燥した土地といわれ、天文台に最適。チリは英語でスペイン語ではチレである。語源には諸説あって、原住民の名だとか「寒い」だとかともいわれる。

国会は1990年に中部の港湾都市であるバルパライソに移転した。「天国の谷」という意味で、海越しにアンデス山脈の絶景が望める。アンデスは「段々畑」の意味か。南部にはマゼラン海峡があり、狭く風が強い難所である。

スペイン語で赤道を意味する**エクアドル**の首都キトは高原にあって快適な気候の都市で豪華な教会などがある。漁業も盛んであるし、太平洋上に浮かび激しい海流のために島ごとに動物が独自の進化をしてダーウィンに「進化論」への示唆を与えたガラパゴス諸島もこの国に属する。石油の生産もされている。

インカ帝国の一部で、大コロンビアの一部だったが、ベネズエラに追随して分離した。首都のキトの名は原住民の部族名である。グアヤキルはカカオの積み出し港としても知られるが、ここで野口英世が黄熱病の菌を発見した。

チリData　国名：チリ共和国（英）Chile（仏）Chili（スペイン語）Chile（中）智利　智利　Zhìlì（正式名称）レプブリカ・デ・チレ［スペイン語］／首都：サンティアゴ／言語：スペイン語／面積：756.1千km²／人口：18.2百万人／通貨：チリ・ペソ／宗教：カトリック70%／民族：メスチソ72%。

エクアドルData　国名：エクアドル共和国（英）Ecuador（仏）Équateur（スペイン語）Ecuador（中）厄瓜多尔　厄瓜多爾　Èguāduōěr（正式名称）レプブリカ・デル・エクアドル［スペイン語］／首都：キト／言語：スペイン語／面積：257.2千km²／人口：16.9百万人／通貨：米ドル／宗教：カトリック95%／民族：メスチソ65%、インディオ25%。

221

アメリカ

365

ウルグアイ、パラグアイ
スペインの副王領から独立

　アルゼンチン周辺は、天然資源にも乏しくスペイン人にとってあまり興味ある土地ではなかったし、しかも本国やほかのヨーロッパ諸国との直接の行き来を禁じられ、パナマ、ペルー経由だった。だが、パンパという草原が牧畜に向いていることがわかり、英国などとの通商も封じ込めができなくなってきた。これが1776年のラ・プラタ副王領（パラグアイ、ウルグアイ、それにボリビアの一部を含む）の設置につながった。

　1825年にはラ・プラタ連合がアルゼンチンに、1863年にはヌエバ・グラナダがコロンビアに国名を変更した。ラ・プラタ川左岸の河口部のウルグアイは、ブラジルが一時併合したが、1828年に英国の仲介で独立した。

　ラ・プラタ副王領は本国とのつながりが希薄だったので、1810年には自治が認められた。副王領全体での独立が模索されたが、パラグアイは同調せず、1811年に単独で独立を宣言した。ペルー副王領時代のラ・プラタ地方統治はパラグアイのアスンシオンを中心に始められたから、ブエノスアイレスの風下には立ちたくなかったのだ。

　ウルグアイはアルゼンチンとよく似た自然と人種構成である。ほどよくコンパクトな国土が幸いして安定した繁栄と社会福祉の充実で知られる。正式にはウルグアイ東方共和国だが、これはウルグアイ川の東に広がることによる命名だ。1930年に第1回のサッカーW杯を開催し優勝したことや、世界貿易機関（WTO）のウルグアイ・ラウンド交渉の開始を決めた会議の開催地として知られる。温泉があり、風力発電が盛ん。牛肉も多く生産する。

　パラグアイは原住民グアラニー族の言葉で、「大きな川から」を意味するらしい。首都アスンシオンは、ボリビアとラ・プラタ川流域の中継地点にあって、河港都市だ。「聖母の被昇天」を意味する。1954年から1989年まで大統領だったアルフレド・ストロエスネルは、誕生日が明治天皇と同じでその生まれ変わりといわれていた。独裁者だったが、水力発電を進めて最大の輸出産業とするなど、経済開発での功績は大きい。日系移民は野菜や大豆の生産拡大に功績が大きい。とくに大豆は世界第5位の生産量を誇る。パラグアイ側のイタイプ・ダムは世界最大級のダムで国内全体の電力をまかなっている。マテ茶が名物である。

ウルグアイData　国名：ウルグアイ東方共和国（英）Uruguay（仏）Uruguay（スペイン語）Uruguay（中）乌拉圭　烏拉圭　Wūlāguī（正式名称）レプブリカ・オリエンタル・デル・ウルグアイ［スペイン語］／首都：モンテビデオ／言語：スペイン語／面積：173.6千㎢／人口：3.5百万人／通貨：ウルグアイ・ペソ／宗教：カトリック47％／民族：白人88％／国旗：青は自由と正義、白は平和、左上にアルゼンチンの国章「五月の太陽」を転用。

パラグアイData　国名：パラグアイ共和国（英）Paraguay（仏）Paraguay（スペイン語）Paraguay（中）巴拉圭　巴拉圭　Bālāguī（正式名称）レプブリカ・デル・パラグアイ［スペイン語］／首都：アスンシオン／言語：スペイン語、グアラニー語／面積：406.8千㎢／人口：6.9百万人／通貨：グアラニー／宗教：カトリック90％／民族：メスチソ95％。

アルゼンチン
「銀の国」の繁栄と没落

アルゼンチンは銀を意味する。探検家が原住民から銀細工を購入し、銀の産地だと誤解したことからきているといわれている。ただ、スペイン語ではアルヘンティーナであるのみならず、英語でもアルゼンティーナであって、英語の形容詞であるArgentineをアルゼンタイン、あるいはアルゼンティンと読むことから日本語の通称であるアルゼンチンが生まれたらしい。

ラ・プラタ川は南米でもアマゾン川に次ぐ大河である。世界一周の航海でこの地に来たフェルディナンド・マゼランの船隊は、太平洋に出る海峡だと間違ってさかのぼったものの、だんだん幅が狭くなり、やがて川であることを発見して落胆したという。

『母をたずねて三千里』『南十字星の下に』などさまざまな形で知られる物語は、19世紀後半にジェノヴァの医師の夫人が家政婦として出稼ぎにアルゼンチン（ラテン語の銀に由来。現地語ではアルヘンティーナ）へ出かけたまま行方不明になり子どもが探しに行くというものである。この国は、第二次世界大戦が終わったときも世界でGNPが5本の指に入るほど豊かだったのだ。

「よい風」を意味するブエノスアイレスではタンゴが生まれ、コロン劇場は世界三大オペラハウスと呼ばれた。カルロス・クライバー、ダニエル・バレンボイム、マルタ・アルゲリッチといった音楽家を生んだのもこの土地。フアン・ペロンというカリスマ大統領とその美しい夫人が人気を集めたのは、ミュージカル『エビータ』でも知られるとおりだ。

戦後は混乱が続き記録的なインフレを経験した。しかし、1980年代にはドミンゴ・カバロ経済相のマネタリスト的経済運営が成功して奇跡の復活を遂げたが長続きしなかった。

アルゼンチンは農業大国だが、とくに牛肉王国で、アサードという網焼きが名物。肉だけでなくモツも使う。モルシージャという血の腸詰め、エンパナーダというミートパイも好まれる。イタリア移民が多いのでミラノ風カツレツも名物だ。ミルクをキャラメル化するまで煮詰めたドゥルセ・デ・レチェをいろいろなものに塗って食べる。混血の牧畜労働者をガウチョといい、彼らがパンパという草原で活躍する。

サッカー王国で、ディエゴ・マラドーナとリオネル・メッシが代表的な名選手。ブラジルとの国境に世界最大のイグアスの滝がある。南部のパタゴニア地方では氷河（ロス・グラシアレス）が見事。フランシスコ教皇もアルゼンチン人だ。

アルゼンチンData 国名：アルゼンチン共和国（英）Argentina（仏）Argentine（スペイン語）Argentina（中）阿根廷　阿根廷　Āgēntíng（正式名称）レプブリカ・アルヘンティーナ［スペイン語］／首都：ブエノスアイレス／言語：スペイン語／面積：2,780.4千㎢／人口：44.7百万人／通貨：アルゼンチン・ペソ／宗教：カトリック92％／民族：ヨーロッパ系白人97％／国旗：独立闘争時に長雨が晴天に一変したのを吉兆とした故事による。

223

365

アメリカ

メキシコ①
カリフォルニアとテキサスも領有したメキシコ王国

　ナポレオン戦争による独立機運はメキシコにもおよんだ。メキシコ生まれの土着白人（クリオーリョ）でドロレスの司祭であったイダルゴは、1810年9月16日の早朝、教会の鐘を鳴らして民衆を集め、「我らがグアダルペの聖母万歳！　悪辣な政府と植民者たちに死を！　メキシコ人よ、メキシコ万歳！」と「ドロレスの叫び」という演説を行った。これが現在でもメキシコの独立記念日とされている。

　この反乱は首都攻略一歩手前で押しとどめられ、南部でもメスティーソ出身の司祭ホセ・マリア・モレーロスが反乱を起こし、憲法までつくったが、本国情勢の安定もあって鎮圧された。
　ところが、1820年に、スペインでラファエル・デル・リエゴ大佐による立憲革命が勃発した。これを見た軍人アグスティン・デ・イトゥルビデは革命的になった本国政府の干渉を嫌う保守派と、独立派の両方を巧妙に操って勢力を伸ばし、翌年にはコルドバ条約で副王に独立を認めさせた。イトゥルビデは、ナポレオンにならって皇帝アウグスティン1世となったが、強権政治が嫌われて失脚した。
　このころのメキシコの領土はテキサスやカリフォルニアまでおよぶものだったが、テキサス独立とその後のアメリカへの併合をめぐり1846年に米墨戦争となり、有償とはいえカリフォルニアなどの割譲を強いられた。
　メキシコは失地回復を狙ってフランスなどからの借款をしたが、返済を不履行としたことから干渉され、ハプスブルク家出身のマクシミリアンを皇帝として押しつけられた。これをアメリカの協力で排除したが、対米追従が目立つようになり、メキシコ革命が起こり、1917年に革命憲法が制定された。
　その後もアメリカ派と左派が政争を繰り返しながら現在に至っている。現在は左派のアンドレス・マヌエル・ロペス・オブラドール大統領。移民問題、NAFTA（北米自由貿易協定）などの問題でアメリカのドナルド・トランプ大統領に振り回されている。銀の生産では世界1位だ。
　メヒコは独立のときに新スペインではまずいので首都の名を国の名にした。アステカの軍神メシトリにちなんだものだ。
　首都はメキシコシティと通称されているが、これは正式名称であるシウダー・デ・メヒコの英語訳だ。ラテン・アメリカの都市はこのようにシウダーを冠して呼ばれる例がほかにもあるが日本語では略されることが普通だ。

メキシコData　国名：メキシコ合衆国（英）Mexico（仏）Mexique（スペイン語）México（中）墨西哥　墨西哥　Mòxīgē（正式名称）エスタードス・ウニードス・メヒカーノス［スペイン語］／首都：メキシコシティ／言語：スペイン語／面積：1,964.4千㎢／人口：130.8百万人／通貨：ペソ／宗教：カトリック77%／民族：メスチソ64.3%、インディオ18%。

メキシコ人の60％は混血のメスティーソであり純粋の白人は10％、インディオは30％。ヨーロッパ系とインディオ系の対立感情は希薄で、メキシコ人としての意識が強い。友人関係を大事にし、「アミーゴ」であるかどうかを重視し、「フィエスタ」が好きで何かというとパーティーだ。

メキシコ人の主食は、すり潰したトウモロコシからつくるトルティーヤ（薄焼きパン）である。インゲンマメを煮たフリホレス・デ・オヤをつけて食べるのが伝統的らしいが、肉や野菜を乗せて折ったタコス、メリケン粉のトルティーヤに具を巻いたブリトーなどは、アメリカで人気のテクス・メクス料理の定番だ。唐辛子の原産地であり、激辛でブームになったハバネロが有名だ。トマトもメキシコからヨーロッパに伝えられた。酒類ではリュウゼツランを原料とする蒸留酒であるテキーラが知られる。

マリアッチ（223項写真）は、ヴァイオリン、トランペット、ギターなどによる7〜12名のメキシコの音楽を演奏する楽団である。スポーツではボクシング王国である。マヤ文明、アステカ文明、それにスペイン人のコロニアル文化と、それぞれに魅力的な遺跡がある。

NAFTAは、アメリカ、カナダ、メキシコの3カ国が参加し、1992年に署名され、1994年に発効した。この協定が成立して以降、とくにメキシコの経済は発展した。

しかし、アメリカのドナルド・トランプ大統領はこの見直しを要求し、2018年にG20開催地のアルゼンチンで、USMCA（アメリカ・メキシコ・カナダ協定）、いわゆる「新NAFTA」に署名した。アメリカ議会の民主党はメキシコでの労働改革についての条項を修正するように要求していたが、2019年12月に修正文書に署名でき、民主党も評価している。

アメリカ大陸の一部である**ベリーズ**はグアテマラのカリブ側海岸部の多くを占め、1730年代に英国の植民地となった。英領ホンジュラスと呼ばれてきたが、1981年に独立した。

マヤの遺跡が多い。住民はメスティーソが主体だが黒人系混血ムラートも4分の1ほどいる。珊瑚礁（さんごしょう）が美しく、とくにブルー・ホールという円形で深い珊瑚礁には世界中のダイバーが集まる。ベリーズはマヤの言葉で「泥水」という。

ベリーズData 国名：ベリーズ（英）Belize（仏）Belize（中）伯利兹　伯利茲　Bólìzī（正式名称）ベリーズ［英］／首都：ベルモパン／言語：英語、スペイン語、クレオール語／面積：23.0千㎢／人口：0.4百万人／通貨：ベリーズ・ドル／宗教：カトリック50％、プロテスタント27％／民族：メスチソ49％、クレオール25％／国旗：月桂樹の輪に混血のクレオールと黒人。

コスタリカData 国名：コスタリカ共和国（英）Costa Rica（仏）Costa Rica（スペイン語）Costa Rica（中）哥斯达黎加　哥斯達黎加　Gēsīdá Líjiā（正式名称）レプブリカ・デ・コスタリカ［スペイン語］／首都：サンホセ／言語：スペイン語／面積：51.1千㎢／人口：5.0百万人／通貨：コロン／宗教：カトリック76％／民族：白人とメスチソ94％／国旗：青は空、白は平和、赤は自由のために流された血。

アメリカ

グアテマラ、ニカラグア
アメリカからの自主性は保たれるのか

メキシコとコロンビアに挟まれた南北アメリカの地峡部に、グアテマラ、エルサルバドル、ホンジュラス、ニカラグア、コスタリカ、パナマ、ベリーズの7カ国がある。パナマはコロンビアから分離独立、ベリーズは英国の植民地だったが、最初の5カ国はメキシコ副王領の一部だった。

グアテマラは、ペドロ・デ・アルバラードが1524年に征服し、1544年にスペインがグアテマラ総督府を置き、メキシコ副王から半ば独立した。人口もグアテマラが圧倒的に大きく、ほかの4カ国とは存在感に差がある。独立した1821年にメキシコに加わったこともあるが、1823年には中央アメリカ連邦として分離した。教会支配の継続を望む保守派と自由主義派の内乱で1839年には連邦は解体した。

中米各国では保守派の政権が生まれたが、1960年代あたりから自由主義派が主導権を取った。だが、彼らはアメリカ資本の利益と結びつき、バナナやコーヒー豆などの生産と輸出は増えたが、国としての自主性は損なわれがちだ。

グアテマラはメキシコのユカタン半島などとともにマヤ文明の栄えたところで、高さ47mの「大ジャガーの神殿」で知られるティカル遺跡などがある。

カトリックが多いことはいうまでもないが、プロテスタントも多いし、マヤの伝統宗教も復活しつつある。火山活動はアティトラン湖のような美しい風景を生み出したが、地震のために首都までもたびたび移転を強いられた歴史を持つ。

コーヒー豆も人気があるブランドものだ。先住民の比率が中米でいちばん高く、「ウイピル」など色鮮やかな民族衣装が人気。エメラルド・グリーンと深紅の羽毛の「ケツァール」は手塚治虫の『火の鳥』のモデルともいわれる美しい鳥だ。

ニカラグアでは、サンディニスタと呼ばれる解放戦線とコントラと呼ばれる保守派が内戦を繰り広げた。アメリカの支持で保守派の政権が16年続いたが、2006年の選挙でサンディニスタのダニエル・オルテガ大統領が復帰して長期政権となりアメリカとしてはおもしろくない状況だ。リゴベルタ・メンチュウは、マヤ系先住民の女性人権活動家でノーベル平和賞を受賞している。

グアテマラData 国名：グアテマラ共和国（英）Guatemala（仏）Guatemala（スペイン語）Guatemala（中）危地马拉　危地馬拉　Wēidìmǎlā（正式名称）レプブリカ・デ・グアテマラ［スペイン語］／首都：グアテマラシティ／言語：スペイン語／面積：108.9千㎢／人口：17.3百万人／通貨：ケツァル／宗教：カトリック／民族：ラディーノ及びヨーロッパ系59%／国旗：青は正義と真実、白は純潔と高貴。左右の青はカリブ海と太平洋。

ニカラグアData 国名：ニカラグア共和国（英）Nicaragua（仏）Nicaragua（スペイン語）Nicaragua（中）尼加拉瓜　尼加拉瓜　Níjiālāguā（正式名称）レプブリカ・デ・ニカラーグァ［スペイン語］／首都：マナグア／言語：スペイン語／面積：130.4千㎢／人口：6.3百万人／通貨：コルドバ／宗教：カトリック59%／民族：メスチソ69%、白人17%／国旗：上下の青はカリブ海と太平洋。白は国土と正義。

ホンジュラス、エルサルバドル、コスタリカ
かつては「中央アメリカ連合」の中心だった

　ホンジュラスからアメリカを目指してメキシコから国境を目指す「キャラバン」が出発し、ドナルド・トランプ大統領が入国阻止を訴えて2018年に話題になった。この背景には、ホンジュラスでは、ギャングが蔓延して殺人事件の発生率が日本のおよそ200倍で、2010年から5年連続で世界最悪となっていることが背景にある。

　エルサルバドルは、ホンジュラスの反対側を占め、中米諸国でただひとつカリブ海に面していない国である。そのためか黒人がほとんどいない。

　ホンジュラスとは、1969年のW杯予選の結果をめぐって対立し、サッカー戦争を戦ったことで知られる。

　国名は救世主という意味。首都であるサンサルバドルは、19世紀前半には中央アメリカ連合の首都だったこともある。

　アントワーヌ・ド・サン＝テグジュペリの妻コンスエロ・スンチン・サンドーヴァルはエルサルバドルのコーヒー農園主の娘であって、『星の王子さま』にはエルサルバドルの風景をモチーフにしたものがあるという。満州国を日本の次に承認したことがある。

　ホンジュラスも国民のほとんどが混血である。コパン遺跡という美しいレリーフで知られるマヤ文明の遺跡が世界遺産になっている。エルサルバドルは救世主を意味する国名だが、住民はここでも混血がほとんどである。バナナ、エビなどが産物。繊維産業などが一時期栄えたが、1979年からの内乱で国土は荒廃した。

　コロンブスが上陸したときに原住民が金製品をつけていたことから「豊かな海岸」（コスタ）と名づけた**コスタリカ**（Dataは224項に掲載）では、白人の人口が94％を占め、高原地域の気候もよく、経済も政治も安定する中米の別天地である。

　非武装中立でも知られる。地球上の動植物の5％があるという豊かな森林地域は『ジュラシック・パーク』のロケ地にもなり、エコ観光が盛ん。ラテン・アメリカで最高の美人国という定評がある。首都サンホセは標高1170mの高原都市。

ホンジュラスData　国名：ホンジュラス共和国（英）Honduras（仏）Honduras（スペイン語）Honduras（中）洪都拉斯　洪都拉斯　Hóngdūlāsī（正式名称）レプブリカ・デル・オンドゥラス［スペイン語］／首都：テグシガルパ／言語：スペイン語／面積：112.5千㎢／人口：9.4百万人／通貨：レンピーラ／宗教：カトリック97％／民族：メスチソ90％／国旗：上下の青は空と海。白は平和と友愛。星は連邦時代の5カ国。

エルサルバドルData　国名：エルサルバドル共和国（英）El Salvador（仏）Salvador（スペイン語）El Salvador（中）萨尔瓦多　薩爾瓦多　Sàěrwǎduō（正式名称）レプブリカ・デ・エル・サルバドル［スペイン語］／首都：サンサルバドル／言語：スペイン語／面積：21.0千㎢／人口：6.4百万人／通貨：米ドル／宗教：カトリック57％、プロテスタント21％／民族：メスチソ90％／国旗：上下の青は空と海。白は二つの海にはさまれた国土。

西インド諸島の国々①
『パイレーツ・オブ・カリビアン』の史実

　新大陸の資源をスペインは、手に入れただけでなく、交易も独占しようとした。これを快く思わない英国やフランスは、1530年代から新大陸とスペインとの間の船団を海賊たちに襲わせた。『パイレーツ・オブ・カリビアン』という人気映画シリーズがあるが、カリブ海では、英仏二大国家が国家戦略として支援した海賊が跋扈していた。

　スペインは大船団で航海して海賊の襲撃に備えたが、何しろ莫大な金銀や珍しい産物がまとまって輸送船にこれ見よがしに積まれているのだから、成功したときに得られる富は目もくらむものだった。トルトゥーガやジャマイカのような海賊の根拠地では享楽の限りも用意されていた。

　原住民のほとんどは疫病の流行で死に絶え、代わりにアフリカから黒人が奴隷として連れてこられてサトウキビ畑で働かされたので、カリブ海地方の住民のほとんどはムラートである。奴隷制が廃止されてから労働者として来たインド系も大きな勢力だ。

　英国人の中南米への入植は散発的に始まったが、現在の国家につながる最初の試みは、トーマス・ワーナーが1623年にセントクリストファー（セントキッツが通称）島に入植しタバコ農園を開いたことである。ジャマイカを中心に英領の島々は西インド連邦の試みもしたが（1958～1962年）、ほとんどがミニ国家として独立したり英領のままだったりする。

　西インド地域における最初の英国植民地だった**セントクリストファー・ネービス**（セントキッツ・ネービス）は、1983年に独立。クリストファー・コロンブスのファーストネームにちなむ。ネービスは「雪」の意味だが白い雲の見間違いらしい。ネービス島には分離運動が存在する。

　セントビンセント及びグレナディーン諸島は1979年に英連邦の一員として独立した。こもフランス植民地だった時代があるが、短期間であり影響は少ない。和菓子などに使う「葛」の世界生産量の90%を占めるという世界最大の産地だ。

　バルバドスはスペイン人が入植したが、放棄して原住民はすべてドミニカ共和国に連れ去られた。1620年代に英国人が入植し、黒人奴隷によるサトウキビ栽培が始まった。ラム酒が名産。1966年に独立したが、西インド諸島で英国風の文化を持つ。グレープフルーツの原産国である。国名はポルトガル語で髭面を意味する。首都のブリッジタウンはトラファルガー広場があり、いかにも英国の植民地だったといった雰囲気だ（本項の各国のDataは379ページに掲載）。

教養への扉　上記3カ国の概略＝◎セントクリストファー・ネービス／首都：バセテール／面積：0.3千㎢／人口：5.6万人。◎セントビンセント及びグレナディーン諸島／首都：キングスタウン／面積：0.4千㎢／人口：0.1百万人。◎バルバドス／首都：ブリッジタウン／面積：0.4千㎢／人口：0.3百万人。

239

西インド諸島の国々②
スペイン、フランス、英国に翻弄された島々

　フロリダ半島の沖合に浮かぶバハマはコロンブスが最初に発見したサン・サルバドル島を含むが、英国が進出し、18世紀のはじめには東京ディズニーランドの「カリブの海賊」のモデルであるエドワード・ティーチ（黒髭）が根拠地とした。

　アンティグア・バーブーダは1981年に独立。観光が主要産業だが、オンライン・カジノを盛んに展開してアメリカに規制され争いとなった。アメリカ海軍の基地がある。クリストファー・コロンブスの第2回の航海で発見されたアンティグア島の名は、セビリアの旧カテドラルだったサンタ・マリア・デ・ラ・アンティグアに由来するようだ。

　ドミニカ国はドミニカ共和国とは別のミニ国家である。フランスと英国が争い1805年に英領が確定し、1978年に英連邦内で独立した。「カリブ海の植物園」と呼ばれるほど植生が豊かで、土着のカリブ族が3400人ほど生き残っている。

　セントルシアもフランス人が開発したが、1814年に英領となり1979年に独立した。「ピトン管理地域」という二つの峰を持つ火山地帯が世界遺産に登録された。国旗にある二つの三角形はこれを象徴する。主要産業はバナナである。この両国では英語が公用語だが、領有を争ったフランスの影響でクレオール語が使われ、カトリックが多い。

　グレナダは、フランス人によって開発され、1783年からは英領となったが、50%以上はカトリックである。ナツメヤシの世界有数の産地。1974年に独立したのちソ連やキューバに接近したので、ロナルド・レーガン大統領のアメリカなどの軍事侵攻により親米政権が樹立された。グレナダはスペイン語でザクロの意味である。

　トリニダード・トバゴのカーニバルは中米一といわれ、カリプソ音楽、リンボーダンス、楽器のスティールパンなどが生まれた。英仏スペインが争ったが、1814年に英領で確定した。石油を産し、天然アスファルト、アンモニアなどの生産は世界一である。アフリカ系が主流だが、インド系も拮抗し中国系も無視できない。トリニダードはトリニティ（三位一体）に由来。トバゴ島は自治を認められている。トバゴ島は原住民が吸っていたタバコの器具に由来するともいう。逆にタバコの語源がこの島の名にあるともいう（本項の各国のData は378ページに掲載）。

教養への扉　上記5カ国の概略＝◎アンティグア・バーブーダ／首都：セントジョンズ／面積：0.4千㎢／人口：0.1百万人。◎ドミニカ国／首都：ロゾー／面積：0.8千㎢／人口：7.4万人。◎セントルシア／首都：カストリーズ／面積：0.5千㎢／人口：0.2百万人。◎グレナダ／首都：セントジョージズ／面積：0.3千㎢／人口：0.1百万人。◎トリニダード・トバゴ共和国／首都：ポートオブスペイン／面積：5.1千㎢／人口：1.4百万人。

アメリカ

ガイアナ、スリナム
植民地から独立した国、自治領にとどまった地域

　ベネズエラの東にあるギアナ地方は、スペインとポルトガルがトルデシリャス条約で南米を山分けしたときに中間にあり、開発が遅れた。西からガイアナ（旧英領）、スリナム（旧オランダ領）、アリアンヌ・ロケットの打ち上げ基地がある仏領ギアナ（ギアーヌ）が並ぶ。

　ギアナの意味はインディオの言葉で「豊かな水」に由来するというがたしかではない。**ガイアナ**の正式国名には、協同組合を基礎にした国家を目指していたことからコオペラティブガが入っている。憲法はそのままらしいがこのごろは単に共和国としている。ガイアナは旧英領で、1978年に人民寺院という宗教集団の集団自殺事件があった。

　スリナムは旧オランダ領で、ボーキサイトの生産で潤う。黒人系のほかに、インドネシア系なども多い。サッカーの日本代表チームの監督だったハンス・オフトはスリナム系のオランダ人だ。オランダはここをニューアムステルダム（現在のニューヨーク）と交換で手に入れたという。国名は先住民のスリネン人に由来する。首都はパラマリボで世界文化遺産になっている。

　仏領ギアナは、フランスの海外県ならびに海外地域圏で、アリアンロケットの打ち上げ基地があって、GDPの25%を占めている。

　プエルトリコは米西戦争の結果、アメリカに帰属するようになった。アメリカ自治連邦区という自治領で、本国への参政権はないが、その代わり連邦税を払う必要はない。このまま自治領であり続けるか、独立するか、アメリカの51番目の州になるか思案中。

　州になれば大統領選挙にも投票できるし、国会議員も送れるのだが、連邦所得税を払わなければならない。それがいやで自治領にとどまっているのだが、税金を払うか参政権を放棄するかの選択を許すことはおよそ民主主義の精神に反する。あえていうが、アメリカ民主主義の恥部だ。プエルトリコ人はニューヨークにとくに多く住み、『ウエスト・サイド物語』の主人公だ。スペイン時代に海賊からの防御のために築城されたモロの砦は世界遺産になっている。20世紀最大のチェロ奏者だったパブロ・カザルスは、母の故郷であるここで晩年を過ごし、カザルス音楽祭を創設し、その死後も継続している。

ガイアナData　国名：ガイアナ共和国（英）Guyana（仏）Guyana（中）圭亚那　圭亜那　Guīyànà（正式名称）リパブリック・オブ・ガイヤーナ［英］／首都：ジョージタウン／言語：英語、クレオール語／面積：215.0千㎢／人口：0.8百万人／通貨：ガイアナ・ドル／宗教：ヒンドゥー教28%、キリスト教／民族：インド系44%、アフリカ系30%。

スリナムData　国名：スリナム共和国（英）Suriname（仏）Suriname（オランダ語）Suriname（中）苏里南　蘇里南　Sūlǐnán（正式名称）レプブリック・スリナム［オランダ語］／首都：パラマリボ／言語：オランダ語、英語、スリナム語／面積：163.8千㎢／人口：0.6百万人／通貨：スリナム・ドル／宗教：キリスト教48%、ヒンドゥー教、イスラム教／民族：インド系37%、クレオール31%。

ジャマイカ、
[地域の歴史] 西インド諸島の島々
小さな島々の複雑な領有関係

ジャマイカはブルーマウンテンと呼ばれるコーヒー豆が日本で人気だ。香りが強いが苦みは少ないのが日本人好みらしい。生産量の80%が我が国へ輸出され、生産量より消費量が3倍ともいわれる不思議な「世界最高」ブランドで、当然、日本以外ではまったくといっていいほど無名である。

クリストファー・コロンブス一族の支配下にあったこともあるが、1670年に英領となり、1962年に英連邦の一員として独立した。先住民だったアラワク人が「泉のある土地」という意味で使ったザイマカをスペイン人がハマイカと書き、英国の植民地になって英語読みをするようになった。ジャマイカ経済を支えるのはボーキサイトである。住民は黒人ないしそれとの混血である。音楽ではレゲエが知られる。

ソウルオリンピック100m走の幻の金メダリストであるベン・ジョンソン（カナダに帰化）はジャマイカ出身。ウサイン・ボルトなどで短距離王国を築いた。

カリブ海には、いまだ英国やオランダの植民地としてとどまっている地域がいくつかある。

ケイマン諸島はバハマの西にある。亀の産地で養殖も盛んである。タックス・ヘイヴンとして知られ、村上ファンドも子会社を持っていた。

ヴァージン諸島はプエルトリコの東、小アンティル諸島の北にある。西半分はデンマーク領だったが、1917年にアメリカによって買収された。タークス・カイコス諸島はバハマの南に位置し、もとは塩田で知られた。アンギラとモンセラはセントクリストファー・ネービスに近接する。

バミューダは中米というよりアメリカの沖合の大西洋上にある。スペイン人によって発見されたが放置され、英国人が入植した。観光地、タックス・ヘイヴン、船や飛行機が突然消えるバミューダ・トライアングルで知られるが、遭難事件が多いわけでもない。

オランダ領アンティル諸島はベネズエラの沖合と小アンティル諸島北部に分かれている。中心地であるキュラソー島のウィレムスタットにはハウステンボスのような町並みが残り世界遺産に登録されている。石油を産し、オレンジのリキュールであるキュラソーが特産品である。その一部だったアルバ島はこの枠組みから離脱してオランダに直結したし、ほかの島でも同じ動きがある。

カリブ海でないが、南米の沖合にある英領フォークランドは、アルゼンチンが領有権を主張して、1982年に占拠を試みたが戦争になって敗北した。英国は住民の意向を盾に取るが、わずか3000人しかおらず、どちらが正しいともいえない。

ジャマイカData　国名：ジャマイカ（英）Jamaica（仏）Jamaïque（中）牙买加　牙買加　Yámǎijiā（正式名称）ジャメイカ［英］／首都：キングストン／言語：英語／面積：11.0千㎢／人口：2.9百万人／通貨：ジャマイカ・ドル／宗教：キリスト教65％（プロテスタント63％）／民族：黒人91％／国旗：X十字旗。黒はアフリカ系住民と過去の受難、黄は太陽の輝き、緑は森林と農作物。

アメリカ

キューバ
カストロ議長が「英雄」といわれる背景とは

　キューバの名産といえば、ハバナの葉巻だ。ダグラス・マッカーサーが「君もどうかね?」と葉巻をすすめたところ、吉田茂が「そいつはマニラ産でしょう。私はハバナのもの以外は吸わない」といった話は、駐留軍時代の日本人の自尊心を大いに満足させた。

　ジョン・F・ケネディ政権のときに、キューバ危機があり絶縁状態だったアメリカとキューバの関係は、バラク・オバマ政権のもとで転換し、2014年に両国は国交回復交渉の開始、捕虜交換、送金や輸出の緩和を実行し、2015年には54年ぶりに国交が回復された。そして、2016年にはオバマ大統領がハバナを訪問した。

　しかし、ドナルド・トランプ政権になって関係は再冷却化している。その背景としては、ルビオ上院議員などに代表されるように、アメリカにおいてキューバからの亡命者が保守系の政治勢力のなかで、強い影響力を持っているということもある。

　キューバはクリストファー・コロンブスが第1回の航海で発見し、上質の葉巻、サトウキビ、ニッケルの産地として発展した。19世紀の後半から親米派も台頭し、1898年の米西戦争ののちアメリカの軍政を経て1902年に独立した。禁酒法の時代にはアメリカ人富豪の骨休めの地として繁盛し、アーネスト・ヘミングウェイもここに住んだ。

　だが、アメリカは独裁者フルヘンシオ・バティスタを後押しするなど内政に執拗に干渉し、政府はアメリカ企業やマフィアの利益を図り、サトウキビへの依存は経済を不安定にした。

　これに反発した弁護士のフィデル・カストロ(写真)はアルゼンチン出身のチェ・ゲバラらの協力で1959年に革命政権を樹立した。ケネディ政権は経済制裁や亡命者による政府転覆を後押しし、カストロがソ連のミサイル基地建設で対抗して起きたのが1962年のキューバ危機である。

　その後も、アメリカはキューバ封鎖を継続し、独立時の取り決めを盾にグアンタナモ基地を維持し、ここで怪しげな収容所を設置して国際社会から批判されている。

　カストロ政権下のキューバについては、社会主義国として問題も多いのだが、医療だけは自慢のタネだ。大量に医師を養成し、高度医療は無理だろうが、きめ細かい医師の配置をした結果、平均寿命はアメリカより高いし、乳幼児の死亡率も低い。

　キューバ人はムラートが多数派だが、白人も37%とかなり多い。もっとも、バティスタはムラートであり、カストロは父の代にスペインのガリシア地方から移民してきた白人の大地主出身であるところがおもしろい。

キューバData　国名:キューバ共和国(英)Cuba(仏)Cuba(スペイン語)Cuba(中)古巴　古巴Gǔbā(正式名称)レプブリカ・デ・クーバ[スペイン語]/首都:ハバナ/言語:スペイン語/面積:109.9千㎢/人口:11.5百万人/通貨:キューバ・ペソ/宗教:カトリック85%/民族:ムラート51%、ヨーロッパ系37%。

ハイチ
なぜ、中南米で最初に独立できたのか

ハイチは世界最貧国のひとつだが、運の悪いことに2010年には大地震に、2016年にはハリケーンで大きな被害を受けた。明るい話題は、テニスの大坂なおみ選手の父親がハイチ出身であることだ。

イスパニョーラ島のうち西側の3分の1はハイチという国だ。スペインの支配が手薄だった地域にフランスが進出し、黒人奴隷を使ってサトウキビやコーヒー豆の生産で栄えた。

フランス本国で革命が起きると黒人やムラートが反乱を起こし、黒人奴隷出身だが良質の教育を受けたトゥーサン・ルーヴェルチュールが全土を掌握したが、ナポレオン・ボナパルトと対立し捕縛されてフランスで獄死した。

だが、そのあとを継いだ貧しい黒人奴隷出身のジャン＝ジャック・デサリーヌが英国と結んで1804年に独立宣言をした。国名はフランス語のサン＝ドマングから原住民の言葉であるハイチに変えられ、自分は皇帝を名乗った。そののち、ドミニカを併合したこともあったが1840年代には元に戻った。

中南米最初の独立国としての栄光にもかかわらず、その後の政治は混迷を続け、1957年から約30年間はデュヴァリエ父子がトントン・マクートと呼ばれる秘密警察を使った恐怖政治を行った。コーヒーの産地だが世界最貧国のひとつにとどまる。言語はフランス語およびそこから派生したクレオール語である。

フランスは1635年にマルティニーク島とグアドループ島に入植した。これらの小アンティル諸島の島々は、その後も各国間でキャッチボールが繰り返されたが、19世紀の前半には、安定した。

グアドループとマルティニークは、フランスの自治県である。国会に議員を送り大統領選挙でも本土人と同じように投票できる。砂糖とバナナ、それに観光が主産業である。グアドループはバルセロナのエースFWでフランス代表チームでも活躍するティエリ・アンリほか何人ものサッカー選手を生んでいる。

マルティニークはナポレオンの皇妃ジョゼフィーヌ・ド・ボアルネの生地である。サン・マルタン島とサン・バルテルミー島はグアドループの一部だったが、2007年にそれぞれ独自のフランス自治県になった。アフリカ系と白人との混血が多い。

ハイチData 国名：ハイチ共和国（英）Haiti（仏）Haïti（クレオール語）Ayiti（中）海地　海地　Hǎidì（正式名称）レピュブリク・ダイティ［仏］／首都：ポルトープランス／言語：仏語、クレオール語／面積：27.8千㎢／人口：11.1百万人／通貨：グールド／宗教：カトリック80％／民族：黒人95％／国旗：ヤシの木を中心に大砲、ラッパなどを描く。

ブラジル①

ポルトガルが樹立した「ブラジル帝国」

中南米とラテン・アメリカを呼ぶことがあるが、これは、カリブ海諸国の一部と南米大陸北部のギアナ地域を除くとすべてがスペインとポルトガルの植民地だったからである。だが、旧ポルトガル領はブラジル1国だけで、残りは旧スペイン領だ。

どうしてこんなことになったかといえば、かつてポルトガル王室がナポレオン戦争を避けて新大陸に移り、ブラジル帝国という国を建てたからだ。1807年ポルトガルのブラガンサ王朝は、迫り来るナポレオン・ボナパルト軍に屈するよりはと、植民地だったブラジルに逃れ、翌年にはリオデジャネイロに宮廷を置いた。このためブラジルの人口は増え文化水準は向上し、植民地でなく本国と対等の立場となった。

ナポレオン戦争が終わったあと、ポルトガル・ブラジル王ジョアン6世はリスボンに帰還したが、皇太子ドン・ペドロをブラジル摂政として残し、1822年ブラジル在住のポルトガル人に擁立されたドン・ペドロは独立を宣言し、ブラジル皇帝を名乗ったのである。

このときに「皇帝」を名乗ったことは、スペイン植民地のような分裂を避けるために、より高度な権威を確立しようとしたものである。だが、1826年ポルトガル本国でジョアン6世が崩御すると、ドン・ペドロが本国の意向に反してブラジル皇帝となっていたことから、弟のドン・ミゲルの擁立を主張する勢力も出てきた。

ドン・ペドロはブラジル皇帝にあったままポルトガル王ペドロ4世としての即位をいったん宣言し、すぐに7歳の長女マリア・ダ・グロリアに譲位した。

一方、ブラジルでは新皇帝ペドロ2世が、奴隷制を廃止するなど自由主義的な君主として評判はよかったのだが、糖尿病に冒されて次第に統治能力を失い、1889年軍部のクーデターによって廃位され共和政となった。

未来の大国にふさわしいシンボルは、首都ブラジリアだ。国土の中心に遷都された計画都市で、オスカー・ニーマイヤーのデザインは高く評価されている。ポルトガル人が最初に首都としたのは、サルヴァドール（バイーア）で華麗な教会が残る。次いでリオデジャネイロに移った。巨大なキリスト像とパン・デ・アスカル（砂糖パン）と呼ばれる岩山が印象的な港町である。そして、カーニバルは世界一だ。

アマゾン川は世界の淡水の4分の1を集めるといわれる大河で、ピラニア、カピバラなど珍しい生物も多い。大豆、コーヒー豆、鉄鉱石など資源も豊富で、かつ多彩にある。

ブラジルData　国名：ブラジル連邦共和国（英）Brazil（仏）Brésil（ポルトガル語）Brasil（中）巴西 巴西　Bāxī（正式名称）レプブリカ・フェデラティバ・ドゥ・ブラジーウ［ポルトガル語］／首都：ブラジリア／言語：ポルトガル語／面積：8,515.8千㎢／人口：210.9百万人／通貨：レアル／宗教：カトリック74％／民族：ヨーロッパ系54％、ムラート・メスチソ39％、アフリカ系6％／国旗：緑は森林資源、黄は鉱物資源。星は26州と1連邦区。文字は「秩序と発展」。

ブラジル②
アフリカ系が最大民族に

　中南米でブラジルだけがポルトガル領になったのは、1494年にスペイン中部のトルデシリャスという町で結ばれた条約によるものだ。西経46度37分より東をポルトガル、西をスペインの切り取り自由に任すというもので、ときのローマ教皇アレクサンデル6世の仲介による。

　西回りでインドを目指したスペインとアフリカ経由の東回り航路を確保していたポルトガルの妥協の産物だが、南米大陸でも東の3分の1を占めるブラジルは意図したわけでないのにポルトガル領になった。

　ポルトガル人でブラジルに最初に上陸したのは、カブラルという探検家で1500年のことだ。このとき持ち帰った赤色染料の樹木をパウ・ブラジルと名づけ、それが国名になっていった。語源は赤い炭火を意味する「ブラサ」というポルトガル語だ。

　住民はポルトガル系をはじめとする白人と、黒人、インディオなどとの混血がほぼ拮抗するが、最近、アフリカ系が最大勢力になった。世界最大のカトリック王国である。貧富の差は大きいが、ブラジル人としての意識は共有しているし、別の世界に生きているわけではない。

　国民は楽天的で大胆、開放的だ。ペレやジーコに代表される個人技のすばらしさが魅力のサッカー、走る列車の屋根に乗ってサーフィンのような身ごなしをするといった命がけの遊びが喝采を浴び、F1レーサーのアイルトン・セナも生んだ。

　リオデジャネイロのカーニバル（写真）は世界で最も熱狂的で官能的な祭りであり、ボサノヴァ、サンバなどのダンス・ミュージックも世界中で愛されている。

　あまりグルメの国ではないが、コーヒーと豆料理のフェジョアーダ、そして、肉の串焼きであるシュラスコは日本でも人気が出てきた。鶏肉も世界に輸出されている。

　人口2億人を超える中南米第一の大国として、21世紀の超大国などといわれてきたが、政治も経済も振幅が激しい。

　エネルギー問題では、サトウキビを原料とするバイオエタノールを自動車燃料として広く利用しているが、これが熱帯雨林の乱開発を招いていると危惧もされている。

　日本人の移民は1908年から始まり、日系人は約150万人にも達し、サンパウロ地方を中心に確固たる地位を築いている。だが、最近は日本への出稼ぎも多い。

教養への扉　中道左派のルイス・イナシオ・ルーラ・ダ・シルヴァ大統領は経済を躍進させてBRICsの一角に食い込んだが、経済破綻と汚職で左派政権は倒れ、いまは極右とかブラジルのトランプとかいわれるジャイール・ボルソナーロが大統領で、経済発展のためにはアマゾンの原生林を開発して農地にするといって世界を困らせている。

カナダ①
英語、フランス語を公用語とする大人の事情

　モントリオールはフランス語圏であるケベック州の都市である。町の名前もモンレアルが正しい。カナダ（現地語で村の意）を開拓したのはフランス人だが、1763年の七年戦争（フレンチ・インディアン戦争）の結果、英国に横取りされてしまったのだ。

　それから200年以上がたつが、フランス人たちはかたくなにフランスの言葉と流儀を守る。それも、意に反して英国人にされた18世紀の言葉を保持しているのだ。そんなわけで、ケベックのフランス語はとても古めかしいものだ。普通は夕食を指すディネーというのは昼食、夕食は現代では夜食を意味するスペという言葉をそのまま使う。

　それどころか新しく入ってきた英語まで無理にフランス語化する。いまはワシントンD.C.に引っ越してしまったが、エクスポズという大リーグのチームがあったころ、野球中継を聞いていたら、ホームランはスィルキュイ（サーキット）、ショート・ストップはクール・ダレとずばり直訳だった。

　ケベック独立運動を抑えるために、1969年に英仏両語を完全対等の国語としたし、総選挙のときの党首テレビ討論も英語とフランス語でそれぞれやる。政治家であれ、官僚であれ、二つの言語に堪能でないと出世できないらしい。

　最大都市はオンタリオ州のトロントでモントリオールがその次だが、首都は英仏言語圏の真ん中にあるオタワだ。

　もちろん多数派は英語系だからフランス系が優遇されているのに不満があろうというものだが、もし、フランス系の意地っ張りがいなかったらカナダはアメリカに吸収されていたかもしれない。そういう意味では、がさつなアメリカとは一線を画して、少しヨーロッパ的な文化と社会を維持するためにはフランス語系も必要不可欠な存在なのだ。

　フランスがカナダ領有宣言をしたのは、1534年のことで、ブルターニュの美しい要塞に囲まれた港町サン・マロ出身のジャック・カルティエによるものだ。1608年になってド・シャンプランがケベック植民地を創設した。

　英国では、19世紀後半から白人が人口の大部分を占めるコロニー（植民地）をドミニオン（自治領）という地位に変更するようにした。1867年のカナダが最初だ。これらの自治領は、帝国会議に出席しており、実質的には独立国に準じるものだった。

　この流れ中で、1911年にはオーストラリアとカナダに独自の海軍創設が認められ、ヴェルサイユ条約に署名し、国際連盟にも加盟した。1982年の憲法で、2言語多文化主義、ケベック州の特殊性、原住民居留地の特殊性などを確認した。

カナダData　国名：カナダ（英）Canada（仏）Canada（中）加拿大　加拿大　Jiānádà（正式名称）カナダ［英、仏］／首都：オタワ／言語：英語、仏語／面積：9,984.7千㎢／人口：37.0百万人／通貨：カナダ・ドル／宗教：カトリック43％、プロテスタント23％／民族：イギリス系50.1％、フランス系15.8％／国旗：カエデ旗。特産のサトウカエデの葉を表す。赤と白はシンボルカラー。

カナダ②
アメリカ、ヨーロッパとの絶妙な距離感

カナダ国民性はよくいえばおおらか、悪くいえば少々いい加減といわれる。親切であることは多くの人が認めるところだ。宗教はカトリックが半数ほどを占めるところがアメリカとは大違いだ。生活は贅沢でなくすべてにわたりシンプルだ。

世界で第2位の面積と世界一のウランをはじめ豊かな資源があり、景色もいい幸運をあくせくせずに楽しんでいるということか。メイプルシロップが名物だ。

政治的にもアメリカと少し距離を取り、ベトナム戦争時には反対派の若者たちがたくさん移住してきた。死刑制度の廃止も含めてヨーロッパに近い価値観が優勢である。NAFTAをアメリカ、メキシコと結んだが、アメリカのドナルド・トランプ大統領に見直しさせられたのはメキシコのところで論じたとおり。

アイスホッケーが国民的なスポーツ。カナディアン・ロッキーなど自然景観の美しさはよく知られ、とくに紅葉のシーズンの見事さは日本人に人気だ。ナイアガラの滝はエリー湖とオンタリオ湖を結ぶところでアメリカとの国境にあるが、カナダ側からのほうが雄大な景観を楽しめる。

食材はアメリカと共通するが、オマールエビは名物といってよさそうだ。

さまざまなプロスポーツではアメリカと一体化していて、トロント・ブルージェイズはMLBの強豪チームだ。

サミットには、当初はメンバーではなかったが、第2回のプエルトリコでの開催のときから参加している。必ず英仏2カ国語ができるので、調整役として重宝だ。

ただし、現在のジャスティン・トルドー首相は、かつての名宰相の息子でイケメンだが、政治家としては未熟で、ホストだったシャルルボワのサミットでは、トランプを怒らせて首脳宣言が宙に浮いてしまった。

教養への扉 イヌイットは、カナダ北部などの氷雪地帯に住む先住民族のエスキモー系諸民族のひとつで人口は15万人くらいである。かつては、ドーム型の雪の家「イグルー」に住んでいた。

アメリカ①
「合衆国」という訳語をめぐる議論

　かつて朝日新聞の本多勝一が『アメリカ合州国』という本を書いて話題になった。アメリカ合衆国が単なる州の連合体で高邁な理想から成り立った国などではないといった趣旨だったが、「合衆国」というのはいかになんでもひどい誤訳だ。そういう翻訳は、ピープルズ・リパブリック、つまり人民共和国にでもふさわしいものだ。

　「連合国」と普通には訳されるはずの「ユーナイテッド・ステーツ」がどうして「合衆国」などと訳されたか、いろいろな弁解がましい説明があるが、英国がユーナイテッド・キングダムで「連合王国」、国際連合はユーナイテッド・ネーションズだから、意味としては「連合」であることはたしかだ。

　州はステートだ。しかし、マサチューセッツ、ペンシルベニア、バージニア、ケンタッキーはコモンウェルスという。昔からそう呼ばれてきたという以上の意味はない。

　独立当時は13州だったが、現在は50州になっている。併合だけでなく、割譲、買収、そして分割などで増えた。将来、プエルトリコが加わるかもしれないし、首都ワシントンD.C.も州にという人もいる。ただし、いずれも民主党の地盤だから共和党は承知しない。

　州（ステーツ）に対して国については形容詞として「フェデラル」を使う。連邦と翻訳されるドイツやロシアのような国と本質的な違いはないということがわかる。

　アメリカでは連邦の権限は憲法に列挙されたものに限定される一方、州に脱退の自由はないし、連邦法に反する立法もできる。しかし、州ではない領土もいろいろある。

　グアムやサモアは准州（テリトリー）で、大統領選挙では、ストローポール（疑似投票）だけが行われるし、下院にも代表は送るが、投票権はない。西部開拓時代に州に昇格する前段階として使われてきた制度だ。また、プエルトリコや、サイパンなど北マリアナ諸島は、自治領（コモンウェルス）と呼ばれ同様の扱いである。

　ワシントンD.C.は、上院議員は出せないが下院議員は出せる。しかし、それ以外は、大統領選挙の選挙権もないし、下院に議員を送ってもオブザーバーである。D.C.（ディストリクト・コロンビア）という。北部のメリーランド州と南部のバージニア州が土地を供出して中立地帯をつくって首都とした。低湿地で使い道がなかったからともいう。

　ただし、だんだん大都市らしくなってきた。2019年のワールドシリーズでは、ワシントン・ナショナルズがヒューストン・アストロズを下してワールドチャンピオンになった。

アメリカData　国名：アメリカ合衆国（英）America（仏）États-Unis（中）美国　美国　Měiguó（正式名称）ユーナイテッド・ステーツ・オブ・アメリカ〔英〕／首都：ワシントンD.C.／言語：英語／面積：9,833.5千㎢／人口：326.8百万人／通貨：米ドル／宗教：プロテスタント51％／民族：ヨーロッパ系白人80％、アフリカ系13％／国旗：星条旗。横縞は独立当時の13州。星は現在の50州（写真）。

アメリカ②
最初は植民地として旨味を感じていなかった英国

アメリカ大陸を発見したのは、インド航路を西回りで探していたスペイン船団だが、アイルランドへの植民を進めていた英国人にとっても潜在的な動機があった。しかし、タバコや綿花の栽培が始まるまでは無価値だと思われていた。

とはいえ、英国が新大陸に進出したのは、クリストファー・コロンブスと同じイタリア・ジェノヴァ生まれのジョン・カボットの船団の探検による。カナダ東南岸のケープ・ブレトン島に1497年に着き、翌年には、デラウェアとチェサピーク湾を発見した。

本格的な植民地の建設は、1584年にエリザベス女王から免許を得たウォルター・ローリーがノースカロライナの海岸に探検隊を送り込み、エリザベス女王にちなんでバージニアと命名したときである。

1607年になってジェームズタウンが建設されたが、鉱物も農産物もなく、開発は進まなかったのが、黒人奴隷を使ってタバコを栽培することからすべてが始まった。そして、それに続いたのが、綿花栽培だ。

マサチューセッツには、1620年にメイフラワー号でピルグリム・ファーザーズと呼ばれるピューリタンたちがやってきた。オランダ人も1626年に先住民からマンハッタン島を購入してニューアムステルダムを開いたのがニューヨークの始まりである。また、デラウェアはスウェーデンの植民地だったが、英領に併合された。こうしてできあがったのがのちに独立する13の植民地だ。

18世紀後半の北アメリカでは、アパラチア山脈の西側をめぐって、東海岸の英国人植民者とカナダからインディアンと協力してオハイオ地方に進出しようとするフランス人が競っていた。

その結果、フレンチ・インディアン戦争（1775年。欧州に飛び火して七年戦争になる）が勃発し、英国側が勝ってカナダを獲得したのだが、バージニアの農園主だったジョージ・ワシントンが民兵の大佐として活躍した。

しかし、英本国は植民地の人たちがアパラチア山脈の西側を開拓することを嫌い、東北部で発展してきた工業が本国と競合するのを恐れて発展を抑えた。

また、英本国はアメリカ植民地の人々に戦費を事後的に払わせようと増税した。とくに、紅茶の取引から税を取る方針が出されたので、ボストン港で英国の商船をインディアンに変装した地元民が襲った。ボストン茶会事件で、これをきっかけに独立戦争が始まった。

教養への扉 ボストンは京都の姉妹都市だが、ここにハーバード大学がある。ヨーロッパ的なインテリジェンスが通用する町だ。ライバルのイエール大学やプリンストン大学は大都市にない。シカゴは西部へ向かう鉄道の出発地として発展した。アル・カポネの町であり、ロータリークラブ発祥の地だ。ヒューストンなどテキサスは、アメリカの産業の活力といかがわしさが交錯する町だ。

アメリカ③
いまだにナポレオン法典が適用されるルイジアナ州

　アメリカの国旗である星条旗（スターズ・アンド・ストライプス）の星は現在の州の数だけあるが、ストライプスのほうは最初の13州を表し続けている。14番目の州はリンゴと蜂蜜でおなじみのバーモント州だ。ニューハンプシャー州とニューヨーク州の境界争いがあったのでそうなった。

　1775年に独立戦争が始まると、フランスは独立派に味方し、ラファイエット将軍が義勇軍としてやってきた。そして、1776年7月4日にフィラデルフィアの大陸会議でアメリカ独立宣言が採択され、これが独立記念日になっている。

　1783年のパリ条約で、アメリカはアパラチア山脈とミシシッピ川の中間の地域を獲得した。その後も、ナポレオンからミシシッピ以西のルイジアナを購入（1803年）、スペインからフロリダを購入（1821年）、英国と争っていたシアトル付近のオレゴンを境界画定で領土化（1846年）、スペインから分離して独立国となっていたテキサスを併合（1845年）、米墨戦争でカリフォルニアなどを獲得（1848年）と拡大していった。

　新しく併合した地域には、イリノイ州が1818年、カリフォルニア州は1850年といったように順次、州が置かれた。州の成立は、人口などの基準を満たし、しかも、憲法で定められた各州による厳しい同意条件を満たす必要があり、そこに政治的思惑もからんだので、併合してもすぐに州になったわけではない。

　ルイジアナ州は旧フランス領で、ナポレオン法典に準じた民法典を持つことは、「ルイジアナ州ではナポレオン法典が適用される」という『欲望という名の電車』でのマーロン・ブランドの台詞で有名になった。テキサスは一時期、独立国だったし、カリフォルニアは、米墨戦争を経てアメリカが形のうえでは買収した。

　スペイン人はあまり大量に移住せず、現地人のインディオを使って経営していたが、この方法では鉱産物でもない限り、開発が進まなかった。テキサスの人口は3000人、カリフォルニアは6000人しかいないまま放置されており、アングロ・サクソンやドイツ系などの旺盛な移住意欲を持つ人たちの土地になったのも当然だった。

　アメリカはメキシコを挑発して米墨戦争を始め、グアダルーペ・イダルゴ条約により、カリフォルニアまで「購入」したが、ほぼ同時期の1848年に砂金が発見され、翌年には空前のゴールドラッシュが始まった。

教養への扉　西の都は人口ではハリウッドを抱えるロサンゼルスにかなわないが、やはりサンフランシスコだ。日本の総領事館でもサンフランシスコ総領事は大使並みの大物がつく。そのサンフランシスコ近郊のいわゆるシリコンバレーは世界のIT産業の都だ。シアトルもある意味でヨーロッパ的な落ち着きのある町で、ボーイング、マイクロソフト、アマゾン、スターバックスの本拠がある。

　南部の農場主にとって、綿花の栽培のために奴隷はなくてはならない存在だった。一方、黒人は北部は寒いので好まなかったし、安い移民労働力もあったので、一生、面倒を見なくてはならない奴隷は合理性がなかった。また、エイブラハム・リンカーン自身も含めて北部の人は奴隷制のもとで大量の混血児が生まれることに嫌悪感を持っていた。

　さらに境界地域に新しい州をつくるときに、そこで奴隷を認めるかどうかは、各州から議員を出す上院での多数派争いにかかわるので国政を揺るがす問題になった。

　そして、リンカーンが大統領に当選したことをきっかけに南部は独立を宣言し、南北戦争が始まった。結果は北部の勝利となり、また、リンカーンが南部を混乱させて戦局を有利にするために、奴隷解放宣言をしたことで、黒人も有権者になった。

　こうして共和党が優勢になると、積極的に海外進出を図った。キューバの独立をめぐって、アメリカ人保護を目的に派遣されたメイン号が爆破されたのを口実にスペインと米西戦争を戦い、キューバの独立と事実上の保護国化、グアンタナモ基地（キューバ）の永久借地、フィリピンやプエルトリコの割譲を認めさせた。

　フィリピン防衛のために必要だとしてハワイ王国を併合し、出遅れていた中国で挽回を図るために門戸開放を呼びかけた。1912年にアリゾナ州が設立され、戦後にハワイとアラスカが昇格するまで半世紀近くは州の数は48で安定した。

　このあたりまでのアメリカの政治と外交を振り返ると、建国して最初に問題になったのは、連邦重視か州権重視かであり、工業重視か農業重視かだ。この対立は長く続くが、連邦主義が勝利し、だからこそ、アメリカは大国になれた。

　奴隷制の是非については、すでに書いたとおりだが、人種差別はヨーロッパ各国と比べてもひどく、とくに、ヨーロッパでは、混血は混血人種だが、アメリカは少しでも黒人の血が混じれば黒人として扱われるというのは、現在に至るまでそうである。

　また、アメリカの開拓は、インディアンと呼ばれた先住民を追い出すという形で進められ、ひどい殺戮も幅広く行われた。

　旧世界との関係においては、新世界は自分の領分であるという方針が貫かれた。5代大統領のジェームズ・モンローが打ち出したモンロー主義がそうで、現在に至るまでアメリカは中南米を自分のテリトリーだと信じて疑わない。日本としては、それならば、中国大陸に対してある程度は、同様の権利を認めてくれてもいいはずという思いがあったのである。

教養への扉　ニューヨークは首都ではないが、アメリカ人にとって特別の都市だ。何しろ彼らの先祖のほとんどは、移民船に乗ってここにやってきた。革命100周年にフランスが贈ってくれた「自由の女神」は最高のプレゼントになったし、陸路からこの町を目指す人はエンパイア・ステート・ビルのてっぺんが見えると「都（メトロポリタン）に来た」感じがするらしい。

アメリカ合衆国を理解するキーワードは「移民の国」である。日本のような国だと、先祖がいつ日本列島に渡ってきたかなどという記憶を持たないのが普通だが、アメリカ人の場合には、わからないほうが例外だ。移民はドイツ系と英国系が二大勢力だ。

　独立当初は英国系が圧倒的で、ほかに黒人奴隷がいるといったところだったが、19世紀半ばにはアイルランドやドイツから大きな波が押し寄せた。

　とくにジャガイモの病気が蔓延して大飢饉に見舞われたアイルランドからは20年間に290万人が移民し、現在では約3600万人がアイルランド系移民の子孫といい、アイルランド本国の人口の10倍近くにもなっている。20世紀はじめになると、イタリアとともに東欧からが主流となり、そのなかにユダヤ人も多く含まれていた。

　現在では混血が進んでいるが、国勢調査にあたるセンサス（1980年当時）での回答によると（複数回答可）、イングランドとドイツが20%強で、アイルランドが18%と、この三つが圧倒的に多い。

　アフリカ系は12%、ヒスパニックが6%、フランス、イタリア、スコットランド、ポーランドが5%内外に並ぶ（ヒスパニックは現在、これよりかなり多くなっているようだ）。先住民であるインディアン（写真）は3%ほどだ。

　姓からもそれなりに推定はできるが、ドイツやスラヴ系では、発音の難しさなどから同じ意味の英語名に変えていることがあるし、黒人の場合はかつて主人だったイングランド系の名前をもらったケースが多いので、本当の人種構成を反映していない。

　地域的には、黒人が南東部に多いし、ヒスパニックは南西部に多い。中北部にはドイツの農民がたくさんやってきた。ルイジアナにはフランス系のクレオールが多く独特の文化を持っているし、イタリア人やアイルランド人のような人とのつながりを大事にするカトリック教徒は大都市を好む。

　アジアからは、中国系労働者が西部へ向かっての鉄道建設のために多く入ったが、低い生活環境でよく働きすぎて嫌われて厳しく制限され、そのあと入ってきた日本人もやがて規制された。

　人口比とどこから移民してきたかの比率も合わない。古くに移民してきたほうが増殖しているはずだが、たとえば、カトリックはプロテスタントより家族の絆を大事にするし、堕胎も禁止しているので子だくさんのように見え、ヒスパニックの人口比は政治地図を変えそうなほどだ。

教養への扉　アメリカは国籍について出生国主義を取っており、アメリカで生まれたら不法移民の子でも無条件で国籍が与えられてきた。これは、移民の国であるので、移民2世についてアメリカ国籍をたとえ二重国籍であっても取ってほしいという発想だ。国務省も多重国籍は推奨しないとしており、多重国籍者もアメリカ国籍を優先させるように強い圧力をかける。

アメリカ⑥
「アメリカン・ドリーム」を生む社会的風土

　国民性を比べる笑い話で、難破船で客を海に飛び込ませるための殺し文句は、ドイツ人には「規則」、日本人には「会社の命令」だが、アメリカ人には「名誉」だといわれる。

　アメリカはお金儲けは際限なくできるし、高所得者への税金も低い。しかし、ロックフェラーやカーネギーに代表される「寄付」があり、どんなあくどい儲けの結果であっても社会はほめ称える。ビル・ゲイツも財産の大半を子どもたちに残さず寄付するそうだ。

　金持ちでなくとも、世のため人のためと思えば財産や命も惜しまない潔さがあり、そうした行為が称賛を浴びることを子どものときから教え込まれる。アメリカ人はほめ上手だし、逆に、歯の浮くような言葉でおだてれば火の中水の中もいとわない。

　このごろは、バーニー・サンダースのように社会民主主義者を名乗る政治家も出てきたが、アメリカ人は結果の公平でなく機会均等で満足する。というのは、スウェーデンのような人種的にも、教育においても、価値観についても均一性の高い国でないからだ。たしかに、移民がアメリカにさえ移り住めば、営々と豊かな国をつくってきた人々と同じ生活を享受できるわけにはいかない。移民はまずは社会の最下層に位置づけられ保護も受けられないが、そこから這い上がってくるためのチャンスを与えられるのだ。

　ハリウッド映画が世界中で桁外れの観客を動員できるのは、アメリカの治安が悪いからだという説明がある。銃社会であるこの国では未成年者だけで外出などできない。そこで、家族全員で楽しめる娯楽が中心になって、ほかの国では考えられないくらいの予算をつぎ込めるおもしろい映画ができる。ハリウッド映画はわかりやすくおもしろく、豪華で見たあとさわやかである。深い感動もないし、現状肯定的すぎて人生や世界について考える機会にはならないが、ともかく楽しい。

　ファストフードに代表される料理も、うなるほど美味ではないが、まずくはない。スパゲティは30分以上ゆでるし、ピザはサンドイッチのように厚い。三つ星レストランで修業してきたシェフも、ここでは甘くてやさしい味で妥協するし、フランス人ならよだれを流しそうな赤みが残る肉の焼き具合などあってはならないことだ。

　オーケストラはメゾピアノより静かな音量にはしないようにしている。耳の遠い未亡人たちが楽団の財政を支えているのだからしかたない。

教養への扉　徴兵制が主流であるヨーロッパと違ってアメリカや英国は基本的には戦時を除いては志願兵制度である。しかし、そのために、経済的な弱者が兵士として戦うことになりがちだ。国際的にも徴兵制は左派の、志願兵制は右派の主張だ。

DNA鑑定の普及で冤罪での死刑判決がアメリカではかなりあり、執行してしまったものも多そうだということが明らかになっている。だが、アメリカでは死刑などやめようということにはならない。彼らにとっては、陪審員が決めるという「正しい手続き」を踏んだのだからそれでよいのである。

この国では、公平でなくてはならないとか、間違いをしてはいけないという価値観は一般的でないようだ。開拓時代の「保安官」は民主的に選挙で選ばれたが、自分が正義だと思うところを気ままに秩序として押しつける存在だった。

しばしば、「アメリカは世界の警察官だ」といわれるが、私にいわせれば「保安官」だ。警察官なら法に従って行動するが、保安官は自分が「法」なのだ。国家権力が治安を掌握できないから、銃を持つ自由が認められる。それは危険を伴うが、みんなが武装できるのだから多数による正義が実現できる民主的な方法だということなのだろう。

地球温暖化に熱心でないことにはいろいろ説明はあるが、根本は、アメリカの国土開発が「国土をつくる」という発想でなく「自然から収奪する」ものでしかなかったことだ。世界のほかの部分では、人間は創造主の協力者だが、アメリカでは消費者だ。

このように異常な変な国だと悪口を言い出せば際限がないが、それでも、この国には夢があるし、アメリカが存在するということが、世界の息苦しさを救ってくれる清涼剤でもある。

司馬 遼太郎の『アメリカ素描』(新潮文庫)という作品には、在日韓国人が大阪のキタの小料理屋でふともらしたという「もしこの地球上にアメリカという人工国家がなければ、私たち他の一角にすむ者も息ぐるしいのではないでしょうか」という言葉が紹介されていて、私もなるほどと思った。

いってみれば、地域社会で互いに助け合いながら地方に住んでいたほうが安心かもしれないが、そこから抜け出して、どんな目に遭うかわからないが大都会に出てみるというのも選択肢としてあるということが、地方に住む人の息苦しさを和らげてくれるというのと同じことだ。

大衆消費文化やIT社会を生み出したのは、アメリカの開かれた経済社会だし、外国人留学生を平等に受け入れてくれるシステムも新大陸にしかない。つまるところ、アメリカという例外的な国があることは結構なことなのだが、世界中がアメリカになることがいいとは思えないし、アメリカがそれを押しつけるのはやめにしてほしいというのが結論である。

教養への扉　大都市以外のアメリカの観光地というと、カジノのエンターテインメントの都であるラスベガス、カリフォルニアやフロリダにあるディズニーやUSH(ユニバーサル・スタジオ・ハリウッド)などのテーマパーク。そして、グランド・キャニオン、ナイアガラ、イエローストーンなどの雄大な自然。そして、ハワイやフロリダのリゾートなどだ。

貨幣経済とは、市場を通じて、貨幣を媒介として商品の売買や金融取引が行われ、また納税や給付なども貨幣によって行われる経済である。欧州では地域にもよるが、中世初期の自給自足の荘園経済が崩れ始めた10世紀前後から拡大し始めた。ニコル・オレーム（1323年ごろ～1382年）は、早くも14世紀に貨幣政策の失敗がもたらすインフレについて批判し、フランス王シャルル5世（1338～1380年）に信頼されたフランスの聖職者でスコラ哲学者である。

中世欧州の封建制のもとで、荘園経済は農業の自給自足で成り立っていたが、寒冷で農業に向かない北欧や、交通の要所で人口が集中したフランドルやイタリア半島のように、自給自足が困難な地域も存在した。これらの地域は、フランスやドイツなど、土地が肥沃で食糧の余剰を生産できる地域から農作物を買うために、交易で貨幣を稼いだ。反対に肥沃な地域は、自給自足に必要な量を超えて農作物を余分に生産し、食糧不足の地域に売ることで、貨幣収入を増やした。このプロセスで、貨幣経済が荘園経済を侵食していくことになった。

荘園経済に入り込む貨幣の量が増え、遠方との交易が広がると、荘園領主は中国の陶磁器のような領外から輸入される高価な贅沢品に、物欲や見栄から、多額の貨幣を使うようになった。貨幣収入を増やすすため、荘園領主は支配下の農奴に労役を課して生産物による現物地代を取る代わりに、自身の直営地を分割して農民に貸し与え、貨幣地代を取るようになった。また農奴が荘園領主から借りていた保有地からの地代も、貨幣で取るようになった。そのうえ直営地や農奴の保有地など、自身の所有地をも売却して手放すようになり、荘園領主としての身分を失っていった。

国内筆頭の荘園領主としての国王は、それらに加えて貨幣の貴金属含有量を減らして価値を引き下げて発行することによって、追加の貨幣収入を得ることもできた。これを君主による窃盗行為として非難したのが、**ニコル・オレーム**の『貨幣論』（1373年）である。

オレームはインフレの原因を、欧州各国の君主による貨幣の貴金属含有量の削減による貨幣減価に求め、その貨幣政策を批判した。たしかに貨幣鋳造には費用がかかり、貨幣そのものにも運びやすさや受領されやすさなどの効用があることから、君主には貨幣鋳造特権からくる利益が、ある程度は認められうる。

しかし、オレームは、君主が既存の貨幣を改鋳してそれ以上の利益を得ることは不当だと非難した。シャルル5世は「賢明王」と呼ばれ、オレームに従って、貴金属含有率の高い貨幣を発行して貨幣価値を安定させ、課税の恒常化につなげ、「税金の父」とも呼ばれた。

教養への扉　オレームはフランス北部のノルマンディー出身でルーアン大聖堂の聖職者になり、1360年ごろからは将来の国王シャルル5世の聴罪師、相談相手を務め、1377年にはリジューの司教になった。中世キリスト教のスコラ哲学者で、アリストテレスから大きな影響を受けた。

　重商主義は、15世紀から18世紀の欧州で、絶対君主の経済政策として広く採用された。戦争が大規模化し、長期化した時代に、軍備拡張に使う資金を貿易黒字で稼ぐために、輸出奨励と輸入抑制を目的として広範囲に実施された経済介入政策である。イングランド商人の**トマス・マン**（1571～1641年）は、重商主義の政策体系を理論化した代表的論者であるが、貿易を国策として担った東インド会社の取締役でもあった。

　15世紀末から始まった大航海時代で先行したスペインとポルトガルは、南米大陸を植民地にして鉱山開発を推し進め、貴金属の流入を図った。貨幣に使う金銀などの貴金属こそが国富であると、重商主義は見なした。これを「重金主義」と呼ぶ。流入させた貴金属の取引を規制して国外流出を防ぎ、国富として貴金属を蓄積しようとした。

　スペインは1545年にポトシ鉱山を発見し、その豊富な銀を採掘した。しかし、スペインにもたらされた莫大な貴金属は、現実にはスペインでは蓄積されず、王侯貴族による奢侈や、オスマン帝国やオランダ、イングランドとの戦費に使われ、ほかの西欧諸国に流出したため、16世紀の欧州では物価が大幅に上昇する「価格革命」が起きた。

　海外進出で後れを取ったオランダ、フランス、イングランドなどは北米大陸に向かったが、当時の技術水準では鉱山開発ができず、代わりに貿易黒字を稼いで、貨幣の形で金銀など貴金属を得ようとした。オランダ、フランス、イングランドは、それぞれ「東インド会社」を設立し、アジアの植民地との貿易を独占して貿易黒字を稼ぎ、絶対君主に莫大な富をもたらした。絶対君主が特権商人や製造業者を優遇し、産業振興を図って輸出を伸ばすと同時に、国内産業を保護するための関税をかけ、輸入を抑制して貿易差額（輸出と輸入の差額としての貿易黒字）を稼ごうとした。これを「貿易差額説」と呼ぶ。

　貿易差額説は、イングランドの**トマス・マン**が著書『外国貿易によるイングランドの財宝』（1620年代に執筆、1664年出版）のなかで体系化し、イングランド重商主義の中心的な政策となった。

　フランスでは、国王ルイ14世に仕えた財務総監**ジャン＝バティスト・コルベール**（1619～1683年）が行った重商主義政策（コルベール主義）が有名である。

　18世紀のスコットランドでは、**ジェームズ・ステュアート**（1713～1780年）が大部の『経済の原理』（1767年）を書き、重商主義を経済学体系として完成させたが、自由市場経済を容認するなど、その議論の多くはすでに重商主義を乗り越え、アダム・スミスにつながる次の時代に足を踏み入れていた。

教養への扉　マンは地中海貿易で財を成し、1615年に東インド会社に投資して経営陣に加わり、著作者としても下院議員としても東インド会社の権益を擁護し増進させる論陣を張った。たとえばイングランドの対インド貿易が赤字を出していたことに対して、それはインド製品を大陸欧州に再輸出してより巨額の貿易黒字を稼ぐためであると論じて、国全体としての貿易黒字の増大が重要なのだと主張した。

経済学の始まり
アダム・スミスの「神の見えざる手」

　アダム・スミス（1723〜1790年）はスコットランド出身の18世紀の英国人で、「経済学の父」として、「見えざる手」のアイデアや、「夜警国家論」を唱えたとされて、後世に多大な影響をおよぼした。しかし、大思想家の例にもれず、スミスという人も、その思想内容も、大いに誤解され続けてきた。

　アダム・スミスはスコットランド東部のカーコルディという町で、税官吏の長男として生まれた。グラスゴー大学に進学して道徳哲学を学び、その後、イングランド教会牧師志望学生のためのスネル奨学金を得て、オックスフォード大学に留学した。しかし、「教授の大部分」は、「教えるふりさえ、まったく諦めている」と、のちに『国富論』（1776年）で批判したような大学の状況に嫌気がさしたのか、志望を転換してスコットランドに戻り、母校のグラスゴー大学で道徳哲学教授に就任した。

「経済学の父」スミスは経済学の教授ではなかった。スミスの最初の著書は『道徳感情論』（1759年）で、人が他人に対して自然に感じる「同感」の感情が、徳に関する道徳判断や、正義、法律、統治機構などの社会制度の基礎にあると論じた。スミスの主著『国富論』の経済学も、道徳哲学の一部分であり、現代経済学のように独立した分野ではなかった。この点は、スミスの親友で『政治論集』（1752年）がベストセラーになった哲学者の**デイヴィッド・ヒューム**（1711〜1776年）など、同時代の経済思想家たちにも共通している。

『国富論』を「経済学」と呼ぶことにも、注意が必要である。スミスの時代には「ポリティカル・エコノミー」と呼ばれ、これは文字どおりには「国家またはポリスの家政学」であるが、「経世済民学」と理解するのがふさわしく、スミス自身は「立法者の科学」と呼んでいた。国会議員が法律をつくるために備えておくべき学識が「ポリティカル・エコノミー」なのである。したがってスミスのいう「見えざる手」を、個人が自己利益を求めて自由に行動しても、自由市場が機能すれば自然に需給が調整されて最適な状態が実現するので、政府は経済に介入すべきでないというスミスの思想のエッセンスを示すキーワードと見なすことも正確ではない。

　スミスは政治家が経済に関して自由放任にしてよいとは論じていない。『国富論』で「見えざる手」は、投資収益に関する議論のなかで登場する。資本家は制約がなければ、まずは最も収益が高い農業に投資し、そのあとで工業、次に国内商業、最後に最もリスキーな貿易に投資するはずであるから、貿易を最優遇するような現行の重商主義的政策体系は政治家のリーダーシップで変革すべきだと、スミスは論じているのである。

　功なり名を遂げた晩年のスミスが、政府から任命されてスコットランド関税・塩税委員を務めたことも、スミス自身の「立法者の科学」の実践なのであった。

教養への扉　スミスの想定していた国家は、盗みを防ぎ夜回りするだけの「夜警国家」などではありえない。「夜警国家」とは、19世紀後半になってからドイツの社会主義者フェルディナント・ラッサールが資本主義国家を批判して述べた言葉であり、スミスとは無関係である。

　デヴィッド・リカード（写真。1772〜1823年）は、アダム・スミスのあとを受けて英国の古典派経済学を完成させた大物学者であるが、本職は証券仲買業者で、経済学に出会ったのは偶然だったというユニークな経歴の持ち主である。しかし、産業革命まっただなかの英国経済を実地に知り尽くしていただけに、台頭する資本家階層の利害を精緻に理論化し、普遍的な議論に高め、後世に影響力をおよぼした。

　デヴィッド・リカードの両親はオランダのポルトガル系ユダヤ人で、イングランドに移住してきた直後にリカードは生まれた。父も証券仲買業者で、リカードは14歳から、父を手伝って見習いを始めた。しかし、リカードはユダヤ教を捨ててキリスト教に改宗し、両親とは絶縁して証券仲買業者として独立し、かなりの財を築くことになる。

　27歳のとき、妻の療養のため訪れていた保養地のバースで、たまたまスミスの『国富論』を手にして興味を持ったことがきっかけで経済学の研究を始めた。

　ナポレオン戦争に勝利した英国では、戦時中の大陸封鎖が解除されて欧州産の穀物輸入が再開され、供給過剰で穀物価格が下落した。議会を占める地主議員たちが自身の利害で、穀物価格の維持を目的として輸入制限のための関税を定めた穀物法を制定した。この関税の妥当性を擁護したのが、『人口論』（1798年）で有名な**トマス・ロバート・マルサス**（1766〜1834年）である。マルサスはロンドン近郊の富裕な大地主の家に生まれ、本職のイングランド教会牧師としても地主階層に属し、下院議員も務めていた。

　そのマルサスに正面から政策論争を挑んだのが、親友だったリカードである。証券仲買業者のリカードは資本家階層の立場から、関税引き下げと、最終的には関税の撤廃と自由貿易を主張した。産業革命で経済発展が進むと、収穫逓減の法則が働いて資本家階層が受け取る利潤は減り続け、やがて経済から資本の利潤が消滅する「定常状態」が出現する。回避するには自由貿易で安価な穀物を輸入して生活費を下げ、その分、労働者階層の賃金も下げ、資本家の利潤を確保するしかないというのが、リカードの経済学のエッセンスである。

　ここから、自由貿易を正当化するための「比較優位説」のような有名な理論も構築された。自由貿易こそ、経済発展をもたらす正しい政策路線だとの常識が現代でも根強いとすれば、19世紀英国という特殊な経済状況で資本家という特定の立場を正当化するためのリカードの理論化がいかに強力であったかを示している。まさにスミスのいう「立法者の科学」の面目躍如である。

教養への扉　中学すら出ていなかったリカードは独学の人だった。42歳で事業からは引退し、グロスタシャー州にギャトカム・パークという大所領を買って選挙権を得て、晩年には下院議員に当選した。ギャトカム・パークは3km²にもおよぶ広大な地所で、現在はエリザベス女王のひとり娘（チャールズ皇太子の妹）のアン王女が居住している。

社会主義

カール・マルクスの理論が失敗した理由

　東西冷戦終結で東側の社会主義陣営が瓦解したあと、カール・マルクス（1818～1883年）が生んだマルクス経済学は退潮し、資本主義は社会主義革命によって転覆されプロレタリア独裁に移行するとしたマルクスとフリードリヒ・エンゲルス（1820～1895年）の唯物史観は間違っていたと見なされた。しかし、崩壊した実際の社会主義体制と、マルクスが論じた未来の社会主義を同一視することは間違いである。

　カール・マルクスは、プロイセンのライン州トーリアで、ユダヤ教のラビの地位を代々占めてきた家系に生まれた。裕福な弁護士だった父のあとを継ぐつもりで、最初はボン大学で法学を専攻したが、興味を失い、ベルリン大学へ移って哲学に転向した。古代ギリシャの自然哲学の研究で1841年にイェーナ大学から博士号を取り、大学に就職するつもりがユダヤ人であったため差別されて果たせず、『ライン新聞』でジャーナリストとして世に出た。

　しかし、政府批判のラディカルな論説を書いて追放され、パリ、ブリュッセル、ケルンなどを転々として、最後は1849年にロンドンに亡命した。ロンドンでのマルクスは、繁華街のソーホーの小さなフラットで暮らしながら、大英図書館に日夜通って経済学の研究を進め、『経済学批判』（1859年）を出版した。その第2巻として予定していた著書が独立して『資本論』第1巻（1867年）となった。

　第2巻（1885年）と第3巻（1894年）は**フリードリヒ・エンゲルス**の編集によってマルクスの死後に出版され、さらに第4巻はエンゲルスの死後に**カール・カウツキー**（1854～1938年）の編集で『剰余価値学説史』（1905～1910年）として出版され、マルクスの死後30年近くたって『資本論』の全貌が姿を現した。

　マルクスは過去の経済学関係の著書を、小さなパンフレット、無名の著者に至るまで網羅的に読破し、最初の経済学説史家ともなった。

　20世紀にロシア革命を嚆矢として成立したマルクス・レーニン主義国家は、マルクスが論じた下部構造としての資本主義経済が発展して生産力を増し、上部構造としての国家や法律と合わなくなった結果、労働者階級による革命が全世界的規模で起きて成立したプロレタリア国家などではなかった。これらは後進農業国において、西側の先進工業国との軍拡競争を生き延びるために共産党一党独裁で資本蓄積と工業化を図るという皮肉な役回りを演じ切れずに失敗した陣営だったのである。

　マルクスが21世紀の世界を見たら、社会主義革命は先進国のプロレタリア主導でこれから数百年かけて起きるだろうというはずである。

教養への扉　マルクスがパリ亡命中に出会ったエンゲルスは繊維業者の長男で、父が所有していたイングランドのサルフォードの繊維工場を経営しながら、マルクスの生活と研究を生涯にわたって支え、有名な『共産党宣言』（1848年）など数冊の共著を2人で出した。

ケインズ経済学
財政政策は世界恐慌の特効薬となったのか

　ジョン・メイナード・ケインズ（1883～1946年）は、1930年代の世界大恐慌の時代に提示した不況対策の「ケインズ政策」で知られ、2008年のリーマン・ショックとそれに続く「大不況」の時期に再び脚光を浴びるなど、いまでも大きな影響力を持つ20世紀経済学の巨人である。しかし、ケインズの思想も、さまざまな誤解とともに現代に伝わっている。

　ジョン・メイナード・ケインズは、ケンブリッジ大学で道徳科学講師と事務局長を務めた父と、のちにケンブリッジ市長になる母の長男として生まれた。自身もケンブリッジのキングズ・カレッジに進学して数学を専攻し、卒業後はキャリア官僚としてインド省に入省した。ケインズの最初の著書『インドの通貨と金融』（1913年）は、この時期の仕事である。

　1915年には大蔵省に移り、第一次世界大戦終結後のヴェルサイユ講和会議に大蔵省の一員として出席した。敗戦後のドイツ国民の生活再建のために、ドイツに課す戦時賠償額が高額にならないように努力したものの実現できず、ケインズは大蔵官僚を辞職して『講和の経済的帰結』（1919年）を書き、講和条約を批判した。

　賠償額が高額すぎるとドイツ経済を破産させ、ドイツ人の復讐心をかき立ててさらなる衝突につながるとケインズは警告した。ケインズの懸念は、1923年のハイパーインフレでドイツ経済が苦境に陥り、国民の不満を背負って登場したアドルフ・ヒトラーが欧州全体を第二次世界大戦に巻き込んでいくにつれて、現実化していった。

　多才に恵まれ、退官後は八面六臂の活躍をした。経済学研究誌の編集長を長年務め、経済学の著書、政策パンフレットだけでなく、数学、歴史学、伝記など多くの著作を残した。

　主著『雇用、利子、貨幣に関する一般理論』（1936）では「有効需要の原理」を理論化してケインズ経済学を築き上げ、現代のマクロ経済学の原型となった。

　いわゆる「ケインズ政策」は、不況時など経済が有効需要不足のときに政府が借金をしてでも予算を使うことで経済に需要を生み出し、投資と雇用を増やして不況からの脱却を図る財政政策と見なされている。しかし、『一般理論』でケインズが論じていたのは、貨幣供給増加と金利引き下げによる金融政策で投資需要を生み出すほうが優先されるべきということである。財政政策はあくまで非常手段であり、しかも好況時の増税による公的債務返済とセットで行われるべきなのである。

　戦後の先進国でケインズ経済学は、1970年にノーベル経済学賞を受賞した**ポール・サミュエルソン**（1915～2009年）などによって再編され、経済政策の標準となって大きな影響力を得たが、正しく実践しなかったことで現在の過剰な公的債務が積み上がってしまった。

教養への扉　ケインズは、古書や美術品の収集が趣味で、ナショナル・ギャラリーの理事、ロイヤル・オペラ・ハウスの理事長を務めるなど、芸術の支援にも力を入れた。その原資は投資で稼ぎ、死去時には運用資産が40万ポンド（現在の1600万ポンド、25億円）を上回っていた。母校のキングズ・カレッジと、経営を引き受けた生命保険会社の資金運用も担当し、大成功した。

新自由主義
先進国が実践したミルトン・フリードマン理論

新自由主義は、19世紀後半の近代経済学が理論化した経済自由主義が20世紀後半に再興したもので、国営企業の民営化や経済の規制緩和、自由貿易、政府支出の削減、民間重視などの経済自由化政策を推し進め、財政的に行き詰まった戦後の福祉国家の体制を刷新しようとした。その理論化は、常に戦後経済学の主流であったが、ここではアメリカのシカゴ学派の領袖ミルトン・フリードマン（1912〜2006年）について取り上げる。

世界大恐慌で登場したケインズ経済学は、戦後の先進国で経済政策の理論的支柱となり、社会保障の拡充や公共事業の提供、市場の規制などによって「大きな政府」で市場経済に広汎に介入し、1950年代から1960年代の経済成長を実現した。しかし、1970年代に入ると肥大化した政府が財政を圧迫し、行政を硬直させ、重税と重い規制で市場経済から活力を奪った。インフレと不況が同時進行し、失業率が上昇するなか、「小さな政府」を掲げて登場したのが新自由主義である。

英国ではマーガレット・サッチャーが率いた保守党政権（1979〜1990年）が、かつて労働党政権が国有化した基幹産業を民営化して、政府保有の国営企業株式の売却益で公的債務を返済し、財政赤字削減のために政府予算を縮小して、行政のスリム化を目指した。また労働市場と金融の規制を緩和し、減税も行って、市場経済に活力を取り戻そうとした。

アメリカでもロナルド・レーガンの共和党政権（1981〜1989年）が、規制緩和や社会保障費の削減、減税で市場経済の活性化を図り、日本でも中曽根康弘の自民党政権（1982〜1987年）によって行政改革が推進され、日本電信電話公社（電電公社）、日本国有鉄道（国鉄）など国有企業が民営化された。

1990年代以降、この新自由主義の政策路線は先進国政府のコンセンサスとなり、アメリカではビル・クリントンの民主党政権（1993〜2001年）が、環境問題重視や多文化主義といった民主党のスタンスを継続しつつも、NAFTAを支持し、金融の規制緩和や社会保障費削減を共和党政権から継続した。

1976年にノーベル経済学賞を受けた**ミルトン・フリードマン**は、戦後のケインズ経済学に対抗したシカゴ学派の中心的経済学者で、経済には「自然失業率」があり、これを下回って失業を減らしてもインフレが起こるだけと論じ、ケインズ政策を否定した。代わりに中央銀行の貨幣供給を徐々に増やしていくという「マネタリズム」を主張した。フリードマンはこの時期にサッチャーとレーガンの政策アドバイザーを務め、マネタリズムの金融政策をはじめ、減税や民営化、規制緩和、自由放任主義といった新自由主義の経済政策の策定と実行に影響を与えた。

教養への扉 英国のトニー・ブレアが率いたニューレイバー政権（1997〜2007年）も、中道左派の社会民主主義を政策理念として捨ててはいないものの、政策手段としては公共部門における市場原理の活用、民営化などの新自由主義の政策を保守党政権から継承した。「第三の道」と呼ばれる路線である。

現代貨幣理論（MMT）

自国通貨を発行する国家は財政破綻しない？

　現代貨幣理論（MMT = Modern Monetary Theory）とは、貨幣を支払い手段、価値の計算手段、価値の貯蔵手段といった効用のために生み出されたものではなく、国家が創造した独占物と見なすマクロ経済理論である。自国の通貨を持つ国家は、いくら財政赤字が増えてもその分の貨幣を創造すれば破綻しないので、政府は必要なだけ支出を増やして景気対策を実行すべきと主張するなど、論争を巻き起こしている。

　MMTは、20世紀に入って**ゲオルク・フリードリヒ・クナップ**が『貨幣国定説』（1905年）で唱えた「表券主義」を基礎としている。表券主義は、貨幣を国家による創造物と見なす。当時の金本位制では、貨幣の価値をその通貨に含まれる貴金属の価値と考えていた。これを「金属主義」と呼ぶ。これに対してクナップは、国家は紙幣をも創造することができ、それを政府が納税に際して受け取れば、紙幣も法定通貨と認められるので、商品の売買にも貨幣として使われるようになると論じた。

　従来の経済理論では、政府の財政赤字が拡大して公的債務が増えると、財政破綻のリスクが高まって金利が上昇し、通貨下落やインフレで景気が悪化するので、政府の過大な国債発行は望ましくないとする健全財政論が標準であった。しかし、MMTは、自国通貨建ての財政赤字や政府債務が拡大しても、国家が貨幣を創造して補填できるので、政府は赤字を気にせず景気対策に支出すべきと主張し、多くの議論を呼んでいる。

　自国通貨を発行する国家では財政破綻は起こりえないとするMMTの起源は、18世紀フランスの**シャルル・ド・モンテスキュー**にさかのぼる。モンテスキューは当時の一連の大戦争の敵国だったイングランドが戦費調達に駆使した自国通貨建て国債の強みに注目した。スコットランドのジェームズ・ステュアートは『経済の原理』（1767年）でモンテスキューの見解を継承し、経済理論に取り入れた。

　MMTは、公的債務が膨張しているのに財政破綻しない日本が、その理論の正しさを証明する好例と主張する。しかし、今後、日本国債の円建て比率が低下し、円の対外信用が下落すれば、海外の債権者による大規模な円売り、日本国債売りが起きて財政破綻に至るリスクは残るであろう。

　自国通貨建て国債だから破綻しないといえる安全圏にいるのは、近世の英国や現代の日本など限られた国家だけである。それも少子高齢化が進み貯蓄が使い崩されていく日本でいつまで続くか不明である。むしろ室町時代の明銭（みんせん）や、台頭する暗号資産など、MMTに対する反証は数多い。

教養への扉　アダム・スミスやデヴィッド・リカードなど、古典派経済学の主流派は過大な国債発行を問題視したが、反対に詩人のサミュエル・テイラー・コールリッジなど、保守派のロマン主義経済学で、自国通貨建て国債発行国は財政破綻しないとの見解が細々と継承されていった。ナポレオン戦争終結時の英国の累積公的債務は当時のGDPの3倍を超えていたが、英国は財政破綻せず、産業革命に邁進していったという現実も、コールリッジらの見解を補強した。

　民主社会主義は、ソビエト連邦をはじめとする20世紀の共産党一党独裁の強権的な社会主義に対抗して、民主的な社会主義を主張する左派の路線である。労働者による自主管理と、企業などの組織や経済制度の民主的な運営を求める。フランスの経済史家トマ・ピケティは、民主社会主義が最も問題視する富の世界的不平等と経済格差を分析し、富に対するグローバルな累進課税を提案している。

　民主社会主義の起源は、カール・マルクスとフリードリヒ・エンゲルスに「ユートピア社会主義」と揶揄されて批判された19世紀の初期社会主義にさかのぼる。ウェールズ生まれの英国人**ロバート・オーウェン**（1771～1858年）がスコットランドのニューラナーク州で、自身が経営する工場を中心に試みた労働者の相互扶助的なコミュニティが、民主社会主義の目指すひとつの社会モデルである。

　19世紀末から20世紀初頭には、マルクス主義が主張する暴力革命ではなく議会制民主主義を活用した漸進的な市場経済の改革を提唱した英国のフェビアン協会など、社会民主主義の思想からも影響を受けた。民主社会主義は、資本主義は自由や平等、連帯といった価値観と矛盾すると見なし、資本主義を否定して経済資源の社会的所有を目指すが、ソビエト連邦のスターリン主義のような非民主的で権威主義的な社会主義や、中央集権的な計画経済には反対して、分散型の計画経済を主張し、資本主義から社会主義への穏健な移行を目指す。しかし、資本主義の革命的な変革を求める勢力も、少数ながら存在する。

　アメリカではミルウォーキー市が民主社会主義の牙城で、多くの市長を輩出してきた。しかし、2016年に上院議員のバーニー・サンダースが大統領選挙で民主党の公認指名をヒラリー・クリントンと争ったことから、民主社会主義は大々的に知られるようになった。反対に英国労働党のジェレミー・コービンは、保守党政権の緊縮財政と労働党内のトニー・ブレア派ニューレイバーを敵視して2015年に党首になったが、2019年の総選挙では、本音では自身も英国のEU離脱支持だったため、EU残留で党をまとめ切れず、ボリス・ジョンソンの保守党政権に大敗した。

　民主社会主義が資本主義の最大の問題点と見る富の不平等と経済格差を、過去250年の膨大な史料から裏づけたのが、世界的ベストセラーとなった**トマ・ピケティ**の『21世紀の資本』（2013年）である。先進国では資本の利潤率がほぼ一貫して経済成長率より高く、その分、時代を経るにつれ資本家に富が集中していくので、必然的に資本主義経済は不平等になると実証した。ピケティは富に対するグローバルな累進課税を提案している。

教養への扉　指名争いでサンダースはヒラリー・クリントンに負けたものの、ギャラップ社による2018年の世論調査では、民主党支持層だけでなく30歳以下のアメリカ人の過半数が民主社会主義の主張を支持するようになっている。サンダースが民主党候補だったら、本戦の大統領選挙で共和党のドナルド・トランプに勝っていたかもしれない。

アメリカ・ドル
金・ドル固定相場制から変動相場制へ

　第二次世界大戦後、アメリカの圧倒的な経済力を背景につくりあげられたブレトンウッズ体制と呼ばれる国際通貨制度は、ドイツや日本が経済的に復興してくるなかで、1971年のニクソン・ショックを経て変動相場制に移行し、変容していった。その後もアメリカの世界経済に占める地位は低下する一方、対外債務は膨張を続けており、ドルを基軸通貨とする国際通貨体制の未来は不透明さを増している。

　1944年ニューハンプシャー州のブレトンウッズで連合国が調印した協定で、ドルが金(きん)にリンクすることと、ほかの各国通貨がドルに固定相場で結びつくことが定められた。この制度では、アメリカは基軸通貨国として自国通貨のドルを貿易の決済に自由に使うことができる一方、ほかの諸国はドルで決済をしなければならず、経常収支赤字が続いて外貨準備が危機的水準に達した国は、IMFから短期の融資を受ける一方で、緊縮的経済政策を採用して国際収支の均衡を回復することが求められた。

　その後、1960年代にかけてアメリカから金の流出が進むなかで、アメリカは1971年にドルと金の交換を停止することを宣言し（ニクソン・ショック）、国際的な通貨制度は変動相場制に移行することを余儀なくされた。

　変動相場制のもとでは、各国は自由に財政金融政策を運営し、それに応じて為替レートも変動することになるが、主要国はG5（その後G7）などの場を通じて政策協調を行って為替を安定させ、ドルを基軸通貨とする国際通貨体制を維持してきた。

　しかし、アメリカは、引き続き巨額の貿易赤字を出す一方、日本、中国、ドイツなどの国は黒字を蓄積していった。これまでのところは、こうして貯(た)まった黒字はアメリカの国債に投資されることによって資金がアメリカに還流しており、ドルの基軸通貨としての地位は保たれている。

　ブレトンウッズ体制が成立した当時、アメリカは世界のGDPの圧倒的なシェアを占めていたが、2019年には15％を下回るまで（IMFによる購買力平価ベースの統計）低下している。その一方で、2008年のリーマン・ショック後に取られたデフレ回避のための景気刺激策によって、アメリカの対外債務はかつてないレベルまで増加している。こうした状況はドルの価値に対する信認を揺るがしかねないものであり、基軸通貨としてのドルに黄信号がついている。

　そして、こうしたなかで、金やビットコイン、リブラなどの暗号資産が、国家の信用の裏づけが不要な無国籍通貨として、人々の注目を集めつつある。

教養への扉　アメリカの対外債務残高は2003年9月末には6.7兆ドルだったが、2019年9月末には3倍以上の20.4兆ドルに達している。一方、アメリカ国債の最大の保有者は日本で2019年10月現在で1.2兆ドル、第2位は中国の1.1兆ドルとなっている。

1999年にEUの単一通貨ユーロが発足した。当初10年ほどは単一通貨のメリットが表れ、為替変動リスクや為替手数料がなくなったおかげでユーロ圏内の通商の拡大や投資の促進などが実現したが、2009年末のギリシャ危機以降、ユーロが抱える構造的な問題が表面化し、ユーロの先行きは不透明なものとなっている。

1999年1月、物価の安定、財政状況の持続可能性などEU創設に関するマーストリヒト条約が定める収斂基準を満たしたフランス、ドイツ、イタリアなど11カ国で単一通貨ユーロ（写真）が導入された。

その後、ユーロ圏の国は増えて、現在では19カ国になっているが、貿易黒字国であるドイツから赤字国である周辺国へ活発に投資が行われたことなどから、もともとインフレ率が高かった周辺国の物価や賃金の上昇がさらに強まり、これが周辺国の競争力を低下させて、黒字国ドイツと周辺国の競争力格差が拡大した。

こうしたなかで2009年末にギリシャの政権交代に伴い財政赤字のGDP比に誤りがあることが暴露されると、一気に国際金融市場でギリシャの信用が失墜し、2010年以降ギリシャはEU、欧州中央銀行、IMFの3者に3度の救済を仰ぐことになった。

ギリシャが自国独自の通貨を持っていれば、為替を自国通貨安にして競争力を高め、国際収支の改善を図ることが可能だが、ユーロ圏にいるギリシャはそれができず、長期にわたる高率の失業と経済規模の大幅な縮小、持続不可能な対外借入負担に苦しめられている。こうしたユーロが抱える根本的な問題は、ギリシャに限らずポルトガル、アイルランド、イタリア、スペインといった周辺国（これらの国とギリシャの頭文字を合わせてPIIGSと呼ばれる）に共通しており、ギリシャ危機が波及した2012年にはユーロそのものが一時崩壊の瀬戸際に追い込まれた。

当時の欧州中央銀行総裁マリオ・ドラギの「欧州中央銀行はユーロを守るためにはなんでもする用意がある」という発言で市場の混乱はいちおうの収束を見たが、その後も周辺国の債務負担は重く、根本的な問題解決に至っていない。

ユーロが今後安定して存続するためには、圏内の黒字国から赤字国に債務削減などの形で財政支援を行う必要があるが、それは黒字国のドイツ国民の税金を周辺国に与えることにほかならず、政治的に大きな困難を伴っている。ユーロがこれからどこに行くのか、先行きの視界は不良だ。

教養への扉　2015年に3回目のギリシャ救済策が取りまとめられた直後、IMFはギリシャの対外債務は持続不可能なレベルに達しているという報告書を発表した。2019年第1四半期の時点でのユーロ圏周辺国の政府債務残高のGDP比は、ギリシャが181.9%、ポルトガルが123.0%、イタリアが134.0%、スペインが98.7%と高水準のままとなっている。

2009年1月3日、正体不明のナカモトサトシという人物が、自身が発表した論文をもとにビットコインを発行し、暗号通貨（暗号資産、仮想通貨とも呼ばれる）の時代が幕を開けた。ブロックチェーン技術により、ネットワークへ参加する者が台帳を共有して、台帳上の取引データの正当性を担保するビットコインは、これまで国家が独占してきた通貨発行権に対する挑戦者となった。

　ビットコインは、もともとその価値を国家権力に依存しない、無政府主義的な存在であったが、ビットコインができて間もない2013年から2015年にかけて、キプロスやギリシャで国際収支危機が生じた。銀行が閉鎖され、ATMも使えなくなる状況が発生したことが、国家権力から独立したビットコインなどの暗号通貨に対する注目度を高めることとなった。しかし、これを国家権力の側から見ると、ビットコインなどの暗号通貨は、匿名性がその特徴のひとつであることもあって、マネーロンダリングや犯罪収益の取引に使われるものとして、早い時期からアメリカの取り締まり機関などから警戒の目で見られ、実際に麻薬取引に悪用されたシルクロード事件なども生じた。

　一方、ビットコインは、その構造上、大量の取引データを高速で処理することができず、決済通貨としての機能は不十分であることが次第に認識されるようになり、ビットコインは投資対象ないし投機対象としての利用が中心となり、現状では法定通貨に取って代わる実力を持つに至っていない。

　こうしたなかで、ブロックチェーン技術の進化に伴い、ビットコインの欠点を克服して、大容量、高速処理が可能なコインが種々つくられるようになった。そしてこうしたいわば進化形の暗号通貨のひとつとして2019年6月、フェイスブックがリブラという新しい暗号通貨を翌年春にも発行することを発表した。

　全世界で12億人を超えるユーザーを持つフェイスブックのリブラは、既存の権力にとって大きな脅威であったが、アメリカの議会・政府関係者、経済学者をはじめ、世界中の通貨政策にかかわる人々の批判にさらされるなかで、リブラの発行は遅延せざるをえなくなっている。

　しかし、日々進化を遂げる暗号通貨は、今後リブラに代わる通貨を生み出して、再び国家権力と対峙する可能性は否定できず、暗号通貨と国家権力の戦いがどのような展開を見せるか予断を許さない。

教養への扉　当初ウォール街では、ビットコインは利子も配当ももたらさない無価値なものとして拒絶する者が少なからずいた。しかし、その後アメリカの大手資産運用会社のフィデリティは、法人向けにビットコインの取引と保管のサービスを始める一方、シカゴでは、CME（シカゴ・マーカンタイル取引所）が、ビットコイン先物やオプションの取り扱いを始めるなど、ビットコインは依然として投資家の関心の対象となっている。

デジタル通貨

「中央銀行デジタル通貨」で何が変わるのか

　中国は2019年11月、中央銀行デジタル通貨を試行的に市中銀行に対して発行すると発表した。また同年12月にはEUが、欧州中央銀行や加盟各国の中央銀行がデジタル通貨の発行を検討することを歓迎するという声明を出すなど、中央銀行デジタル通貨の発行に向けた動きが世界で活発化している。

　ブロックチェーン技術を使った中央銀行デジタル通貨の本格的な発行にいちばん近い位置にいるのはカンボジアで、バコンという名前の中央銀行デジタル通貨の正式導入に向けて、2019年7月からテスト運用を開始しており、すでに国内最大の商業銀行のACLEDA（アクレダ）銀行など九つの銀行や決済事業者と接続して、数千人のアクティブユーザーが日々の送金や実店舗での決済に利用している。

　デジタル中央銀行通貨は、その構造によって大きく四つの類型に分類できる。現在市中銀行が中央銀行に当座預金口座を持っているように、国民が直接中央銀行に中央銀行デジタル通貨用の口座を開く方式（直接方式）と、中央銀行に口座を持つのは市中銀行だけで、中央銀行デジタル通貨はいわば卸売りされる形で、いったん中央銀行から市中銀行の口座に入金され、その後、市中銀行は自行の預金者の要求に応じて自行の持っている中央銀行デジタル通貨をいわば小売りするように預金者に移転させる（間接方式）ものに分けられる。

　また、もうひとつの分類方法としては、国民が中央銀行デジタル通貨をやりとりするウォレットをスマホ、パソコンなどに設け、ここに中央銀行デジタル通貨をチャージしたうえで、決済の際にそれを使う方式（トークン型）と、ウォレットは使用せず、銀行口座に中央銀行デジタル通貨を入れておいて、ものやサービスの対価を支払う際には、売り主の口座に中央銀行デジタル通貨を振り込む形で決済をする方式（口座方式）の2種類があり、これら2種類の分類方法を掛け合わせた4種類の類型がある。上述のカンボジアのバコンはトークン型、間接方式を採用している。

　デジタル中央銀行通貨を採用するメリットとしては、金融危機などの際に通貨の供給を迅速、大量に行うことができることと、平時においても紙幣の発行、流通にかかるコストを削減できることだ。デメリットとしては、高齢者などスマホやパソコンを自在に使いこなせない人々は取り残されてしまうことや、安価に大量の偽造が行われる危険性があることなどが考えられるほか、上記の直接方式を採用した場合は、市中銀行が信用創造機能を発揮することが困難になるという大きな問題もある。

教養への扉　アメリカのスティーブン・ムニューシン財務長官は、向こう5年間は中央銀行デジタル通貨を発行する必要はないと考えていると発言しており、日本銀行も、中央銀行デジタル通貨について調査研究はするけれども、近い将来これを発行する計画はないという方針を取っている。これは中央銀行デジタル通貨発行のメリットが、必ずしも明らかでないことによるものだろう。

2008年のリーマン・ショック後、アメリカのFRB（連邦準備制度）を先頭に日本、欧州の中央銀行は、貨幣を市場に大量に供給する量的緩和政策と呼ばれる金融政策を取り始めた。これはそれまでの政策金利操作を中心とした金融政策とは一線を画すものであり、これによってデフレの深刻化は回避できたが、中央銀行ができることの限界も見え始めている。

　リーマン・ショック後、FRBのバーナンキ議長は、1929年の大恐慌のときの金融政策の分析研究をもとに、経済がデフレに落ち込むことを避けるため、FRBがアメリカ国債や住宅ローン担保証券などを大量に購入する量的緩和（QE）と呼ばれる政策を採用して、市場に大量に貨幣を供給した。

　一方、日本では第二次安倍内閣の発足とともに2013年より日銀が黒田東彦総裁のもとで、経済を長引くデフレから脱却させて、2年間で物価上昇率を2%に引き上げ、新たな経済成長を実現することを企図して、国債や株式、リート（不動産投資信託）を大量に購入する思い切った量的緩和政策を取り始めた。

　欧州では、2009年末にギリシャで発生した経済危機が2015年にポルトガル、スペイン、アイルランドなどのユーロ圏の周辺国に拡大しそうになったため、量的緩和政策に金融政策の舵を切って、国債の流通市場での購入を開始した。

　これら日米欧の中央銀行がそろって、これまでにない規模で市場に直接貨幣を供給するという金融政策手法を取った結果、深刻なデフレは回避された。

　しかし、日本では有効求人倍率の改善や円安による輸出企業の収益改善は見られたものの、人手不足のなかでも賃金の顕著な上昇は見られず、黒田日銀総裁が約束した2%の物価上昇は遠い目標にとどまっている。またアメリカにおいても失業率や工業生産などの数値は改善しているものの、物価上昇率は目標の2%に達していない。そして欧州においても物価上昇率は1%あまりにとどまる一方、徐々に景気の冷え込みが懸念される状況となっている。

　このため日銀や欧州中央銀行では、マイナス金利の深掘りを含め、さらなる金融緩和の可能性を検討しているが、マイナス金利の副作用で金融機関の収益力が落ちてきており、中央銀行ができることの限界が見えてきた感がある。

教養への扉　世界で最も古い中央銀行はスウェーデンのリクスバンクで、1668年に設立された。2番目に古いのが、1694年設立の英国のイングランド銀行である。日本銀行はフランスのレオン・セイ蔵相にアドバイスを受けた松方正義蔵相のイニシアティブで、ベルギーの中央銀行をモデルに1882年に設立された。これに対してアメリカでは中央集権的な中央銀行制度に対する反感が強く、20世紀に入った1913年にようやくできた。FRBはほかの中央銀行が物価の安定のみを目的としているのと異なり、最大限の雇用と物価の安定の両方を使命（マンデート）としている。

　環境問題は大気汚染、水質汚濁などの地域環境問題から温暖化、生物多様性などの地球環境問題まで多岐にわたる。地球温暖化問題は原因をつくっている国々と被害を受ける国々が異なる地球レベルの市場の失敗であり、国際的な取り組みが必要である。

「環境問題」とは人間の活動に由来する周囲の環境変化によって発生する問題の総称であり、その範囲は水質汚濁、大気汚染、土壌汚染、騒音、悪臭、ゴミ、森林破壊、生物多様性の減少、酸性雨、砂漠化、有害物質の越境移動、オゾン層破壊、地球温暖化まで非常に広汎にわたる。

　このうち水質汚濁、大気汚染、土壌汚染、騒音、悪臭、ゴミなどは「地域環境問題」として分類され、森林破壊、生物多様性減少、酸性雨、砂漠化、有害物質の越境移動、オゾン層破壊、地球温暖化は「地球環境問題」と分類されることが多い。日本が高度成長期に経験した大気汚染、水質汚濁などの公害問題は地域環境問題であり、環境規制の強化、新技術の開発などによって克服してきた。これに対して問題の発生源や被害がとくに広域的な地球環境問題は解決がより難しい。ある国で環境保護対策を強化しても、他国の環境破壊行為により環境被害を受けるケースがある。中国の大気汚染に起因する酸性雨問題などはその事例だ。

　地球環境問題のなかで最も高い関心を集めているのが、地球規模で気温や海水温が上昇し氷河や氷床が縮小する地球温暖化問題である。温暖化の発生メカニズムには種々の学説があるが、気候変動に関する政府間パネル（IPCC）第五次評価報告書（2014年）は、地球温暖化が人間の活動に起因する温室効果ガス（CO_2、メタン、N_2O、フロン）によって引き起こされている確率が極めて高い（95%以上）としている。世界の温室効果ガスの65%は化石燃料の生産、消費に由来するCO_2、11%が森林減少などによるCO_2、16%がメタンであるから、温室効果ガス問題はほぼCO_2問題といっても過言ではない。

　地球温暖化の進行に伴う影響は渇水・干魃、農産物・水産物の減収、動植物の絶滅、洪水、砂浜の消失、異常気象の発生など、多岐にわたる。経済規模の大きい国々は大量の温室効果ガスを排出し、温暖化の進行への寄与度が高い一方、貧しい途上国や島嶼国は温室効果ガス排出量が極めて小さいにもかかわらず、1次産業の収量減、海面上昇による国土消失のリスクなど、相対的に大きな被害を受ける。このため、地球温暖化問題に対処するためには国際的な取り組みが不可欠となる。

教養への扉　2018年のCO_2排出量ランキングを見ると1位中国（94.2億トン）、2位アメリカ（50.2億トン）、3位インド（24.8億トン）、4位ロシア（15.5億トン）、5位日本（11.5億トン）、6位ドイツ（7.2億トン）、7位韓国（7.0億トン）、8位イラン（6.6億トン）、9位サウジアラビア（5.7億トン）、10位カナダ（5.6億トン）である。

10ページでわかる温暖化②
解決に立ちはだかる「壁」

温室効果ガス削減の便益はグローバルだが、削減コストは各国で生ずるため、フリーライダーを生みやすい。温暖化対策コストを国民がどの程度負担する意思があるのか、さまざまな課題のなかで温暖化対策のプライオリティはどの程度かなど、難しい課題が多い。

地球温暖化問題の解決は容易なことではない。温室効果ガス削減はA国で削減されてもB国で削減されても、その便益（排出削減による温暖化の進行の遅れ）は地球全体で共有される。他方、温室効果ガス削減対策を講ずれば、エネルギー価格の上昇など、対策を講じた国においてコストが発生する。これは「自国の負担は最小限にしたい」というフリーライダーを生み出す構図であり、アメリカのパリ協定離脱はその典型的な事例だ。

温暖化問題はグローバルな課題であるため、温室効果ガス削減交渉は国連で行われているが、南北対立の様相を呈している。途上国は「今日の温暖化は先進国がもたらしたのだから、率先して温室効果ガスを削減し、途上国に資金・技術支援をすべきだ」と主張する。一方で先進国は「今後の排出増は途上国から生ずるのだから、先進国だけの取り組みだけでは不十分だ」と主張する。先進国政府の台所事情も厳しく、途上国支援を野放図に拡大することは難しい。

科学的不確実性も難しい問題だ。温室効果ガスが温暖化をもたらしているとの点はほぼコンセンサスだが、温室効果ガス濃度が産業革命以後に倍増した場合、地球の平均気温が何度上昇するか（これを「気候感度」という）という点については専門家の間でも1.5℃～4.5℃まで見解が分かれる。産業革命以降の温度上昇を1.5℃～2℃以内に抑えるために、世界の温室効果ガス排出量をどの程度削減する必要があるかは気候感度に大きく左右されるが、この点が不確実なのだ。

温暖化防止のために一般国民がどれだけ追加的な負担を受け入れるかも難しい問題だ。2018年にパリで発生したイエローベスト運動は、温室効果ガス削減のための炭素税引き上げに反発するトラック運転手のデモが発端となった。エネルギー価格の引き上げはどこの国でも不人気で政治的リスクが高い。

各国が直面する問題は地球温暖化だけではない。2015年に国連が採択した持続可能目標（SDGs）には温暖化防止を含め、安全な水、エネルギーアクセスなど、17分野におよぶ。各目標に限られた資金的、人的リソースを配分しなければならない。17分野のプライオリティは各国の置かれた状況や発展段階によっても異なる。貧しい国であればあるほど、貧困撲滅、雇用拡大、エネルギーアクセス、経済成長を重視し、温暖化防止の優先順位は高くないというのが現実である。

教養への扉 SDGsの17分野とは、①貧困撲滅、②飢餓撲滅、③健康・福祉、④質の高い教育、⑤ジェンダー平等、⑥安全な水、⑦クリーンエネルギーへのアクセス、⑧雇用と経済成長、⑨産業・技術革新、⑩国内外の不平等是正、⑪住み続けられる都市、⑫責任ある製造・消費、⑬気候行動、⑭海洋生態系、⑮陸上生態系、⑯平和と公正、⑰パートナーシップである。

10ページでわかる温暖化③
CO₂排出量削減への国際的枠組みの変遷

京都議定書ではアメリカが逃げ、EUは楽をし、中国は義務を負わず、日本だけが馬鹿を見た。アメリカ、中国を含むすべての排出国が参加する枠組みでなければ意味がない。

1980年代後半から科学者の間で地球温暖化に関する問題提起がなされるようになり、気候変動の科学的解明のため1988年にIPCC（気候変動に関する政府間パネル）が設置された。1992年、リオデジャネイロの地球サミットにおいて地球温暖化防止のための初の国際的取り組みとして気候変動に関する国際連合枠組条約（UNFCCC）が採択された。この条約では産業革命以降の先進国の経済拡大が温暖化の主因であるとの理由で、「共通だが差異のある責任」原則のもと、先進国は2000年までに排出量を1990年レベルで安定化させ、途上国に対する支援を拡大することとされた。

しかし、先進国の温室効果ガス排出量は増大を続けたため、1997年のCOP3で強制力を持つ枠組みとして京都議定書が採択された。同議定書はアメリカ、EU、日本などの先進国のみが削減義務を負う枠組みであり、2008～2012年の第1約束期間の年平均排出量をEUは1990年比−8%、アメリカ−7%、日本−6%に抑えるとされた。EUが最も厳しい目標を負ったように見えるが、現実は1990年の東西ドイツ統合による経済調整や北海ガス田の発見による英国での石炭からガスへの燃料転換により、−8%は容易な目標だった。他方、世界最大の排出国であるアメリカは、「途上国が先進国と同等の義務を負わない条約には加盟しない」との上院決議を理由にジョージ・W・ブッシュ政権が京都議定書離脱を表明した。日本は先進国中、最も省エネが進んでおり、6%削減目標達成のため、海外からCO₂排出削減クレジットの大量購入を強いられ、1兆円近いお金が海外に流出した。京都議定書は日本の「ひとり負け」だったのである。

2000年以降、中国の排出量が急増し、アメリカを超えて世界最大の排出国となった。そのほかの新興国の排出量も顕著な増大傾向を示し、先進国のみが義務を負い、中国、アメリカが排出義務を免れている京都議定書では温暖化問題を解決できないことは明らかとなった。日本は京都議定書の苦い経験を踏まえ、2013年以降の国際枠組みはアメリカ、中国を含むすべての主要排出国の参加する公平で実効あるものとすべきとの理由で、京都議定書第2約束期間への参加を拒否した。2010年には2020年までの国際枠組みとしてカンクン合意が採択された。先進国、途上国を問わず、すべての国が温室効果ガス削減・抑制のための目標・行動を国連事務局に登録し、その進捗状況を報告し、レビューを受けるというもので、初の全員参加型の枠組みとなった。2011年からは2020年以降の枠組み交渉が開始され、その結果、2015年のCOP21で採択されたのがパリ協定である（写真は京都議定書が採択された国立京都国際会館）。

教養への扉 COP（コップ）とは気候変動枠組条約締約国会合（Conference Of the Parties）の略語である。COP21とは第21回締約国会合を意味する。

10ページでわかる温暖化④
パリ協定の「三つのポイント」と京都議定書との違い

　2020年から実施段階に入るパリ協定は先進国、途上国を含め、すべての国が温室効果ガス削減・抑制に努力する画期的な全員参加型の枠組みだが、アメリカは京都議定書に続き、パリ協定からも離脱を表明してしまった。

　パリ協定の主な特色は三つある。第1に地球全体のトップダウンの目標として産業革命以降の温度上昇を1.5℃～2℃以内に抑制することが盛り込まれ、そのため今世紀後半のできるだけ早いタイミングで温室効果ガスの排出と森林などによる吸収のバランスを取ること（これをネットゼロエミッションという）を目指すとされた。第2に各国は国情に合わせ、温室効果ガスの削減・抑制に関する目標（NDC = Nationally Determined Contribution）を設定し、UNFCCC事務局に通報するとともに、その実施状況を定期的に報告し、専門家のレビューを受けることとされた。各国のNDCは5年に1度見直すこととされ、従前に比して目標レベルの向上が期待される。換言すれば「プレッジ＆レビュー」の枠組みである。第3にトップダウンの温度目標と各国がボトムアップで設定する削減目標を整合させるため、2023年から5年に1度、地球レベルの目標に向けた進捗状況を評価するグローバル・ストックテイクと呼ばれるプロセスが盛り込まれた。各国はその結果をNDC見直しの参考にすることが期待されている。

　パリ協定と京都議定書にはいくつかの大きな違いがある。第1に京都議定書が先進国についてのみ目標を設定したのに対し、パリ協定では先進国、途上国を問わず、すべての国が目標を設定する全員参加型の枠組みとなっている。第2に京都議定書では目標値を国際交渉で決めたが、パリ協定は各国が独自に目標設定を行うボトムアップ型の枠組みである。第3に京都議定書では先進国の削減目標達成を法的義務にしているものの、パリ協定では目標の設定、通報、進捗報告、レビューというプロセスは法的義務だが、目標達成自体は法的義務ではない。このようなフレキシブルな枠組みであるがゆえにアメリカ、中国を含めすべての国の参加を得ることができたのである。

　パリ協定は2016年11月に発効したが、翌年1月に誕生したアメリカ・トランプ政権は「パリ協定はアメリカの経済、雇用に悪影響を与える」との理由でパリ協定離脱を表明した。アメリカが温暖化防止の国際枠組みから離脱するのは京都議定書に続いて2度目となる。パリ協定の手続き上、アメリカのパリ協定離脱が法的に確定するのは2020年11月、アメリカ大統領選の直後である。トランプ大統領が再選されればこの方針は変わらず、民主党政権が誕生すればアメリカはパリ協定に復帰することになるだろう。

　パリ協定の合意後、その実施のための詳細ルールの交渉が行われ、一部を除いて2018年のCOP24で合意された。2020年からパリ協定の実施段階に入る。

教養への扉　京都議定書に署名したのはビル・クリントン政権、離脱したのはジョージ・W・ブッシュ政権、パリ協定に署名したのはバラク・オバマ政権、離脱したのはドナルド・トランプ政権。アメリカでは政権交代のたびに温暖化政策の方向性が正反対に振れる。

10ページでわかる温暖化⑤
1.5℃〜2℃目標が持つ意味合い

　パリ協定の1.5℃〜2℃目標を達成するためには先進国のみならず途上国もいまから排出削減をしなければならず、高額の炭素コストを負担せねばならない。しかし、温暖化防止のために途上国が経済成長や生活レベルの向上を犠牲にすることは期待できない。

　IPCC第五次評価報告書では、2℃目標を達成するためには2050年時点で世界全体の温室効果ガス排出量を現状比40〜70％削減が必要との数字が紹介されている。IPCC 1.5℃特別報告書では1.5℃目標を達成するためには2030年に現状比45％減、2050年にネットゼロエミッションを達成することが必要との試算が紹介されている。

　パリ協定上の目標は1.5℃〜2℃安定化なのだが、COPでは1.5℃、2050年ネットゼロエミッションがデファクトスタンダードになりつつある。しかし、1.5℃〜2℃目標の実現は極めて難しい。OECD諸国は2030年に向けた削減目標を掲げているが、最大の排出国である中国の目標は2030年排出量ピークアウトであり、インドは排出原単位（GDPあたり排出量）低下を目指すが、絶対量では2030年以降も増大が続く。2030年45％減のためには途上国も排出量を削減せねばならないが、経済成長、国民生活向上を志向する途上国にとっては受け入れ困難だ。

　また1.5℃〜2℃目標を達成するためには世界中で相当高額の炭素価格を設定することが必要だ。1.5℃目標を達成するためには2030年時点でCO_2トンあたり135〜5500ドル、2050年時点でトンあたり245〜13000ドルの炭素価格が必要との試算がある。フランス全土を混乱に陥れたイエローベスト運動の発端となったのはトンあたり十数ドルの炭素税引き上げだった。アメリカでは異常気象の頻発を背景に10人中7人が温暖化問題を現実の脅威と捉えているが、温暖化対策のために追加的に払ってもよいコストは月1ドル（年間12ドル）という回答が最多であり、月10ドル（年間120ドル）になると7割近くが反対している。他方、2℃目標達成のために必要な炭素価格をアメリカに適用すればひとりあたり年間1100〜1700ドルの負担になり、年間12ドルとの間には途方もない差がある。先進国ですらこのような状態なのだから、ひとりあたり所得の低い途上国では炭素価格、エネルギー価格引き上げに対する反発がさらに強いだろう。

　このように1.5℃〜2℃目標をスローガンとして掲げることはたやすいが、その意味合いするところを仔細に検討すれば、ハードルが途方もなく高いことがわかる。

教養への扉　パリ協定に盛り込まれた1.5℃〜2℃目標は地球全体で共有される目標である。Everybody's responsibility is no one's responsibility という言い回しがあるが、この事例はそれに該当する。

10ページでわかる温暖化⑥
グレタ・トゥーンベリと「化石賞」

グレタ・トゥーンベリは時の人になったが、彼女を含め環境NGOの主張は温暖化防止を至高の価値とする環境原理主義だ。NGOが出す化石賞に過剰反応する必要はない。

2019年のTIMEが「今年のひとり」に選んだのがスウェーデンの16歳の少女グレタ・トゥーンベリだった。彼女は幼くして温暖化問題に関心を持ち、大人たちが真剣に温暖化防止に取り組まないことに憤慨し、たったひとりで学校ストライキをはじめた。それが欧米全体に広がり、若者たちの一大運動に発展した。温暖化問題は現在世代が対策を怠れば将来世代がその分のつけを負うことになるという世代間公平の問題でもある。グレタはいわば将来世代の代表として登場してきたわけであり、瞬く間に時の人となった。環境NGOは彼女のことを「21世紀のジャンヌ・ダルク」と呼んでいる。

2019年9月の国連気候行動サミットにおける彼女のスピーチは世界的注目を集めた。その場で彼女は怒りをあらわにし、「私たちは、大量絶滅の始まりにいるのです。なのに、あなた方が話すことは、お金のことや、永遠に続く経済成長というおとぎ話ばかり。よく、そんなことがいえますね」（How dare you!）と言い放った。

グレタ・トゥーンベリは欧州で台頭している環境原理主義の象徴でもある。環境原理主義とは温暖化防止をすべてに優先する考え方である。しかし、「温暖化問題はなぜ難しいか」で述べたように世界が直面する課題は温暖化防止だけではない。豊かなスウェーデンに育った彼女にとって温暖化防止はすべてに優先する課題だが、貧しい途上国の子どもにとっては貧困撲滅、保健水準向上、教育の充実のほうが重要だ。「お金や経済成長なんて！」というのは世界全体に通用するロジックではない。

環境原理主義を象徴するもうひとつの事例が国際環境NGOによってCOP期間中、連日発表される「化石賞」である。温暖化防止に消極的な国に「化石燃料から離れられず、化石のように頭が古い」という皮肉を込めた賞である。2019年のCOP25で日本はアジアの途上国に高効率石炭火力技術を輸出していることを理由に2度受賞した。しかし、アジアの発展途上国ではエネルギー需要が急増しており、石炭は豊富に存在する国産資源である。CO_2含有量が高いという理由で国産石炭を再生エネルギーや輸入天然ガスに切り替えればエネルギーコストの上昇を招く。アジア諸国が石炭使用をやめることは当面考えられず、石炭燃焼効率を改善することが現実的な方策である。環境NGOは温暖化防止というひとつの物差しだけで石炭を排除するが、そこにはエネルギー安全保障や経済成長の視点が欠けている。しかも最大の石炭消費国、石炭火力輸出国である中国は一度も化石賞を受賞していない。日本のメディアが化石賞を大きく取り上げるのは大いに疑問だ。

教養への扉 グーグルトレンドを見ると「Fossil of the Day Award」の検索件数に比して「化石賞」の検索件数は圧倒的に多い。日本のマスコミが化石賞を奉っている結果であろう。

10ページでわかる温暖化⑦
エネルギー効率の改善に向けた動き

温暖化問題とエネルギー問題は表裏一体であり、CO_2排出削減のためには省エネルギーか非化石エネルギーの拡大が必要である。我が国は省エネ面では優等生だが、非化石エネルギー面では原発停止により成績が振るわない。

地球温暖化問題とエネルギー問題はコインの裏表といわれる。これは世界の温室効果ガスの大部分を占めるのがエネルギーの生産、消費に伴って発生するCO_2だからである。

CO_2排出量は、①エネルギー供給量／GDP、②CO_2排出量／エネルギー供給量、③GDP／人口、④人口の積に常に一致する。これは提唱者の茅陽一東大名誉教授にちなんで「茅恒等式」と呼ばれるものである。①はGDP成長に伴ってどの程度のエネルギー供給が必要かを表す指標であり、それが低いほどエネルギー効率がよいことを意味する。②はエネルギー供給に伴ってどの程度CO_2が発生するかを表す指標であり、原子力や再エネのようにCO_2を出さない非化石エネルギーのシェアが拡大すればこの値が低下する。③の世界のひとりあたりGDP、④の世界人口は今後も拡大する。したがって世界のCO_2排出量を減らすためにはエネルギー効率を改善するか、エネルギー供給に伴うCO_2排出量を削減するかのいずれかしかない。

エネルギー効率の改善はエネルギー安全保障、温暖化防止、経済効率いずれの面からも最も費用対効果が高く、「使わないのが最良の燃料」という意味で「第1の燃料」と呼ばれる。典型的な施策は燃費基準などを含む機器の省エネ基準、建物の省エネ基準であり、日本は省エネ法に基づくトップランナー制度でトップクラスのエネルギー効率を達成している。さらに今後期待されるのはIOTやAIを活用したスマートなエネルギー管理である。家電の最適運転制御、さらには自動運転が実用化されれば、利便性を犠牲にすることなくエネルギー消費のさらなる節約が可能になるだろう。

エネルギー供給あたりのCO_2排出量を減らすためには、原子力や再エネのシェアを拡大することが必要になる。この点では非化石電源のシェアの高いフランス（原子力78%、水力10%、その他再エネ7%の合計94%）、スウェーデン（原子力35%、水力47%、その他再エネ18%の合計99%）が有利だ。日本の非化石電源比率は17%（原子力1%、水力8%、その他再エネ8%）となっている。日本では福島第一原発事故以降、原子力発電所が軒並み運転停止となり、再エネに高い期待が寄せられ、太陽光発電、風力、地熱、バイオマスなどから発電された電力を高く買い取る「固定価格買取制度」（FIT）が導入された。この結果、2012年以降、メガソーラーを中心に再エネ施設の導入量は急拡大した。他方、再エネを高く買い取るための賦課金も拡大を続け、年間3兆円を超過している。さらなる再エネ拡大に伴う補助負担や系統コストをできるだけ抑制していくと同時に原発再稼働の加速が必要だ。

教養への扉 日本のGDPあたりエネルギー供給は世界のなかでも最も低い水準であり、日本を1とするとアメリカは2、中国、インドは5になる。

10ページでわかる温暖化⑧
「エネルギーミックス」は特効薬となるのか

　日本の2030年26％削減目標の裏づけとなるエネルギーミックスは自給率回復、電力コスト引き下げ、野心的目標の三つをバランスさせる苦心の作であり、その成否は原発再稼働に依存する。石炭も含め、使えるオプションはすべて使うことが現実的なエネルギー温暖化対策の基本である。

　日本の26％目標の裏づけとなるエネルギーミックスは東日本大震災後の困難なエネルギー状況を反映したものである。福島第一原発事故以後、すべての原発が運転停止したため、この穴を埋めるべく、LNG（液化天然ガス）、石炭、石油輸入が拡大した。この結果、エネルギー自給率は震災前の20％程度から6％程度まで落ち込み、OECD諸国中、ほぼ最低となった。化石燃料の輸入増大により、貿易収支は悪化し、家庭用、産業用電力料金は震災前に比して25％、38％上昇した。さらにCO_2排出量は電力部門を中心に1億トンも増加した。日本のエネルギー政策は三つのE（エネルギー安全保障、環境保全、経済効率）とS（安全性）を基軸としているが、自給率の低下、CO_2排出の増大、電力料金の上昇は三つのEがいずれも悪化したことを意味する。

　このため、日本の削減目標の裏づけとなるエネルギーミックス策定にあたってはエネルギー自給率を震災前以上の25％程度まで回復すること、電力コストを引き下げること、欧米諸国に比して遜色のない削減目標を打ち出すことの3点が追求された。この結果、省エネによって2030年の電力需要を自然体から17％節約し、発電電力量の構成比として再エネ22〜24％、原子力22〜20％、LNG27％、石炭26％、石油3％を目指すことになった。原子力と再エネを拡大することにより、化石燃料の輸入コストを節約し、その分で増大する再エネの補助金負担を吸収し、全体としては電力コストを引き下げようというものである。

　エネルギーミックスを議論する途上で「再エネのシェアをもっと拡大し、原子力のシェアをもっと少なくすべき」「ドイツを見習い、脱原発すべき」との議論もあったが、非化石電源を再エネのみにすれば補助コストが大幅に拡大し、電力コストの上昇につながる。自給率回復、電力コスト引き下げ、CO_2排出削減を同時達成するためには原発再稼働が不可欠となる。震災以降、原子力と再エネを二者択一で捉える議論が横行しているが、国産資源を持たず、隣国との送電網接続を有さない日本が原子力を封印すれば、対策コストを引き上げるだけである。環境NGOは石炭火力利用も批判しているが、相対的に高コストなLNGに過度に依存すれば電力コストが上昇する。電力コストを抑えつつ石炭依存を下げるには、再エネのコスト低減と原発の再稼働、将来的には原発新増設を図っていくことが最も有効である。使えるオプションをすべて動員することが求められる（写真は関西電力高浜発電所）。

教養への扉　日本の産業用電力料金はアメリカの2倍、中国、韓国の1.5倍と高く、日本の産業競争力を維持するためには電力コストの引き下げは喫緊の課題である。

温室効果ガスのネットゼロエミッションを実現するためには革新的技術の開発と手ごろな価格での普及が不可欠である。削減数値ばかりに拘泥するより、それを可能にする技術目標の実現に努力することが技術立国日本の進むべき道である。

パリ協定では2030年ごろの中期目標と併せ、2050年ごろを視野に入れた長期戦略の策定が求められている。2019年6月に発表された日本の長期戦略では今世紀後半のできるだけ早期に脱炭素社会実現を目指し、2050年までに80%削減に取り組むとされ、このためにビジネス主導の非連続なイノベーションによる「環境と成長の好循環」を追求するとの方針が示された。

日本の長期戦略の特色は80%減という数値目標以上に、その達成手段としてのイノベーションに重点を置いたことだ。たとえば2030年までに炭素貯留隔離（CCS）やCO_2を燃料、肥料、建築材料などに再利用とするカーボンリサイクルを実用化する、再エネ由来のCO_2フリー水素の製造コストを10分の1にする、2050年までに日本車1台あたりのCO_2排出を8割削減する等の技術目標が盛り込まれている。またG20諸国の研究機関間の連携強化や国際共同研究拠点の設置なども盛り込まれた。

温暖化問題は長期の課題であり、1.5℃〜2℃目標が想定するような大幅な温室効果ガス削減を現在の技術体系で実現することは困難である。お金に糸目をつけず、国中を太陽光パネルと風車で埋め尽くし、出力変動に対応するための蓄電池を大量に設置すれば、ゼロエミッションも不可能ではない。しかし、そのためには膨大な国民負担を要し、国の経済を破綻させてしまうだろう。パリのイエローベスト運動が示すように大幅なエネルギーコストの引き上げは一般国民に受け入れられない。かつて馬車から自動車、固定電話から携帯電話への技術がシフトしたのは、高コストではあっても圧倒的に利便性が高かったからである。電力の場合、石炭由来であろうと再エネ由来であろうと電力自体に違いはなく、電力コストは安いに越したことはない。再エネが主力電源になるためには、補助金に頼ることなく、化石エネルギーと互角に競争力せねばならない。太陽光など再エネの発電コストは近年大幅に低下しているが、天候による出力変動を吸収するための蓄電池や送電網整備などの系統費用を算入するといまだに従来電源より割高である。蓄電池コストを大幅に低下するとともに、天候条件がよいときに大量に発電された再エネ電力を使って水素を製造し、水素自動車などに活用するための技術開発が必要になる。これらの技術が地球全体の温室効果ガス削減に貢献するためには、途上国でも手の届くコストにしなければならない。脱酸素化のカギを握っているのは削減目標の声高なスローガンではなく、脱炭素技術の性能向上とコスト低下なのである。

教養への扉 英国、フランス、ドイツなどは2050年ネットゼロエミッション目標を掲げているが、きちんとしたフィージビリティ評価に裏打ちされたものではなく、「気合いの数字」である。技術を重視する日本のアプローチの対極にあるといってよい。

地球環境

10ページでわかる温暖化⑩
発展途上国に必要な「プラグマティズム」

　欧州を中心に台頭している環境原理主義とスローガンばかりが先行するCOPの議論は現実世界と乖離（かいり）している。途上国では温暖化防止の相対的優先度は低いという現実を直視したプラグマティックな対応が必要だ。

　2020年からパリ協定の実施段階に入るが、国際的に台頭しているのが環境原理主義の動きである。パリ協定上の温度目標は1.5℃〜2℃安定化であり、そのために今世紀後半にネットゼロエミッションを目指すとされているが、環境原理主義は1.5℃安定化、2050年ネットゼロエミッションというパリ協定以上の厳しい目標を設定し、その障害となる化石燃料、とくに石炭を強く排除する。こうした傾向は欧州で著しく、異常気象の頻発、欧州議会における環境政党の伸長、グレタ・トゥーンベリなどの若者運動の拡大がその背景にある。COPの場では1.5℃目標への巨大な同調圧力が働き、その実現可能性に疑問を提起すれば「異端」「化石」のレッテルを貼られかねない。そうしたなかで2030年45%減、2050年ネットゼロエミッションなど実現可能性を顧慮しないスローガンが先行している。

　しかし、現実世界はCOPの会場の議論とは大きくかけ離れている。途上国の経済成長を背景に2018年のCO_2排出量は過去最高を更新した。中国は世界最大の太陽光パネル、電気自動車生産国としての顔を持つ一方、世界最大の石炭消費国でもあり、一帯一路を使ってほかの途上国に低効率の石炭火力技術を輸出している。インドは太陽光発電を積極的に導入しているが、エネルギー需要全体が急速に伸びているため、石炭消費も増大している。アメリカのドナルド・トランプ政権のパリ協定離脱に象徴される一国主義が台頭し、米中摩擦などの大国間のヘゲモニー争いが激化している。パリのイエローベスト運動やチリの騒乱事件は日常生活に不可欠なエネルギー料金、公共料金の引き上げがいかに不人気かを物語っている。いずれも国際公共財である温暖化防止を追求するうえではマイナスの動きである。

　こうした現実世界を直視しながら、プラグマティックに温室効果ガス削減を追求していかねばならない。その際、温暖化防止というアジェンダだけでは国民の支持は得られず、むしろエネルギー安全保障、大気汚染防止などを追求しつつ、コベネフィットとして温暖化防止にも貢献するといったアプローチのほうが現実的だ。温暖化防止対策を講じれば新しい雇用、産業を生み、経済も成長するという「グリーン成長」の議論があるが、それならば各国がこぞって温暖化対策を強化するはずで、温暖化問題が深刻化し、温暖化交渉が難航することはないだろう。「温暖化対策にコストがかかる」という不都合な真実から目を背け、理念的なスローガンばかり掲げても現実は変わらない。「多くの国では温暖化問題がすべてに優先する課題ではない」という現実を直視するプラグマティズムこそが、いま最も必要とされている。

教養への扉　環境原理主義と社会主義には経済への管理強化という点で親和性がある。「環境原理主義者はスイカである。外側は緑で中は赤い」というのは言い得て妙である。

科学とは何か
「科学」と「技術」が支えた世界の経済発展

　科学は西欧に生まれた。フランスの文化人類学者、レヴィ・ストロースはブリコラージュ（生活経験に基づく技術、工夫）を繰り返しても「科学」には至れないと主張した。科学者は科学的推論と実証を通じて科学体系（学術研究体系）を構築し、ブリコラージュを継承する職人たちはその技術を世に出すことで評価された。産業革命とその後の大量生産大量消費へと至る経済発展は科学と技術が両輪となって実現した。

　ガリレオ・ガリレイは望遠鏡で天体観測を続けて地動説に与し、彼の仮説の正しさは観察と実験結果によってのみ証明されると考え、科学的思考方法をその後のヨハネス・ケプラー、アイザック・ニュートンなどとともに確立した。実験によって得た観察結果から論理推論（数学）によって仮説を立て、論文として公表し、ほかの科学者、研究者の批判を仰ぐという論理的思考過程は科学研究の基本スタイルとなった。

　科学は、客観的手法（実験と数学的表記）と論理推論を通じてその論説（仮説）は、世界中の科学者、研究者によって検証されることで体系化される。

　技術は、技能者（テクニシャン）によって世代から世代へ継承され、彼らの技術は後世の人々によってその成果物によって評価される。ブリコラージュの集大成として社会に蓄積された「技術」は、近代の科学誕生によって、後世の人々によって科学的に検証される過程で工学へと発展した。

　とくに、戦争のための城塞、兵器生産などには多くの技術革新があった。砲と銃器の生産技術標準化による大量生産と互換性の確保、海軍における無線通信機器の開発と改良などは、材料の吟味、加工組立工程などの科学的合理化によって進められた。軍団に、「工兵将官」が生まれ、工学者となった。たとえば、フランスのギュスターブ・A・フェリエ将軍（無線通信）、ドイツのヴェルナー・フォン・ジーメンス大尉（有線通信）など。

　経済学は、法学などと同様に世俗の学問、すなわちブリコラージュに属する学術分野だった。経済学者の育成は工学者と同様に大学校において行われ、パリのHEC、シアンスポ、エコール・ノルマル、ENAなどの卒業生の活躍がよく知られている。

　この「科学」のコーナーでは、西欧における科学技術の発生から経済学の成立を踏まえ、現代社会を支えるいくつかの重要な知見を紹介する。

教養への扉　技術は、世俗（社会）の形を変え、科学は人と神（真理）の関係を変えた。金属粉の抵抗測定中に偶然電磁波の検波能力を発見したアール・ブランリーはパリ・カトリック学院の物理学者だった。フランスでは現在もなお、世俗に役立つ法律、行政、経済などの学問分野は「グランゼコール」で扱われ、真理を追究する「ユニヴェルシテ」とは一線を画している。

　科学は、地中海交易の発展から大航海時代を経て西欧に蓄積された富（資本）を基盤として近代社会において開花した。フランス革命（1789年）による近代社会の出発と産業革命による経済発展は近代教育制度の構築に帰結した。近代教育制度を通じて科学（学術体系）が世代を超えて継承された。近代社会とその教育制度が科学を生み出し、さらなる近代社会の経済発展を促したのである。

　科学の源泉は、ギリシャ時代からの哲学思考（合理的、論理的思考）である。キリスト教社会へはイスラム教社会を経て、その科学知識と思考方法が地中海域に広まった。キリスト教社会が、「科学」を「学術体系」へと高めていくための「ゆりかご」（インキュベータ）となった。

　フランス革命によって近代社会が構築され、国民皆兵、義務教育制度などを経て、キリスト教社会に属する「西欧社会」に科学が芽吹くこととなった。

　英国にはすでに1660年に自然科学を研究するための王立協会が設置され、フランスでは1666年に王立科学アカデミー（写真）が組織され、理性による合理的な科学的思考方法が知識層に勧奨された。

　1789年のフランス革命で旧体制は否定され、人々の欲望を合理的に解放する近代社会の模索が始まった。国民の一人ひとりが直接国家と対峙し、自由と義務を享受する近代国民国家が形成された。

　国民国家は、国民に、徳育と職業訓練だけでなく、科目ごとに整理された学術教育を提供した。そのために必要な教授陣が大学において育成された。科目ごとに知識を体系化して教える学術教育は「学術体系」（科学）の世代間継承を可能にした。

　このように、学術体系にしたがって構築された教育制度が「科学」の社会的再生産を可能とし、科学的研究開発活動を技術革新へと結びつけ、新たな経済発展のフロンティア構築へとつながった。

　西欧以外の地域においては、ときとして近代教育制度の欠落のため、学術教育が実現できず、真の科学はそういった社会に根づかなかった。

教養への扉　フランスで「教育」を表す言葉には「徳育＝education」「知育＝instruction」「職業訓練＝formation」という日本でもよく知られた言葉以外に、第4の言葉がある。「学術（科学）教育＝enseignement」である。哲学、ラテン語、数学など、高等教育における最終目標ともなる科目教育のことを指す。科学をみずから生み出してきた社会だからこそ次世代に引き継ぐ「学術体系」が存在するのだ。

科学技術

人工知能（AI）
19世紀フランスの機織り機が起源

　人工知能（AI）が人類の思考能力を超越する時点をシンギュラリティ（非連続点）と呼ぶ。しかし、AIがやっていることは、四則演算、検索、並べ替えなどの基本操作の繰り返しにすぎない。蒸気機関車が多くの人々を乗せ、人類が達しえなかった速度で走ったことによって、人類は空間移動能力の非連続点を経験した。今回は、「情報処理分野」で人類の進化速度を超越した能力が実現されようとしているにすぎない。

　蒸気機関がロケットになって人類を月に運んだ時点で、多くの人類は、彼ら自身の空間移動能力がひとつの転機（非連続点）に達したと身体で理解した。1980年代の第5世代コンピュータ開発を契機として大いに発展が促された人工知能（AI）が将棋の有段者を次々に破ったとのニュースが世間の人々をAIにはかなわないのではないかと思わせ、自動走行車の実用化実験に弾みがついた2018年以降にAIが人類を超越する技術的な非連続点が遠からず来ると誰しもが内心で思い始めた。

　しかし、機械による情報処理能力の人類レベル超越は、すでにアメリカの原爆開発（マンハッタン計画）で利用された高速計算機械と、英国の独エニグマ暗号解読のために開発された人類最初の電子計算機の実用化によって実現されていたのではないか。

　もっとさかのぼれば、データ入力、蓄積、演算、並べ替え機能を有する定形穿孔カードを使用する機械が20世紀初頭から使われ始め、人口調査などに威力を発揮していた。

　さらにそのルーツを探れば、19世紀フランスのジャガード織機に到達する。カードに絵柄を穿孔してデータとして保存し、カードを繰り返し利用する。まさに「情報処理」の技術（記憶演算装置）がすでに実用化されていたのだ。このジャガード織機はフランスから京都の西陣に持ち込まれ、優美で豪華な西陣織物の大量生産技術として、日本経済の発展に大いに貢献した。西陣の職人が伝統的に蓄積してきた知恵と工夫だけでは到達できなかった異次元の優美で豪華な絹織物の生産がジャガード織機によってもたらされ、京都は技術的な非連続点を幕末に経験していたのである。

　人類が蒸気機関を発明し、それまで到底手にできなかった圧倒的な「動力」を手に入れ、技術的な非連続点（シンギュラリティ）を経験したのと同様に、情報処理分野においても、ジャガード織機、カード穿孔式計算機、暗号解読機、第5世代コンピュータなどの開発を経てわれわれはAIがもたらす技術的な非連続点の前に立っている。

教養への扉　1980年代に通産省（現経済産業省）が実現しようとした第5世代コンピュータは、非手続き型コンピュータ言語Prologを使う論理推論演算機械だった。それまでの逐次演算機械では困難だった並行処理が実現された。同時に、圧倒的な量の言語データを「コンピュータ可読辞書」として蓄積し、その後の自然言語処理技術の確立を助けた。あれから30年以上が経過し、当時若手だった研究者が多くの後継者を育て引退した。次世代のAI研究者に大いに期待しておこう。

宇宙開発

アポロ宇宙船の成功が人類にもたらしたもの

　人類が月にその第一歩を記してから半世紀が過ぎた。1989年には冷戦が終結し、資本主義が世界を席巻し、人々の飽くなき欲望は市場経済のグローバル化に支えられ、国境なき大量生産大量消費時代に突入した。科学技術が宇宙という果てしないフロンティア開拓に向かい始めるための産業経済基盤が整った。市場にあふれる電子部品、精密機械部品などが21世紀コズミック・フロンティア開拓の主役に躍り出た。

　アメリカ時間1969年7月21日（月）2時56分15秒にアポロ宇宙船からニール・アームストロング船長が月面に降り立った。その第一声は「One small step for man, one giant leap for mankind.」（この一歩は小さいが、人類にとっては偉大な躍進だ）だった。半世紀が過ぎ、個人の欲望をかなえる資本主義経済が世界を席巻した。

　これまでのコズミック・フロンティア開拓の主役は国であり、月に行くための科学技術の成果をお金で買い求めることはできなかった。

　しかし、コズミック・フロンティア開拓分野への民間参入がすでに始まっている。

　日本では2009年に東大阪市の中小企業の事業協同組合（SOHLA）が超小型科学衛星を開発し、観測実績を上げた。2019年には、民間からの出資を得て北海道広尾郡大樹町でスタートアップした企業（IST）が宇宙空間に到達可能な民間ロケット開発に成功している。これらの機材のほとんどが、個別に開発された専用機材ではなく、市場で手に入れることが可能な「汎用機器、部品」だった。

　自由市場の経済合理性は「汎用機器、部品」の生産供給技術の合理化による平均コスト削減によって実現される。コスト削減へと向かわせる原動力は市場における競争である。個別特注品では競争は生じにくい。汎用機器、部品の価格はすでに市場における競争の結果、経済合理性を満たしている。

　しかし、同時に、民間企業は夢を追い求めるだけでなく「利潤」を追求しなければならない。この利潤動機によって闊達な開発資金を市場から調達できる。より多くの人類の宇宙における活動が経済合理的に拡大されるためには、ほかの科学技術分野と同様に、そこで使われる機材、サービスの市場からの調達拡大が必須となる。その成否が、コズミック・フロンティア開拓への企業参入の持続性を決定する。

教養への扉　東大阪市の中小企業の事業協同組合（SOHLA）が主体となって大阪府立大学、JAXA（宇宙航空研究開発機構）などの協力を得て開発した「まいど1号」は2009年に打ち上げられ、宇宙から雷発生の仕組みなどを観測し、3GHz帯送受信機を使って地上に報告することに成功した。2019年5月には、北海道広尾郡大樹町から民間スタートアップ企業ISTが打ち上げたMOMOが4分後に大気圏外113kmの宇宙空間まで飛翔した。コズミック・フロンティア開発への民間企業参入が成功した瞬間だった。

飛行技術
ライト兄弟からドローン、フライングマンまで

2019年の仏革命記念パレードで、エマニュエル・マクロン仏大統領とアンゲラ・メルケル独首相が注視するなか、ひとりのフライングマンがいかにも自由に空中に舞った。1903年にライト兄弟が有翼動力機による飛行を成功させてから116年目にして人類は翼に代わる自由飛行技術を確立した。ドローンもいわゆる固定翼を持たない空中移動技術のひとつであり、こうした飛行技術の革新が将来の物流、人の移動と経済社会全体に与える影響は大きい。

人々は空中を自由に移動する鳥を見て自分たちにも翼をくださいと神様にお願いしてきた。しかし、ついに翼を必要としない飛行技術が実用化された。はばたき翼または固定翼を必要としないドローンとフライングマンである。

カメラ搭載型ドローンは、複数の小型回転翼を自由に高速で制御することで機体を操縦者の欲する方向へ自由に移動させることが可能になり実用化された。商品のラストワンマイル配達などの物流市場への投入も秒読み段階になっている。

フライングマンは、作動流体の噴射反作用を動力源とする小さな箱の上に人が乗って飛行する。ジェット戦闘機などに搭載されているパイロット緊急脱出装置などと基本的には同じ技術であるが自由に離着陸でき飛ぶことができる。この飛行技術が大衆化されれば、人々は自転車に乗るのと同じ簡便さで街を移動可能になる。その運輸交通サービスへの経済波及効果はドローンと併せて自動車産業をはるかに超える。

固定翼によって空気を捉え空中に浮遊する飛行機は小さな動力源で離陸が可能だ。それに対して、翼のないドローンとフライングマンはみずからの重量と燃料重量を動力によって支えなければならない。このため、積載可能重量がいまのところ小さく、遠くまで飛ぶことが難しい。しかし、これらの力学的技術課題は、搭載燃料（電池）、動力効率と機器精密制御技術向上などでさらに改良可能である。

しかし、ドローンにしてもフライングマンにしても、その飛行制御性（思う空間に自由にいつでも素早く移動できる能力）を実現することが技術的には最も困難だった。これをブレークスルーしたのは固定翼動力機ではライト兄弟であり、ドローンとフライングマンではコンピュータ演算速度の向上と、モーター制御、飛行制御などのアクチュエータ高速化と情報演算デバイスの組み込み技術だった。

教養への扉 『ドラえもん』のタケコプターはヘリコプターと同じ回転翼動力機だった。ドローンはタケコプターを実現した。フライングマン（飛行机）は翼を持たない。人類はもう翼をくださいとお願いする必要はない。宅配便をドローンに託し、または家のベランダからみずから飛行机に飛び乗り、フライングマンとなってコンビニに移動する時代がもうすぐそこに来ている。日本経済は老齢化の急速な進展を、ラストワンマイル物流と交通の革新で新たな経済発展段階に切り替えることができる。

　ピラミッド、万里の長城、ハドリアヌスの壁といった古代社会のメガ構築物と、スエズ運河、パナマ運河、ボスポラス海峡大橋、モンブラントンネルなどの産業革命以降のメガ構築物はその建設目的が異なる。前者が社会秩序の安定を目的にしていたと考えられるのに対して、後者は明確に「経済活動フロンティア拡大」が目的となっている。

　19世紀の大量の蒸気機関の普及による産業革命は、土木工事の革命をもたらした。それまで使用されてきた人力（奴隷）、畜力、風力、水力、太陽熱などの有機エネルギーは集中的な動力エネルギーを生み出すのに適していなかった。化石エネルギーから得られる連続的な燃焼熱を動力に変換する蒸気機関は人類に莫大な運動エネルギーを提供した。

　人間は、疲れを知らない奴隷（動力エネルギー）を手に入れた。工場の動力源が女工から蒸気機関となり、馬車は鉄道に、帆船は蒸気船になった。運河を掘り土砂を運搬する動力源も蒸気機関となった（写真はリバプール・アンド・マンチェスター鉄道の開業記念列車）。

　1869年、フランスのフェルディナン・ド・レセップスが全長164kmの水路式スエズ運河を開通させた。それから45年後の1914年、アメリカが全長82kmの閘門式パナマ運河を開通させた。これらの運河はインド洋と地中海、大西洋と太平洋を最短距離で接続し、大陸間海洋貿易コストを下げ、経済発展に貢献した。

　アジア大陸とヨーロッパ大陸を隔てるトルコのボスポラス海峡に、最初の吊り橋が1973年にかけられ、その後1988年に第2の吊り橋、2012年に海底トンネル、そして2016年に第3の吊り橋が建設された。これらの橋と海底トンネルは東京湾に数多く建設された吊り橋、海底トンネルと同様にイスタンブールの大都市圏経済を活性化させているが、アジア大陸とヨーロッパ大陸をつなぐメガ構築物だという点を忘れてはならない。

　標高4000mを超える山々が続くアルプス山脈は古来ヨーロッパの交通運輸を東西南北に分断し、経済発展の障害となってきた。これを克服するため、シンプロントンネル（19.8km）、モンブラントンネル（11.6km）など、数多くの鉄道、自動車トンネルが建設されてきた。なかでも2016年に完成した全長57kmに達するゴッタルド基底トンネルは、1988年に完成した日本の青函トンネル（53.8km）を抜き、2020年現在、世界最長の鉄道トンネルとなっており、その大きな経済効果が期待されている。

教養への扉　アメリカのドナルド・トランプ大統領がメキシコ国境に壁を構築すると公約したとき、多くの人々は万里の長城あるいは英国のハドリアヌス帝の壁を思い出したのではなかろうか。こうした大陸をまたぐ壁は、自国を他国から切り離し、経済的発展より社会の安定を確保しようとする政治的目的が優先している。

電磁波の発見
理論計算が実験実証で確認された画期的出来事

　熱力学解析の経験を経て、ジェームズ・クラーク・マクスウェル（1831～1879年）がマイケル・ファラデーの電磁場理論を代数差分方程式に定式化することに成功した。1864年のことである。目に見えない自然の摂理がこのとき「電磁波数式仮説」として示され、1888年にドイツのハインリヒ・ヘルツ（1857～1894年）が光速で遠方に伝わる電磁波を実験によって発見し、マクスウェルの方程式が正しかったことを証明した。これを契機に、新たな実験観察フロンティアが切り開かれることとなった。

　マクスウェルは若いころから代数、解析幾何学にすぐれ、19世紀半ばに最大の懸案だった熱力学分野でその数学解析力を駆使して「無から有は生まれない」とのエネルギー保存則に基づき、気体分子の運動方程式（マクスウェル・ボルツマン方程式）を導いた。

　その後、マクスウェルはファラデーの「電場の変化が磁場を、磁場の変化が電場を誘導する」との電磁場理論の数式化を試みることとなった。交番電流の変化が交番磁界を生み、遠方まで電磁界が伝わることを「変異電流」という項目を数式に導入することで示し、それまで計算されていた近傍界だけでなく遠方においても電場と磁場の交絡関係が存在することを示す代数差分方程式を導入した。

　後の世にマクスウェルの電磁方程式と呼ばれることとなるこの代数差分方程式は難解で、当時の多くの物理学者を悩ませた。この式が「電場と磁場の交絡関係は光速で遠方の空間を伝わる」ことを意味していたからである。このように「電磁波」の存在をマクスウェルは予見し、それが光と同じ性質を有していると主張した。

　この問題に実験で回答を提示したのがヘルツだった。彼は、マクスウェルの難解な代数差分方程式を高等数学の微分方程式に変換し、彼なりに電磁波の存在に確信を抱き、当時の最先端の電気機器を集め、実験を計画、準備した。

　1888年、彼が入念に準備した人類初の超短波発信機から電磁波が送出され、隙間を有するリング状の金属検波器によってその存在が検出された。

　人類が、理論計算によって予見された自然現象を実験実証によって初めて確認した瞬間だった。ここから理論仮説が先行し、実験観察があとからその理論の正当性を実証するという新しい科学実験フロンティアの開拓が始まった。

教養への扉　1916年にアルベルト・アインシュタインによって予見された重力波は、2015年にレイナー・ワイス、バリー・バリッシュ、キップ・ソーンによってLIGO検出器で初めて観察された。1930年にヴォルフガング・パウリによって予見されたニュートリノは、1987年に小柴昌俊によってカミオカンデで初めて検出された。論理推論によって得られた理論仮説が、その後の実験、観察によって実証され、次々にノーベル物理学賞の対象となった。これが19世紀中葉に始まった科学推論が広げる実験観察フロンティアである。

科学技術

情報通信
外国籍船舶に頼った関東大震災の教訓

　1995年の阪神・淡路大震災時にはまだ携帯電話は普及していなかった。市井の一般電話回線網は数時間後にパンクした。行政電話網は生きていて大いに役立った。2011年の東日本大震災では携帯電話網が基地局電源断で落ちた。こうした災害時の安否通信、環境通信などを確保するためNICT（総務省情報通信研究機構）などが官民挙げて災害に強い地域無線通信ネットの実証実験とデモンストレーションなどに取り組んでいる。

　NICTを中心に、2015年和歌山県西牟婁郡白浜町で耐災害ワイヤレスメッシュネットワークの実証実験が行われた。被災地の宮城県牡鹿郡女川町でも災害時を想定して同様の実験と評価が行われ、2019年時点で「NerveNet」（メッシュ型可搬ネットワークシステム）としてその被災地域における活用が提案されている。

　2地点間の通信回線が災害などによって切断されるとただちに通信不能となる。これは有線でも無線でも同じである。そこで迂回回線の存在が重要になる。この迂回回線を平時から準備し、維持しておくことはかなり困難である。生物の傷口が癒えるのと同じように、自然発生的に迂回回線が構築されることが理想である。

　関東大震災の発災直後に、経済活動の中心だった大阪と被災地となった東京間の有線通信が途絶えた。このとき、横浜港に停泊していた外国籍大型旅客船が通信拠点となった。彼らはアメリカ西海岸にただちに発災と状況変化を知らせた。この一部の情報が西海岸から大阪に届いた。東京〜西海岸〜大阪という迂回回線の自然発生だった。このようにして想定外の経路で、迂回通信経路が確立され、大阪市民は東京の被災状況を知るところとなり、大規模な救援支援措置が取られたという。

　このように、災害が生じた地域内からの情報発信には独自電源と通信設備だけでなく、有能で訓練された無線通信士を常時船上に待機させている外国航路客船のような通信主体が有効に機能する。陸上ではアマチュア無線局を開設している大型トラック、乗用車などの運転手などに非常時無線通信オペレータとしての訓練を受けておいてもらうことも有効であろう。

　アメリカのアマチュア無線団体（ARRL）では災害時にただちに非常通信ネットを開設できるよう、平時からアマチュア無線オペレータの訓練を行っている。日本でも地域ごとに同じ取り組みが行われており、災害に強い地域無線通信ネットの誕生は近い。

教養への扉　小松左京の小説「復活の日」に、地球上のどこにいるかわからない生存者に向かって南極基地からアマチュア無線を使って病原体情報を流し続ける科学者のシーンが出てくる。災害に強い無線通信ネットワークの構築と、有能でよく訓練された非常時無線通信オペレータの育成は地域災害復旧の促進のためだけでなく地域経済の再生にも有効である。アメリカの無線中継連盟（ARRL）では災害時無線通信運用をアマチュア無線の存在意義のひとつとしている。

「マクスウェルの悪魔」をご存じだろうか。空気中を飛び交う気体分子の速度を一つひとつチェックして、一定速度以上の分子だけ、壁の穴を通過させる見張り役のこと。彼が分子を仕分けると、結果的に壁の内側には速度の遅い分子が集まり、壁の向こう側には速度の速い分子が集まる。

　このジェームズ・クラーク・マクスウェルの理論は、熱力学第二法則にいう「熱は温度の高いほうから低いほうに流れ、いずれ全体が一定の温度になる（平衡する）」と矛盾する。空気中を飛び交う気体分子は野球のボールと同じ運動エネルギーで表記される。電力は電力エネルギー、風力は運動エネルギー、太陽光は、電波と同じ電磁波エネルギーで表記され、量子の振動エネルギーと表記することもできる。このように、エネルギーはさまざまな名称で呼ばれる。しかし、その本質は同じである。

　熱力学では、エネルギーは生成も消滅もしない（熱力学第一法則＝エネルギー保存則）、熱は高い温度端から低いほうに流れ、その逆は生じない（熱力学第二法則＝エントロピー増大の法則）、温度を下げて行くと絶対零度に達してそれ以上温度を下げることができない（熱力学第三法則＝絶対零度の存在）が経験則として知られている。

　ここで、マクスウェルの悪魔がやっていることを見直してみると、気体分子を「速く飛んでいる分子」と「遅い分子」に二分しようとするためには、まず、気体分子の速度を知り、選別しなければならない。このことは、情報処理の基本操作でいうと、データ取得（速度計測）と、その並べ替え（一定以上の速度の分子に印をつけ、並べ替える）をやっていることになる。

　1960年代になって、クロード・シャノンが情報伝達（通信）について得た数式が熱力学のルートヴィッヒ・ボルツマンの提示したエントロピー方程式にそっくりだったので彼がこれを情報エントロピーと名づけた。

　現在では、マクスウェルの悪魔が気体分子の速度を見て壁の向こうに選別して送り込む操作は「情報操作」であり、その情報操作のためにエネルギーを消費することがわかっており、熱力学でいうエネルギー保存則、エントロピー増大則などが「マクスウェルの悪魔」の行動にも成立することがわかっている。

教養への扉　19世紀までの人々は酸素とか水素と同じような「熱素」が存在すると考えていた。産業革命によって蒸気機関が石炭の燃焼熱を圧倒的な動力に変換していたが、どうして、どれだけの熱が動力に変換できるのかがまったくわからなかったのである。これを解明したのがルドルフ・クラウジウスの「エントロピー」であり、熱と動力（ニュートンの運動エネルギー）の変換関係が数式によって記述されることとなった。

277

科学技術 | ## 時刻
「時」を制する者が「権力」を制する

　近代以前の人々は、時間が繰り返し輪廻すると考えていた。現代の物理学は、宇宙がゼロ秒から始まり、10のマイナス27乗秒の時点で素粒子が空間を満たし、それから宇宙は137億年を経ていると考えている。時間は繰り返さないのだ。では、現代の科学技術はどこまで超精密・正確に時刻・時間を測定できるのか。世界各国の科学者、研究者が超精密な時刻測定技術に挑んできた。超精密な「時計」の開発である。

　宇宙の始まりをゼロ秒とすると、物理学者が計算可能とする10のマイナス43乗秒後と、素粒子が宇宙を満たした10のマイナス27乗秒後が彼らの関心事である。

　しかし、計算のうえでは10のマイナス43乗秒などというごくごく小さな時間を扱うが、このような微少な時間は現在の世界では最も超精密な時計（ストップウォッチ）によってさえも計ることはできない。

　2020年時点で、日本で手に入れられる最も正確な時刻は「日本標準時」（JST）である。このJSTと協定世界時UTCの差は±10ナノ秒（±10のマイナス7乗秒）以内に管理されている。JSTはコールサインJJY局（JSTを送信する日本の無線局）から40kHzまたは60kHzの標準電波によって供給されている。みなさんの電波時計はこのJJYを受信し、自動的にJSTに合わせられる仕組みだ。JJY以外に、コンピュータ内部時計の校正のためにインターネット上に時刻情報提供サービス（NTPサーバ）が公開されている。

　IoT（Internet of Things。もののネットワーク化）ビジネスのセキュリティはその時刻管理に依存する。このため、2005年からJJYと同期した、国際的にさらにより精度の高い時刻が時刻・監査事業者（TSA＝Time Stamp Authority）向けに提供されている。この時刻はGPS衛星を利用した「みんなでいっせいに時刻をチェックし合う」という技術によって実現しており、その10のマイナス9乗秒という高い精度は相対的であるため、時刻を特定するには不向きである。ちなみに、みなさんのパソコンの内部では10のマイナス9乗秒の速度で演算が処理されているが、外部からこれを時刻として読み出して使うことはできない。日常生活では電波時計の示す0.01秒程度の精度で十分であろう。

　重要な点は、世界中のオンライン市場取引がTSAの提供する時刻で管理されている点であろう。最も早く時刻スタンプを手に入れた者が最初の取引者となれる。

教養への扉　人々が意識する時間は物理学的な絶対的な時間でなく、相対的な時間である。人々が経済社会を構成し始めたとき、共通の時刻を誰かが管理することが必要となった。全国に廿日市、八日市などの地名が残っていることからも、時刻の共通認識の普及が市場活動とその地域の経済発展にとって最も大切な要素となっていたことがわかる。人類が「社会」を構築し始めたとき、時刻を制する者が王、皇帝となった。資本主義社会においては、誰より先に手を挙げたことを証明できる者が市場の勝者となる。

生産性の向上

産業革命で導入された画期的な生産管理方式とは

アダム・スミスが『国富論』で分業による生産性向上を説いたのは人類が圧倒的な熱動力エネルギーを獲得し始めた1760年代半ばのことだった。この蒸気機関の普及と分業が19世紀列強の産業革命基盤となり街に工場があふれた。20世紀に入り、フォードの流れ生産方式は大衆自動車の生産を可能にした。欧州で貴族など富裕層の持ち物だった馬車と自動車がアメリカでは工場労働者が購入できる値段に下がった。

分業による生産性向上を目指した水力、風力、肉体労働などの自然、有機エネルギーを活用する工場制手工業がすでにスタートしていた英国社会では、農村から都市への人口移動が加速した。そこに、ジェームズ・ワットが復流式蒸気機関を改良・実用化し、石炭の熱をそれまで人類が手にしたことのない巨大な力学エネルギーに変換、利用することが可能になった。生産は熱動力変換技術と分業管理技術によって著しく改善された。19世紀の産業革命である。

分業の単位が「自然人ひとり」だったため、彼らは新しい職種を求め、家族と伝統社会を離れ街に移住した。ひとりの職人が材料加工から商品仕上げまで一貫して責任を持って担当していた家内制手工業から、複数の職工を同じ建屋に集め、担当する作業をそれぞれ小分けし、一人ひとりの職工が単純化された加工工程に専念した。

一人ひとりの労働は専門的な職種によって作業工程ごとに分かたれ、彼らを管理する「organisation du travail」（仏語で所掌管理方式）が産業革命期に導入された。

当時のフランスでは、オーケストラでピアノ演奏者として雇用された音楽家はヴァイオリンがどれほどうまくても担当できなかった。ほかの職種を奪うからである。

1980年代にはすでにコンピュータのパーソナル化の進展で、オフィス・オートメーションが進展し、事務作業においても職種分業体制の崩壊が始まっていた。

人日の分業管理（ひとりの工員が1日単位で同じ職務を担当する）から、ICT（Information and Communication Technology。情報通信技術）の助けを受けて、「時間単位、分単位の分業職種管理」へとすでに情報化社会における業務管理単位は時間、分単位へと移行し、企業内従業者は一般教養を求められている。

ICTが進展すれば、さらなる所掌分業化が経済発展の大きな力となろう（写真は1973年のフォルクスワーゲンタイプ4の組立ライン）。

教養への扉 1980年代、日本の集中豪雨的輸出攻勢によって立ちゆかなくなったフランス企業は日本の自動車メーカーの所掌管理方式を研究し、終身雇用方式が取られていた日本企業内では、競争力が低下した工程の担当者には企業内訓練などを経て別工程を同時に担わせることが行われているのを発見した。企業内転職である。フランスでは職種ごとに雇用契約があり、何か新しい技術を導入しようとすれば、企業内人材を解雇し、外部から必要な職種を担当する人を雇用するしかなかったのである。

科学技術

量子化学
「熱とは何か?」からリチウムイオン電池へ

「リチウムイオン電池の開発」で2019年ノーベル化学賞を受賞した吉野彰（京都大学）の研究領域は「量子」である。それまでの化学が、原子、分子の巨視的な集合体である気体、液体、固体などの統計的エネルギー状態（熱力学）を研究対象にしていたのに対して、彼は福井謙一（京都大学）によって明らかにされていた化学反応と量子のかかわりに関する研究領域にまで踏み込んだ。結果的に、量子レベルのエネルギー蓄積技術の開発（二次電池の軽量小型化）に成功し、経済発展に大きく貢献している。

　量子とは、物質の性質（エネルギー状態）を決める原子、分子などである。さらに、原子を構成している電子、陽子、中性子、さらに光（電磁波）なども量子である。量子は、粒子（個々に分離することが可能）であると同時に波動（時間と場所に依存するエネルギー状態）でもあるという不思議な性質を持つ。

「フロンティア電子理論」で1981年日本最初のノーベル化学賞に輝いた福井はそれまでの巨視的、統計的（熱力学的）化学理論に飽き足らず、当時鉛筆とノートさえあれば研究可能といわれていた理論物理学に傾倒し、原子核内における電子エネルギー状態の差異が化学反応におよぼす決定的なかかわりを明らかにした。

　しかし、鉛筆とノートだけで量子力学が発達したわけではなく、実際には1970年代以降の大型電子計算機の出現が、こうした理論物理学、量子化学などの最先端分野の研究を後押ししてきたことを忘れてはならない。科学技術は有機的に発展する。

　このように、量子化学（量子力学）は、計算機科学の申し子であり、吉野のリチウムイオン電池開発もこうした科学技術分野全体の巨大な「情報化」に負うところが大きかった。いまや新材料、新物質の開発に量子レベルの計算機シミュレーションは欠かせない。スーパーコンピュータが何台あっても足りないだけでなく、世界一の演算処理能力を維持していなければ、いずれ世界の科学技術研究に取り残される。

　日本は吉野の研究貢献で、リチウムイオン電池開発に成功し、その基本特許を有している（旭化成）。全世界で使用されているすべてのリチウムイオン電池の生産に応じて特許収入が期待できる。これほど科学技術立国の模範となるような技術分野はほかにない。

教養への扉　19世紀に「熱とは何か?」から始まった熱力学のような巨視的、統計的エネルギー理論の理解に必要な研究が不要になったわけではない。微視的な量子化学研究がいずれ巨視的な熱力学経験法則と接続される時代が必ず来る。これがメゾ領域の研究である。たとえば、量子もつれなど、特定の量子挙動とその周辺の時間空間におけるエントロピー挙動がどのようにメゾ（中間）領域でつながってくるのかなど、興味は尽きない。

世界史に残る美術100選①
洞窟壁画から四大文明まで

　人類は住宅をつくったり道具を使ったりする。それそのものが巧まずして美的感動を与えることもあるし、つくる人が実用を超えた美的要素を加えることもある。さらに、実用には役に立たないが宗教的な祈りを込めて絵を描いたり、究極的には芸術として鑑賞してもらうことを目的にものをつくったりしてきた（以下、100選は太字）。

　美術館などでわれわれが見る美術品は上記のようなものの集大成である。だから、アーティストの作品だけが対象ではない。国宝『井戸茶碗銘喜左衛門』（孤篷庵）は松江藩主の松平治郷（不昧公）らに愛され珍重されたが、つくり手は実用的な日用品を焼いただけで美術的意図はなかったはずだし、朝鮮では評価されず、千利休など日本の茶人がその美を見いだした。

　ここで世界史上の美術品100を選ぶといったときに、どこまでを美術品と見るか難しいところだ。また、模造品をどう扱うかも難問だ。近代西洋美術ではオリジナリティが大事にされるが、古代ギリシャ、ローマの彫刻などほとんどが模造品だ。中国の名画や墨跡も現物はほとんどなく、われわれが目にするのは普通は模写である。

　さらに、美術全集や美術史の本を見ても、西洋絵画など以外については、掲載されているものも、たまたま図版が手に入っただけのものが多く、それがその分野の最高の名品かどうかの検証をしていないことが多い。中国絵画ですら、十大名品とかいっても北京や台北の故宮博物院にあるもののなかで、という域を超えていなかったりする。

　そこで、ここでは、美術史の流れはフラットに見ていくが、100選については絵画、それも西洋のものを中心に、それ以外のものでとくにすぐれたものを加えて構成するという折衷的なものになっていることをお断りしておく。

　さて、多くの西洋美術史の書籍で最初に挙げられるのは、2万年とか2万5000年前の人々が残した絵画や彫刻である。原始時代の人々が絵画や彫刻をつくったのは、豊作や獲物が獲れることや健康を祈るためだった。絵画では、スペインの『アルタミラ洞窟壁画』と『**ラスコーの洞窟画**』が代表作だ。彫刻ではドイツの『**ヴィレンドルフのヴィーナス**』やフランスの『**角杯を持てる女**』（ローセルのヴィーナス。アキテーヌ博物館）が挙げられる。

　人類最古の文明はメソポタミアで生まれたが、そこで表現される内容も含めて重要なのが、『**ハンムラビ法典碑**』（紀元前1750年ごろ、ルーヴル美術館）である。一方、エジプトでは長く一貫して文明が栄えたし、残っているものも多い。『**書記座像**』（紀元前2490年ごろ、ルーヴル美術館）、『**ネフェルティティの胸像**』（紀元前1340年ごろ、ベルリン・新博物館）、『**ツタンカーメンの金のマスク**』（紀元前1340年ごろ、エジプト考古学博物館。145項写真）が代表作だ。

教養への扉　工芸品や服飾品、宝石となるととくに現代の名品をどう扱うかも難しい。シャネルの代表作やケリー・バッグもエルメスのスカーフの人気商品も美術史上の傑作だ。大量生産品の扱いも問題だ。フォルクスワーゲンのカブトムシは間違いなく人類史上の宝だ。しかし、それを100選に取り上げるのは抵抗がある。

西洋文明の系譜はメソポタミアやエジプト文明から語られる。そして、ギリシャ文明、ローマ文明、ビザンティン文明、ロマネスクやゴシックなど中世ヨーロッパ文明につながる。

「帝国」というものの建設に成功したのは、まずアッシリアであり、アケメネス朝ペルシアがそれに続いた。『アッシュールナツィルパル2世像』や『**スーサのペルシアの弓兵**』(紀元前6世紀、ルーヴル美術館)がそれぞれの代表的な遺品だ。

そのペルシアの侵略に長く抵抗し、マケドニアのアレクサンドロス大王とともに逆襲して破ったギリシャ文明は彫刻、陶器などにすぐれたものを残した。彫刻では『**ミロのヴィーナス**』(ルーヴル美術館)が最高傑作だが、ほかに、『**アテナイのパルテノン神殿のレリーフ**』(大英博物館)や『**サモトラケのニケ**』(ルーヴル美術館)など。

ローマの彫刻では、複数の人々の悲劇を見事に表現した『**ラオコーン**』(紀元前1世紀、バチカン美術館)や『**サン・マルコ寺院の4頭の馬**』(1世紀)、『**マルクス・アウレリウス騎馬像**』(ローマ・カンピドーリオ広場)を挙げておく。

初期キリスト教美術は、ローマ美術の延長だったが、やがて東ローマ帝国の支配下でビザンティン様式として花開いた。モザイクによいものが多く、その代表はラヴェンナのサン・ヴィターレ教会の『**ユスティニアヌス帝と重臣たち**』(6世紀)を描いたものだ。

中世教会美術では『**ランス大聖堂の微笑みの天使**』と『**シャルトルのカテドラルのステンドグラス**』を挙げる。貴人の棺には彼らの姿がリアルに彫刻されているが、ディジョンにある『**フィリップ豪胆公(ごうたんこう)の墓**』はブルゴーニュ公国の繁栄の象徴だ。タペストリーや羊皮紙を使った豪華な書籍も流行したが、代表作は『**貴婦人と一角獣**』(15世紀、クリュニー美術館)と『**ベリー公のいとも豪華なる時禱書(じとうしょ)**』(15世紀、シャンティイ・コンデ美術館)。

シチリアではビザンティン、イスラム、ノルマンの伝統が結合した中世美術の集大成的な文化が栄えたが、『**パレルモの王宮のモザイク**』を挙げておく。そして、13世紀には西洋絵画芸術の創始者というべきジョット・ディ・ボンドーネが登場した。傑作は枚挙にいとまがないが、パヴィアの『**スクロヴェーニ礼拝堂の壁画**』を第一に挙げるべきだろう。徳島の大塚(おおつか)国際美術館で完璧な立体再現がされている。同時代にシモーネ・マルティーニらシエナ派の画家たちがより優雅な筆致で中世とルネサンスの橋渡しをした。

教養への扉 『サン・マルコ寺院の4頭の馬』は、ローマのネロの神殿にあったが、コンスタンティノープルの競技場に移され、それを第4回十字軍がヴェネツィアにもたらしてサン・マルコ寺院のバルコニーに置いた。ナポレオン・ボナパルトがパリに持ち去ったが、また戻された。ルネサンス以降に流行する騎馬像の模範となったマルクス・アウレリウス帝の像はコンスタンティヌス帝のものと間違えられてサンジョバンニ大聖堂の前にあったが、ミケランジェロ設計のカンピドーリオ広場に移された。

　東アジアの芸術も西洋とは交流なく発展したわけではないが、独立性が顕著であることはたしかだ。5000年ほど前に文明の萌芽が見られ、4000年ほど前からは夏、殷（商）、周といった王朝が栄え、紀元前3世紀における始皇帝の統一以降は強力な統一王朝によって収められることが多かった。

　　　　　　　　台北の故宮博物院で最も人気のある三大名宝といえば、『毛公鼎』『翠玉白菜』（ヒスイで掘った白菜）、『肉形石』（豚の角煮）である（写真）。『毛公鼎』は獣を模した3本足を持つ青銅の鼎で内側に500文字の銘文が刻まれている。漢字の最も古い使用例だ。

　『翠玉白菜』は光緒帝の妃の嫁入り道具で新しいが世界の宝飾品で最も美しい一品であり最大の目玉である。それと並ぶのが、『象牙透彫雲龍文套球』という多層球で、わずか直径12センチほどの球の表層に9匹の竜の彫刻が彫られている。中国人の美意識としては渋い芸術よりこうしたもののほうを評価するようだ。

　陶器では、唐三彩では馬に乗る女性像である『唐三彩馬球仕女俑』など。宋の時代の陶器としては、汝窯で焼かれた青磁の『青磁無紋水仙盆』や、定窯の白磁『白瓷劃花蓮紋梅瓶』、明代の景徳鎮の青いコバルトを使った陶器では『永楽青花穿蓮龍文天球瓶』、清代の華やかな色彩のものでは『乾隆五彩蟠桃天球瓶』が名品中の名品。

　近年に発掘されたものでは、なんといって始皇帝の墓を守る『兵馬俑』（38項写真）だ。山西省大同と河南省洛陽郊外龍門の石窟寺院も見事で、とくに『龍門毘盧遮那仏』は則天武后をモデルにしたといわれる美しい顔が出色である。

　中国美術の独自分野は墨跡である。そのなかでも王羲之のものは真筆は残っていないが（あるとすれば唐太宗の墓に収められて未発掘の『蘭亭序』だ）、長く真筆と信じられ乾隆帝が愛した『快雪時晴帖』は私が見た美術品でも最も感動したもののひとつ。顔真卿の『祭姪文稿』や懐素の『自叙帖』も名品として名高い。

　絵画としては、たとえば、中国では『洛神賦図』（東晋の顧愷之作品の模写）、『清明上河図』（下記）、『富春山居図』（元朝の黄公望、台北）、『漢宮春暁図』（明の仇英、台北）、『百駿図』（ジュゼッペ・カスティリオーネ）、『歩輦図』（唐の閻立本）、『唐宮仕女図』（張萱による『虢国夫人游春図』）『五牛図』（唐の韓滉）、『韓熙載夜宴図』（南唐の顧閎中。模本）、『千里江山図』（北宋の王希孟）をもって10選という説もあって北京なるものに偏っているが、それなりにもっとも（所蔵は台北と書いていないのは北京故宮博物院）。

教養への扉　絵画では最も人気があるのが北宋の都だった汴京（開封）を張択端が描いた『清明上河図』で原作は北京の故宮博物院にあるが、世界に多くの模写や独自に発展させた名品があり、作品の出来としては台北の清代のものがよいとされ、「京都府立陶板名画の庭」に忠実に復元された陶板画を見ることができる。なお、中国画は模作かどうかも不明なことが多く、たとえば北宋皇帝の徽宗の作品も真作はないといわれている。

インドでは仏教が一時栄えたがヒンドゥー教にとって代わられ、イスラム勢力の王朝の支配下にあることも多かった。メソポタミアではローマ帝国が撤退したのちサーサーン朝ペルシアが栄えたが、7世紀にイスラム帝国に征服され、シリア、エジプト、マグレブ諸国、スペインも支配下になった。オスマン帝国は東ローマ帝国も征服した。

インドの美術は多雨地帯ならではの旺盛な生命力を感じさせるとともに、神秘的なものが好まれる。最初の統一王朝であるマウリヤ朝の文化はペルシアやヘレニズムの文明の影響も受けて成立した。

マウリヤ朝を代表する美術品は『アショーカの獅子柱頭』である（紀元前3世紀、サールナート考古博物館）である。1世紀になるとギリシャの影響のもとで仏像がつくられるようになる。ガンダーラのものとしては『弥勒菩薩』（ギメ美術館）や『釈迦苦行像』（ラホール博物館）があり、グプタ朝の『転法輪印釈迦座像』（5世紀、サールナート考古博物館）が著名だ。

6世紀の仏教美術後期にあたる時期には『アジャンター石窟寺院壁画』が描かれており、この時期の仏教絵画としては中国や日本も含めて最高傑作である。同じ時期にはヒンドゥー教の石窟寺院も多く、『エローラ石窟寺院』の彫刻などがある。もう少しあとの時代では『舞踏のシヴァ像』（10世紀、マドラス博物館）が著名だ。

イスラムの美術は偶像崇拝の禁止から幾何学模様や植物などが主になり、建築の一部を成すので美術品として取り上げにくい。美術館でも建物の一部であるタイルが展示されていたりする。ペルシア絨毯のすばらしさはいうまでもないが、これも、よく似たデザインで現在に至るまで生産されているので、美術品として捉えにくい。

そうしたなかでルーヴル美術館におけるイスラム美術の最高の名品とされるのが『聖ルイ王の洗礼盤』（14世紀シリア）でフランス王家の洗礼盤として使用されていた。陶器では16世紀にオスマン帝国で焼かれた『孔雀の大皿』、細密画では、17世紀にウズベキスタンのブハラで製作された『読書する人』という豪華書籍の一部などが目玉だとされている。イスラムの画家としては1500年前後にアフガニスタンのヘラートでティムール朝に仕え、のちにタブリーズのサファヴィー朝に移ったビフザードという画家が最高とされ『果樹園』（エジプト国立図書館）などの作品がある。

モスクの内部はタイルで飾られているが、建築100選でも挙げたイスファハン（イランのサファヴィー朝の首都）のイマーム・モスクやイスタンブールのブルー・モスク、シャーチェラーグ廟（イランのシーラーズ）、グリーンモスク（トルコのブルサ）、レギスタン広場（ウズベキスタンのサマルカンド）などの内部の美しさは知られている。

教養への扉 仏教美術はインド周辺のスリランカやチベットでも独自の世界をつくった。チベットの曼荼羅は見るべきものが多い。

美術

世界史に残る美術100選⑤
中国文化をよりよく吸収した日本文化

　日本列島では1万年まであたりから狩猟採集社会のもとで縄文土器という生命力あふれる土器が焼かれていたが、やがて、中国江南地方から伝わった稲作農民の国になり、7世紀から仏教伝来とともに高度な中国文明が流入した。その後も、中国文明の影響は大きいが島国であることから交流は断続的であり、仏教が常に支配的であり続けた。これも、唐や宋の時代の中国文化が維持されたり、独自の文化が発展したりする背景となった。

　中国でも3世紀から9世紀までは仏教文化が支配的だったが、そのころのものは日本でのほうがよく継承されている。とくに奈良県は唐文明の世界が奇跡的に残っている。建築をはじめ魅力的な仏像や仏具が多くあり、『百済観音』（7世紀、木彫りで製作は日本）、『興福寺の阿修羅像』（乾漆、8世紀）、法隆寺、薬師寺、東大寺、唐招提寺の仏像群が著名である。正倉院には聖武天皇夫妻の愛用品がよく整理され奇跡的に保存されている。

　また、奈良から遷都された京都の東寺にはインド的な密教の仏像群があるし、滋賀県の渡岸寺観音堂の『十一面観音像』（9世紀）は仏像のなかで最高のもののひとつだ。1200年前後の奈良では運慶らが東大寺や興福寺のためにより写実性の高い仏像を製作した。

　絵画は仏教絵画のほか大和絵という独自の世界があり『源氏物語絵巻』はよく知られる。肖像画としてアンドレ・マルローが激賞した『伝平重盛像』などである。15世紀には中国から水墨画が伝えられ雪舟は同時代のアジアで最大の画家のひとりだった。

　西洋文化も入った16世紀には豪華な桃山文化が栄えて、『洛中洛外図屏風』『唐獅子図』などの狩野永徳や『松林図屏風』の長谷川等伯といった巨匠が登場した。それがより市民階級の趣向により発展して琳派と呼ばれるエレガントな色彩に移行して尾形光琳の『燕子花図』や俵屋宗達の『風神雷神図』などが出た。

　19世紀初頭には江戸で浮世絵といわれる版画が流行し、『富嶽三十六景』で知られる葛飾北斎、歌川広重、東洲斎写楽らが登場して、フィンセント・ファン・ゴッホや印象派の画家たちにも影響を与えた。

　工芸も発展したが、陶磁器は17世紀には『色絵藤花文茶壺』の野々村仁清のような巨匠が登場し、朝鮮から磁器の技法を輸入した九州の有田では清初における景徳鎮の衰退の間隙にカラフルな輸出用の「古伊万里」が焼かれたが、やがてヨーロッパでドイツのマイセンやフランスのセーブルで豪華な陶磁器が焼かれるきっかけになった。また、鎧兜や日本刀といった武器の美しさも高く評価されている。

教養への扉　韓国の美術品は、先に紹介した井戸茶碗のような雑器だけでなく白磁、青磁など韓国人自身が日本人ほどには評価せず、中国や欧米で評価されているわけでもない。佗茶や柳宗悦らの民芸運動のなかで、朝鮮の伝統文化の素朴さと日本人が評価したのである。7～8世紀の仏教美術については、銅製の『半跏思惟像』などすぐれたものがあり『百済金銅大香炉』など工芸品で良質なものがある。

ルネサンスはギリシャ・ローマへの回帰を口実に宗教の束縛から離れ人間らしい、また理性を重視した生き方をしようということであり、クワトロ・チェント（15世紀）にイタリアで毛織物産業と金融業の町として栄えたフィレンツェから起きた運動である。

建築家としてはフィリッポ・ブルネレスキが活躍した。彫刻では『**サン・ジョヴァンニ洗礼堂扉**』（フィレンツェ）を製作したロレンツォ・ギベルティ、『**ダビデ**』で近世初の裸体像を製作し、『**ガッタメラータ騎馬像**』（パドヴァ）でも名声を高めたドナテッロが出た。

初期の画家には写実的なマサッチオらがあり、天使のようなという意味のフランジェリコが『**サン・マルコ修道院の受胎告知**』、もう少しラディカルな『**ヴィーナスの誕生**』『**プリマヴェーラ**』（いずれもフィレンツェのウフィツィ美術館）のサンドロ・ボッティチェッリ、ピエロ・デラ・フランチェスカが活躍した。

16世紀になると中世の残滓は消え盛期ルネサンスの時代で、『**モナリザ**』（ルーヴル美術館）や『**最後の晩餐**』（ミラノ）のレオナルド・ダ・ヴィンチ、彫刻家としては『**ダビデ**』（フィレンツェ）、画家としてはシスティーナ礼拝堂の『**最後の審判**』で知られるミケランジェロ・ブオナローティ、完璧な構成感と優雅さで美の規範をつくったといわれた『**小椅子の聖母**』（ピロッティ宮）、『**アテネの学堂**』などのラファエロ・サンティが出た。

やがて文化の中心はヴェネツィアに移り、コレッジョ、『**嵐**』のジョルジョーネ、『**聖愛と俗愛**』『**ウルビーノのヴィーナス**』や王公の肖像画などを描いたティツィアーノ・ヴェチェッリオ、ティントレット、ルーヴル美術館にある見事な大作『**カナの饗宴**』（ルーヴル美術館）のパオロ・ヴェロネーゼらが出た。

そのころブルゴーニュ公国領だったフランドルでは、油絵の技法や風景の処理に新境地が開かれ、『**大法官ロランの聖母**』（ルーヴル美術館）のファン・エイク兄弟や『**快楽の園**』（プラド美術館）のボスが活躍した。さらに、アルプスの北では、ペスト流行の暗い世相を反映した『**ヨハネの黙示録の四騎士**』（ミュンヘンのアルテ・ピナコテーク）などを描いたドイツの国民画家アルブレヒト・デューラーや『**キリストの磔・イーゼンハイム祭壇画**』（アルザス・コルマールのウンターリンデン美術館）のマティアス・グリューネヴァルト、ルーカス・クラナッハ、ブリュッセルで活躍した『**バベルの塔**』（ウィーン美術史美術館）のピーテル・ブリューゲルなどが出た。

一方、奇抜な技巧を使ったマニエリスムの時代が起こった。イタリアではアーニョロ・ブロンズィーノ、ギリシャ人でスペインのトレドに住んだエル・グレコの『**オルガス伯の埋葬**』などは一例だ。フランスではフォンテーヌブロー派が独自色を出してきた。

教養への扉　ヴェネツィアでは絵はがきのような風景画を描き続けたカナレットやジョヴァンニ・バッティスタ・ティエポロが活躍した。カナレットはワルシャワも描いたが、第二次世界大戦後のワルシャワの戦後復興は彼の絵を再現するという方法で行われた。

バロックはコントラストを強調し大げさな劇的表現と豪華さに特徴がある。ロココは軽妙優雅で曲線を好み大規模なことは求めなかった。

16世紀末にローマで活動し無頼者だったミケランジェロ・メリージ・ダ・カラヴァッジォがバロックの創始者といわれ、もう少し古典的なアンニーバレ・カラッチがそれに続いた。

17世紀の中ごろが盛期バロックといわれる。日本の戦国時代末期だ。ローマで活躍したのが彫刻家、建築家のヴィンチェンツォ・ベッリーニで、サンタ・マリア・デッラ・ヴィットーリア教会は全体が彼の作品で飾られて『**聖テレジアの法悦**』もここにある。派手で躍動的な天井画も好まれたがピエトロ・ダ・コルトーナも代表的な画家だ。

スペインの宮廷では『**侍女たち**』（プラド美術館）や『**ブレダの開城**』のディエゴ・ベラスケスや美しい聖女を描いて、当時すばらしい人気があったバルトロメ・エステバン・ムリーリョがいた。

フランスではヴェルサイユ宮殿の建築はバロックの典型だといわれるが、絵画では王立アカデミーが端正な画風の『**アルカディアの牧人たち**』（ルーヴル美術館）を描いたニコラ・プッサンや廃墟の美を追究したクロード・ロランが人気を得た。蝋燭の光を愛したラ・トゥールも現代人が好きな画家だ。

ピーテル・パウル・ルーベンスはオランダ独立後もスペイン領にとどまったアントウェルペンで大工房を経営して大作を量産し、豊満で躍動感あふれる『**レウキッポスの娘たちの掠奪**』（アルテ・ピナコテーク）などを描いた。その弟子のアンソニー・ヴァン・ダイクは英国の宮廷に仕えて『**チャールズ1世**』（ルーヴル美術館）など肖像画家として高く評価された。

独立したオランダでは、『**夜警**』など市民階級の趣味を反映して華美ではなく堅実な画風のレンブラント・ファン・レインや、寡作だが柔らかい光が魅力的な『**真珠の耳飾りの少女**』（ハーグのマウリッツハイス美術館）、『**絵画芸術**』のヨハネス・フェルメールがいた。

ルイ14世死後の自由で放埒な気分を繁栄したロココ美術は軽やかなヴォルフガング・アマデウス・モーツァルトの音楽に象徴される。フランスでは『**シテール島への船出**』（ルーヴル美術館）といった雅宴画や道化師を描いた『**ジル**』で知られるアントワーヌ・ヴァトー、女性のとくに裸体画に定評があり、のちのヌード写真などにも大きな影響を与えた『**ディアーナの水浴**』（ルーヴル美術館）のフランソワ・ブーシェ、遊び心あふれピエール＝オーギュスト・ルノワールを思い起こす『**ぶらんこ**』『**読書する娘**』（ワシントン・ナショナルギャラリー）などのジャン・オノレ・フラゴナールがいた。

この時代には家具、装身具、陶磁器、衣装などもすぐれた逸品が多い。

教養への扉　クラシック音楽ではヨハン・ゼバスティアン・バッハやゲオルク・フリードリヒ・ヘンデルがバロック、ヴォルフガング・アマデウス・モーツァルトがロココ、ルートヴィヒ・ヴァン・ベートーヴェンが古典派音楽で、それにロマン派が続いた。美術でも流れは同じだ。

　フランス革命の時代にはロココの退廃美の反動で、ギリシャやローマの英雄たちのように理性的で堂々とすることが求められ新古典主義の時代といわれる（写真はこの時代に建設されたエトワール凱旋門の彫刻）。

　ジャック＝ルイ・ダヴィッドはナポレオン・ボナパルトに気に入られ、ルーヴルの至宝のひとつである『ナポレオン1世の戴冠式と皇妃ジョゼフィーヌの戴冠』（ルーヴル美術館）を描いた。

　ダビッドの弟子であったドミニク・アングルはその弟子で同じように均整の取れたスタイルだが、官能的な臭いもする。『グランド・オダリスク』（ルーヴル美術館）はその代表作。

　しかし、革命への情熱は理想的な均整よりドラマティックな熱さを求めた。ウジェーヌ・ドラクロワの『民衆を導く自由の女神』（ルーヴル美術館）は七月革命を記念した絵画であり、テオドール・ジェリコーの『メデューズ号の筏』（ルーヴル美術館）は劇的な感情をこれ以上見事に表したものはない。

　同じころスペインではフランシスコ・デ・ゴヤが『裸のマハ』（プラド美術館）で華麗な宮廷画家としての腕前を見せる一方、反戦的な主題でも『万葉集』的な剛直さを示した。英国ではこの国の絵画史上で最高の画家であるジョゼフ・マロード・ウィリアム・ターナーが出て『戦艦テメレール号』（ロンドンナショナル・ギャラリー）のように霧や煙の立ちこめるイングランドの風景を独自の技法で描いた。

　同時代のフランス革命（二月革命）で王政が倒れたあとの時代のフランスでは、パリ郊外のバルビゾンに集まり『落穂拾い』（オルセー美術館）のように農民の生活を美しく描き、『画家のアトリエ』や『石割人夫』などのギュスターヴ・クールベは労働者の生活を写実的に描いた。『朝、ニンフの踊り』（オルセー美術館）などのジャン＝バティスト・カミーユ・コローは白い絹のスクリーンを通したような空気を感じさせ、アメリカや日本でも大人気。

　しかし、現実に人間の目には人やものの輪郭がくっきり見えるわけでなく、むしろ、粗い筆遣いのなかからより自然な写実も実現することに着目したのが『印象派』で、モネの『印象・日の出』（マルモッタン・モネ美術館）はその出発点で、『睡蓮』の連作は世界で愛されている。それに先行したエドゥアール・マネは『笛を吹く少年』や『草上の昼食』（オルセー美術館）で新しい時代を予告した。エドガー・ドガは踊り子の一瞬の動きや表情を捉えた作品で写真芸術の先駆者だ。印象派の画家はパリの華やかな市民生活を好んで取り上げたが、『ムーラン・ド・ラ・ギャレット』（オルセー美術館）などのピエール＝オーギュスト・ルノワールはその代表。

教養への扉　ドイツでは『雲海の上の旅人』などのカスパー・ダーヴィト・フリードリヒが崇高な自然を描いた作品を描いた。印象派ではアルフレッド・シスレーやカミーユ・ピサロも人気画家だ。

オルセー美術館は19世紀美術館を標榜しているが、ここでは1914年の第一次世界大戦開戦までをひとまとめの時代として扱っているから展示されている画家はまだまだいる。19世紀終盤から大戦が始まるまでの時代はベル・エポックといわれる。

新印象主義といわれるジョルジュ・スーラは『**グランド・ジャット島の日曜日の午後**』（シカゴ美術館）などで点描という技法を世に問うた。印象派にしても新印象派にしても写真の発達というものの影響を受けて生まれたともいえる。見たものを正確に記録し再現することは絵画の大きな役割だったが、もはや不要になった。

複数の視点から見えたものを1枚のキャンバスに描いたポール・セザンヌや大胆に自分の強調したいものを浮世絵からもインスピレーションを受けて強烈に強調したフィンセント・ファン・ゴッホはその時代の申し子である。セザンヌの『**リンゴとオレンジ**』（オルセー美術館）『**水浴の男たち**』『**サン・ヴィクトワール山**』、ゴッホの『**ひまわり**』『**夜のカフェテラス**』（クレラー・ミュラー美術館）『**星月夜**』など。ゴッホの友人で南太平洋に移住して『**タヒチの女**』（オルセー美術館）などで人間の根源的なものを追究しようとしたのがポール・ゴーギャンだ。

世紀が変わるころには社会不安のなかで苦悩を描く象徴主義の画家たちが現れる。英国のラファエル前派といわれるダンテ・ゲイブリエル・ロセッティやジョン・エヴァレット・ミレーなど、フランスのピエール・ピュヴィス・ド・シャヴァンヌや『**出現**』（ルーヴル美術館）などのギュスターヴ・モロー、『**叫び**』（オスロ国立美術館）のエドヴァルド・ムンク、『**接吻**』（オーストリア絵画館）を描いたウィーンを代表する画家であるグスタフ・クリムトなどである。
せっぷん

19世紀の彫刻ということでは、新古典主義のアントニオ・カノーバ（イタリア）が『**エロスの接吻で目覚めるプシュケ**』（ルーヴル美術館）などで存在感を発揮し、オーギュスト・ロダンは『**考える人**』や『**カレーの市民**』（いずれもロダン美術館）で彫刻を人気のある分野に押し上げた。記念碑的なモニュメントも流行したが、その最高傑作がフレデリク・バルトルディの『**自由の女神**』であることはいうまでもない。

アンリ・マティスらは1905年のサロン・ドートンヌ（秋の展覧会）に大胆な色彩と抽象化された表現で乗り込んだ。フォーヴィスム（野獣派）の誕生である。『**赤のハーモニー**』（エルミタージュ美術館）、『**ダンス**』など。

形も極端に写実から離れたのがキュビズムで、『**ギターを持つ少女**』（ポンピドゥーセンター）のジョルジュ・ブラックやパブロ・ピカソが主導した。ピカソの作品は傾向もよく変わるので代表作を決めがたいが、『**アビニヨンの娘たち**』（ニューヨーク近代美術館）と『**ゲルニカ**』（ソフィア王妃芸術センター）を挙げておく。

教養への扉　工芸品については、大量生産品でアートとしても高い水準のものが登場する一方、その反動としてアール・ヌーヴォーの運動が起きた。エミール・ガレのガラス製品などその典型である。

世界史に残る美術100選⑩
現代アートの到達点とは？

　絵画の抽象化は進んだが、パブロ・ピカソなどのものは元の形があったのである。しかし、それからすら解放されたのがオランダのピエト・モンドリアンなどの抽象絵画である。また、人間性の回復を目指したマックス・エルンストらのドイツの表現主義とか、機械文明のスピード感を追究したイタリアの未来派といった運動もあった。

　シュルレアリスムは現実を超えた世界を描いたもので、『大家族』（宇都宮美術館）などのベルギーのルネ・マグリット、『明けの明星』（ジョアン・ミロ財団）などのスペインのジョアン・ミロ、『記憶の固執』（ニューヨーク近代美術館）などのサルバドール・ダリらが説得力が強い作品群を生み出した。

　両大戦間のパリでは、エコール・ド・パリと呼ばれる個性的な芸術家たちがつどっていた。フランス人ではモンマルトルの町並みを描いて日本で人気のあるモーリス・ユトリロ、マルク・シャガール、モイズ・キスリング、シャイム・スーティン、藤田嗣治といった画家たちである。そのうちシャガールはロシアの民話などをテーマに夢の世界を描き、『オペラ座の天井画・夢の花束』も彼の手になる。イタリアのアメデオ・モディリアーニは細い首が特徴的な人物像を得意とし、『黄色いセーターを着たジャンヌ・エビュテルヌ』（グッゲンハイム美術館）などを描いた。

　第一次世界大戦後には、材質の感触を活用した「アンフォルメル」という流派が出て、ヴォルス、ジャン・フォートリエ、ジャン・デュビュッフェといった画家がこれに属した。第二次世界大戦期には、画家たちがアメリカに移り、ここで「抽象表現主義」が花開いた。そのなかで、作品だけでなく描く行為も含めて芸術と見ようというアクション・ペインティングが注目され、ジャクソン・ポロック、ヴィレム・デ・クーニングなどがいる。

　ポスター、漫画、写真などを取り入れたポップ・アートも1950年代にイギリスで生まれ広まったが、その代表がマリリン・モンローの写真を使った『黄金のマリリン』などのアンディ・ウォーフォールだ。大地をキャンパスとして表現するランド・アートも盛んになったが、ブルガリア出身のクリストは、記念碑的な建築などを布で覆うパフォーマンスで有名だ。

　近年の人気アーティストとしては、金属製のウサギである『ラビット』などが代表作でキッチュなイメージを巧みに使った絵画、彫刻作品で知られ、イタリアのポルノ女優チチョリーナとの結婚していたことでも知られるジェフ・クーンズがいる。

教養への扉　ベルサイユ宮殿の中庭で開かれたクーンズの回顧展は賛否両論だったが、アニメの世界に触発されたポップな世界を演出している村上隆の同じ場所での展覧会もスキャンダラスだった。しばしば話題になるといえば、壁面の落書きで知られるバンクシー（正体不明）もいる。

　人類の文明はまずメソポタミアで始まり、それがエジプトやそのほかの地に伝わっていった。そして、ペルシア、ギリシャ、ローマの文明へとつながっていった。ここでは、それに加え、年代的には新しいのだが、他地域の文明と隔絶していた中南米の文明を取り上げる。

　エジプト文明はナイル川という母なる河川のおかげで安定した統一王国を維持できたし、征服者たちもその遺産に敬意を払ったので遺跡の保存状態もよい。

　なかでも圧倒的な存在感を発揮しているのが、紀元前2560年ごろの古王国時代に建造された**ギザのピラミッド群**である。それより1000年以上ものちの新王国時代のものでは、ルクソル周辺のハトシェプスト女王祭殿やアブシンベル神殿が白眉だ。

　メソポタミアの遺跡は保存状態がよくないが、代表としてはベルリンのペルガモン博物館に再現されているバビロンの**イシュタル門**（紀元前6世紀ごろ）をもって代表させておこう。そして、古代の世界をほぼ統一した最初の帝国は、アケメネス朝ペルシアだから、その**ペルセポリスの遺跡**（紀元前6世紀ごろ）を挙げる。

　ギリシャの遺跡では、アテネにあるアクロポリスの**パルテノン神殿**（紀元前438年）が美しさでも歴史的重要性でも圧倒的な存在であるといえる。ドリア式という質実な列柱のファサードは見事で、レリーフの質も高いが、第一級の部分は大英博物館にある。

　ローマ人は建築技術にことさら長けていたので、現代においても実用性を保っているような建造物が多い。ローマ中心部にある**パンテオン（神殿）**は、115〜118年に建造された高さ43mのクーポラ（丸天井）がほぼ無傷で残っている。各地に闘技場がつくられたが、最大のものが**ローマのコロッセオ**で5万人を収容できた。実用的な水道橋はローマ人の技術の高さの象徴だが、南仏プロヴァンス地方の**ポン・デュ・ガール**の崇高さは格別だ。宮殿建築ではクロアチアにあるディオクレティアヌス宮殿の保存状態がよいし、都市遺跡としてはポンペイの遺跡に価値がある。

　帝国各地の建築のなかで最も印象的なのは、『インディ・ジョーンズ』のロケ地としても知られる**ヨルダンのペトラ遺跡**で、断崖絶壁に神殿や住宅が彫り込まれている。

　中米のマヤ文明や南米のインカ文明は、金属器の工具を使うことなく、精度の高い石造建築を建造した。マヤ文明の遺跡では9〜13世紀ごろの**チチェン・イッツァ**（メキシコ）がその高度な技術も含めすぐれたものである。インカ文明ではアンデス山脈の高地に築かれた謎の都市である**マチュピチュ遺跡**（15世紀。215項写真）が、世界遺産で最も人気のある遺跡のひとつになっている。

教養への扉　クフ王のピラミッドの高さは、146mである。14世紀に完成してその後、崩壊した英国リンカンなどゴシックの尖塔で同じくらいの高さのものはストラスブール、ルーアン、ケルンなどがあるが、有意にピラミッドより高い建築としては1889年に出現したエッフェル塔を待たねばならなかった。

　キリスト教が公認されてから最初のころは、ローマのバジリカ様式などがそのまま使用されたが、やがてコンスタンティノープルを中心にビザンティン様式が発展した。西ヨーロッパでは、その後、ロマネスク様式、次いでゴシック様式が流行するようになり、とくにゴシック様式によるカテドラルは中世の華というべきものだ。

　ビザンティン（東ローマ）帝国では、ドーム型の屋根やモザイク画が特徴で、東洋的な要素も多く見られる。**アヤ・ソフィア**はユスティニアス1世により再建された大聖堂で大型のドームが特徴。緑色の柱は古代七不思議のひとつエフェソスのアルテミス神殿の資材を転用した。

　西ローマ帝国の首都だったイタリアのラヴェンナには、多くのビザンティン様式の傑作がある。八角形の**サン・ヴィターレ礼拝堂**は、6世紀前半に建設され、ユスティニアヌス大帝らの人物群を描いたモザイク壁画が有名。ドイツのアーヘンのドームはこれを真似たか。**サン・マルコ寺院**はヴェネツィアのカテドラル。内部はモザイクで飾られている。正面2階のバルコニーに飾られた4頭の馬の銅像はネロの宮殿からコンスタンティノープルの競技場を経て第4回十字軍がヴェネツィアにもたらした。

　ロマネスク建築は、西ヨーロッパで発展し、重厚な壁や小さな窓、半円アーチなどが特徴。**ピサの大聖堂の鐘楼である斜塔**（1063年）は、ガリレオ・ガリレイの実験でも知られる。スペイン・ロマネスクではサンティアゴ・デ・コンポステーラの大聖堂。

　ゴシック様式では、ノートルダム大聖堂が最高峰だが、ここではあえて、**シャルトル大聖堂**（1194年着工）を挙げる。総数176個のステンドグラスがアーケードと高窓にはめ込まれ「この世に存在する最も美しいもの」と称えられている。

　ミラノのドゥオーモ（写真）はミラノの象徴であり、世界最大級のゴシックが壮観。英仏海峡の砂州で陸地につながる岩の小島の上に、数百年にわたり増改築が繰り返されさまざまな建築様式が併存する**モン・サン＝ミシェル**の美しさは世界遺産のなかでも人気No.1のひとつ。ふわふわのスフレのようなオムレツやムール貝を楽しめる。

　英国のゴシック建築にもカンタベリーやダラム大聖堂などすぐれたものが多いが、あえて、ここでは1834年のロンドン大火で消失してゴシック・リバイバル様式で再建された英国会議事堂である**ウェストミンスター宮殿**を挙げておく。

　中世城塞では、12世紀に十字軍がシリアに築いた**クラック・デ・シュヴァリエ**が当時の築城技術の粋を極めたと評価される。エチオピアはコプト系のキリスト教国だが、12〜13世紀に建造された**ラリベラの岩の聖堂**は巨大な岩をくり抜いた奇観が人気。

教養への扉　ゴシック建築は、三つの画期的な工学的要素で構成される。中央が尖ったアーチ「尖頭アーチ」、空中にアーチをかけた飛梁「フライング・バットレス」、より高く薄い壁の建設を可能とし、巨大なステンドグラスで大聖堂を光であふれさせた「リブ・ヴォールト」と呼ばれる天井様式の3点であった。

世界史に残る建築100選③
中国より日本によく残る東洋の伝統木造建築

　万里の長城の時代以来、中国の土木建築技術は高水準だった。ただ、戦乱の歴史と木造が主だったので残っているものは少なく、日本のほうにすぐれたものが多い。

　現存する**万里の長城**の大部分は明代の建造で、全長2万1100kmあまりの世界最大の城壁である。その石垣は外敵の侵略を防ぐこと以外に通信と行商人の往来保護のために築かれた。北京の**紫禁城**は中国、明、清朝の皇帝の宮殿であった。世界でも完璧に残っている最大規模の木造建築群である。

　頤和園は北京郊外にあって、万寿山とその南に広がる昆明湖にかけて広がる広大な離宮である。揚州など江南地方の風向を再現したものとされる。

　北京市街の南東に位置する**天壇**は15世紀に建築されその後、増改築が行われた。明、清両王朝の皇帝が天地の神を祀り豊作を祈った場所で、歴代皇帝の位牌を安置している。漢民族、満州民族、モンゴル族のスタイルが融合した建築様式である。

　龍門石窟とともに中国三大石窟のひとつで、古より東西の貿易の中継地であり宗教や文化が融合する合流地だった**敦煌莫高窟**は「千仏洞」とも呼ばれる仏像の石窟で、大小492の石窟に彩色塑像と壁画が保存されている。

　標高3000m超の高地にあるチベットの首都ラサにそびえるチベットの聖地が**ポタラ宮**だ。7世紀につくられた。ポタラ宮は歴代のダライ・ラマの居住地であり墓碑が眠る宮殿で、宗教的に重要かつ圧倒的な存在感で人々を魅了している。

　日本の奈良周辺には、中国の唐の時代の影響を受けたかなりの数の仏教建築が残る。そのなかでも、**薬師寺**東塔は、「凍れる音楽」といわれる軽妙で洗練されたものだ。

　平安時代には寝殿造りといわれる住宅建築が流行し、室町時代には書院造りに移行したが、**金閣寺**舎利殿はその両方の特徴を備える。軒裏まで金箔が張り巡らされ、室町幕府3代将軍足利義満が建てた。

　安土桃山時代から江戸時代初期にかけて多くの城が築かれたが、これらは、高い石垣、広い堀で防御され天守閣などの櫓が多いのが特徴だ。**姫路城**は白鷺が羽を優雅に広げたような白く美しい姿から白鷺城の愛称で親しまれている。

　日本の住宅建築は書院造りからさらに数寄屋造りなどへ発展し、自然を再現したような庭園と組み合わされていった。**桂離宮**は江戸時代の初期に皇族の別荘として建てられた。

教養への扉　中国の江南地方では富豪が広大な庭園を伴う邸宅を蘇州、揚州、杭州やその周辺に多く建造した。最近、観光地として再整備が進んでおり、その代表が揚州の痩西湖（28項写真）だ。北京の伝統的な住宅は四合院という中庭に玄関がある様式が知られる。日本では安土桃山時代からウナギの寝床といわれる、間口が狭く細長い都市住宅が発展した。京都の「町家」がその典型だ。

　イスラム建築は、煉瓦、日干し煉瓦、割り石コンクリートなどを使い、表面にはスタッコ、テラコッタ、彩釉タイル、石パネルなどを用い、構造とは関係なく華やかで技巧的な表面の飾りを重視している。偶像否定なので、『コーラン』の聖句や、幾何学文様、植物文様などの浮彫、透かし彫り、モザイク、象眼などが使われる。

　エルサレム旧市街は、城壁に囲まれ、ユダヤ教の神殿の丘、嘆きの壁、キリスト教徒の聖墳墓教会、イスラム教徒の岩のドームなど歴史的に重要な宗教遺跡が数多くあり、独特な世界観を感じられる。

　後ウマイヤ朝の首都だったスペインのコルドバの聖マリア大聖堂は**「メスキータ」**（モスク）と呼ばれる。ストライプ模様に彩られた「列柱の森」が印象的だ。

　グラナダ南東の小高い丘の上に建つ**アルハンブラ宮殿**は「イスラム建築の華」とも称される。イスラム建築の粋を集めた建物や装飾は長い歴史を経たいまでも人々を引きつける。『アルハンブラ宮殿の思い出』の美しいギターの音色を聴きながら歩いてみたい。

　エスファハーンは16世紀末にサファヴィー朝の首都が移された。イマーム広場は青を基調とした華麗な装飾が施されたモスクや宮殿があり、「世界の富の半分がここにある」といわれた時代をしのばせる。パリの洋菓子店『ピエール・エルメ』の名菓イスパハンはこの地の香り高いバラを連想して創作されたものだ。

　イスラムの都市のなかでは、9世紀初頭に開かれたモロッコの**フェズ旧市街**が世界一の迷宮都市といわれる。

　南アジアでは、**アンコールワット**（カンボジア。4項写真）がヒンドゥー美術を代表する。大伽藍と精巧な彫刻からなるクメール文明の傑作である。16世紀に仏教寺院に改修された。

　インドネシアではジャワ島中部に8世紀〜9世紀中ごろにこの地を支配していたシャイレーンドラ朝によって**ボロブドゥール寺院**が建てられた。

　アジャンター石窟寺院はデカン高原にあるグプタ様式美術の代表的な壁画や彫刻が豊富。その壁画がとくに知られる。

　タージ・マハルは17世紀半ば、ときのムガル帝国皇帝が亡くなった妃のために建設した真っ白い大理石の墓廟（1653年竣工）で、外壁を飾る彫刻から庭園のレイアウトに至るまで完璧なシンメトリーにこだわっている。

　インドのジョードプルのシンボルである**メヘラーンガル城塞**はマールワール王国のマハラジャが1947年インドに統合されるまでおよそ500年住んでいた。その間、時代に合わせて増改築を繰り返したので内部の装飾はさまざまな建築様式を反映している。

教養への扉　イスラム都市としては、サマルカンドのレギスタン広場（ウズベキスタン）も人気上昇。アフリカではジェンネ旧市街（マリ）、アラビア半島では砂漠のマンハッタンといわれるシバームの旧城壁都市（イエメン）などが貴重な遺産だ。

世界史に残る建築100選⑤
イタリアからフランスに広まったルネサンス建築

ルネサンスの建築の特徴は、左右対称、正円アーチ、直線の多用などだとされる。イタリアで始まりフランスなど各地に広がって華麗な教会や宮殿が建てられた。

巨大なドームが特徴的なフィレンツェの**サンタ・マリア・デル・フィオーレ聖堂**は後期ゴシック建築と初期ルネサンス建築を代表するもので、ドーム部分は建築家フィリッポ・ブルネレスキによる。1436年に完成した。石積み建築のドームとしては世界最大を誇る。

サンタマリアノヴェッラ教会の大理石のファサードはフィレンツェ・ルネサンス期の最も重要な建築のひとつである。設計はレオン・バッティスタ・アルベルティ。

メディチ家礼拝堂はサン・ロレンツォ聖堂に付属するもので、「新聖具室」はミケランジェロ・ブオナローティの設計による後期ルネサンス建築。

ローマでフランス大使館として使われている**ファルネーゼ宮**は後期ルネサンスを代表する壮麗な建築物である。1559年に建築家ジャコモ・バロッツィ・ダ・ヴィニョーラにより現在の姿に改築された。16世紀マニエリスムを代表するイタリア建築家で、セバスティアーノ・セルリオ、アンドレーア・パッラーディオとともにイタリア・ルネサンス様式を西ヨーロッパに広めた。

ヴィラ・アルメリコ・カプラ（ラ・ロトンダ、1566～1567年）はパッラーディオの傑作。ルネサンス建築のヴィラでヴィチェンツァ郊外の丘の上にある。ヴィチェンツァには、同じくパッラーディオの「オリンピコ劇場」などもある。

シャンボール城はフランソワ1世のために建てられた北方ルネサンス様式の建築である。設計はドメニコ・ダ・コルトナによるがレオナルド・ダ・ヴィンチが設計に関与したとも考えられている。城内の二重らせん階段が有名。

フォンテーヌブロー宮殿は歴代国王が居住した城館で、フランソワ1世が1528年に国内最大のルネサンス様式の宮殿にした。内装や庭はイタリアのマニエリスム様式を導入しフランス風に解釈して、その後「フォンテーヌブロー様式」と呼ばれるようになった。

アウグスブルク市庁舎（1620年）はドイツ・ルネサンス建築の最高傑作といわれるが建物は第二次世界大戦で全壊して戦後に復元されたものである。見逃せないのは黄金色の装飾とフレスコ画に覆われた豪華な天井がある贅を尽くした「黄金の間」だ。

ベルギーの**アントウェルペン市庁舎**は1561～1564年に建設され、コルネリス・フロリス・デ・フリーントなどが設計を担当した。ファサードの美しさが見どころである。

スペインのルネサンス建築を代表するのは**グラナダ大聖堂**（1523年起工）である。スペインルネサンス建築の傑作といわれている。ディエゴ・デ・シロエ設計。

教養への扉　パッラーディオ設計の邸宅はヨーロッパ中の人々を魅了し、英国でも同様の様式の邸宅があるが、冬が寒く雨が多いのであまりぴったりこない。フランスのロワール川流域には、シャンボールのほかにも、ブロワ、シュノンソー、アゼ＝ル＝リドーなど多くの城館がある。

世界史に残る建築100選⑥
豪壮なバロックから優美なロココへ

バロック様式は、古典様式にダイナミックな躍動が加わり、内装が豪華で装飾的で曲線が多く使われる。ロココは細かく繊細な装飾に特徴がある。

現在の**サン・ピエトロ大聖堂**は2代目で1626年に完成しており、ドナト・ブラマンテ、ラファエロ・サンティ、ミケランジェロ・ブオナローティらが設計に参加した。内部にはミケランジェロによる高さ132mの見事な半球ドームがある。

サン・ジョバンニ・イン・ラテラノ大聖堂はコンスタンティヌス1世が312年に建築した初めての本格的キリスト教聖堂であるが、16〜17世紀にフランチェスコ・ボッローミーニの内装や、ガリレオ・ガリレイの新たなファサードのためにバロック風となった。

ヴェルサイユ宮殿は1682年にフランス王ルイ14世が建てたバロック建築の代表作で、ヨーロッパの宮廷建築に影響を与えた。設計は主にフランソワ・マンサールとシャルル・ルブラン、庭園はアンドレ・ル・ノートルによる。とくに「鏡の間」が絢爛豪華だ。

ハリーポッターの撮影に使われた**ラドクリフカメラ**はオックスフォード大学の図書館として建設され、愛らしい円形図書館のオックスフォードのシンボルのひとつである。

サンクトペテルブルクの**エカチェリーナ宮殿**は、エカチェリーナ1世に由来する。1756年に改築して現在の姿となった。イタリア人建築家バルトロメオ・ラストレッリよるロココ様式で、琥珀で埋め尽くされた豪華絢爛な「琥珀の間」が有名である。王妃マリー・アントワネットが田園生活を楽しんだ**プチ・トリアノン**はヴェルサイユ宮殿内の庭園にある離宮。新古典主義建築だが内装はロココ様式の最高峰とされる。設計はアンジュ=ジャック・ガブリエル。ハプスブルク家の夏の離宮**シェーンブルン宮殿**は女帝マリア・テレジアの命で18世紀半ばにニコラウス・パカッシが現在の姿にした。外観はバロック様式、内装はロココ様式。広間はウィーン会議で舞踏会の会場となった「グローセ・ギャラリー」。

ヴィースの巡礼教会（1745〜1754年）は18世紀ドイツ・ロココ建築の最高傑作で、ツィンマーマン兄弟の設計で毎年100万人以上が教会に訪れる。華やかな天井のフレスコ画は「天から降ってきた宝石」ともいわれ、兄バプティストによるものである。

中南米には豪華なバロックなどの教会が多くあるが、**メキシコシティ・メトロポリタン大聖堂**は1573年に建設が始められ完成するまで250年を要した。ゴシック、ルネサンス、バロック、新古典主義などの様式が混在する。

ロシアの民族的な建築の代表はモスクワ赤の広場に立つ**聖ワシリイ大聖堂**。イヴァン4世の命で、ポスニク・ヤーコヴレフの設計により1560年完成。中央の主聖堂を特徴的な八つのタマネギ屋根の小聖堂が取り囲んでいる。タマネギ型ドームは中世以降は一貫してロシアや東欧の建築を特徴づけ、バロックの建築でも継続して用いた。

教養への扉　スペインにおけるバロックの独特な表現はチュリゲラ兄弟の作品から影響を受けチュリゲラ様式と呼ぶ。サンティアゴ・デ・コンポステーラ大聖堂の西側正面の塔やトレド大聖堂の見事な祭壇飾りなど凝縮された装飾がすべてを覆い隠すように見える。

産業革命後に生産されるようになった新素材の鉄、ガラス、コンクリートを使い、アール・ヌーヴォー様式やアール・デコ様式など装飾技術が建築に取り入れられた。

オルセー美術館はこの地に1900年のパリ万博に合わせて高級ホテルを併設した鉄道駅（オルセー駅）としてヴィクトール・ラルーにより設計された。1986年に19世紀美術専門のオルセー美術館として生まれ変わった。

パリ・オペラ座はシャルル・ガルニエ設計により1875年建設され「パレ・ガルニエ」と呼ばれる。第二帝政期のボザール様式で、外観はネオ・バロック様式の絢爛豪華な装飾である。天井には戦後になってシャガールによって『夢の花束』が描かれた。

1882年に着工したが現在もまだ工事中のバルセロナのアントニオ・ガウディ設計の**サグラダファミリア**（80項写真）はゴシック様式が基調だが、カタルーニャ独自の建築技術やイスラム風の装飾などを融合したガウディ独自の考えが反映されている。

フランス革命100周年記念を記念して開催されたパリ万博の目玉だったのが**エッフェル塔**（1889年）。鋼鉄が大量生産できず錬鉄を使った。2階にはレストラン「ジュール・ヴェルヌ」があり、エマニュエル・マクロン大統領がドナルド・トランプ大統領夫妻をもてなして話題になった。

創生期の日本の近代建築教育に大きく貢献したジョサイア・コンドルの作品はあまり残っていないが、**ニコライ堂**（1891年）はビザンティン様式の教会建築である。

ノイシュヴァンシュタイン城はバイエルン王ルートヴィヒ2世によって建築された白鳥城とも呼ばれるドイツで人気No.1の城である。伝統的な建築様式でつくられた中世のお城のように見えるが、19世紀に建てた鉄骨組みのコンクリート造建築物である。リヒャルト・ワーグナーのパトロンでもあったバイエルン王ルートヴィヒ2世が夢の世界を具現化したものだ。

ロンドン郊外にあるキュー王立植物園は世界最多の植物コレクションで知られる研究機関で、ヴィクトリア時代のガラスの温室である**「テンペレート・ハウス」**（1863年）が大規模な改修工事を終えてオープンした。デシマス・バートン設計である。

ヴィクトール・オルタはアール・ヌーボー様式を装飾芸術から建築に取り込んだ最初の建築家といわれる。設計したブリュッセルの**タッセル邸**（1898〜1901年）は建築にアール・ヌーヴォーを融合させた世界最初の建築として知られる。

フランスにおけるアール・ヌーヴォーの代表者は建築家エクトール・ギマール。パリ16区のアパルトマンである**カステル・ベランジェ**（1898年）はパリで初のアール・ヌーヴォー建築。新素材の鉄とガラスを大胆に使用したこの建物でギマールの名が急速に広がった。

教養への扉　明治時代に活躍した日本人建築家の多くはコンドルに教育された人たちであった。旧東宮御所（現迎賓館）を設計した片山東熊、東京駅（1914年）や日本銀行本店（1896年、現日本銀行本店旧館）を設計した辰野金吾、創業時の帝国ホテルの設計者渡辺譲や妻木頼黄など。

産業革命以後の社会に誕生したモダニズム建築は過去の様式にとらわれず、機能的、合理的な造形を追究して、新建材をよりその特質を生かしたような使用がなされるようになった。

アール・デコは1925年開催のパリ万国博覧会をきっかけとして1910～1930年代に世界中で流行した装飾様式で、直線的、機能性重視のデザインが特徴。**クライスラー・ビルディング**（1930年）はニューヨーク・マンハッタンのシンボル的存在（ウィリアム・ヴァン・アレン設計）。アール・デコの建物はインドのムンバイに多く、その代表作として**エロス・シネマ**（1938年、ソハラジ・ブドワール設計）がある。

モダニズム建築の三大巨匠はアメリカのフランク・ロイド・ライト、ドイツのルートヴィヒ・ミース・ファン・デル・ローエ、フランスのル・コルビュジエの3人。

帝国ホテル旧館で知られるフランク・ロイド・ライトの作品で代表作となったペンシルベニアの**落水荘**（1936年）は滝の上に邸宅をつくり、自然と見事に融合している。

取り壊されて再建されたものだが、ミース・ファンデル・ローエ設計の**バルセロナ・パビリオン**（1929年）は鉄とガラスと大理石で構成されるモダニズム建築の最高傑作。

パリ郊外の**サヴォア邸**（写真。1931年）はル・コルビュジエが提唱した近代建築の五原則（ピロティ、屋上庭園、自由な設計図、水平連続窓、自由なファサード）のすべての完成度を高く実現。ル・コルビュジエにはロンシャンの教会やマルセイユのアパートなどもある。

ドイツでは世界初の本格的なデザイン教育機関のバウハウスをヴァルター・グロピウスが創立し、**バウハウス・デッサウ校舎**（1926年）を設計した。コンクリートとガラスを多用し、モダニズム建築の代表作といわれる。

ウィーンにある**ロースハウス**（1912年）は徹底的に装飾を排除した最初期の鉄筋コンクリート造建築物だ。設計はアドルフ・ロースである。「コンクリートの父」と呼ばれるオーギュスト・ペレは鉄筋コンクリート造の芸術的な表現を追究した。アール・デコ調の装飾のパリの**フランクラン街のアパート**（1903年）は最初期のモダニズム建築。

マンハッタンの**フラットアイアンビル**（1902年、ダニエル・バーナム設計）は20世紀のボザール建築を代表する建物だが、三角形の独特なフォルムがアイロンに似ていることから呼ばれる。スパイダーマンなどのロケ地としても有名なフォトスポット。北欧モダンを体現したフィンランドが誇る建築家アルヴァ・アールトの**マイレア邸**（1939年）は北欧モダンの傑作といわれ、木の可能性を追究し自然との調和が図られている。

教養への扉　1930年代の日本で独自に展開された帝冠様式は伊東忠太、佐野利器、武田五一などによって推進された和洋折衷の建築様式。近代的な鉄筋コンクリート造の洋風建築に和風の瓦屋根を置いた。神奈川県庁舎、愛知県庁舎、名古屋市庁舎など現存。ル・コルビュジエの国立西洋美術館は日本人弟子のひとりである前川國男も実施設計にかかわった。その前川の代表作である東京文化会館は上野公園に向かい合って建っている。

現代建築は施工技術の向上もあって自由自在にさまざまな材料を使い奇抜な構造のものもある。そのなかで日本の建築家も高い評価を得ている。

丹下健三の初期の傑作と称される**香川県庁舎本館**（現東館、1958年）は五重塔の感覚を生かしたデザイン。「コンクリート打ちっ放し」デザインの先駆けといわれる安藤忠雄は**表参道ヒルズ**（2006年）を設計した。

シドニー・オペラハウス（1973年）はまだ無名だったヨーン・ウツソンの設計で20世紀を代表する建築物。独特の形状は構造的にも困難な設計で工事は大幅に遅れたが、完成後はオーストラリアのシンボルとして、建設後わずか34年で登録された最速の世界遺産。

サンフランシスコで最も高い超高層ビルは**トランス・アメリカ・ピラミッド**（1972年）。シカゴ出身の建築家ウィリアム・ペレイラの代表作である。

ポンピドゥー・センター（1977年）はパリに近現代芸術拠点をつくる構想がジョルジュ・ポンピドゥー大統領の肝いりで始まったもので、レンゾ・ピアノ、リチャード・ロジャース、チャンフランコ・フランキーニが設計した。支柱、配管などがむき出しでカラフルな外観は、パリの歴史的建造物に囲まれた落ち着いた街のなかでいっそう誰の目をも引きつける。

フランソワ・ミッテラン大統領によってルーヴル美術館のメインエントランスを依頼されたイオ・ミン・ペイは、ガラスの**ルーヴル・ピラミッド**（1989年）を設計して、古典的建築の前に近未来的建築を配置して見事な融合美が評価されている。

ノーマン・フォスターが名声を高めたのは香港の**香港上海銀行・香港本店ビル**（1985年）で超高層建築ではめずらしい吊り構造を採用している。ハイテク建築のはしりといわれる。

大分県立図書館は大分市出身の磯崎新によって1967年に建設された初期の代表作である。現在はアートプラザに改装され市民ギャラリーとして利用されている。

ポルトガル建築家であるアルヴァロ・シザはポルト大学の前身である美術学校で建築を学び、現在はポルト大建築学部教授。建築場所の土地柄や自然に合わせた建物を心がけ、白色を好む。代表作は**ポルト大学建築学部**（1985～1996年）。

ホセ・ラファエル・モネオはスペインの代表的建築家でメリダのローマ時代の遺跡の上に建てられた**国立古代ローマ博物館**（1986年）が代表作である。

東京の青山通りの**スパイラル**（1985年）は槇文彦によって設計された複合文化施設。日本のポストモダン建築を代表する建築物のひとつとして国際的に広く知られている。

教養への扉 2018年8月イタリアのジェノヴァで40人以上の死者を出す崩落事故が高速道路の高架橋モランディ橋で起き、世界中の注目を集めた。その建て替えの設計では地元を愛するレンゾ・ピアノが「1000年もつ橋」をコンセプトに名乗りを上げた。ピアノは関西国際空港旅客ターミナルビルやメゾンエルメスなど日本でも人気有名建築家である。

世界史に残る建築100選⑩
20世紀終盤から21世紀は自然との共生へ

　20世紀の終わりごろからの建築の傾向としては、さまざまな形で自然環境の調和を図ることが重視されている。

　光の量を機械的に調整することで話題となったパリの**アラブ世界研究所**（1987年）で脚光を浴びたフランス人ジャン・ヌーヴェルは多様な種類のガラスを用いて独特な存在感を持つ建物を得意とする。**ハッサン2世モスク**（1994年）はハッサン2世によって建設され、200mの高さの尖塔を擁し礼拝堂には2万5000人、敷地には8万人を収容できる。伝統的技法の職人技が光り20世紀最高の芸術作品のひとつといわれる。

　大阪キタに1993年に建設された凱旋門のような巨大建物は**梅田スカイビル**（原広司設計）。地上173mでも屋外に出られる空中庭園があり眺めは絶景で、世界的によく知られた建築だ。フランク・ゲーリー設計の**ビルバオ・グッゲンハイム美術館**（1997年）が完成したことで海外からの観光客が増え、ビルバオの街が復活した。奇抜で非線形な一見実現不可能な建物を脱構築主義建築と呼ぶが1980年代後半〜2000年代世界の建築界を席巻している。

　新国立競技場で話題になった「アンビルドの女王」の異名を持つイラク出身のザハ・ハディドのロンドンにある**アクアティクスセンター**（2011年）はもそのひとつだが、3次元CADなどの技術の進化もありこうした建築を可能にしている。現代日本を代表する女性建築家・妹島和世が西沢立衛とSAANAとして設計した**金沢21世紀美術館**（2004年）は兼六園の近くにある都市型の現代アート美術館。まるびぃ（丸い形状の美術館）の愛称で呼ばれる。

　「鳥の巣」と呼ばれた**北京オリンピックメインスタジアム**（2008年）はスイスのヘルツォーク＆ド・ムーロンの設計。2022年北京冬季オリンピックの開会式会場でもある。

　ニュージーランドの大地震で倒壊した大聖堂を紙管で仮設して人々をアッといわせた坂茂が、**ポンピドゥーセンター・メス**（2010年）では平らな木材を曲げて屋根面を一体とする構造で大空間をつくった。紙や木材など自然のなかにある材料に着目している。

　王澍設計の**寧波博物館**（2008年）は建物のファサードはすべて再利用された明代、清代の煉瓦や瓦で構成されている。竹の型枠で補強したコンクリートの打ち放しの壁もあり、地域の特色と廃材の再利用を打ち出している。**ブルジュ・アル・アラブ**（1999年）はドバイのホテルでトム・ライト設計。全室メゾネットタイプのスイートでアメニティはエルメスだとか。伝統的なアラビア船（ダウ船）の帆を模してデザインされており、建物の影がリゾート海岸にかからないように配慮している。

教養への扉　阪神・淡路大震災をきっかけに木材を多用するようなった隈研吾は浅草文化観光センター（2012年）やスターバックス太宰府天満宮表参道店（2011年）が話題を呼んだ。伊東豊雄設計のせんだいメディアテーク（2000年）は構造とデザインが秀逸で仏・ルモンド紙は「伊東豊雄のせんだいメディアテークで有名な仙台」と記述された例もあるほど。

音楽

世界史に残る音楽100選①
紀元前10世紀のギリシャの「ムジーケ」が語源

　世界の文化を比較して、建築、美術、文学、料理などだいたい世界各国にいいものがあるものだが、音楽についてはどうも西洋音楽の優位が圧倒的なように思える。

　どうしてか考えてみると、グレゴリオ聖歌のころから楽譜があり、再現性が高かったということのようだ。数学などが盛んだったのも理論的分析を可能にしたのだろう。

　もうひとつは、教会が音楽を大事にし、また、教会の建築が和声を発展させるのにふさわしかったということもありそうだ。1オクターブを12に分割する音律が他民族の音楽にも応用できるとか、ハーモニーの妙味がほかの地域の音楽に比べてずば抜けて発展したということもできよう。

　本稿では、西洋のクラシック音楽の歴史を100の名曲を紹介することを軸に説明する。ただし、オペラ全曲については別項目で扱うので、少し触れはするが100選からは除外する。

　また、できるだけ多くの作曲家を扱いたいし、また、ジャンルも広く取れるようにしたので、本当の意味での100選ではない。また、100選は17世紀あたりからを対象とするので、まずは、その前史から説明しよう。

　音楽はすでにメソポタミアの人々の生活のなかにあったことは遺跡のレリーフにハープやリラ、笛、太鼓などを演奏している姿があることからわかっている。エジプトでも同様で、象形文字による楽譜のようなものも発見されている。

　ギリシャでは、紀元前10世紀ごろから盛んで、教育でも哲学や文学、それにスポーツとともに重んじられていた。音楽の理論的研究も行われ、音階やリズムの種類も体系立てられた。ギリシャ演劇には合唱隊がついたのだが、これを再現しようという運動からオペラが誕生した。

　ローマ時代になると、教会では神に祈ったり神をほめ称えたりするために歌をうたうようになった。そして、6世紀の終わりごろには、ローマ教皇グレゴリウス1世が、統一的な聖歌集をつくった。『グレゴリオ聖歌』の誕生で、いまも歌われている。さらに、だんだん楽譜が進化し、そして9世紀になるとハーモニーが登場した。

　その一方、俗世界では南フランスのトルバドゥールという吟遊詩人が現れて貴婦人たちに恋の歌を聴かせ、ドイツではもう少し地味で重々しいミンネゼンガーが現れた。マイスタージンガーもこの時代で、リヒャルト・ワーグナーの楽劇『ニュルンベルクのマイスタージンガー』でよく知られている。

教養への扉　ミュージックの語源は　ギリシャ語のムシーケである。ギリシャではホメーロスの叙事詩も楽器の伴奏つきで朗詠されていた。また、ギリシャ旋法は音階のルーツであるし、プラトンやアリストテレスなども熱心に音楽について論じている。

17世紀から18世紀中ごろになると、バロック音楽の時代である。プロの音楽家が増え、ヴァイオリンが発明され、通奏低音が使用された。合奏協奏曲、オペラ、オラトリオ、カンタータなどの形式の音楽が生まれた。

それに先立つルネサンス期のイタリアでマドリガーレという世俗歌曲が歌われ、多くの名作を書いたのがバロック時代の最初期の大作曲家であるクラウディオ・モンテヴェルディ（1567〜1643年）で、オペラの父ともいえる人物だ。ジョヴァンニ・ダ・パレストリーナはローマ教会の様式の統一に努めたイタリア人で、歌いやすく聞き取りやすい音楽を普及させた。

ヴェネツィアで活躍したアントニオ・ヴィヴァルディ（1677年ごろ〜1741年）の合奏協奏曲『四季』はわかりやすい題材でもあり、現代に至るまで世界中で愛されている。モンテヴェルディの『オルフェオ』はオペラの基礎を固めた記念碑的な作品だ。

このころのイタリアの音楽にはすばらしい旋律と愁いに満ちた深い情感がいまも愛されているものが多いが、『**アルビノーニのアダージョ**』と『**ヴィターリのシャコンヌ**』を挙げておこう。両方とも後世の作曲家の手が入って改変、あるいは、バロック風につくった偽作だともいうが、最も愛されているクラシックの小品のひとつだ。このころ、フランスのルイ14世などの宮廷では、ジャン＝バティスト・リュリやジャン＝フィリップ・ラモーが活躍してオペラやバレエ、それに鍵盤楽器用の名曲を残した（オペラの項参照）。これらの音楽は最近再評価され、とくにラモーの和声理論の研究が注目されている。

バッハは「音楽の父」と呼ばれていたが、音楽後進地域だったドイツにおいてということで、それ以前にすぐれた音楽がヨーロッパになかったわけでない。バッハはイタリアとフランスの音楽も学び、調性、和声、形式など新しい音楽を生み出す基礎をつくった。

広いジャンルの作曲をしたが、オルガニストとしての仕事を代表するのが、オーケストラ編曲でも知られる『**トッカータとフーガ ニ短調**』、教会音楽家としては『**マタイ受難曲**』が知られる。鍵盤楽器のためにも多くの名品を書いているが『**平均律クラヴィーア曲集**』が代表作。オーケストラのためには『**G線上のアリア**』を含む『**管弦楽組曲第3番ニ長調**』、そして弦楽器の曲では『**シャコンヌ**』を含む『**無伴奏ヴァイオリンのためのソナタとパルティータ**』を挙げる。

そのバッハと同じ年代で、ドイツ生まれながらイタリアや英国で活躍したのがゲオルク・フリードリヒ・ヘンデルだ。『**水上の音楽**』と『**ハレルヤ・コーラス**』を含むオラトリオ『**メサイア**』が代表作。『**オンブラマイフ**』や『**見よ、勇者は帰る**』も小品として人気だ（写真はパリのサンジェルマン・ロクセロワ教会にあるパイプオルガン）。

教養への扉 世俗音楽が大きな発展を見たのは、15世紀のブルゴーニュ公国の支配下にあったフランドルでのことで、ギヨーム・デュファイとかジョスカン・デ・プレといった作曲家が流れるようなポリフォニーを書いた。

世界史に残る音楽100選③
ウィーンで活躍したモーツァルトとベートーヴェン

18世紀中ごろから19世紀はじめにかけて、ウィーンではハプスブルク家の宮廷で華やかな社交生活が繰り広げられた。そこで活躍したのがフランツ・ヨーゼフ・ハイドン（1732～1809年）、ヴォルフガング・アマデウス・モーツァルト（1756～1791年）、ルードヴィヒ・ヴァン・ベートーヴェン（1770～1827年）らであり、彼らの形式がしっかりした音楽は古典派音楽と呼ばれることになった。

ハイドンは、ハンガリーの大貴族に長く仕え、のちにウィーン、ロンドンなどでも活躍した。とくに交響曲や弦楽四重奏の形式を確立したとされる。100曲を超える交響曲を作曲したが、私が1曲だけ選ぶなら、『交響曲88番"V字"』だ。ほかに『驚愕』『軍隊』『時計』『ロンドン』などがある。宗教曲にもすぐれ、『天地創造』はあらゆるオラトリオのなかの最高傑作だ。弦楽四重奏『皇帝』の旋律はドイツ国歌に採用されている。

ザルツブルク生まれのモーツァルトは、神童としてヨーロッパ中で大ブームを巻き起こし、大人になっても成長を続け、天才という言葉はこの人のためにあるというべきだ。ロココの軽やかな響きのなかから思いもしない深い感動が浮かび上がる。

『フィガロの結婚』などのオペラは別項で紹介するが、演奏家としてはすばらしいピアニストだった。27曲あるピアノ協奏曲はいずれもすばらしいが、ひとつだけなら天国的な『23番』を選ぶ。ピアノ・ソナタでは『トルコ行進曲』を含む『11番』を取る。

交響曲は41番まであるが、とくに最後の『40番ト短調』と『41番ジュピター』が充実している。管楽器のための曲も多いが、パリで作曲された『フルートとハープのための協奏曲』『ホルン協奏曲』のほか、『クラリネット五重奏』はこれらの楽器のための曲として最高峰だ。死の直前まで書き続けて未完成に終わった『レクイエム』はナポレオン・ボナパルトの遺骸のパリ帰還のときなど多くの偉人たちのためのミサで演奏されてきた。

ボンで生まれたベートーヴェンは、革命の時代にふさわしい壮大で英雄的な曲を書いたが、晩年は聴力を失った。最も才能が表されたのは交響曲で、『第3番"英雄"』『第5番"運命"』『第6番"田園"』『第7番』『第9番"合唱"』はとくに人気が高い。

あとは、それぞれの分野で1曲ずつ選ぶと『ピアノ協奏曲第5番皇帝』『ヴァイオリン協奏曲』。ピアノソナタは最後の『第32番』か。ヴァイオリン・ソナタでは『クロイツェル』、それに『ピアノ三重奏"大公"』『弦楽四重奏曲第15番』が室内楽の名品だ。

教養への扉 モーツァルトのピアノ協奏曲には名品が多いが、ニ短調で書かれた第20番、ハ短調の第24番。『戴冠式』と呼ばれる第26番。映画音楽の主題歌で大ブレイクした第21番。最後の第27番などの人気が高い。ベートーヴェンのピアノソナタでは、『月光』『悲愴』『熱情』『ワルトシュタイン』なども人気が高い。

世界史に残る音楽100選④
ワーグナーで頂点に立ったドイツのロマン派

　19世紀から20世紀はじめまでのドイツはクラシック音楽帝国というべき黄金時代だ。重厚で情熱的で嵐のような名曲が次々と生まれたが、その頂点に立ったのはリヒャルト・ワーグナーの楽劇である。この帝国を滅ぼしたヒトラーに好まれたのは皮肉だが。

　シューベルトはルートヴィヒ・ヴァン・ベートーヴェンの在世中のウィーンで活躍し、美しい歌曲を多く作曲した。『菩提樹』を含む**歌曲集『冬の旅』**はその最高峰に位置する。交響曲は天国的な長さの『第7番ハ長調』も魅力だが、人気は**『未完成交響曲』**だ。室内楽では**『ピアノ五重奏曲 "鱒"』**。

　ハンブルクで生まれライプツィッヒ・ゲヴァントハウスのオーケストラを育てたフェリックス・メンデルスゾーンは、均整の取れた美しい響きの音楽を書いた。**『交響曲第4番"イタリア"』『ヴァイオリン協奏曲ホ短調』**を取る。ピアノのための『無言歌』『結婚行進曲』で知られる『真夏の夜の夢』、交響詩『フィンガルの洞窟』などもある。

　ロマン主義の旗頭ともいえるロベルト・シューマンはみずみずしい情感を、ピアノ曲を中心に表現した。『トロイメライ』を含む**『子供の情景』**、ピアノ協奏曲、歌曲集『女の愛と生涯』など。

　そのシューマンに見いだされたのがヨハネス・ブラームスで、古典的なたたずまいのなかでロマン派的な情念を燃え上がらせた。4曲の交響曲はいずれもすばらしいが、最も充実感があるのは**『第1番』**、最後のコーダでときとしては聴衆が終わる前からスタンディングオベーションを贈ることもある**『第2番』**を選ぼう。協奏曲はヴァイオリンもいいが、イタリアの印象をまとめた**『ピアノ協奏曲第2番』**。ピアノ商品も**『間奏曲第2番』**とか**『2つのラプソディ』**とかがすばらしい。声楽曲では**『ドイツ・レクイエム』**。

　それにさらに、グスタフ・マーラーとアントン・ブルックナーという交響曲作家が続いた。マーラーは交響曲を1〜9番と『大地の歌』、それに未完の第10番を書いた。好みの問題だが、**『第1番"巨人"』『第2番"復活"』**を選んでおく。ブルックナーは最も長大な**『第8番』**だ。それから、**『美しき青きドナウ』**などウィンナーワルツも忘れてはいけない。

　オペラも隆盛で、『魔弾の射手』のカール・マリア・フォン・ウェーバー、ワーグナー、リヒャルト・シュトラウスなどが出た。作品の紹介は別項でするが、ワーグナーの序曲、前奏曲は独立した曲としても人気。**『ニュルンベルクのマイスタージンガー』**などを含む序曲集は魅力的だ。シュトラウスは**『ドンファン』『ツァラトゥストラはこう語った』『英雄の生涯』**など交響詩も書いている。12音階音楽に貢献した新ウィーン学派では、アルノルト・シェーンベルクの**『ペレアスとメリザンド』**を挙げておく。近年のものではカール・オルフの**『カルミナブラーナ』**がコマーシャルなどにも使われて人気。

教養への扉　新ウィーン派では、シェーンベルクのほかに、アントン・ヴェーベルン、アルバン・ベルクがいる。ヨハン・シュトラウスと並んでオペレッタで人気だったのが『メリー・ウィドウ』のフランツ・レハールや『軽騎兵』のスッペだ。

世界史に残る音楽100選⑤
19世紀のイタリアとフランスの名曲

　19世紀のイタリアやフランスはオペラが中心だったが、個性的な器楽曲の作曲家も多い。ルードヴィヒ・ヴァン・ベートーヴェンと同じ時代の最も人気がある作曲家はジョアキーノ・ロッシーニだった。

　『**ウィリアム・テル序曲**』などは独立しても演奏される。ジュゼッペ・ヴェルディは『怒りの日』の爆発的な高揚が人気の『**レクイエム**』を書いた。オペラには間奏曲などが挿入されるがピエトロ・マスカーニの『**カヴァレリア・ルスティカーナ**』間奏曲は最高の傑作だ。ナポリでは『**帰れソレントへ**』などイタリア民謡の名作が生まれ、オペラ歌手たちがアルバムを出している。イタリアの器楽曲では、ジェノヴァ生まれで史上最高のバイオリニストだったニコロ・パガニーニの『**ヴァイオリン協奏曲第1番**』や『24の奇想曲』がある。オットリーノ・レスピーギは『ローマの松』など3部作を書いた。

　フランスでもジャコモ・マイアベーアなどのグランド・オペラが大人気だった。気宇壮大なエクトル・ベルリオーズはオペラも書いたが、『**幻想交響曲**』はフランスの交響曲で最高の人気。『ローマの謝肉祭』や『ラコッツィー行進曲』はオーケストラのアンコール・ピースとして人気だ。やはりオペラ関係では、最も美しいヴァイオリンの小品かもしれない『**タイスの瞑想曲**』、ジョルジュ・ビゼーの『**アルルの女第1&2組曲**』、ジャック・オッフェンバッハの『**パリの喜び**』など目白押しだ。

　カミーユ・サン＝サーンスの『**動物の謝肉祭**』の『白鳥』はチェロのために書かれた最高の曲だ。『**序奏とロンドカプリチオーソ**』は私は最高のヴァイオリンのための曲だと思う。『**交響曲第3番**』はパイプ・オルガンを設置したコンサートホールがただ1曲だけ威力を発揮できる曲だ。ヴァイオリン曲では、エドゥアール・ラロの『**スペイン交響曲**』とスペインのパブロ・デ・サラサーテの『**チゴイネルワイゼン**』もいずれも人気曲だ。

　20世紀初頭に活躍したクロード・ドビュッシーの印象派的な交響詩が『**牧神の午後への前奏曲**』だ。ピアノ曲も多いが『**月の光**』は銀色の月光が舞い降りるイメージを見事に描き出している。モーリス・ラヴェルはオーケストラの魔術師で、『**ダフニスとクロエ**』や『**ボレロ**』はオーケストラの腕前を最も発揮させてくれる名曲だ。

　ガブリエル・フォーレはモーリス・ユトリロやジャン＝バティスト・カミーユ・コローの絵画を音楽にしたような作曲家で『レクイエム』の清浄な響きは心が洗われる。ベルギーのセザール・フランクは『**交響曲**』と『**ヴァイオリン・ソナタ**』が二大名作。おしゃれな感じのエリック・サティはピアノ曲『**ジムノペディ**』が人気。ジョゼフ・カントルーブが編纂した『**オーベルニュの歌**』はその清浄な雰囲気が何ものにも代えがたい。戦後の作曲家では、オリヴィエ・メシアンの『**トゥーランガリラ交響曲**』が記念碑的な名交響曲。

教養への扉　スイスの作曲家で交響曲第2番などのアルテュール・オネゲル、ヴァイオリンのための『詩曲』のエルネスト・ショーソン、スペインを代表して『三角帽子』や『火祭りの踊り』のスペインのマヌエル・デ・ファリャ、ギターを使った『アランフェス協奏曲』のホアキン・ロドリーゴなどがパリで活躍した。

　ロシアでは5人組という作曲家グループが民族派的な作品を生み出した。ピョートル・チャイコフスキーは、『5人組』よりヨーロッパ風の洗練された音楽をつくった。

　モデスト・ムソルグスキーはオペラ『ボリス・ゴドゥノフ』やピアノ組曲『展覧会の絵』が知られる。後者はモーリス・ラヴェルが見事なオーケストラ作品に編曲して、そちらのほうがよく知られている。アレクサンドル・ボロディンのオペラ『イーゴリ公』は、そのなかの『韃靼人の踊り』や『中央アジアの草原にて』が人気。オーケストラから多彩な響きを引き出す名人がニコライ・リムスキー＝コルサコフで、『交響組曲"シェエラザード"』は『アラビアンナイト』を題材にした大作だ。

　チャイコフスキーのバレエ組曲『白鳥の湖』『くるみ割り人形』『眠れる森の美女』、交響曲第4番、第5番、『第6番"悲愴"』、超絶技巧を要する『ピアノ協奏曲』、叙情的な『ヴァイオリン協奏曲』、交響詩『ロミオとジュリエット』など。

　ロシアのヴァーツラフ・ニジンスキーという舞踏家がパリなどで活躍していたが、そのために、イーゴリ・ストラヴィンスキーが作曲したのが、『火の鳥』『ペトルーシュカ』『春の祭典』だ。『春の祭典』は異教的な荒々しい響きが大スキャンダルを引き起こして初演のときは、場内が騒然となった。『ペトルーシカ』はピアノにも編曲されている。

　セルゲイ・プロコフィエフは、形式的には古典的なスタイルを取るが、和声がみずみずしく新しい響きを示している。ロシア革命後に亡命したが、ソ連に戻った。バレエ音楽『ロミオとジュリエット』、音楽物語『ピーターと狼』、交響曲第1番『古典的』、交響曲第5番、ピアノ協奏曲第3番、映画音楽『アレクサンドル・ネフスキー』など。

　セルゲイ・ラフマニノフは20世紀前半を代表する名ピアニストだが、作曲家としても重厚でほどほどに民族的な響きの名曲を多く作曲した。最高傑作は『ピアノ協奏曲第2番』だが、『第3番』も人気があるし、『交響曲第2番』『パガニーニの主題による狂詩曲』『前奏曲集』『ヴォカリーズ』など人気のある曲が多い。

　ドミートリイ・ショスタコーヴィチはかつてはソ連体制派の作曲家と見られていたが、のちにその苦悩が浮き彫りになった。交響曲を15曲書いていずれも名作とされるが、最も有名なのは、『第5番"革命"』である、大戦中のレニングラード包囲戦のなかで書かれた『第7番"レニングラード"』、それにヘルベルト・フォン・カラヤンが取り上げて有名になった『第10番』など（写真は正面と側面から見た標準的な現代貿易ヴァイオリン）。

教養への扉　ミハイル・グリンカはロシアで最初の本格的な作曲家で『ルスランとリュドミラ序曲』は演奏されることが多い。『ガイーヌ』の『剣の舞』で知られるアラム・ハチャトゥリアンはアルメニア人。ロディオン・シチェドリンは現存最高の作曲家のひとりであるとともに、妻がバレリーナのマイヤ・プリセツカヤであることでも知られていた。『カルメン』などしばしば上演される。

世界史に残る音楽100選⑦
東欧と北欧のユニークな名曲たち

ドイツなどでのクラシック音楽の隆盛はやがて東ヨーロッパや北ヨーロッパにもおよび、それぞれ民族性を反映したユニークな名曲を生むようになった。

ポーランド出身のフレデリック・ショパンは、フランス人とのハーフであり、やがてパリへ出て音楽活動の拠点とするようになった。ピアノの詩人といわれるように、この楽器の力強さと繊細さをこの人ほど引き出せた音楽家はいないだろう。作品は全曲見逃せないが『革命のエチュード』などを含む『**練習曲集**』『**ピアノ・ソナタ第3番**』『**英雄ポロネーズ**』『**幻想即興曲**』『**ワルツ集**』『**夜想曲**』とそれぞれ違う印象のものを挙げておく。『**前奏曲**』『**バラード**』『**マズルカ**』『**協奏曲**』などいずれもすばらしい。

ピアノでヴァイオリンのニコロ・パガニーニに匹敵するのがハンガリー出身のフランツ・リストで『**ハンガリー狂詩曲第2番**』など。激しく民族的なものもあるが、『愛の夢』のような優美なもの、『ピアノ・ソナタ』『巡礼の年』などより内省的な傑作も多いし、『ピアノ協奏曲』や交響詩というジャンルを開いた『前奏曲』などもある。ルードヴィヒ・ヴァン・ベートーヴェンの交響曲など多くの名曲をピアノ用に編曲もしている。

チェコの民族を代表する名曲がベドルジハ・スメタナの6部作の『**わが祖国**』でとくに『**モルダウ**』は人気がある。アントニン・ドヴォルザークでは、『**第8番**』と『**第9番"新世界より"**』は最も人気のある交響曲だ。『**チェロ協奏曲**』はこのジャンルで最高の傑作だ。

北欧にも民族派がいる。ノルウェーのエドヴァルド・グリーグは、『**ペールギュント**』組曲や、ピアノ協奏曲で知られる。フィンランドの国民的英雄だったジャン・シベリウスは『**交響曲第2番**』『交響曲第5番』、国民的な楽曲である『**フィンランディア**』、ヴァイオリン協奏曲などがよく知られている。『**フィンランディア**』は上皇陛下のお気に入りという情報もあった。

ハンガリーのバルトーク・ベーラは民謡を研究史、独特の響きの音楽を書いた。『**管弦楽のための協奏曲**』が最高傑作だといわれている。英国のグスターヴ・ホルストは『**惑星**』という組曲を作曲したが、とくに『**ジュピター**』はポップス歌手が歌ったりして日本でもよく知られる。アメリカのジョージ・ガーシュウィンは『**ラプソディ・イン・ブルー**』でジャズとの融合を試みた。

教養への扉 21世紀に入ってからも存命だった作曲家としては、ピエール・ブーレーズ、アンリ・デュティユー、クルターグ・ジェルジュ（フランス）、カールハインツ・シュトゥックハウゼン（ドイツ）、リゲティ・ジョルジュ（ハンガリー）、ルチアーノ・ベリオ（イタリア）、エリオット・カーター（アメリカ）あたり。ポピュラーとの境界では、エンニオ・モリコーネ、ニノ・ロータ（イタリア）、アンドルー・ロイド・ウェバー（イギリス）、ジョン・ウィリアムズ、レナード・バーンスタイン（アメリカ）など。

世界史に残るオペラ50選①
イタリアのルネサンス時代に誕生

ヨーロッパで、オペラ劇場へ出かけることは、上流階級の社交生活の中心的な活動のひとつだ。オペラの通俗版というべきものにオペラコミックやオペレッタがあり、これがアメリカでミュージカルに発展した。

世界各国に音楽と劇と踊りが融合した舞台芸術が存在する。日本では能や歌舞伎がそうだし、中国には京劇などがあるが、近代のヨーロッパでも、衣装をつけた歌手が演技を行い、主要な台詞を歌唱のなかで表現するオペラが誕生した。群衆などは合唱隊として登場し、伴奏はオーケストラが担当し、バレエが挿入された。

「オペラ」の起源は、16世紀にフィレンツェで古代ギリシャの演劇を復興しようとする運動のなかにある。ギリシャ悲劇を題材に台詞を歌うような調子で語る劇が生み出され、とくにクラウディオ・モンテヴェルディの作品で、1607年にマントヴァで初演された『**オルフェオ**』は、現在でも頻繁に上演される最古の作品である。

このころのオペラは台詞を歌う趣だったが、ナポリを中心に徐々に技巧を凝らし感情表現を豊かにしたアリアの比重が高まり、舞台も豪華になり近代のオペラに近づいた。相変わらず、テーマはギリシャ悲劇を中心だったが、ギリシャ・ローマ時代の世俗的な人物などに広げられていった。英国のヘンリー・パーセルによるカルタゴを舞台にした『ディドとエネアス』、日本でも人気のアリア『オンブラ・マイ・フ』で知られるゲオルク・フリードリヒ・ヘンデルの『セルセ』(クセルクセス) は一例である。こうした古典的なオペラは、オペラ・セリア (正歌劇) と呼ばれている。

オペラ・ブッファ (喜劇オペラ) は、セリアの幕間劇として発展し、やがて独立した。ジョヴァンニ・バッティスタ・ペルゴレージの『奥様女中』(1733年) が最初の成功例のひとつであるが、その頂点に立つのが、ヴォルフガング・アマデウス・モーツァルトであって、ロレンツォ・ダ・ポンテが台本を担当した『**フィガロの結婚**』(1786年)、『**ドン・ジョヴァンニ**』(1787年)、『**コジ・ファン・トゥッテ**』(1790年) のオペラ・ブッファ3部作は、現在でも最も人気のあるオペラであり続けている。モーツァルトは、伝統的なオペラ・セリアの分野でも『イドメネオ』のような傑作を残し、これは名テノールのルチアーノ・パヴァロッティが得意役としていた。ドイツ語のジングシュピールという音楽を伴わない大衆的なオペラ分野で『**後宮からの逃走**』や『**魔笛**』という傑作を残している。

彼の先輩やライバルたちの影は薄いが、ミュージカル『アマデウス』でモーツァルトの才能を妬む敵役として描かれたアントニオ・サリエリや、ドメニコ・チマローザ、ジョヴァンニ・パイジエッロは、当時は、モーツァルトをしのぐ人気を得ていた作曲家である。

教養への扉　交通手段が発展していなかった時代には、歌劇場には座つきの歌手がおり、彼らが交代で、日替わりでさまざまな演目を歌っていた。出演歌手がそろっての十分な練習もできず、仕事はルーティン化していた。戦後になって、劇場が世界中からその演目を得意とする歌手を集めて、何週間かのうちに数回から10回くらいの上演をして終了することが多くなったし、さらに、複数の歌劇場が共同プロジェクトを組むことも多い。

世界史に残るオペラ50選②
19世紀イタリアの名作たち

19世紀のオペラ全盛期をつくったのは、イタリアのジョアキーノ・ロッシーニとドイツ生まれでフランスで活躍したジャコモ・マイアベーアである。イタリアのジュゼッペ・ヴェルディ、ドイツのリヒャルト・ワーグナーが出現してブームは最高潮に達した。

『セビリアの理髪師』（1816年）に代表されるように、軽快でノリがよく、しかも歌手の技巧の見せどころも満載で、劇としての流れも実によいロッシーニのオペラは、ヨーロッパ中で熱狂的に迎えられ、ルートヴィヒ・ヴァン・ベートーヴェンの名声が霞んだほど。のちにフランスを本拠とし、最後のオペラは『ギヨーム・テル』（ウィリアム・テル）というフランス語オペラ。祝典オペラである『ランスへの旅』も隠れた名作。

オペラ・セリアの系統を引くが、より近代的な題材を扱った悲劇作品がガエターノ・ドニゼッティの『ランメルモールのルチア』や、ヴィンチェンツォ・ベッリーニの『ノルマ』（1831年）、『カプレーティとモンテッキ』『清教徒』。超絶技巧を必要として一時は廃れていたが、1950年代にマリア・カラスにより再び脚光を浴びた。ガエターノ・ドニゼッティには軽妙な『愛の妙薬』もある。

この路線での最高峰は、『リゴレット』『イル・トロヴァトーレ』『椿姫』『ドン・カルロス』『アイーダ』『仮面舞踏会』『オテロ』『ファルスタッフ』などで知られるヴェルディである。初期の作品の合唱曲『行け金色の翼に乗って』も含む『ナブッコ』などでは、イタリア統一運動に呼応して愛国心を発露させた。もう少しあとには、日常生活を描いたヴェリズモ・オペラが現れ、ピエトロ・マスカーニの『カヴァレリア・ルスティカーナ』（1890年）やルッジェーロ・レオンカヴァッロの『道化師』（1892年）が登場した。このほかウンベルト・ジョルダーノの『アンドレア・シェニエ』、アミルカレ・ポンキエッリの『ラ・ジョコンダ』、アッリーゴ・ボーイトの『メフィストーフェレ』など。

『ラ・ボエーム』『トスカ』（1900年）、『蝶々夫人』『トゥーランドット』のジャコモ・プッチーニは、美しくロマンティックなメロディーを連ねつつ劇的な効果も発揮することに成功したが、第一次世界大戦を経て世界の娯楽文化の中心はアメリカに移り、映画が娯楽の中心となり、ポップス・ミュージックの登場とともに、音楽劇の主流はオペラから、オーケストラでなく軽音楽のバンドを伴奏にしたミュージカルの時代となった。

戦後のイタリアでもオペラの初演は行われているが、ヴェルディやジャコモ・プッチーニの栄光を引き継ぐのは、むしろ、ニーノ・ロータのような映画音楽家であるといえよう。

教養への扉 世界のオペラ劇場でミラノのスカラ座、ウィーンの国立歌劇場、ニューヨークのメトロポリタン歌劇場（写真）が三大オペラ・ハウス。パリは元のオペラ座をバレエに譲ってバスティーユ劇場に移転。ロンドン王立オペラはコベントガーデンという。建物の豪華さではブエノスアイレスのコロン劇場がトップか。音楽祭ではザルツブルクとバイロイト、それにベローナの野外オペラ。

309

音楽

世界史に残るオペラ50選③
ドイツのワーグナー、ロシアのグリンカ

オペラはイタリアで発明されたし、母音の多いイタリア語は美しい歌唱に向いた言語であった。また、オペラ・セリアはギリシャやイタリアが舞台であることが多かった。そうしたこともあって、ドイツ語でのオペラの発展は遅れた。

18世紀の後半にオペラブッファに近いが、台詞部分を音楽的なレチタティーヴォでなく、ドイツ語での語りでつなぐジングシュピールが盛んになった。

とくに、イタリア歌劇でも成功していたヴォルフガング・アマデウス・モーツァルトが作曲した、『後宮からの逃走』や『魔笛』（1791年）の出現は、ドイツ語によるオペラの最初の成功例である。

ルートヴィヒ・ヴァン・ベートーヴェンは中世のローマを舞台にした『フィデリオ』（1814年）をただ1曲だけ残した。オペラとしては未熟だがドイツらしい重厚なオペラの方向性を示し、カール・マリア・フォン・ウェーバーは『魔弾の射手』（1821年）などで本格的ドイツ・オペラ作曲家としての名声を確立した。その延長線上に、ドイツ的な総合芸術として金字塔を打ち立てたのがリヒャルト・ワーグナーである。『さまよえるオランダ人』『タンホイザー』『ローエングリーン』『パルシファル』『トリスタンとイゾルデ』は中世の騎士伝説に、『ニュルンベルクのマイスタージンガー』は中世の市民階級、『ニーベルンの指環』（『ワルキューレ』など四つの楽劇からなる）は北欧神話に題材を取ってドイツ民族の誇りをくすぐったが、最も熱狂したのがアドルフ・ヒトラーだったことはイメージを傷つけた。

ワーグナーの後継者というに値するのは、リヒャルト・シュトラウスで、『薔薇の騎士』はモーツァルトの『フィガロの結婚』の20世紀版の趣で大成功を収めた。『サロメ』『エレクトラ』などもある。アルバン・ベルクの『ヴォツェック』や『ルル』は現代音楽領域では最も成功したオペラだ。

オペレッタは現代のミュージカルに近いテイストで、ヨハン・シュトラウスの『こうもり』、フランツ・レハールの『メリー・ウィドウ』などが知られる。

ロシア・オペラでは、ミハイル・グリンカがその創始者といわれる。それに次ぐ世代のニコライ・リムスキー＝コルサコフも多くのオペラを作曲したが、友人であるモデスト・ムソルグスキーの遺作を編曲した『ボリス・ゴドゥノフ』はロシア史に題材を求めていることもあり最も人気の高いロシア・オペラだ。それに次ぐのは、ロシア近代文学の神様的存在であるアレクサンドル・プーシキンの有名な原作によるピョートル・チャイコフスキーの『エフゲニー・オネーギン』である。

セルゲイ・プロコフィエフの『戦争と平和』や、ドミートリイ・ショスタコーヴィチの『ムツェンスク郡のマクベス夫人』は20世紀ロシアのオペラ作品としては最も人気が高い。

教養への扉　史上最大のオペラ歌手といわれるのが、テノールのエンリコ・カルーソーで、レコード草創期の大スターでもある。ロシアのバス歌手フョードル・シャリアピンは料理の名前でも知られる大スター。戦後に活躍したギリシャ人のマリア・カラスは表現力抜群。20世紀終盤から21世紀初頭には、ルチアーノ・パバロッティ、プラシド・ドミンゴ、ホセ・カレラスの三大テノールが大活躍。

世界史に残るオペラ50選④
バレエと融合したフランスの「グランド・オペラ」

フランスでは、ルイ14世の宮廷でジャン＝バティスト・リュリ（17世紀後半）、ルイ15世の時代にはジャン＝フィリップ・ラモー（18世紀前半）が活躍した。革命後には、バレエを含むグランド・オペラが隆盛し、ほかにオペラ・コミックも大いに人気を博した。

ヴェルサイユの宮廷でのオペラはバレエや演劇と融合した総合芸術としての要素がより強かった。革命後には顧みられなかったのだが、近年、復権ぶりが著しく上演の機会が急速に増えている。とくにラモーは和声学の創始者という評価も出ている。リュリは『アティス』、ラモーは**『ポレアド』**『カストールとポリュックス』など。

18世紀中期からはイタリアの影響も強くなった。劣勢に立ったフランス・オペラに助太刀したのがドイツ人のクリストフ・ヴィリバルト・グルックで、**『オルフェオとエウリディーチェ』**において、フランスとイタリアのオペラを融合し、歌手が技巧を見せびらかすことを排し、劇的な効果を高めるべきだという理論化を行い、近代オペラの祖といわれる。台詞が入ったオペラ・コミックも誕生した。

革命期には、劇的な救出などをテーマにしたオペラが好まれ、それが発展して、5幕からなり、かなりの時間をバレエに割くグランド・オペラが成立した。戴冠式行進曲で有名な**『ユグノー教徒』**（1836年）、『アフリカの女』などのジャコモ・マイアベーアがチャンピオンであった。エクトル・ベルリオーズでは、バスティーユ歌劇場のこけら落としでも上演された**『トロイアの人々』**（1858年）、『ベンヴェヌート・チェッリーニ』など。この系統のオペラとしては、カミーユ・サン＝サーンスの**『サムソンとデリラ』**も著名だ。

一方、オペラ・コミックでは、ジョルジュ・ビゼーの**『カルメン』**（1875年）が最も知られるが、ドイツ生まれのジャック・オッフェンバックは『パリの生活』（1866年）など多くの作品で一世を風靡し、さらに、オペラ作品として**『ホフマン物語』**（1880年、未完）も書いた。

世紀末に、この二つの流れの中間的な領域で叙情性の強いオペラが好まれるようになった。シャルル・グノーの**『ファウスト』**（1859）は最も人気のある作品だが、アンブロワーズ・トマ『ミニョン』、ジュール・マスネ『マノン』、ギュスターヴ・シャルパンティエ『ルイーズ』、クロード・ドビュッシー**『ペレアスとメリザンド』**、モーリス・ラヴェル『子供と魔法』、フランシス・プーランク『カルメル派修道女の対話』など。戦後では、オリヴィエ・メシアンの超大作**『アッシジの聖フランチェスコ』**（1983年に小澤征爾指揮で初演）が記念碑的な作品。

教養への扉　リヒャルト・ワーグナー以降のオペラでは、曲ごとに区切られて拍手を受けないものが増えた。だが、伝統的には、オペラは、独唱のアリア、重唱、合唱などからなり、それを台詞や、レチタティーヴォ（詩吟や謡のようなもの）でつなぐ。たとえば、『カルメン』は、もともとオペラ・コミックと呼ばれる形式なので台詞でつなぐが、外国人には理解できないこともあり、むしろ、レシタティーヴォでつなぐ形式での上演が主流だ。

音楽

世界史に残るバレエ20選①
クラシック・バレエとモダン・バレエの起源

　スポーツの「バレー」はvolleyballであるが、西洋の芸術舞踊のほうはballetであって、「バレエ」と表記される。ルネサンス期に淵源を持ち、「イタリアで生まれ、フランスで育ち、ロシアで成熟した」といわれる。

　イタリア語の動詞で、踊ることを意味するballareが語源で、ダンスは舞踊全般であるのに対して、観客を対象とする劇場芸術を指す。

　イタリアの宮廷では宴会などの余興に、詩の朗読や演劇や音楽が盛んに行われたが、そのなかで、バロ（Ballo）と呼ばれるダンスが生まれた。

　バレエがひとつの芸術分野らしくなったのは、フィレンツェからフランス王家に嫁いだカトリーヌ・ド・メディシスの宮廷でのことである。

　とくに、ルイ14世は子どものときからバレエに熱中し、自分も踊り、「太陽王」という愛称も太陽神の役を踊って評判になったことからついている。

　王立舞踏アカデミーも創立した。五つの足のポジションは、このころ、舞踏教師ピエール・ボーシャンが定めたものである。

　そして、ルイ14世の没後あたりから、宮廷から劇場に移り、プロのダンサーが現れる。また、フランスではグランド・オペラが流行ったが、ここでは、長いバレエが挿入されていた。

　だから、たとえば、リヒャルト・ワーグナーが『タンホイザー』をパリで再演したときには、バレエの場面を書き加えたのである。

　しかし、クラシック・バレエといわれるものが完成したのは、ロシアである。ピョートル・チャイコフスキーの『白鳥の湖』など3部作を振りつけたマリウス・プティパもフランス人だがロシアに活躍の場を見いだした。

　物語とは少し外れても「ダンス」として見せるための場面が増え、高度な技法が開発され、ダンサー自身が動きやすいのと同時に、複雑な動きが観客に見えやすいように、丈の短いクラシックチュチュが考案された。

　さらに、モダンバレエというのは、型にはまった振付も存在せず、衣装もさまざまである。ミハイル・フォーキンが、モダンダンスのイサドラ・ダンカンに触発されて、新しいステップや民族舞踊を取り入れた振付を、1909年にパリで創立した、バレエ・リュスで成功した。さらに、英国のアントニー・チューダーや、ミュージカルの振付で知られる、ジェローム・ロビンズ、フランスのローラン・プティ、モーリス・ベジャールらが主だった担い手である。

教養への扉　モダンバレエでは爪先の尖ったトゥシューズかバレエシューズを使用するが、モダンバレエは「裸足」が普通。また、かわいいチュチュなど着用せず、シンプルな衣装で肉体美を強調する。

世界史に残るバレエ20選②
クラシック・バレエの優雅な世界

19世紀のバレエはフランスで始まり優雅でロマンティックだったが、ロシアにその中心が移って技巧的になったなかでチャイコフスキーの『白鳥の湖』など3部作が生まれた。

①『ラ・フィユ・マル・ガルデ』（1789年、振付＝ジャン・ドーベルヴァル。初演＝ボルドー）は、フランス革命の2週間前に初演。箱入り娘が若い農夫と恋に落ちてさまざまな出来事ののち恋は成就するというわかりやすい筋。

②『ラ・シルフィード』（1832年、音楽＝ジャン・シュナイツホーファほか、振付＝フィリッポ・タリオーニ、初演＝パリ・オペラ座）は、夢の世界を優雅な踊りで表現することが流行ったロマンティック時代の代表作。

③『ジゼル』（1841年、音楽＝アドルフ・アダン、振付＝ジャン・コラーリほか、台本＝コラーリ、テオフィル・ゴーティエほか、初演＝パリ・オペラ座）は、村娘ジゼルが失恋して死ぬが、妖精になっても愛を貫くというもの。ロマンティック・バレエの代表作といわれる。

④『ドン・キホーテ』（1869年、音楽＝レオン・ミンクス、振付＝マリウス・プティパ、初演＝ボリショイ劇場）は、ドン・キホーテを狂言回しにした宿屋の娘と床屋の青年の恋物語。2人のパ・ドゥ・ドゥはガラ公演などでも人気。

⑤『コッペリア』（1870年、音楽＝レオ・ドリーブ、振付・台本＝アルテュール・サン・レオン、原作＝E・T・A・ホフマン、初演＝パリ・オペラ座）は時計じかけの人形であるコッペリアとそれに恋する青年の物語。人形のユーモラスな動きが人気。

⑥『ラ・バヤデール』（1877年、音楽＝ミンクス、振付＝プティパ、台本＝セルゲイ・フデコフ、プティパ、初演＝ボリショイ劇場）は、インドを舞台にしたものでエキゾティックな寺院などの場面と死後の影の国での白い世界の対比が印象的。マリウス・プティパの代表作。

⑦『白鳥の湖』（写真。1877年、音楽＝ピョートル・チャイコフスキー、振付＝ヴェンツェル・ライジンガー、台本＝ウラジミール・ペギシェフほか、初演＝ペテルブルクのマリインスキー劇場）は、呪いで白鳥に変えられた王女オデットと王子さまの物語。白鳥の踊りの美しい。

⑧『眠れる森の美女』（1890年、音楽＝ピョートル・チャイコフスキー、振付＝プティパ、台本＝プティパ、イワン・フセヴォロシスキー。初演＝ペテルブルクのマリインスキー劇場）は、フランスの宮廷を舞台にゴージャスな舞台が展開され、プリマにとっての見せどころが多い。

⑨『くるみ割り人形』（1892年、音楽＝チャイコフスキー、振付＝レフ・イワノフ、台本＝プティパ、初演＝ペテルブルクのマリインスキー劇場）は、ドイツのクリスマスと童話の世界。子どもも楽しめる夢の世界でさまざまな舞踏の要素がちりばめられている。

⑩『ライモンダ』（1898年、音楽＝アレクサンドル・グラズノフ、振付＝マリウス・プティパ、台本＝リジア・パシコーワほか、初演＝マリインスキー劇場）は、十字軍に出征した騎士が帰還して美しい姫と無事結婚する。「ライモンダのパ・ド・ドゥ」が有名。

教養への扉 バレエ団はパリ・オペラ座やモスクワのボリショイ劇場のような歌劇場に設けられることも多いが、独立の集団を設立して活動しているケースも多い。

世界史に残るバレエ20選③
総合芸術として発展したバレエ

20世紀にはバレエ・リュース団（ロシア・バレエ）などにより多方面のアーティストが協力した総合芸術としてのバレエが発展した。

⑪『瀕死の白鳥』（1905年、音楽＝カミーユ・サン＝サーンス、振付＝ミハイル・フォーキン、初演＝マリインスキー劇場）は、サン・サーンスの『白鳥』という3分間の曲で瀕死の白鳥が飛び立とうと苦闘するが最後は力尽きて死ぬ。特別な技巧はなしで、表現力の真剣勝負。

⑫『牧神の午後』（1912年、音楽＝クロード・ドビュッシー、振付＝ヴァーツラフ・ニジンスキー、初演＝シャトレ劇場）は、バレエ・リュースで活躍したニジンスキーの出世作。ほとんど寝そべったままで終始する。

⑬『春の祭典』（1913年、音楽＝イーゴリ・ストラヴィンスキー、振付＝ニジンスキー、初演＝シャンゼリゼ劇場）も、ニジンスキーの振付だが、ロシアの土俗的な儀式をストラヴィンスキーの不協和音の連続と荒々しい舞踏で表現し大騒動となった。

⑭『ロメオとジュリエット』（1940年、音楽＝セルゲイ・プロコフィエフ、振付＝レオニード・ラヴロフスキー、初演＝ブルノ国立バレエ団）のプロコフィエフの音楽はこの作曲家の最高傑作のひとつだ。バルコニーのシーンや決闘の場面が見せどころ。

⑮『ボレロ』（1961年、音楽＝モーリス・ラヴェルほか、振付＝モーリス・ベジャール、初演＝ノートルダム寺院）の男性の踊り手ひとりだけで踊られるベジャールは、さまざま場所で大がかりな演出を行い、肉体美を生かした振付をした。映画『愛と哀しみのボレロ』に登場。

⑯『オネーギン』（1965年、音楽＝ピョートル・チャイコフスキー、振付＝ジョン・クランコ、原作＝アレクサンドル・プーシキン、初演＝シュツットガルト・バレエ団）は、チャイコフスキーの音楽を使っているが同名のオペラとは関係ない。

⑰『マノン』（1974年、音楽＝ジュール・マスネ、振付＝ケネス・マクミラン、初演＝ロンドン・ロイヤル・オペラ・ハウス）も、マスネの音楽だが同名のオペラからは取っていない。愛の悲劇をドラマティックに多彩な踊りで表現して人気上昇。

⑱『アポロ』（1928年、音楽＝ストラヴィンスキー、振付＝ジョージ・バランシン、初演＝パリ・サラ・ベルナール劇場）のニューヨーク・シティ・バレエの創始者でもあるバランシンは、筋がないプロットレス・バレエで「近代バレエの父」ともいわれる。

⑲『カルメン』（1949年、音楽＝ジョルジュ・ビゼー、振付＝プティ、初演＝シャンゼリゼ劇場）のプティは戦後のフランスで活躍し、文芸作品を前衛的にバレエ化した。『カルメン』は妻となるジジ・ジャンメールを主役にアクロバティックな踊りを振りつけられた。

⑳『イン・ザ・ミドル・サムホワット・エレヴェイテッド』（1987年、音響＝トム・ウィレムス、レスリー・スタック、振付＝ウィリアム・フォーサイス、初演＝オペラ座）はモダン・バレエを解体し再構築することで、現在のコンテンポラリー・ダンスの歴史をつくった。

教養への扉 第二次世界大戦後においては、女性ではマリア・プリセツカヤ、男性ではルドルフ・ヌレエフが最高のバレリーナか。ソ連生まれだが、前者はユダヤ人、後者はタタール系。後者は男性バレリーナの評価を脇役からスポットライトがあたる場所に変えた。

音楽

ポピュラー音楽のルーツ
エジソンの蓄音機発明から始まった音楽の大衆化

　ポピュラー音楽とは語源をポップ（POP＝通俗的な、大衆向きの）という意味から派生した言葉であり。ポピュラー・ミュージックとは広く大衆に支持され親しまれている音楽を指す。

　その意味で宮廷貴族のためにサロンで演奏されることをルーツとしたクラシックとは一線を画する音楽ともいえる。ポップスとは大衆芸術であり、あまねく多くの人々に親しまれ楽しまれることによって成立する音楽である。とくにメディア（媒体）を通じて伝わっていくポピュラー・ミュージックは社会に大きな影響力を持つ。

　本来は形なきもの（ソフトウェア）としての音楽が、レコードやCD（コンパクト・ディスク）といった形あるもの（ハードウェア）として生産され始め、広く流通していく過程でついには商品として大衆に消費されていく。こういった手法がビジネスとして成り立っていくようになったのが現代のポピュラー・ミュージック発展の歴史である。

　では、そのポピュラー・ミュージック発生の原点は何かといえば、アメリカの発明王トーマス・アルバ・エジソンである。1877年、エジソンにより蓄音機（315項写真）が発明されたことで、音楽が記録（＝レコード）できるようになった。

　このハードウェアの発明により、音楽は初めて媒体に記録し再生することができるようになった。この画期的な技術が現在のポピュラー音楽ひいてはレコード産業を生み出すきっかけになったのである。企業家でもあったエジソンは、RCAという歴史上最古のレコード会社の創設者でもある。

　エジソンが発明した蓄音機、そして設立したレコード会社により音楽産業は、それまでの演奏により賃金を得るビジネス（＝ライブ産業）のみならずレコード産業への道を歩み始める。それは1900年代はじめごろからの流れである。

　当時のアメリカはまだ歴史上の新興国で文化的にも強くヨーロッパの影響を受けていた。しかしながら、レコード産業が選んだ音楽は世俗的な大衆音楽としてのポップスである。

　これにはレコード初期の物理的条件が影響していた。1900年以前における蓄音機の録音は、ほとんどが電気増幅を用いない楽器の音圧を直接利用したダイレクト・カッティング技術だった。当然大きな音ほどよく記録される、ということでヴァイオリンなどの弦楽器より音圧の大きい管楽器のほうがよく記録できる。というわけで、音の大きなブラスバンドのラグタイム演奏が重宝されたというわけだ。

教養への扉　これを現代に置き換えてみれば、音楽をデジタルメディアに置き換えてインターネットの世界でiTunesというシステムをつくりあげたスティーブ・ジョブズも21世紀のポピュラー音楽史におけるエジソンといえるかもしれない。アメリカがもしエジソンを生み出していなかったら現代の巨大音楽産業、ひいてはエンターテインメント産業の発展はありえなかったであろう。

ポピュラー音楽の始まり
西洋のメロディーとアフリカのリズムが融合

　アメリカで生まれたポップスとは、ごくざっくばらんに説明してしまうと、西洋のメロディーとアフリカのリズムが合体したものである。のちに登場するロックンロールやリズム＆ブルースがまさにそれである。

　アメリカには当時、黒人を労働力として導入した奴隷制度があった。この西洋（白人文化）とアフリカ（黒人文化）の接点＆融合が、ポピュラー・ミュージックのルーツといえる。黒人たちはアメリカ南部の厳しい奴隷生活のなかから即興の労働歌（フィールド・ホラー）を生み出した。その後、彼らは鎌やハンマーの代わりに音が出る道具（楽器）を手にし、リズムを取りながら歌い出す。

　この黒人たちのつくりだす微妙にシンコペーションする音楽がラグタイム・ミュージックとなり19世紀末に世界的な大流行を生み出していく。その大流行を後押ししたのが蓄音機とレコードであり、そしてその音楽がヨーロッパ全土にも広がっていったのだ。

　ラグタイムとはアメリカ黒人（アメリカン・アフリカン）たちのリズム感で演奏された西洋音楽である。ラグとは「ズレる」という意味を持つ言葉だが、この微妙にシンコペーションする黒人特有のリズム感を持った音楽が白人をも魅了していった（もちろん、当時は白人と黒人が同じ場所で一緒にその演奏を聴くことはなかったわけだが）。

　現在でも、幅広く使われている「グルーヴ」という表現などはまさにこのラグタイムからの名残といえるだろう。ラグタイム・ミュージック発祥の地は、リズム＆ブルース発祥の地としても名高いアメリカ南部ニューオーリンズである。これは、南北戦争が終結ののち、1888年ごろに戦時中の兵士の数少ない娯楽として使用されていた軍楽隊の楽器が安く放出され始めたのがニューオーリンズだったからである。

　初期のラグタイムは、当時の生活を反映し、歩くテンポに最も近い2ビートだった。これは行進曲＝マーチともいえる。それが発展していって、1920〜1940年代のジャズの興隆につながっていった。ジャズの原型は、ラグタイムと行進曲を奏でたブラスバンドにある。ニューオーリンズで安く払い下げられたブラス（＝管楽器）を手にした黒人たちが声の代わりに楽器で歌い出した。これがのちにニューオーリンズ・スタイルと呼ばれるラグタイム・ミュージック発生の原点なのである。

教養への扉　現代では、デジタル機器の進化により、レコーディングの大半は、コンピュータのデジタル・データとして保存されている。そして、俗称打ち込みという作業でリズムは完璧に正確なリズムを刻み、コンピュータでいかようにも管理できる時代になっている。そんな現代において、黒人音楽文化を背景に持つリズム＆ブルースやヒップホップのリズム音源がほぼデジタル化しているのに対し、白人文化から派生したカントリーやロックのほうがアナログなずれのある生身のリズム（＝バンドサウンドなど）をいまだ取り入れているのは興味深い。

1950年代のポピュラー音楽
ロックンロールの誕生とエルヴィス・プレスリー

ロックンロール（R & R）とは、1940年代アメリカの黒人社会では「セックス」を意味するスラングであった。その出現は、音楽の歴史上大きな分岐点ともいえる大事件である。それ以前の、音楽を聴く、演奏するという楽しみ方に、ロックンロールの登場は、レコードを買う（音楽の消費）ということを一般に広め、音楽産業がレコード産業として成長し拡大していくスタートラインとしても重要だった。

最初にR & Rが登場したのは、1955年にビル・ヘイリー＆ヒズ・コメッツの『ロック・アラウンド・ザ・クロック』（1954年録音）が映画『暴力教室』のタイトル・バックに使用され大ヒットしたのがきっかけだといわれている。

また、R & Rという名前をアメリカのティーンエイジャーに広めたのは、ラジオDJのアラン・フリード。彼が1951年、みずからのラジオ番組で黒人の間で流行していたリズム＆ブルースの楽曲を、ロックンロールという名前で白人の若者向けに発信したのがきっかけで全米、そして世界各地に大ブームを巻き起こしたのだ。

R & Rは、10代の反抗や非行、暴力に関係する音楽であると大人たちは顔をしかめたが、それがかえって当時のティーンエイジャーの圧倒的な支持を集め社会現象にまでなっていく。そんななか、登場したのが、**エルヴィス・プレスリー**（『ハウンドドッグ』）だった。

エルヴィスを見いだしたサム・フィリップスは黒人のサウンドと黒人の感覚でR & Rを歌える白人がいれば大ヒットするであろうことを確信していた。

1956年、破格の契約金でメジャーレコード会社RCAに移籍、初の全米ネットワークに出演し彼が歌った『ハートブレイク・ホテル』は瞬く間に全米No.1となり、8週連続その位置にとどまった。彼は、それまでの歌手とは歌い方、ステージ・アクション、サウンド、宣伝の方法、すべてが大きく異なっていた。

とくにメディア（テレビ）を重視したところに彼の人気の秘密がある。エルヴィスというスターの出現によりR & Rは市民権を得、その後チャック・ベリー、ジェリー・リー・ルイス、リトル・リチャードなどを輩出、1950年代のポピュラー音楽を代表する潮流となる。だが、1959年、DJのアラン・フリードの収賄疑惑（ペイ・オーラ）に端を発し、リトル・リチャードの牧師宣言、エルヴィス・プレスリー入隊、チャック・ベリー、ジェリー・リー・ルイスのスキャンダル、さらにバディ・ホリーの飛行機事故が相次ぎ、R & Rは急速に人気が収束していく。

教養への扉　サム・フィリップスは、地元サンレコードの経営者で、エルビスがテネシー州メンフィスでトラックの運転手をしていた19歳のときに、母親へのプレゼントとしてレコードをつくろうとサムのスタジオに録音に現れたエルヴィスの才能をサムが見いだしてスカウトした（太字は、ポップス史上の巨人10人を選んでみたもの）。

1960年代のポピュラー音楽
革命的だったビートルズの登場

　1960年代のポピュラー音楽シーンといえば、なんといってもビートルズの登場であろう。現在までも続くポピュラー音楽のイメージや影響力はビートルズがスタンダード・モデルになったといっても過言ではない。

　英国の港町リヴァプールより1962年に初シングル『Love Me Do』をもって音楽界に現れた4人組・**ビートルズ**は、有能なマネージャー、ブライアン・エプスタインと優秀なるプロデューサー、ジョージ・マーティンと出会うことにより、その才能を開花。

　1963年発売の2ndシングル『プリーズ・プリーズ・ミー』が全英No.1になるとその後のシングルも軒並みNo.1を記録、英国でビートルズ現象を引き起こす。

　その勢いのまま翌1964年2月、アメリカに上陸したビートルズはここでもまた熱狂的な支持を受け、4月には全米チャートのトップ5を独占、さまざまなチャート記録を塗り替え全米でもビートルズ旋風を巻き起こす。何しろ、1964年上半期の全米シングル盤売上の80%近くがビートルズだったのだ。

　その余波を駆って、1964年は英国のバンドが大挙アメリカへ進出、成功を収めブリティッシュ・インヴェイジョン（＝英国の侵略）というブームを引き起こす。ビートルズは、その音楽のみならずファッション、ヘアースタイル、その発言、動向までもが注目され一躍社会現象化していく。

　その後も1965年には初のスタジアム・コンサート開催、ボブ・ディランとの出会いによるフォーク・ロックの導入、1967年コンセプト・アルバム発表によりロックの芸術性の追求、1968年にはみずからのレコード会社「Apple」を設立、ドラッグ問題、政治的社会的発言などビートルズが1960年代若者の文化的＆社会的代弁者として機能し続けていた。

　1970年の解散後も数多くのアーティストやバンドマンに影響を与え続け、2020年代に至る現在まで、彼らがつくりあげたポピュラー・ミュージックの魅力は輝き続けている。ポピュラー音楽史のクラシックたるべきグループである。

教養への扉　斉田才（音楽評論家）が選んだビートルズ名曲10選……①『抱きしめたい』（1963年）、②『キャント・バイ・ミー・ラブ』（1964年）、③『シー・ラブズ・ユー』（1963年）、④『イエスタディ』（1965年）、⑤『ヘイ・ジュード』（1968年）、⑥『レット・イット・ビー』（1970年）、⑦『ヘルプ』（1965年）、⑧『ゲット・バック』（1969年）、⑨『サムシング』（1969年）、⑩『エリナー・リグビー』（1966年）。

音楽

1970年代のポピュラー音楽
ドラッグ・カルチャーと巨大音楽産業の狭間で

1970年代のポピュラー音楽シーンは、ロック・ミュージックが盛んな時代として記憶されなければいけないだろう。激動の1960年代から1970年代に入ると、ロックはさまざまな音楽性と融合しジャンルも拡大していく。

1960年代半ばのヒッピー・ムーブメント、ドラッグ・カルチャー、そこから相次いで起こったロック・スターの悲劇、さらに1969年に数十万人を集めた野外ロック・フェスティバル「ウッドストック」(319項写真)の成功と、対照的に会場で殺人事件を引き起こした「オルタモントの悲劇」と呼ばれるローリング・ストーンズ主催によるフリー・コンサート。

そして、1970年代に入ると、大音量でハードなサウンドを鳴らすハードロックの**レッド・ツェッペリン**(『胸いっぱいの愛を』)、ディープ・パープル、ブラック・サバスなど、シンセサイザーを駆使しジャズやクラシックの要素を取り入れたプログレッシヴ・ロック(キング・クリムゾン)、イエス、**ピンク・フロイド**(『原子心母』)、エマーソン・レイク・アンド・パーマー(ELP)、英国からは男性がメイクや衣装を施したグラム・ロックの**デヴィッド・ボウイ**(『ジギースターダスト』)やT・レックスが登場した。

さらにカントリー・ロック(ザ・バーズ)、ブラス・ロック(シカゴ)、クロスオーバー(スティーリー・ダン)、AOR(アルバム・オリエンテッド・ロック。ボズ・スキャッグス)などなど、さまざまな実験性に富んだロックサウンドの表現が開花した年代であった。

また、そういった音楽ジャンルの多様性とアーティストの創造性の拡張によりシングルよりアルバム・セールスが飛躍的に増加、ミリオンセラー・アーティストが続出し、ポピュラー音楽がビジネスとしても巨大な音楽産業へと変貌していく時代でもあった。

ただ、あまりにもロックが音楽産業として肥大化してしまったがゆえの弊害も表れ、形骸化したメジャーロックへのアンチテーゼも出てきた。1970年代半ばにアンダーグラウンドなシーン(ニューヨークとロンドンのライブハウス)から同時発生的に、パンクロックという現象が起こる。

粗削りで社会に反抗するシンプルなロックのバンドサウンドは、1950年代のR&Rブームのときのような新鮮さを音楽シーンに呼び込み、新たな音楽ムーブメントを形成するようになっていく。ニューヨーク・パンクとしてはラモーンズ、パティ・スミス、トーキング・ヘッズらが、ロンドン・パンクでは**セックス・ピストルズ**(『アナーキー・イン・ザUK』)、ザ・クラッシュ、ザ・ジャムなどが代表的なパンクバンドである。

教養への扉 このインディペンデントな音楽ムーブメントは、これもまたさまざまな音楽性に派生し、ニューウェイヴと呼ばれるムーブメントに変化していく。多様性に満ちたロックの黄金時代、それが1970年代のポピュラー音楽シーンではないだろうか。

1980年代のポピュラー音楽シーンは、現在もポピュラー音楽シーンに影響を与え続けているスターの誕生、音楽テクノロジーの進化、新しいカルチャーの出現とこれもまた興味深い現象が次々と発生した時代でもある。

　まず、ポピュラー・シーンにとって忘れてはならない三大ポップ・スターが1980年代に登場している。それが、マイケル・シャクソン、プリンス、マドンナだ。**マイケル・ジャクソン**（『今夜はビート・イット』）は、兄弟グループのジャクソン 5 のメイン・ボーカリストからソロに転じ、1982年リリースのアルバム『スリラー』が全世界で4000万枚以上を売る大ヒットを記録、現在でも「世界で最も売れたアルバム」としてギネス記録を保持するほどの人気を獲得している。「キング・オブ・ポップ」としても現在も語り継がれているアーティストだ。**プリンス**は、1984年アルバム『パープル・レイン』でブレイク。同名映画の主人公も務め、その後も精力的に作品をリリース。ミネアポリスを本拠地にプリンスならではのブラック・ミュージックを追求した天才アーティストだ。**マドンナ**も1984年、アルバム『ライク・ア・ヴァージン』でブレイク。そのセクシュアリティーとダンスで1980年代を席巻、現在もその完璧なライブ・パフォーマンスで世界を魅了し続けている。

　この三大スターを輩出した1980年代は、またテクノロジーの進化でもあった。とくにポピュラー音楽シーンに影響を与えたのは、1981年開局、24時間音楽映像を放映し続けるミュージック・ケーブルテレビジョン（MTV）の出現だ。

　MTVの出現により、アーティストの音楽を映像で表現する手法が定着、またMTVからヒット曲が現れる現象が起こり、ここからミュージック・ビデオの存在はポピュラー・シーンにとって欠かせないものとなっていく。このMTVをフルに活用して再び英国音楽シーンのアーティストたち（カルチャー・クラブ、デュラン・デュランほかヴィジュアル要素の強いアーティスト）が活気づきアメリカで成功を収めていく。この現象はニュー・ブリティッシュ・インベイジョンと呼ばれた。

　また、もうひとつアメリカの音楽シーンにとって忘れてはならないのがヒップホップというカルチャーの登場だ。もともとヒップホップは、1970年代後半、ニューヨークのブロンクス地区を中心にストリートから現れた黒人文化で、ブレイクダンス、グラフィティ、ラップを総称したものである。ヒップホップの出現により、音楽シーンではDJによるサウンド・スタイル、サンプリング、ラップの三大要素が世界中に広まり、現在では黒人白人問わずポピュラー・ミュージックの一大潮流にまでなっている。

教養への扉　1980年代は、記録媒体がレコードからCDへと移行した時代でもある。このCDの出現が、1990年代にさらに音楽シーンを巨大産業へと押し上げていく。電気楽器から電子楽器へ、アナログからデジタルへと音楽シーンを移行させるうえでも1980年代のテクノロジーの進化は、現在のポピュラー・ミュージックに大きな影響を与えている。

音楽

1990年代のポピュラー音楽
CDの登場でミリオンセラー続出の時代へ

アナログ・レコードからCDへの移行、新しいポップ・スターたちの登場、インターネットなどの新規メディアの出現などによって1990年代は、音楽シーンが最も活気づいた時代として記憶に残るかもしれない。

　ミリオン・セラー・アーティストが続出し、アルバムを1000万枚以上売るアーティストも数多く現れ、全世界的に音楽産業が膨張していく時代でもあった。

　とくに1990年代前半は、女性ボーカリストの活躍がめざましい。ホイットニー・ヒューストン、マライア・キャリー、セリーヌ・ディオンといった実力派の女性ボーカリストが脚光を浴びた時代でもあった。

　また、さまざまな音楽のミクスチャー（混合）化もさらに進み、1980年代まではまだ黒人音楽と白人音楽の垣根が存在していたジャンルもボーダーレスになっていくと同時に女性アーティストやグループの進出も活発化、ワールドワイドにポピュラー・ミュージックが瞬時に伝わっていく時代が到来した。

　とくにその音楽の伝搬に影響を与えたのが1990年代半ばより現れたインターネット、そしてコンピュータの存在である。

　コンピュータの出現により音楽がデータ化、そして無限の可能性を与えられ、インターネットによりデータとして世界中に瞬時に運ばれる時代が到来、音楽制作のあらゆる局面にコンピュータの存在が不可欠になっていく。またライブの演出効果の制御やチケッティングシステムにもコンピュータが使用され効率化が図られていく。

　ただし、ここでも音楽産業が巨大に効率的になればなるほど、アンダーグラウンドなシーンから再び新しい音楽のうねりが生じるのもポピュラー音楽シーンの常である。

　1990年代初頭、アメリカ・シアトルから端を発したグランジ。これもまた1970年代のパンクロックの出現のように音楽のみならずファッションやスタイルをも巻き込んだカルチャーとなると同時に、**ニルヴァーナ**やパール・ジャムのような世界的スターバンドを生み出していく。

　グランジ自体のブームは、ニルヴァーナのボーカル、カート・コバーンの衝撃的な死により収束していくが、その後もオルタネイティヴという自給自足音楽スタイルとして音楽シーンにその足跡を残していく。

教養への扉　世界のポピュラー音楽シーンは1998年まで右肩上がりのビジネス的成長を続けていく。しかし、急激な成長と音楽のデジタル化、コンピュータの発達が、違法ダウンロードという新たなる脅威を与えるようになっていく。

音楽

21世紀のポピュラー音楽
ITの発展でミュージック・シーンはどうなるか

　2000年代、21世紀になると音楽のデジタル化はさらに急速に進み、インターネットの普及によってデータ化された音楽が瞬時に全世界に流布される時代が到来した。そこでコンピュータを介してまず普及したのが違法ダウンロードによって音楽を無料で手に入れる時代の到来だ。

　そんななか、音楽業界に大きな変化を訪れさせたのがアップルが2001年に発表したiPodと2007年のiPhone、そしてiTunesシステムの構築だ。このデバイスの発明により、世界の音楽シーンは、CDやレコードといったパッケージ・ビジネスからの転換を余儀なくされる。

　アーティストの制作や販売方法、宣伝方法も変化し、2010年以降はCDをリリースすることなしに作品を発表するアーティストも出現。そういった音楽業界の変化の流れにさらに輪をかけたのが、無料で映像をアップできるユーチューブの出現、そしてフェイスブック、ツイッター、インスタグラムなどのSNS（ソーシャル・ネットワーキング・サービス）時代の到来だ。

　SNSにより全世界の人類がつながり、ユーチューブでコンテンツが共有できる時代。そうなっていくことによって次第に違法ダウンロードのような形態は駆逐され、代わって登場したのが音楽を無制限で聴き放題の定額制ストリーミング・サービス、サブスクリプション・システムだ。

　現在アップル・ミュージック、スポティファイを中心にさまざまなサービスが提供されており、2015年度以降はその収益がCD売上を超え、ようやく21世紀の音楽ビジネススタイルが落ち着きを見せつつある。

　また、ポピュラー・ミュージックの歴史を劇的に変えたR&Rから60年、ここにきていよいよオリジネイターたちから新しい世代へのアーティスト交代が余儀なくされている。21世紀のスターといえば、2000年代のブリトニー・スピアーズ、レディー・ガガ、リアーナ、ビヨンセ、エミネムなどに続き、2010年代ではジャスティン・ビーバー、テイラー・スウィフト、エド・シーラン、アデル、アリアナ・グランデなどが活躍した。

　最近では最年少の18歳でグラミー賞主要4分門を独占したビリー・アイリッシュらが登場している。戦後のポピュラー・ミュージック史から70年、まったく新しい音楽シーンの波が、世界中の都市からあふれ出そうになっている。

教養への扉　音楽ビジネス界は違法ダウンロードの被害に遭って対策に乗り出すが、2000年代はまだその対策を講じ切れず、1998年を境に音楽ビジネスは低調路線に入る。CDのセールスも低迷し、タワーやHMVのような店舗が閉鎖。レコード会社も統廃合を繰り返し、全世界のメジャーレーベルは三大大手（ユニヴァーサル、ワーナー、ソニー）までに集約された。

世界史に残る映画100選①
1895年にパリのカフェで生まれた映画

　20世紀は映画の時代だった。19世紀のオペラや演劇に総合芸術としての地位に取って代わったのみならず、はるかに広汎な大衆を引きつけた。戦後はテレビの時代だが、基本的には映画の延長線上にある。そして、21世紀はネットの普及も相まって、誰もが映像を提供できる時代になった。

　フランスのリュミエール兄弟は、1895年12月28日に、カフェに置かれたスクリーンで「シネマトグラフ」を上映した。それまでに、覗き箱のなかで動画を見せる「キネマトスコープ」はあったが、このリュミエール兄弟の試みをもって映画の誕生というのが普通だ。

　それをアメリカで聞いた商才たくましいトーマス・エジソンも、翌年に映画を製作し興行化していった。20世紀に入ると、ドキュメンタリー映画の走りである『マッキンリー大統領の就任式』（1897年、アメリカ）、世界初のSF＆SFX映画である『月世界旅行』（1902年、フランス）が公開された。

　フランスのサイレント映画『ギーズ公の暗殺』（1908年）のために大作曲家のカミーユ・サン＝サーンスが音楽を書いたのが、映画音楽の始まりとされる。

　アメリカでの映画製作は、第一次世界大戦でヨーロッパの映画製作やアメリカへの輸出が止まったことから盛んになった。古代バビロンを舞台にした『イントレランス』（1916年、アメリカ）という映画を製作するために、晴天が多いハリウッドが映画製作の舞台となった。『月世界旅行』は初めてストーリーを持ったSF映画であった。そして、歴史的価値を別として今日でも名画といわれる映画は1920年代から登場する。

　ソ連では映画が思想教育の手段としても評価され、黒海のオデッサ港の階段の場面で知られるセルゲイ・エイゼンシュテイン監督の**『戦艦ポチョムキン』**（1925年、ソ連）がつくられた。ドイツのフリッツ・ラングによるSF映画**『メトロポリス』**（1927年）は、未来に対し警告を発するという近未来SFの先駆的な存在。「トリプル・エクラン3面スクリーン方式」（スクリーンを三つ横につなげての上映）と12時間という上演時間の**『ナポレオン』**（1927年、フランス）は、アベル・ガンス監督の作品で史上最大のスケールを持った映画である。**『裁かるゝジャンヌ』**（1927年）は、ジャンヌ・ダルクの裁判と火刑をテーマに顔の表情のクローズアップを多用することで絶望の淵に立つジャンヌの心を映した感動の名作。デンマーク人のカール・ドライヤーが監督。

　このころ絶大な人気を博したのが、イケメン俳優ルドルフ・ヴァレンティノで、映画スター第1号といっていいだろう。

教養への扉　日本では1997年に関西財界人でリュミエール兄弟とも親交があった稲畑勝太郎がフランスから輸入したシネマトグラフを大阪で上映し、歌舞伎などを動画で撮影することもフランス人によってされた。アメリカのデヴィッド・ウォーク・グリフィス監督が、クローズアップなどの技法を完成させ「映画の父」と呼ばれることもある。

世界史に残る映画100選②
音声つきのトーキーとカラー映画の登場

　世界初の映画トーキー映画『ジャズ・シンガー』（アル・ジョルソン主演）が公開された
のは1927年でトーキー映画の時代に突入。1935年には、最初のカラー映画であるルーベ
ン・マムーリアン監督の『虚栄の市』が出現した。

　「喜劇王」チャールズ・チャップリンは、俳優、監督、プロデューサー、作曲のすべてを
みずからこなし、81本の映画を製作した。言葉の壁を越えて世界中の人々に感動しても
らいたいと、サイレント映画にこだわった。『黄金狂時代』（1925年、アメリカ）、『街の灯』
（1931年）、『独裁者』（1940年）などが代表作。

　ルイス・ブニュエル監督の『アンダルシアの犬』（1928年、フランス）は、画家サルバドー
ル・ダリの協力で撮影されたシュル・レアリスム映画。

　1930年代には、第一次世界大戦を描いたある種の反戦映画で、ドイツ人の原作をアメリ
カ人のルイス・マイルストンが監督した『西部戦線異状なし』（1930年、アメリカ）と、フ
ランスのジャン・ルノワール監督の『大いなる幻影』（1937年、フランス）、『ゲームの規則』
（1939年）が登場した。

　ヴィクター・フレミング監督の『オズの魔法使』（1939年、アメリカ）は、カラーのミュー
ジカル映画で娯楽作品として記念碑的なものとなった。同じ監督の、『風と共に去りぬ』
（1939年）は南北戦争の時代を描いた大作で、総天然色だが日本では戦前には公開されず、
戦後に大ヒットした。テーマ音楽も含めていまも人気。

　オーソン・ウェルズ監督の『市民ケーン』（1941年）は、新聞王ウィリアム・ランドルフ・
ハーストをモデルにしたもので、取材した関係者の証言から回想形式に描かれる技法が話
題となり、現在でもアメリカを代表する映画として不動の評価だ。『カサブランカ』（1942
年）は、マイケル・カーティス監督でハンフリー・ボガート、イングリッド・バーグマン
が主演した戦争中のモロッコを舞台にしたラブ・ロマンス。

　西部劇もアメリカ映画に欠かせない。ジョン・フォード監督が、ジョン・ウェイン主演
で製作した西部劇の原点ともいえる作品が『駅馬車』（1939年）。『シェーン』（1953年）は
ラストの台詞「シェーン！　カムバック‼」が有名。戦後、イタリア製作のマカロニ・ウェ
スタンも話題になった。『続・夕陽のガンマン／地獄の決斗』（1966年、イタリア、スペイン、
西ドイツ）は監督セルジオ・レオーネ、主演クリント・イーストウッド、音楽エンニオ・モ
リコーネのトリオ。

　『天井桟敷の人々』（1945年、フランス）は、マルセル・カルネ監督が、第二次世界大戦中
のヴィシー政権下で製作した白黒映画。19世紀のパリの下町を舞台にしたおしゃれな映画。

教養への扉　著名な画家の息子であるジャン・ルノワール監督は、画面内の奥にまでピントが合うディー
プ・フォーカスの技法を開発して画面づくりに革命をもたらした。

　フランスのヌーベルバーグ（新しい波）では、時間の経過を無視して同じアングルのショットをつなぎ合わせるジャンプカット、手持ちカメラでの街頭撮影など即興的、実験的な映像を特徴とする。下積み経験なしで映画を製作するヌーベルバーグなどが大きなムーブメントになった（写真はヌーベル・バーグを代表する女優アンナ・カリーナ）。

　ヌーベルバーグでは、ジャン＝リュック・ゴダール監督の『**勝手にしやがれ**』（1960年、フランス）がその代表作。ジャン＝ポール・ベルモンド、ジーン・セバーグの主演。その原案を書いたのがフランソワ・トリュフォーで、初期の代表作は『**大人は判ってくれない**』（1959年）だが、ここでは後期の作品でクラシックな色彩の『**終電車**』（1980年）を挙げておく。カトリーヌ・ドヌーヴの代表作のひとつだ。

　『**去年マリエンバートで**』（1961年）は、アラン・レネが監督したモノクロ映画で黒澤明監督の『**羅生門**』に触発されたという。ココ・シャネルが衣装をデザインした。『**太陽がいっぱい**』（1960年、フランス、イタリア）はアラン・ドロンを人気者にした名作でテーマ音楽も人気。

　戦争直後の映画としては、イタリアのヴィットリオ・デ・シーカ監督によるネオリアリズモ作品『**自転車泥棒**』（1948年、イタリア）が、貧乏だった時代の日本人にも身につまされるものがあり感動を与えた。

　その後のイタリア映画では、ミケランジェロ・アントニオーニは、現代人の孤独や絶望感を描き、『**情事**』（1960年）、『**太陽はひとりぼっち**』（1962年、イタリア、フランス）が代用作。戦後のローマの上流階級の退廃的な雰囲気を描いたのがフェデリコ・フェリーニの『**甘い生活**』（ドルチェ・ビータ。1960年、イタリア）。同監督の作品では現実と虚構の世界が交錯する『**8½**』（1963年、イタリア、フランス）も名作。

　ミラノ大公家出身のルキノ・ヴィスコンティは『**夏の嵐**』（1954年、イタリア）、『**山猫**』（1963年、イタリア、フランス）などで没落していく貴族階級の夕暮れを見事に描いた。植民地独立戦争をドキュメンタリー的に描いた名作がジッロ・ポンテコルヴォの『**アルジェの戦い**』（1966年、イタリア、アルジェリア）である。

　スウェーデンのイングマール・ベルイマンは、『**仮面／ペルソナ**』（1966年、スウェーデン）など。ソ連でも徐々に自由な発想の映画がつくり始められたが、『**アンドレイ・ルブリョフ**』（1966年、ソ連）は、アンドレイ・タルコフスキー監督。15世紀のイコン画家を主人に社会と人々のさまざまな状況とのかかわりのなかで苦悩する芸術家の内面を浮き彫りにしていった。同監督のもうひとつの傑作は『**鏡**』（1975年）だろう。

教養への扉　イングマール・ベルイマン監督についてスタンリー・キューブリックは「世界観をつくりあげる巧みさ、鋭い演出、安易な結末の回避、完璧なほど人間の本質に迫る人物描写において、誰よりも卓越している」と評している。

世界史に残る映画100選④
ハリウッドの「赤狩り旋風」と日本映画の躍進

戦後のハリウッドは赤狩り（レッドパージ）の影響により多くのアメリカの映画人が追放の憂き目に遭う。次いでテレビの攻勢に悩まされた。

1950年代の日本では、3人の監督が国際的な評価を得て日本人を勇気づけた。小津安二郎の『東京物語』（1953年、日本）は、尾道から上京した老夫婦と子どもたちの物語だが、「ロー・ポジション」を多用し、カメラを固定して人物を撮ることが成功した。

幽玄な美を描いた『雨月物語』（1953年）の溝口健二監督は、ワンシーン・ワンカットの長回しを多用し細部に凝りに凝った。『羅生門』（1950年）、『七人の侍』（1954年）の黒澤明は、複数のカメラを同時に回したり、アフレコを嫌って現場録音をしたりしてリアルな画面を創出した。

映画大国インドの映画が世界に知られるようになったきっかけは、映画が産業の中心ムンバイでなくベンガルのサタジット・レイ監督『大地のうた』（1955年、インド）である。著名な俳優を使わずにたんたんとインド人の日常を描いた。

英語圏に目を移すと、キャロル・リード監督の『第三の男』（1949、英国）は、アントン・カラスが奏でる民族楽器の響きが印象的なサスペンス映画。フランク・キャプラ監督の『素晴らしき哉、人生！』（1946年、アメリカ）はアメリカ人の大好きなクリスマス映画。ようやく戦後から復興した時代に日本人の欧米への憧れをかき立てたのがウィリアム・ワイラー監督でオードリ・ヘップバーンとグレゴリー・ペックが主演した『ローマの休日』（1953年）である。

ロバート・マリガン監督、グレゴリー・ペック主演の『アラバマ物語』（1962年）は公民権運動の時代の傑作。

サスペンスものでヒット作を連発したのが、アルフレッド・ヒッチコック監督である。『裏窓』（1954年）、『めまい』（1958年）など高い水準も映画を量産した。イングリッド・バーグマンやグレース・ケリーなど金髪の美女が登場することが多い。

1960年ごろには、大きなスクリーンが増え、それを生かしテレビでは味わえないダイナミックな描写が追究された。ウィリアム・ワイラー監督の『ベン・ハー』（1959年）はコンピュータ・グラフィック（CG）を多用した『タイタニック』（1997年）が出現するまで最も多くのオスカーを獲得した作品だった。

大型のスクリーンにアラビアの砂漠の世界を描いたのがデヴィッド・リーン監督の『アラビアのロレンス』（1962年）である。同じ監督の『ドクトル・ジバゴ』（1965年）はロシア革命の時代を背景にしている。

教養への扉 1930年代から反トラスト法（独占禁止法）に問われていたメジャー映画製作会社の配給、興行の統括による劇場の系列化に関して最高裁判所で違法の判決が下され、メジャー各社は製作と興行との分離を強いられることになった。

世界史に残る映画100選⑤
怒れる若者たちと「アメリカン・ニューシネマ」

1960〜1970年代は「アメリカン・ニューシネマ」の時代といわれる。主人公がしばしば悪人で、最後はハッピー・エンドでないことが多い。若者による規制価値観の打破運動、黒人解放運動、公民権運動、ベトナム戦争反対運動などの影響を受けた。

マイク・ニコルズ監督の『**バージニア・ウルフなんかこわくない**』（1966年、アメリカ）で世界一の美女エリザベス・テイラーが野暮な中年女性を演じた。アーサー・ペン監督の『**俺たちに明日はない**』（1967年）の鮮烈な『死のバレエ』といわれるラスト・シーンの衝撃はいまも新鮮だ。ニコルズ監督の『**卒業**』（1967年）も、ヨーロッパ風の感覚を取り入れたハリウッド映画というべきか。『ハリウッド・ルネサンス』の象徴といわれた。サイモン＆ガーファンクルの音楽を効果的に使用している。

スタンリー・キューブリック監督は、ブラックユーモア、ユニークな撮影手法、シャープな映像感覚、大規模な舞台装置、刺激的な音楽手法で知られ、『**2001年宇宙の旅**』（1968年、英国、アメリカ）、『博士の異常な愛情』（1964年）、『**時計じかけのオレンジ**』（1971年）など。

警察などの権力にあまり信頼を寄せない風潮のなかで、犯罪映画というべきものにもおもしろいものが出てきた。フランシス・フォード・コッポラ監督とニーノ・ロータの音楽で人気の『**ゴッドファーザー**』（1972年、アメリカ。評価が高いPartIIは1974年）は大ヒット。

ウィリアム・フリードキン監督の『**フレンチ・コネクション**』（1971年）では、警察がなんとも冴えないイメージで描かれる。

『**お熱いのがお好き**』（1959年）は、ビリー・ワイルダー監督のコメディ映画だが、トニー・カーティス、ジャック・レモン、マリリン・モンロー主演。マリリン・モンローの代表作だ。冷戦時代のことであるので、スパイ映画も多くつくられたが、その代表はテレンス・ヤング監督らの「007シリーズ」だ。『**007ロシアより愛を込めて**』（1963年、英国、アメリカ）を最高傑作という人が多い。

ジョン・スタージェス監督でスティーブ・マックイーン主演の『**大脱走**』（1963年、アメリカ）とか、ジョン・G・アヴィルドセン監督で主演・脚本がシルヴェスター・スタローンの『**ロッキー**』（1976年）で見せるアメリカの強靱さに世界は酔いしれた。ウィリアム・シェイクスピア作品の映画化は枚挙にいとまないが、オペラ演出家として知られるフランコ・ゼッフィレッリ監督の『**ロメオとジュリエット**』（1968年、英国、イタリア）の衣装や装置の見事さは別格。

教養への扉　映画雑誌『キネマ旬報』が1999年に洋画のベスト100を映画人へのアンケートで集計した。古い日本人の標準的趣味だと思うのでタイトルだけ紹介する。『第三の男』『2001年宇宙の旅』『ローマの休日』『アラビアのロレンス』『風と共に去りぬ』『市民ケーン』『駅馬車』『禁じられた遊び』『ゴッド・ファーザー』『太陽がいっぱい』『天井桟敷の人々』『ウエスト・サイド物語』『勝手にしやがれ』『灰とダイヤモンド』。

世界史に残る映画100選⑥
巨大エンターテインメント化とディズニー映画

　映画史上、ミュージカルは常に大きな成功を収めてきた。ウォルト・ディズニーのエンターテインメントは大人にも子どもにも人気だ。現代ではジョージ・ルーカスとスティーヴン・スピルバーグという天才製作者が一大帝国を築いている。

　ブロードウェーのミュージカルを映画化したものは、映画として独自の工夫をする余地が少ないので、名画100とかには出てこないことが多い。そんななかで、日本などでは生の舞台が見られなかったこともあり映画の影響が大きかったというべきかもしれない。とくに、人気だったのが『**ウエスト・サイド物語**』（1961年、アメリカ）と『**サウンド・オブ・ミュージック**』（1965年）だろう。もう少し映画的にも注目されたというと『**キャバレー**』（1972年）か。ヨーロッパのミュージカルとしては『**シェルブールの雨傘**』（1964年、フランス）を挙げておく。

　1970年代のハリウッドでは「パニック大作ブーム」が起きた。ロナルド・ニーム監督の『**ポセイドン・アドベンチャー**』（1972年、アメリカ）やジョン・ギラーミン監督の『**タワーリング・インフェルノ**』（1974年）がその代表だ。

　ジョージ・ルーカスは監督としてだけでなく事業家としても成功し、映画の製作システムや音響システムの改良にも功績がある。『**スター・ウォーズ**』（1977年）と『**インディ・ジョーンズ**』のシリーズの成功で彼はアメリカのセレブのひとりとなった。

　スティーヴン・スピルバーグ監督は『**ジョーズ**』（1975年）、『未知との遭遇』（1977年）、『E.T.』（1982年）で成功を収め、1993年、『**ジュラシック・パーク**』でコンピュータグラフィックスの使用による映像で新境地を開いた。スピルバーグは『**シンドラーのリスト**』（1993年）のような作品もつくっているが、ルーカスも含めて基本的には社会派的色彩は薄い。

　ウォルト・ディズニーは、フランス系アメリカ人である。彼が創始した企業による作品は、アニメ、実写とアニメを組み合わせたもの、最近のCGを多用したピクサー社作品など幅広いなどを80年以上も生み出し続けている。

　あえて10作品を挙げるとすれば、『白雪姫』（1937年）、『**ファンタジア**』（1940年）、『バンビ』（1942年）、『**ピーターパン**』（1953年）、『**眠れる森の美女**』（1959年）、『**メリー・ポピンズ**』（1964年）、『美女と野獣』（1991年）、『**トイ・ストーリー**』（1995年）、『**アナと雪の女王**』（2013年）、『**リメンバー・ミー**』（2017年）。

教養への扉　本文で紹介できなかったミュージカル作品20本（★は100選に含む）……『ショウボート』（1936年）、『踊る大紐育』（1949年）、『巴里のアメリカ人』（1951年）、『雨に唄えば』（1952年）、『王様と私』（1956年）、『パリの恋人』（1957年）、『マイ・フェア・レディ』（1964年）、★『メリー・ポピンズ』（1964年）、『ファニー・ガール』（1968年）、★『グリース』（1978年）、『美女と野獣』（1991年）、『エビータ』（1996年）、『ダンサー・イン・ザ・ダーク』（2000年）、『ムーラン・ルージュ』（2001年）、『シカゴ』（2002年）、『チャーリーとチョコレート工場』（2005年）、『マンマ・ミーア!』（2008年）、『レ・ミゼラブル』（2012）、『ラ・ラ・ランド』（2016年）、『グレイテスト・ショーマン』（2018年）。

　1990年代あたりから世界では、先進国の人々がエスニックな文化への理解を深め、また、発展途上国の文化、経済水準が向上して、珍しいだけでなく、高いレベルの映画が多く製作されるようになってきた。

　中国語圏では1980年代あたりから香港のカンフー映画や中国、台湾における作品が世界的にも評価を受けるようになってきた。『黄色い大地』（1984年、中国）は、チェン・カイコーの作品で、『さらば、わが愛／覇王別姫』（1993年、中国、香港）も評価が高い。『黄色い大地』で撮影監督を務めた張芸謀（チャンイーモウ）も『紅いコーリャン』（1987年、中国）などで知られ、北京オリンピックの開会式の演出も行った。

　同じころに台湾でもニューシネマ運動があり、侯孝賢（ホウシャオシェン）の『悲情城市（ひじょうじょうし）』（1989年、台湾、香港）やエドワード・ヤン（揚徳昌（ヤンドゥーチャン））監督の『ヤンヤン夏の想い出』（2000年、台湾）が国際的評価を受けた。21世紀の映画でも最も評価が高いもののひとつになっている香港のウォン・カーウァイ監督の『花様年華（かようねんか）』（2001年、香港、フランス）で、のちに説明するBBCによる「21世紀の映画ベスト100」では堂々の2位にランキングされている。

　イスラム圏の映画としては、アカデミー賞の外国語映画賞を取ったアスガル・ファルハーディ監督の『別離』（2001年、イラン）への評価が高い。イスラム社会独特の問題にとらわれない普遍的な家族の問題がスリリングに描かれ高い国際的な評価を得たもので、21世紀の映画史上の掉尾（ちょうび）を飾る傑作である。

　日本の映画への評価は相変わらず高いが、そのなかで、世界的に圧倒的存在感を示しているのは、宮﨑駿（みやざきはやお）監督のアニメで『もののけ姫』（1997年、日本）、『ハウルの動く城』（2004年）など、いずれも大人気だが最高の評価は『千と千尋の神隠し（せんとちひろ）』（2001年）だ。

　1960年代の末から登場したドイツの作家たちが、ニュー・ジャーマン・シネマとしてもてはやされるが、代表作はヴェルナー・ヘルツォーク監督の『アギーレ／神の怒り』（1972年、西ドイツ）あたりか。

　21世紀になって流行している広い意味での冒険もののシリーズに『ハリー・ポッター』（2001年、英国、アメリカ）、『ロード・オブ・ザ・リング』（2001年、アメリカ、ニュージーランド）、『マッドマックス怒りのデス・ロード』（2015年、オーストラリア、アメリカ）がある。

　CGの発達が中世の騎士物語の夢と現実を交錯するような形で表現することが可能になったからこそ実現できたシリーズだと思う。

教養への扉　製作委員会方式では、その作品に製作コストをかけるなら配給収入を見込まなければいけないため、作家、監督のつくりたいものより、ポピュリズム的に大衆迎合したものになりがちといわれる。また、複数プロダクションの共同作業が多くなり、合意形成が必要なことも、そうした傾向を助長しているといわれる。CGアニメ、CGの発達で、どうしても安定した結果が望める原作もの、シリーズ化が優位になっている。

　歴代100選などというと、どうしても、新しい映画は入らないことが多い。映画の評価が定まるには、ある程度の時間がかかるし、現役の映画人にアンケートをしても、自分やライバルの作品を挙げるのは難しいのだろう。果たして、将来の時代に同じ評価が維持されているかどうかも含めてよくわからない。

　20世紀終わりから活躍して21世紀にも健在だった3人。テレンス・マリック監督はアッシリア系のアメリカ人だ。アッシリア人とは、イエス・キリストが説教に使ったアラム語をいまも母国語とするキリスト教の小会派の信者だ。脚本家として『ダーティハリー』(1971年、アメリカ)などに参加したのち『天国の日々』(1978年)を製作し光線の処理の見事さなどで絶賛される。フランスに移住し監督活動から遠ざかっていたが、『ツリー・オブ・ライフ』(2011年)でカンヌ映画祭のパルム・ドールを獲得。

　チェコ出身で1968年のソ連軍侵攻ののちアメリカに移ったミロス・フォアマン監督は、精神病棟を題材にした『カッコーの巣の上で』(1975年)とモーツァルトとサリエリを主人公にした『アマデウス』(1984年)でアカデミー賞監督賞を獲得。

　フランス生まれでポーランド系のロマン・ポランスキーは、ハリウッドで『ローズマリーの赤ちゃん』(1968年)で成功し、女優シャロン・テートと結婚した。しかし、猟奇的殺人事件でテートは殺された。その後『チャイナタウン』(1974年)は絶賛されたが、少女暴行事件で保釈中にフランスに逃亡した。その後は、『戦場のピアニスト』(2002年、フランス、ドイツ、英国、ポーランド)がアカデミー賞を獲得している。

　ヨーロッパ映画では、ジャン＝ピエール・ジュネ監督の『アメリ』(2001年、フランス)、フロリアン・ヘンケル・フォン・ドナースマルク監督の『善き人のためのソナタ』(2006年、ドイツ)、ペドロ・アルモドバル監督の『オール・アバウト・マイ・マザー』(2000年、スペイン)を挙げておく。

　21世紀の映画ベスト100というアンケートで、2016年にBBC(英国営放送)が世界の映画監督にしたことがある。

　①『マルホランド・ドライブ』デヴィッド・リンチ監督(2001年、アメリカ)、②『花様年華』、③『ゼア・ウィル・ビー・ブラッド』ポール・トーマス・アンダーソン監督(2007年、アメリカ)、④『千と千尋の神隠し』、⑤『6才のボクが、大人になるまで』リチャード・リンクレイター監督(2001年、アメリカ)、⑥『エターナル・サンシャイン』ミシェル・ゴンドリー監督(2004年、アメリカ)、⑦『ツリー・オブ・ライフ』、⑧『ヤンヤン夏の想い出』、⑨『別離』、⑩『ノー・カントリー』コーエン兄弟監督(2007年、アメリカ)。

教養への扉　21世紀の映画界で吹き荒れているのはセクハラ騒動。プロデューサー、監督、スターなど片っ端から過去の悪行を暴露されている。クリントンの娘を自社で研修させていたジェフリー・エプスタインといった超大物プロデューサーが摘発されたり、ロマン・ポランスキーのように名うてのワルであることがわかっていても勲章のように扱われたりしていたのも万事休すだ。

　フランス料理、中華料理、トルコ料理が世界の三大料理だという説が日本ではまことしやかに流れているが、トルコ料理というのは中東の料理を代表しているというように解釈すべきだろう。ここにインド料理、日本料理、イタリア料理、アメリカ料理を加えると世界のメジャーな料理文化はだいたいカバーできる。

　ヨーロッパではよそいきの高級料理はフランス料理で、他国の料理は郷土料理的位置づけであって、日本のように英国料理とかドイツ料理といった形で意識はされず、たとえば、ドイツにドイツ料理屋があるわけでない。

　イタリアだけは我が道を歩いて昔ながらのB級グルメ的な料理が主流だったが、フランス料理と融合した新しい料理が出てきて国際的にも人気だ。また、フランス料理にもエスニックな要素が加わり、一方、世界中でフランス料理の基礎の上に各地の特性を生かした料理が登場し、世界的な人気店がデンマークやスペインにも登場している。

　日本がとくにグルメの国であったわけではないが、伝統的に新鮮な魚介類などの素材を生かした料理は得意であるのが時代に合い、外国の料理に対する好奇心旺盛な国民性も相まって、日本料理もレベルアップしたし、オリジナルに近い世界の料理が食べられることでも出色であって、世界的なグルメ大国となった。

　中東では、イスラム教が豚肉や酒を忌避しているという制約があるが、羊の肉や豆類を使った料理が主でスイーツも好まれる。クスクス（極小のパスタにスープをかける。アフリカのニガリはトウモロコシの粉になる）やシシカバブなどは世界で広く好まれている。モロッコとかレバノンはフランス料理との交流でレベルが高い。ドイツでは移民が多いトルコのケバブ（写真）が軽食として人気。インドでも人気が高いインド料理は小麦生産地の北部では中東料理に近く、稲作が盛んな南部では東南アジアに近いが、広い意味でのカレー味が主体であるのは共通だ。

　中華料理については、B級グルメ的には強いが、高級料理は希少材料や薬膳効果に傾きすぎて、本当に洗練された料理文化にはなっていなかったことは、ミシュラン三つ星がつく中華レストランが世界でもほんのわずかしかないことが証明している。

　アメリカではハンバーガーなど手軽で万人向けのファストフードにすぐれたものがあるほか、タコスに代表されるトウモロコシや唐辛子を使ったメキシコ風料理もアメリカ料理の一部になっている。南米ではペルー料理への評価が高い。

教養への扉　フランス料理は、フランスの宮廷やブルジョワ社会において、肉を中心にしたゲルマン人などの料理が高度に洗練されたものだ。ルネサンス時代にメディチ家出身のカトリーヌ王妃がイタリアの料理を持ち込んだことで長足の進歩を遂げた。そのイタリア料理は、中東の料理文化の刺激のもとで発展した。

ファッション
乗馬に向いた服装として生まれた洋服

　人類は2万年以上前から、毛皮を切ったり、草を編んだり、さらに麻から繊維を取りだして初歩的な織物をつくったりして原始的な衣服をまとっていたようだ。現存する最古のものは、アルプス山中で氷づけになって発見された「アイスマン」が身につけていた毛皮の上着やコート、帽子、草で編んだマント、そして革の靴である。

　古代人の衣服は、腰布、ローマのトガやインドのサリーにつながる「巻き衣（ドレーパリー）形式」、南米のポンチョのような布の真ん中に頭を出す穴を開けた「チュニック形式」、日本の呉服のように前開きの衣服の左右を打ち合わせる「前開（カフタン）形式」などがあったが、騎馬服から始まったといわれるズボンと細い袖のついた上着の現代の洋服に通じる「体形衣形式」へ発展していった。

　繊維の利用は麻から始まり、紀元前4000年あたりに毛織物が、紀元前3000年ごろには綿織物も織られるようになった。絹織物は紀元前2500年あたりから中国で生産されていたが、6世紀には東ローマ帝国でも生産できるようになり、染色や柄織物の技術も進歩して華麗な服飾文化が生まれた。

　しかし、ヨーロッパに上着、ズボン、マントという組み合わせの服装を普及させたのはゲルマン人である。女性は腰を細く見せるようなっていった。フランス革命のころ、男性の長いズボンが庶民の象徴とされ、半ズボンをはかないことを意味するサン・キュロットは市民階級の代名詞になった。

　一方、19世紀後半から女性が活動的になり始め、第一次世界大戦で銃後の活動に女性が進出したことから、スカートが短くなった。そして、パンタロンをはくことも多くなった。戦後の変化では、既製服の生産が本格化し、1960年からはプレタポルテという形で一流のデザイナーたちもこの分野で活躍するようになった。

　中国では伝統的には和服（呉服）のような合わせ襟形の上着に和服の袴のようなスカートをはくことが一般的であったが、北方民族の支配のもとで丸首や詰め襟、短い袖のチャイナドレスへ移行した。中東では、ゆったりして長い上着とパンタロン、そして頭から被り物をするのが基本である。パンタロンの足首が縛ってあるのは砂塵や虫への対策でもある。女性は頭からヒジャブという布をかぶり、チャードルで全身を覆うこともある。

　東南アジアではバティックのようなろうけつ染めの上着に女性は腰巻き式のスカート、男性はゆったりしたズボンである。ベトナムのアオザイはチャイナドレスの変形で細身で深いスリットが特徴だ。

教養への扉　デニム地のジーンズなどは、ゴールドラッシュ時代の鉱夫のためのすり切れない生地としてインディゴ染めのキャンバス（帆布）を使うことを思いついたことから始まる。デニムの語源はフランス語のドゥ・ニームでプロヴァンス地方ニームの特産だったことによる。ジーンズは産地で積み出し港でもあったジェノヴァのフランス語名の英語読みである。

哲学は現在のトルコ南西部の都市であるミレトスで生まれた。ギリシャ人たちは、「人間とは何か」「いかに生きるべきか」を考え議論することを好み、紀元前5世紀の末から紀元前4世紀にかけて活躍したソクラテス、プラトン、アリストテレスを生んだ。

ソクラテスは著作を残さず、『ソクラテスの弁明』『国家』などプラトンの著作を通じてその哲学を知ることができる。プラトンは普遍的で完全な真実の世界を思弁によって認識しようとして「イデア」という概念を追究し、ポリス運営の考え方の体系として思想をまとめ、アカデメイアを設立して普及に努めた。プラトンの弟子アリストテレスは現実社会に適用されるように経験論、科学の重視を打ち出した。『形而上学』『政治学』などが講義録などの形で残っている。

ローマでは禁欲的なストア哲学が盛んとなり、ゼノンがその創始者であり、ルキウス・アンナエウス・セネカなどが発展させた。セネカは雄弁術においても知られ**『幸福な人生について』**などの随筆や「人生は短いのではない。われわれがそれを短くしているのだ」といった名言の数々で知られる。マルクス・アウレリウス・アントニヌスは五賢帝の最後で『自省録』で知られる。

ギリシャ人は吟遊詩人が物語るのを聞くのを好んだが、その最高峰がトルコのイズミルに近いキオス島出身のホメーロスであり、**『イーリアス』『オデッセイア』**であることはいうまでもない。また、天候がよいギリシャでは野外劇場での演劇が好まれ『アガメムノン』のアイスキュロス、**『オイディプス王』**のソポクレス、**『エレクトラ』**のエウリピデスという三大悲劇作家や『女の平和』のアリストパネスなど喜劇作家が活躍し、それらは、現代においても各国語での鑑賞に堪える永遠の価値を発揮している。

また、『歴史』のヘロドトスは歴史という分野を確立したパイオニアである。ローマでは、**『アエネーイス』**のプーブリウス・ウェルギリウス・マーローの叙事詩や、ガイウス・ユリウス・カエサルの『ガリア戦記』、コルネリウス・タキトゥスの『ゲルマニア』といった戦記物にすぐれたものが多い。

人類最古の文明が栄えたメソポタミアのバビロンにおける**『ハンムラビ法典』**は、「目には目を」という公平性の原則、弱者保護といった法思想をかなり実現していた。ルーヴル美術館で見ることができるハンムラビ法典の石碑は、1901年にイランのスーサで発見され、法秩序の原典ともいうべきものだ。

これを超えたのは、東ローマ帝国のユスティニアヌス大帝による**『ローマ法大全』**で1800年前後の**『ナポレオン法典』**の編纂に至るまで欧州の法規範となった。

教養への扉 アリストテレスの考え方は、ローマ、イスラム、中世キリスト教の世界で規範とされたが、その現実主義に対してプラトンの考え方は理想論として対峙した。3世紀のプロティノスは究極の真理は、人間が認識できるものではなく直感するのみという新プラトン主義を提唱し後世に大きな影響を与えた。

世界史に残る思想と文学100選②
中世キリスト教とイスラムの誕生が生んだ名作

　キリスト教は、ユダヤ教の、救世主が現れて救われるという教義を、民族や階級を超えた普遍的なものに発展させた新興宗教としてローマ帝国内で広まり、4世紀にはローマ帝国の国教となった。一方、キリスト教の兄弟分としてイスラム教が生まれた。

　キリスト教はユダヤ教の『旧約聖書』を土台とし、ギリシャ語で書かれた『**新約聖書**』でその考え方をギリシャ思想の影響のもとで確立した。3世紀にリビア生まれのアウレリウス・アウグスティヌスは、新プラトン主義の影響のもと、人間の原罪が教会によって救われることを理論化し『告白』『神の国』を書いた。13世紀のトマス・アクィナスは『**神学大全**』でアリストテレスの思想に助けられながら、人間の思索の価値を認めつつ、それで解決しない部分は神に頼るしかないと、キリスト教とギリシャ哲学を融合させた。

　キリスト教は西ヨーロッパでは聖人信仰などを通じて土着化したが、中東ではムハンマド・イブン＝アブドゥッラーフが、より厳しく神の力のを高みに押し上げ『**コーラン**』経典とした。イスラム教では、シーア派系のイブン・スィーナーやアル＝ファーラービーらが新プラトン派的にアリストテレス哲学を取り入れたのに対して、セルジューク・トルコ時代のアフマド・ガザーリーは、神秘主義に依拠して、『**哲学者の自己矛盾**』を書いてスンナ派の理論的支柱を打ち立てた。スペインではイブン・ルシュド（アヴェロエス）らがアリストテレス研究を発展させ、スコラ哲学の確立に大きな影響を与えた。

　『千夜一夜物語』はペルシアなど各地の民話を集めたもので、19世紀にフランスで整理されたものが、イスラム社会への理解を普及させた功績は多大である。

　中世のヨーロッパでは、騎士道をテーマとした物語や民族的な叙事詩が好まれ、『ニーベルンゲンの歌』『**ローランの歌**』『トリスタンとイゾルデ』『パルジファル』、一連の『**アーサー王物語**』（初期のものではクレティアン・ド・トロワの『ランスロまたは荷車の騎士』、後世のものでよく読まれているのが15世紀ウェールズのトマス・マロリーの『アーサー王の死』）など、リヒャルト・ワーグナーのオペラの素材としても有名だ。

　十字軍などで西ヨーロッパでは古代文明への理解が深まり、ルネサンスの時代になる。ダンテ・アリギエーリの『**神曲**』やジョヴァンニ・ボッカッチョの『デカメロン』はその先駆で、ニッコロ・マキャヴェッリの『**君主論**』は現実の政治を理論化しマルコ・ポーロの『東方見聞録』は世界への目を開かせた。

　ジェフリー・チョーサーの『**カンタベリー物語**』、フランソワ・ラブレーの『ガルガンチュワとパンタグリュエル』、ピエール・ド・ロンサールの『恋愛詩集』、ミゲル・デ・セルバンテスの『**ドン・キホーテ**』は、いずれも人間性の解放へ向かう記念碑的な作品だ。

教養への扉　イスラム教、とくにスンナ派では、キリスト教より細かく日常生活から法的側面に至るまで規定しており、すぐれた成果を与えもしたし、必要以上に社会の硬直化や、ほかの宗教などとの摩擦も招いている。14世紀のイスラム法学者イブン・タイミーヤはイスラム原理主義の教祖的存在と注目されている。

全盛期を迎えたローマ教会の権威に挑戦したのが宗教改革であり、それに対抗してイエズス会らが反宗教改革を支えた。一方、キリスト教への批判も解禁され、その頂点が18世紀フランスにおけるヴォルテールらによる啓蒙思想の隆盛である。

マルティン・ルターは、『**95ヶ条の論題**』で教会の権威を否定し聖書のドイツ語訳を行った。ジャン・カルヴァンは『**キリスト教綱要**』などでカトリックと戦うことや倫理性の高い生活をすることを求めた。それに対して、イグナチオ・デ・ロヨラは多くの書簡などでカトリック精神を鼓舞した。

また、その象徴は、ニコラウス・コペルニクスの地動説、さらにガリレオ・ガリレイやアイザック・ニュートン（『**プリンキピア**』）が宇宙の仕組みを明らかにした。

哲学では、『**方法序説**』のルネ・デカルトによって理性の重視が理論化され、『**人間悟性論**』のジョン・ロックは経験主義を確立して民主主義に理論的基礎を与えた。ブレーズ・パスカルは人間性における悲惨と偉大の両極を直視し救うものがキリスト教であるという考えを『**パンセ**』で著した。

『哲学書簡またはイギリス便り』などのヴォルテール、『**社会契約論**』や『エミール』のジャン＝ジャック・ルソー、『法の精神』のシャルル・ド・モンテスキューらによる啓蒙主義は、人権が自然法的に与えられたことを確認し、過去の権威を否定してフランス革命に道を開いた。ドゥニ・ディドロとジャン・ル・ロン・ダランベールによる『**百科全書**』の刊行は近代合理主義の普及に絶大な影響を与えた。より直接的に革命的気分を煽ったのは、カロン・ド・ボーマルシェの『フィガロの結婚』。

文学では英国でウィリアム・シェイクスピア（写真）が近代劇の隆盛をもたらした（『ハムレット』『**ロミオとジュリエット**』など）。フランスのヴェルサイユの宮廷では古典劇が好まれ『**ル・シッド**』のピエール・コルネイユ、『**フェドール**』のジャン・ラシーヌ、『**タルチュフ**』のモリエールらが活躍した。

英国ではジョナサン・スウィフトの『ガリヴァー旅行記』、ダニエル・デフォーの『**ロビンソン・クルーソー**』のような冒険物語が好まれた。

ドイツでは『**ウィリアム・テル**』のフリードリヒ・フォン・シラーや『若きウェルテルの悩み』『**ファウスト**』のヨハン・ヴォルフガング・フォン・ゲーテが出て激しい感情を表現してロマン派への道を準備した。また、グリム兄弟の『グリム童話』がまとめられた。フランスのラクロの『**危険な関係**』は書簡体文学の、ラファイエット夫人の『**クレーヴの奥方**』は恋愛小説というジャンルを確立した。

教養への扉　ヴォルテールは、1730年代から啓蒙思想家として知られ、プロイセンのフリードリヒ2世に招かれポツダムに滞在し、ロシアのエカチェリーナ2世などとも文通して、当時は大変な人気で、晩年はスイス国境のフェルネに移り住んだ。

　キリスト教の束縛からの解放が進んだ19世紀には自由に思考し、人間や社会の本質に迫る哲学が生まれていった。そして、20世紀には、国際主義、平和主義、人種差別反対、男女平等、環境保護といった価値観が力を持つようになった。

　18世紀後半からドイツで哲学が盛んになり、『**純粋理性批判**』でイマヌエル・カントは合理主義と経験主義を超えた認識論を唱え、『**精神現象学**』でゲオルク・ヴィルヘルム・フリードリヒ・ヘーゲルは弁証法的な思考をすることで絶対知に至ることが可能とした。フリードリヒ・ニーチェは『**ツァラトゥストラかく語りき**』で永劫回帰で進歩を否定し、繰り返されていくだけだとした。デンマークのセーレン・キュルケゴールは、『**死に至る病**』で普遍的な価値に染まらずに生きていく価値を強調した。

　エドワード・ギボンの『**ローマ帝国衰亡史**』は歴史から学ぶ説得性を高めた名著。オーギュスト・コントは『実証哲学講義』で社会学への道を開いた。アレクシ・ド・トクヴィルは『**アメリカのデモクラシー**』でこの国の政体がいかに機能しているかを社会学的な見地から明らかにした。チャールズ・ダーウィンの『**進化論**』は、キリスト教的な世界観を科学の立場から粉砕した。

　20世紀になると、フランスのアランは『**幸福論**』で考え方次第で人間は幸福になれる、ドイツのマルティン・ハイデッガーは『**存在と時間**』で五感や意識で存在を意識できることこそが人間である、とした。ジャン＝ポール・サルトルは「どのように生きるべきか？　といえば自分のなかに閉じこもらず、主体的にかかわること」であって、社会参加や政治参加の必要性を強調した実存主義を唱えた。哲学書より小説『嘔吐』を先行させるべきだ。

　一方、アメリカでは『**論理学説研究**』のジョン・デューイに代表されるプラグマティズムが力を持った。政治の分野では、ジョン・ロールズの『**正義論**』がリベラリズムを、保守主義ではエドマンド・バークの『フランス革命の省察』（1890年）がバイブル的存在。

　アルベルト・アインシュタインは『一般相対性理論』によってアイザック・ニュートン的な宇宙観から人々を解放した。ジークムント・フロイトは『**精神分析入門**』により無意識に人間が考えたり行ったりすることに日を当てた。シモーヌ・ド・ボーヴォワールは『**第二の性**』で「女性」問題に脚光を当てた。マックス・ヴェーバーの『**資本主義の精神**』は、カルヴァン主義の資本主義発達における貢献を論じた。

　いずれにせよ、20世紀はじめに頂点を迎えた正統的な西欧文明が、ファシズム、共産主義、イスラム、中国などに脅かされ、さらに先進国内でもマイノリティや環境派の力が増したり伝統的な家族観が崩れたりする一方、グローバル化によるGAFA（Google、Amazon、Facebook、Apple）などの強大化が見られるなかで、思想も激しい現実の変化のなかで立ちすくんでいるように見える。

教養への扉　経済学が生まれ、アダム・スミスは市場機構への信頼を主張し、カール・マルクスは生産手段の公有化による理想社会を主張したが、詳細は244〜252の経済の項を参照。

世界史に残る思想と文学100選⑤
ロマン主義と自然主義を反映した19世紀の西洋文学

19世紀前半、過去に回帰し歴史や民族の伝統を尊重するロマン主義。19世紀半ば、資本主義経済の問題点や科学技術の発展などから、人生の現実をありのまま表現する写実主義や人間を科学的に観察し社会の矛盾や人間性の悪の面を描写する自然主義が生まれた。

　19世紀前半は革命の時代であった。新しい時代の熱気に煽られて、フランスでは『レ・ミゼラブル』のヴィクトル・ユーゴーが自由を求めて執筆でも実生活でもカリスマとなった。『チャイルド・ハロルドの巡礼』のロード・バイロン（英国）はギリシャ独立戦争に参加した。アメリカでは詩人ウォルト・ホイットマンや『アッシャー家の崩壊』のエドガー・アラン・ポーが活躍し、ロシアでは『大尉の娘』のアレクサンドル・プーシキンが国民的作家の代表と見なされている。

　19世紀の半ばからは、人生の現実をありのまま表現する写実主義が流行し、フランスでは特権階級への敵意と野心を描いた『赤と黒』のスタンダール、人間模様を風刺的に描いた『ゴリオ爺さん』のオノレ・ド・バルザック、『ボヴァリー夫人』のギュスターヴ・フローベールがいる。

　英国ではチャールズ・ディケンズが『二都物語』『クリスマス・キャロル』『オリヴァー・ツイスト』などでロンドンの下層階級の生活を活写しただけでなく、社会問題の解決への関心を高めることに成功した。ロシアでは農奴の惨めな境遇や戦争の災禍が描かれた、『検察官』のニコライ・ゴーゴリ、『桜の園』のアントン・チェーホフ、『罪と罰』『カラマーゾフの兄弟』のフョードル・ドストエフスキー、人道主義者としても知られる『戦争と平和』『アンナ・カレーニナ』のレフ・トルストイなどが出た。

　自然主義は社会の矛盾や人間性の暗い面に着目したもので、ドレフュス事件でも活躍した『居酒屋』などのエミール・ゾラ、『女の一生』のギ・ド・モーパッサンが代表。ノルウェーのヘンリック・イプセンは近代演劇の名作『人形の家』でセンセーションを巻き起こした。ルイス・キャロルの『不思議の国のアリス』やハンス・クリスチャン・アンデルセンの『人魚姫』などは児童文学の傑作

　おもしろい文学といえばトマ＝アレクサンドル・デュマの『モンテ・クリスト伯』『三銃士』、ブロンテ姉妹の『嵐が丘』や『ジェーン・エア』も挙げるべきだろう。

　詩は翻訳が難しいし短いものが多いのでほかの文学と一緒に論じにくいが、19世紀のドイツのハインリヒ・ハイネが『歌の本』とか、近代詩の父といわれるシャルル・ボードレールの『悪の華』あたりになると翻訳の問題を通り越して魅力的だ。

教養への扉　19世紀以降の主たる詩人の名前だけ挙げておく。英国のウィリアム・ワーズワース、ジョン・キーツ、ジョージ・ゴードン・バイロン、アルフレッド・テニスン、フランスのポール・ヴェルレーヌ、アルチュール・ランボー、ステファヌ・マラルメ、アメリカのウォルト・ホイットマン、エドガー・アラン・ポー、ロバート・フロスト、オーストリアのライナー・マリア・リルケ、イタリアのベルナルド・ベルトルッチ、チリのパブロ・ネルーダ。

　20世紀文学は戦前のモダニズム文学、1960年以降のポストモダン文学に二分できるといわれる。技術の進歩は書籍の制作を容易にし、さらには、ITにその主戦場は移り、文学作品も自由に発表できるようになって、ジャンルも無限に広がっていっている。

　アメリカ文学が世界で大人気で『老人と海』『キリマンジャロの雪』『日はまた昇る』などのアーネスト・ヘミングウェイはその代表。高校を放校処分された不良少年が主人公のジェローム・デイヴィッド・サリンジャーの『ライ麦畑でつかまえて』、南部の社会を強烈な個性で書き上げたウィリアム・フォークナーの**『アブサロム、アブサロム!』**、反対に主婦が古い南部への郷愁を歌い上げたマーガレット・ミッチェルの**『風と共に去りぬ』**。さらに、覆面作家として有名なトマス・ピンチョン、『ターザン』シリーズのエドガー・ライス・バローズ。

　戦前のヨーロッパでは、時間と記憶をテーマにした大作**『失われた時を求めて』**のマルセル・プルースト（フランス）、日常性の奥にひそむ生の不条理を描いた『城』『変身』などのフランツ・カフカ（チェコ生まれのドイツ語作家）、系統立った筋書きから解放された意識の流れを描いた**『ユリシーズ』**のジェイムズ・ジョイス（アイルランド）などが代表する作家だ。

　ジャン＝ポール・サルトルらのフランス実存主義の傑作は、アルベール・カミュの**『異邦人』**であり、ロマン・ロランの『ジャン・クリストフ』は左派的な文学の典型、冒険を描いた文学ではアントワーヌ・ド・サン＝テグジュペリの**『星の王子さま』**、『人間の条件』のマルロー、『愛人』のマルグリット・デュラスなど。

　ドイツ系では『ヴェニスに死す』のトーマス・マン、『マルテの手記』のライナー・マリア・リルケ、『ブリキの太鼓』のギュンター・グラス、ロシアでは『ドクトル・ジバゴ』のボリス・パステルナーク、**『ガン病棟』**のアレクサンドル・ソルジェニーツィンなど。英国では『人間の絆』のサマセット・モーム、『チャタレイ夫人の恋人』のデーヴィッド・ハーバート・ロレンス。アガサ・クリスティの『オリエント急行の殺人』など推理小説、ジョージ・オーウェルの**『1984年』**、J・K・ローリングの『ハリー・ポッターと賢者の石』やジョン・ロナルド・ロウエル・トールキンの『指輪物語』は世界的な大ベストセラーである。

　南米ではマジックリアリズムといわれる現代のおとぎ話が現れ、**『百年の孤独』**のガブリエル・ガルシア＝マルケス（コロンビア）、『伝奇集』のホルヘ・ルイス・ボルヘス（アルゼンチン）、『緑の家』のマリオ・バルガス・リョサ（ペルー）などが代表。

教養への扉　ノーベル文学賞を受賞した言語は、英語29人、フランス15人、ドイツ14人、スペイン11人、スウェーデン7人、ロシア、イタリア6人、ポーランド5人、デンマーク、ノルウェー3人、中国、日本、ギリシャが2人である。ひとりはトルコ、ハンガリー、ポルトガル、アラビア、チェコ、イディッシュ、ヘブライ、セルビア・クロアチア、アイスランド、フィンランド、ベンガル、プロヴァンスの12カ国語。

　春秋・戦国時代の中国では、諸子百家といわれる思想家たちが現れて活躍をし、秦漢帝国の安定にあたっては、法家と儒家がイデオローグとして争った。秦の始皇帝は法家を採用し、法治主義や皇帝絶対主義を強く打ち出し、儒者は焚書坑儒で弾圧したが、漢は儒教を統治の中心哲学に据えた。

儒教行子孔師兄

　儒教の創始者は孔子（写真。前552または551〜前479年）で『論語』がよく知られている。南宋の朱熹は、精緻な理論化を朱子学に結実させ、入門書である『近思録』は広く学ばれた。また、明の王陽明が『伝習録』などで唱えた陽明学は中国でより近代日本に大きな影響を与えた。道教については、『老子』『荘子』、法家では『韓非子』、兵法書として『孫子』がある。
　中国はおもしろい長編小説が多い。『三国志演義』『水滸伝』『西遊記』『金瓶梅』を日本では四奇書というが、中国では『金瓶梅』に代えて『紅楼夢』を入れることが多い。
　漢詩は李白、杜甫、白居易、蘇軾など人気詩人が多いが、ここでは歴史的に人気のある詩集として、明の李攀竜が編集した『唐詩選』を挙げておく。李白や杜甫などを中心に唐の全盛期のものを中心に選んでいる。中国近代文学では、魯迅の『阿Q正伝』が代表作。中国の史書としてはなんといっても司馬遷の『史記』が圧倒的。『貞観政要』は唐の名君太宗の治世哲学をまとめたもので、現代の経営者に至るまで読まれている。
　日本の文学では、短詩が好まれたのが特徴だ。現代における人気では『万葉集』だが、伝統的に重んじられたのは『古今和歌集』である。ここでは大衆にまで親しまれた『百人一首』をもって代表させておく。俳句では松尾芭蕉の『奥の細道』に尽きる。
　小説としては『源氏物語』が成立時期の早さも含めて世界文学史上の奇跡的な作品。琵琶法師による『平家物語』も見逃せない。世阿弥の『花伝書』は見事な芸術論。近代化にあたって福沢諭吉の『学問のすゝめ』が果たした役割は非常に大きい。
　インド系のものでは、サンスクリット語の叙事詩である『ラーマーヤナ』がヒンドゥー教の世界観を語り尽くしている。グプタ朝時代のカーリダーサの『シャクンタラー』はヨーロッパにも紹介されヨハン・ヴォルフガング・フォン・ゲーテに影響を与えた。ベンガル語の詩人ラビンドラナート・タゴールは、詩集『ギーターンジャリ』をみずから英訳し1913年にノーベル文学賞を獲得した。
　仏教経典では『阿含経』が最も古いといわれているが、大乗仏教のなかで『般若心経』や『法華経』がより進化した形で書かれた。

教養への扉　『武士道』は実際に武士によって実践されていたものとはほど遠く、西洋の騎士道に似たものがあるとして禅の精神を反映した武士像を新渡戸稲造が創作したに等しいが、日本人にも外国人にも大きな影響を与えた。現代のものでは、もし、挙げるとしたら、日本経済新聞の『私の履歴書』のシリーズだ。日本人に勇気を与えてきたと思う。

近代オリンピック（夏季）は、1896年に第1回大会がアテネで開かれた。2020年の東京大会は第32回であるが、1916年の第6回、1940年の第12回、1944年の第13回は世界大戦のために中止されているので、実質的には第29回ということになる。2024年はパリ、2028年はロサンゼルスでの開催がすでに決まっている。

近代オリンピックの前身は、古代ギリシャのオリンピア（最近ではクルーズ船で訪れる人が多い）で行われていた古代オリンピックである。始まったのは、紀元前9世紀ごろであり、西暦392年にテオドシウス帝がキリスト教を国教としたのを受けて393年の第293回大会を最後に中断された。

このときの競技としては、約191mの徒競走が第1回から行われた種目だが、五種競技もあって、短距離走、幅跳び、円盤投げ、やり投げ、レスリングから成っており、これらが人気競技だったことがわかる。

近代オリンピックは、フランスのピエール・ド・クーベルタン男爵の提唱で始まった。1892年にソルボンヌ大学でオリンピック復興の構想を明らかにし、それが4年後にアテネでの第1回大会に結実した。以下、各大会の概要を紹介する。

第1回・アテネ（ギリシャ、1896年）……大会参加者は男子のみ。近代オリンピック最初の競技は陸上の100mでアメリカのジェームズ・コノリーがほかの国の選手がしなかったクラウチングスタートをして差をつけた。マラソンは、ギリシャのスピリドン・ルイスが優勝した。この大会のために作曲された『オリンピック讃歌』は東京大会で復活した。

第2回・パリ（フランス、1900年）……ギリシャは恒久開催を主張したが持ち回りに。ただし、万国博覧会の附属大会として5カ月にわたって開かれた。ハトを標的にした射撃、凧揚げ、魚釣りなども。英国のシャーロット・クーパーが女子テニスのシングルスで近代オリンピックの女子金メダリスト第1号となった。

第3回・セントルイス（アメリカ、1904年）……これも万国博覧会の附属大会だった。ヨーロッパの参加国は少なく、91種目中42種目でアメリカだけが参加した。マラソンで途中で自動車に乗った「キセルマラソン」事件が知られる。

第4回・ロンドン（英国、1908年）……ローマでの開催が予定されていたがヴェスヴィオ山の噴火などでロンドンになった。個人参加から各国のオリンピック委員会を通じての参加となった。マラソンでイタリア選手ドランド・ピエトリは競技場のゴール直前で倒れて役員の助けでゴールしたが失格とされた。

教養への扉 ロンドン大会で、アメリカ選手団に同行していた聖職者が説いた「オリンピックにおいて重要なのは勝利することよりむしろ参加したことだ」という言葉をクーベルタンが取り上げて有名になった。この大会をのちにJOC（日本オリンピック委員会）委員となる岸清一らが視察して日本の参加のきっかけになった。

10ページでわかる五輪史②
1912年ストックホルム大会に初参加した日本

2019年のNHK大河ドラマ『いだてん』でよく知られるようになったが、日本選手団の初参加は、1912年のストックホルム大会である。初めてメダルを取ったのは、第一次世界大戦後の第7回のアントワープ大会で、テニスの熊谷一弥がシングルスと柏尾誠一郎と組んだダブルスで銀メダルを獲得した。そして、その8年後のアムステルダムで、陸上、水上ひとつずつの金メダルを取ることに成功した。

第5回・ストックホルム（スウェーデン、1912年）……日本から短距離の三島弥彦とマラソンの金栗四三が初参加した。マラソンでポルトガルのフランシスコ・ラザロが倒れて翌日に死亡した。

第6回（1916年）……ベルリン大会が予定されていたが第一次世界大戦で中止された。

第7回・アントワープ（ベルギー、1920年）……第一次世界大戦でベルギーは中立を侵されて戦場となったことから戦後復興のシンボルとして企画された。初めて選手宣誓が行われた。テニスの熊谷一弥がシングルスと柏尾誠一郎と組んだダブルスで銀メダルを獲得した。フィンランドのパーヴォ・ヌルミは陸上の1万m走をはじめ2種目で金メダルを獲得し、パリ、アムステルダムを含めて9個の金メダルを獲得した。

第8回・パリ（フランス、1924年）……ジョニー・ワイズミュラーが100m自由形、400m自由形、自由形リレーで金メダル、水球で銅メダルを獲得し、のちに映画スターとしてターザン役などで活躍した。内藤克俊は柔道家だったが、レスリングで銅メダルを獲得した。

第9回・アムステルダム（オランダ、1928年）……インドがホッケーで金メダル。陸上競技と体操で女子選手の参加が認められ、陸上800mに人見絹枝が出場し銀メダル。織田幹雄が三段跳び、鶴田義行が平泳ぎで金メダルを獲得。初めて聖火が使用された。テニスはプロ化に反対して実施競技から除外。

第10回・ロサンゼルス（アメリカ、1932年）……世界恐慌の影響もあり参加者が激減した。男子競泳で日本が400m自由形を除く5種目で金メダル。背泳では金、銀、銅を独占。三段跳びでは南部忠平が優勝。馬術のグランプリ障害飛越競技で西竹一中佐が愛馬のウラヌス号とともに勝利し、「バロン・ニシ」は大スターとして扱われた。

教養への扉 第10回大会はラジオ中継が予定されていたが、NBCとの交渉が難航し、アナウンサーが競技の模様をスタジオから語る「実感放送」で間に合わせた。

10ページでわかる五輪史③
ナチスの宣伝上手が発揮されたベルリン大会

アドルフ・ヒトラーのナチス政権下で行われたベルリン大会は、見事な運営、聖火リレー、記録映画などいろいろな意味において画期的な大会で、戦後のオリンピックにおいても模範とされるものだった。

第11回・ベルリン（ドイツ、1936年）……古代オリンピックの発祥地ギリシャのオリンピアで聖火を採火し「聖火リレー」が実施された。アメリカの黒人であるジェシー・オーエンスが、短距離と走り幅跳びで4冠を達成した。マラソンでは日本代表で朝鮮系の孫基禎が金メダルを獲得し、戦後、韓国で民族的英雄となった。女子平泳ぎで前畑秀子が、ドイツのゲネンゲルの追い込みを抑え制覇。ラジオ中継での河西三省アナウンサーの「前畑頑張れ」の連呼の実況が話題となった。サッカーでは優勝候補だったスウェーデンを破りベスト8に進出した。棒高跳びで西田修平と大江季雄の日本勢が、銀、銅メダルを獲得したが、メダルを半分ずつに割って「友情のメダル」とした。女流映画監督のレニ・リーフェンシュタールによる記録映画である『民族の祭典』は、スポーツ映画の記念碑的な名作といわれる。

第12回（1940年）……皇紀2600年に合わせて東京での開催が予定されていたが、戦争の激化のために辞退せざるをえなくなった。代替のヘルシンキ開催が予定されたが、これも取りやめとなった。

第13回（1944年）……ロンドンでの開催が予定されたが中止された。

第14回・ロンドン（英国、1948年）……日本とドイツの参加は認められなかった。そこで、日本では同時刻に水泳競技を実施し、1500m自由形で古橋廣之進が記録したタイムは金メダルのアメリカ選手より41.5秒も速かった。オランダ女子のフランシナ・ブランカース＝クンが100m、200m、80m障害、400mリレーの4種目で金メダルを取った。

第15回・ヘルシンキ（フィンランド、1952年）……日本の参加も認められた。人間機関車といわれたチェコスロバキアのエミール・ザトペックが、5000m、10000m、マラソンで金メダルを獲得した。ソ連がオリンピック初参加した。

教養への扉　ロンドン大会での参加国は59カ国だったが、独立する国が増えて第19回のメキシコでは100カ国を超えた。

10ページでわかる五輪史④
東西冷戦中のオリンピックでの米ソの戦い

　1959年のIOC総会で1964年の第18回大会の東京開催が決まった。デトロイト、ウィーンなどを退けてのものだった。このときの外交官・平沢和重（ひらさわかずしげ）の招致演説は見事なものとして記憶されている。

TOKYO 1964

　第16回・メルボルン（オーストラリア、1956年）……南半球であるために11月から12月にかけての開催となった。ハンガリー動乱の直後なので水球のハンガリー、ソ連戦は流血の騒ぎになった。地元のマレー・ローズが競泳で三つの金メダルを取った。中国はヘルシンキには参加したが、台湾の参加に抗議してボイコットし、このあと1984年になるまで参加しなかった。

　第17回・ローマ（イタリア、1960年）……マラソンで裸足で走ったエチオピアのアベベ・ビキラ選手が優勝した。ボクシングのライト・ヘビー級では、アメリカのカシアス・クレイが優勝した。のちのモハメド・アリである。ヨットでギリシャのコンスタンティノス皇太子が金メダルを取った。自転車競技で興奮剤を飲んだ選手が死んでドーピング問題への関心が高まった。ソ連が最多の金メダルを獲得した。日本は体操での男子団体、小野喬（おの たかし）の鉄棒での2連覇など4個の金メダルにとどまった。

　第18回・東京（写真。日本、1964年）……マラソンではアベベが2連覇した。初めて行われた柔道無差別級ではオランダのアントン・ヘーシンクが優勝した。体操の個人総合ではチェコスロバキアのベラ・チャスラフスカが金メダルを取った。陸上100mでは、ボブ・ヘイズが期待された10秒の壁は破れなかったが優勝。体操では遠藤幸雄（えんどうゆきお）が個人総合で念願の金メダルを取った。大松博文（だいまつひろぶみ）監督に率いられた日本の女子バレーの優勝も大きな話題となった。レスリングで5個の金メダルを獲得した。柔道は重量級で猪熊功（いのくまいさお）など3個の金メダル。重量挙げでも三宅義信（みやけよしのぶ）が優勝した。水泳は極度の不振で最終日のリレーでの銅メダルだけにとどまり、失望が大きかった。

　第19回・メキシコシティ（メキシコ、1968年）……高地での影響が注目されたが、アメリカのボブ・ビーモン選手が桁違いの世界新記録で話題になった。走り高跳びのディック・フォスベリーが背面跳びで金メダルを獲得した。近代五種に出場したスウェーデン選手がドーピング検査違反者第1号となった。日本選手団では体操団体で3連覇した。釜本邦茂（かまもとくにしげ）らのサッカーが銅メダルを取って話題になった。女子体操のベラ・チャスラフスカが2連覇した。

教養への扉　東京大会は、衛星放送で世界に同時中継された。その実験放送が初めて行われたのは大会の1年前のことだが、その当日にジョン・F・ケネディ大統領暗殺事件が起こり、日本人は事件の生々しい様子をリアルタイムで知ることとなった。

10ページでわかる五輪史⑤
商業化を決定づけた1984年ロサンゼルス大会

　モントリオールオリンピックは石油危機が勃発したこともあって莫大な赤字を出して地元を長く苦しめた。モスクワ大会はアフガン戦争を理由に日米などがボイコット。しかし、ロサンゼルス大会では商業化オリンピックが成功して、公的資金をいっさい使わなかった。

　第20回・ミュンヘン（ドイツ、1972年）……選手村でイスラエル選手団が人質となり救出作戦の失敗で選手に9人の死者が出た。水泳のマーク・スピッツ（アメリカ）が7個の金メダルを獲得した。バスケットボール決勝でアメリカがソ連に終了間際に逆転され判定に異を唱えて表彰式をボイコット。日本の男子バレーが金メダルを獲得した。体操では加藤澤男が個人総合で優勝。鉄棒の塚原光男の「月面宙返り」が話題に。競泳で田口信教と青木まゆみが金メダル。

　第21回・モントリオール（カナダ、1976年）……アフリカの22カ国がニュージーランドと南アフリカのラグビーでの交流をめぐってボイコット。ルーマニアのナディア・コマネチが史上初の10点満点を連発。アメリカが不振で金メダル数でソ連に次いで東ドイツが2位になり、競泳のコルネリア・エンダーが3種目で金。体操ではソ連のニコライ・アンドリアノフが個人総合と種目別3種目で優勝。IOCのトーマス・バッハ現会長がフェンシングで優勝した西ドイツのメンバーだった。日本では女子バレー、男子体操団体が金メダル。開催国カナダは金メダルなしに終わったが、これは夏季ではほかにない。

　第22回・モスクワ（ソ連、1980年）……アフガン戦争で日本などがボイコット。柔道の山下泰裕、マラソンの瀬古利彦がメダル候補だった。男子体操のディチャーチンがメダル8個を獲得。女子カヤックの東ドイツのビルギット・フィッシャーはこの大会から12個のメダル。キューバのテオフィロ・ステベンソンがボクシングヘビー級で3連覇。

　第23回・ロサンゼルス（アメリカ、1984年）……カール・ルイスが100m、走り幅跳びなど4種目で金。女子体操ではメアリー・ルー・レットンが女子体操個人総合で金、中国が参加し金メダル獲得数で4位になった。体操の具志堅幸司、柔道の山下泰裕や斉藤仁、ライフル射撃の蒲池猛夫が金メダルを獲得した。

　第24回・ソウル（韓国、1988年）……北朝鮮が大韓航空機爆破事件を起こした。テニスと卓球が競技に加えられた。陸上のフローレンス・グリフィス＝ジョイナー（アメリカ）、棒高跳びのセルゲイ・ブブカなどが活躍した。背泳ぎの鈴木大地が金メダルを獲得した。開会式で聖火台でハトが焼け死んだのではないかと話題になった。ボクシング決勝で韓国選手が金メダルを取ったが審判を買収していたことが発覚。

教養への扉　ソウルオリンピックの男子100mでは、カナダのベン・ジョンソンが9秒79の新記録でカール・ルイスに大差をつけたがドーピング検査で陽性反応が出て金メダル取り消し。ドーピング問題はこのころから深刻な問題として注目された。

10ページでわかる五輪史⑥
28回大会で104年ぶりにギリシャに戻る

　スペイン統一とコロンブスのアメリカ大陸発見から500年目の1992年には、セビリアで万博が、バルセロナでオリンピックが開かれた。バルセロナは商業化路線を推進したフアン・アントニオ・サラマンチ会長の地元でもあった。

　第25回・バルセロナ（スペイン、1992年）……開会式でのアーチェリーを使った聖火点火や有名歌手が勢ぞろいした音楽アトラクションは好評だった。プロ選手に解禁されたバスケットではアメリカのドリームチームが優勝した。初の正式種目となった野球ではキューバが金メダル。男子体操でベラルーシのビタリー・シェルボが6個の金メダル。中学生の岩崎恭子が平泳ぎで金メダルを獲得した。柔道では吉田秀彦や古賀稔彦が金。柔道女子が正式種目となった。オリンピック体育館を磯崎新が設計し、開会式のマスゲームの音楽を坂本龍一が作曲した。

　第26回・アトランタ（アメリカ、1996年）……ボクシングのスーパーヘビー級でウクライナのウラジミール・クリチコが金メダル。グレコローマンレスリングの「霊長類最強の男」アレクサンドル・カレリン（ロシア）が金。カール・ルイスは走り幅跳びで連覇。恵本裕子が女性柔道で初めての金メダル。田村亮子（谷亮子）は北朝鮮の桂順姫の柔道着の襟を左右逆に着る奇策に敗れる。男子サッカーでブラジルを破る「マイアミの奇跡」を実現したが予選リーグ敗退。ヨットや自転車競技でメダルを獲得。

　第27回・シドニー（オーストラリア、2000年）……聖火リレーの最終点火者は先住民アボリジニ出身者が務めた。水泳自由形のイアン・ソープが3個の金メダル。ギリシャのコンスタンティノス・ケンテリスが陸上男子200mで優勝。女子走り幅跳びのハイケ・ドレクスラー（ドイツ）は前々回に次いで2度目の金。サッカーはカメルーンが金。柔道の田村亮子が念願の金メダル。篠原信一が前大会覇者でフランスのダビド・ドゥイエに疑惑の判定で敗れた。ドゥイエはのちにフランスの閣僚になった。ほかにも柔道では2大会連続金メダルの野村忠宏をはじめ、井上康生や瀧本誠らが金。

　第28回・アテネ（ギリシャ、2004年）……準備遅れが心配されたが、結果的には大成功だった。モロッコのヒシャム・エルゲルージが1500mで金メダル。テコンドーで陳詩欣が台湾として史上初の金メダル。中国の劉翔が110mハードルでアジアで初のトラック競技での金。柔道の野村忠宏が3大会連続、谷亮子も2大会連続の金。日本は男女8個の金メダル。体操男子団体総合でも28年ぶりに頂点に。男子ハンマー投げでハンガリー選手がドーピング検査拒否で失格となって2位だった室伏広治が繰り上げで金メダル。シンクロナイズドスイミングで立花美哉、武田美保がデュエットと団体で銀。

教養への扉　バルセロナ大会では、女子マラソンの有森裕子がアムステルダム大会の人見絹枝以来64年ぶりの陸上競技女子の銀メダル獲得。シドニー大会では、ついに、高橋尚子が日本の女子陸上競技として初の金メダル。アテネ大会では野口みずきが金。

大阪も立候補して敗れる。ジャマイカのウサイン・ボルトが100mと200mに優勝。競泳のマイケル・フェルプスは9日間で17レースに出場し8個の金メダルを獲得して、これから3大会にわたって2人の黄金時代に。

第29回・北京（中国、2008年）……中国人映画監督の張芸謀がチーフディレクターを務めた開会式は大がかりな演出で話題に。「巨人が国家体育場に向かって歩いてくる」という演出で北京市街の上空に29歩の足跡を象った花火が打ち上げられる開会式の演出が話題に。中国が51個の金メダルを獲得し36個のアメリカを引き離した。北島康介が平泳ぎ2種目で優勝。レスリング女子で吉田沙保里と伊調馨が金。女子ソフトボールも制覇。柔道の内柴正人、谷本歩実、上野雅恵、石井慧が金。

第30回・ロンドン（英国、2012年）……開会式での「ジェームズ・ボンドにエスコートされた空飛ぶ女王陛下」の演出が話題に。この大会でもスターは陸上のボルトと競泳のフェルプスだったが、ボルトは3種目、フェルプスは4種目で優勝した。南アフリカのキャスター・セメンヤが女子800mを制覇して話題になった。ボクシングでは、村田諒太が東京オリンピック以来の金。体操男子個人総合で内村航平。女性レスリングでは小原日登美、伊調馨、吉田沙保里、男子で米満達弘、柔道で松本薫が金メダルを獲得した。銀メダルは、女子サッカー、女子ウエイトリフティング、アーチェリー、バドミントンといった競技でも獲得できた。

第31回・リオデジャネイロ（ブラジル、2016年）……ブラジルはネイマールらのサッカー、男子バレー、女子柔道のラファエラ・シルバなど7個の金メダルを獲得した。ゴルフはジャスティン・ローズ、7人制ラグビーはフィジーが金メダル。女子体操でアメリカのシモーネ・バイルズが4種目で金メダルを獲得。柔道では世界選手権7連覇のフランスのテディ・リネールが100kg超で2連覇。陸上のボルト、水泳のフェルプスは全盛期を過ぎていたが、それでも、3個と5個の金メダルを得た。競泳の萩野公介、金藤理絵、男子体操の団体と個人の内村航平、女子レスリングの登坂絵莉、伊調馨、川井梨紗子、土性沙羅、柔道男子の大野将平、ベイカー茉秋、女子の田知本遥、バドミントン女子ダブルスの高橋礼華、松友美佐紀が金メダルを獲得した。卓球団体は男子が銀、女子が銅だった。男子4×100mリレーで銀メダル、カヌーで銅も話題になった。

教養への扉　リオデジャネイロ大会では、ロシアの国ぐるみのドーピング疑惑が発生したことから、WADA（世界ドーピング防止機構）がロシアの選手のオリンピックへの出場停止を勧告し、IOCはロシア選手団389人のうち271人については、個人の資格での出場を認めた。

　東京で開催される2020年夏季オリンピックでは、33競技339種目が実施される。このうち、定例化されている「非追加種目」が28競技で、開催地の組織委員会提案の追加種目が5競技という数え方になっている。1964年の第18回東京大会では163種目であった。ただし、競技の統合や分割があるので計算は複雑だ。

　第1回のアテネ大会では、陸上競技、競泳、体操（ウエイトリフティングを含む）、レスリング、フェンシング、射撃、自転車、テニスが実施競技だった。

　1964年の東京オリンピックのときは20競技が開催された。陸上競技、ボート（漕艇）、バスケットボール、ボクシング、カヌー、自転車、フェンシング、サッカー、体操、ウエイトリフティング、ホッケー、レスリング、水泳、近代五種、馬術、射撃、水球、セーリング（ヨット）に、新しくバレーボールと柔道が加えられた。

　これを1936年のベルリン大会と比較すると、ベルリンで実施されて東京で実施されなかったのが、ハンドボールとポロと芸術競技（スポーツに関する芸術）であり、ベルリンでは競泳と飛び込みが別の競技としてカウントされていたので22競技だった。

　2020年の東京オリンピックでは、これに、アーチェリー、バドミントン、野球・ソフトボール、ゴルフ、ハンドボール、空手、ローラースポーツ、7人制ラグビー、スポーツクライミング、サーフィン、トライアスロン、卓球、テコンドーが加わる。

　このうち、野球・ソフトボール、空手、スポーツクライミング、ローラースポーツ、サーフィンが「追加種目」として扱われている。

　また、各競技のなかでトランポリン、新体操、アーティスティックスイミングなどが入っているし、水球は独立競技でなく水泳のなかに組み込まれた。

　また、競技のなかの種目数も激増している。たとえば陸上競技は1896年アテネで12、1936年ベルリンで29、1964年東京で36、2020年東京で48種目とそれほど変化していないが、競泳についてみると、1896年アテネで4、1936年ベルリンで11、1964年東京で18だが、2020年の東京大会では37種目とインフレ気味だ。

　アメリカの水泳選手フェルプスが1大会で8個の金メダルを取ったこともあり、明らかに過剰でバランスを失しているのではないか。

教養への扉　かつては競技種目だったがベルリン大会より前に消えていたものも多い。綱引き、クロッケー、クリケット、バスクペロタ、ラクロス、ロック、モーターボート、ジュ・ド・ポーム、ラケッツである。

10ページでわかる五輪史⑨
28年遅れて始まった冬季オリンピック

冬のオリンピックの可能性が語られたきっかけは、1908年の第4回ロンドン大会に屋内リンクでのフィギュアスケートが実施されたことである。さらに、1920年の第7回アントワープ大会でアイスホッケーも実施されていた。ただ、当時、事実上の「世界選手権」だったホルメンコーレンスキー大会を主催していたノルウェーなどの反対が支障だった。

冬季オリンピックは1924年にシャモニー・モンブランで第1回が開かれた。「第8回オリンピアードの一部として、IOCが最高後援者となり、フランス・オリンピック委員会がフランス冬季競技連盟とフランス・アルペンクラブ共同でシャモニー・モンブラン地方で開催する冬季スポーツ大会」というややこしいものだったが、大会は成功したので、翌年、プラハで開催されたIOC総会で、この大会が第1回冬季オリンピックとして追認された。

その後、1992年の第16回アルベールビル大会（フランス）までは夏季オリンピックと同年に開催されていた。しかし、1994年の第17回リレハンメル大会（ノルウェー）以降は夏季オリンピック開催年の中間の年に開催されている。

主な競技は、スキー（アルペン、ノルディック、それに最近ではスノーボード）、スノーボード、スケート、ボブスレーやリュージュなどソリを使うもの、カーリングなどである。

日本の参加は、1928年の第2回サンモリッツ大会（スイス）にスキーのノルディック種目の6人が参加した。初めてのメダル獲得は、第7回の1956年コルチナ・ダンペッツォ大会（イタリア）での、アルペンスキー男子回転で猪谷千春が獲得した銀メダルだ。この大会ではトニー・ザイラーがアルペン3冠を達成。

第10回（1968年）グルノーブル（フランス）……地元のジャン＝クロード・キリー（フランス）がアルペンスキーで3冠を達成。フィギュアのフレミングが人気。記録映画『白い恋人たち』とそのテーマミュージックが大ヒットして冬季オリンピックへの関心が高まった。

第11回（1972年）札幌（日本）……アジア初の冬季大会だった。オランダのアルト・シェンクがスピードスケートで金3個。オーストリアのカール・シュランツがアマチュア規定違反で出場できず。笠谷幸生らがスキージャンプ70m級でメダルを独占した。

第13回（1980年）レークプラシッド（アメリカ）……エリック・ハイデン（アメリカ）がスピードスケートで5冠を達成。フィギュアで渡部絵美が入賞。

第14回（1984年）サラエボ（当時はユーゴスラビア）……北沢欣浩（スピードスケート）が銀メダル。スピードスケート女子種目で、東ドイツが全種目を制覇した。

教養への扉　上記以外の大会……第3回（1932年）レークプラシッド（アメリカ）、第4回（1936年）ガルミッシュ・パルテンキルヘン（ドイツ）、第5回（1948年）サンモリッツ（スイス）、第6回（1952年）オスロ（ノルウェー）、第8回（1960年）スコーバレー（アメリカ）、第9回（1964年）インスブルック（オーストリア）、第12回（1976年）インスブルック（オーストリア）。

10ページでわかる五輪史⑩
幻の1940年札幌冬季オリンピック

　日本では、1940年に札幌で第5回大会が開催される予定だったが、第二次世界大戦の影響で中止。その後1972年に札幌で第11回大会が、1998年に長野で第18回大会が開催され、近い将来に札幌で再び開催される可能性が取り沙汰されている。

　第15回（1988年）カルガリー（カナダ）……実施種目が大幅に拡大された。黒岩彰（スピードスケート）が銅メダルを取り、橋本聖子も5種目で入賞した。

　第16回（1992年）アルベールビル（フランス）……伊藤みどり（フィギュア）が惜しくも優勝は逃がしたが銀メダル。優勝は日系アメリカ人のクリスティー・ヤマグチ。ノルディック複合団体で荻原健司らが金メダル。スケートで黒岩敏幸が銀。橋本聖子らが銅。

　第17回（1994年）リレハンメル（ノルウェー）……この大会から夏季大会とは別に開催することになった。アメリカ・フィギュア代表のトーニャ・ハーディングによるナンシー・ケリガン襲撃疑惑が話題に。ノルディック複合団体で金メダル。ジャンプ団体では原田雅彦の失敗ジャンプで銀。

　第18回（1998年）長野（347項写真。日本）……15歳のタラ・リピンスキーがフィギュアで金。以後は年齢制限ができた。スキー・ジャンプ団体で金メダル。船木和喜（ジャンプ）は個人でも金。里谷多英（モーグル）、西谷岳文（ショートトラック）、清水宏保（スピードスケート）も金。

　第19回（2002年）ソルトレークシティ（アメリカ）……史上最も標高の高い都市での開催。スケートで清水宏保が銀、モーグルで里谷多英が銅。

　第20回（2006年）トリノ（イタリア）……開会式でのパヴァロッティの歌唱が話題に。男子フィギュアでエフゲニー・プルシェンコが金。荒川静香（フィギュア）の金メダルが唯一のメダル。

　第21回（2010年）バンクーバー（カナダ）……女子フィギュアでキム・ヨナが浅田真央を抑えて金。加藤条治、長島圭一郎（スピードスケート）、髙橋大輔（フィギュア）もメダル。

　第22回（2014年）ソチ（ロシア）……羽生結弦（フィギュア）が金メダル。ノルディック複合で渡部暁斗が銀。小野塚彩那（フリースタイルスキー）が銅。

　第23回（2018年）平昌（韓国）……羽生結弦（フィギュア）が連覇。女子はロシアのアリーナ・ザギトワ。女子スケートの小平奈緒、髙木菜那、髙木美帆らが金3個獲得。女子ジャンプで髙梨沙羅が銅。

教養への扉　冬季五輪種目……アルペン（斜面をスキーで滑り降りる）、クロスカントリー（走るスキー）、ジャンプ、ノルディック複合（前半ジャンプ、後半クロスカントリー）、フリースタイル（モーグル・エアリアル・スキークロス）、スノーボード、スピードスケート、フィギュアスケート、ショートトラック、アイスホッケー、ボブスレー、リュージュ（ソリにうつ伏せで乗る）、バイアスロン（クロスカントリーと射撃）、カーリング。

スポーツ

パラリンピック
傷病兵のリハビリを兼ねた競技会がルーツ

　パラリンピックは、オリンピックと同じく夏季大会、冬季大会がそれぞれ4年に1度、オリンピックの終了後に同じ場所で開催される障がい者のスポーツ大会である。現在のような形で開かれるようになったのは、1988年のソウルオリンピックからである。

　ことの始まりは、1948年にロンドンでオリンピックの開会式が行われたのと同じ日、英国のストーク・マンデビル病院でドイツ出身の医師ルートヴィヒ・グットマンが提唱し、第二次世界大戦の傷病兵16名がリハビリの一環として行ったアーチェリーの競技会が起源だとされている。

　1952年にはストーク・マンデビル大会という形になり、1964年には東京でオリンピックの直後に行われた。そして、1988年のソウルからはオリンピックと同じ会場で行うということになった。

　それまで愛称だった「パラリンピック」が正式名称になり、1989年には国際パラリンピック委員会（IPC = International Paralympic Committee）が設立されて、オリンピックと同一の都市で開催することとなった。

　いまや、オリンピック、サッカーW杯に次ぐ、世界で3番目に大きなスポーツイベントだとすらいわれている。

　シンボルマークは、2004年のアテネ大会から使用されているもので、赤、青、緑の3色を用い、人間の最も大切な「心」（スピリット）、「肉体」（ボディ）、「魂」（マインド）を表している。

　2020年に開催される東京パラリンピックでは、22競技539種目が実施されることが決定し、陸上が168種目、水泳が146種目と、2競技だけで60％近くを占める。

　実施される競技は、陸上、アーチェリー、ボッチャ、馬術、（鈴が入ったボールを投げ入れる）ゴールボール、パワーリフティング、ボート、射撃、シッティングバレーボール、競泳、卓球、トライアスロン、車椅子バスケットボール、ウィルチェアラグビー（車椅子ラグビー）、車椅子テニス、カヌー、自転車、視覚障がい者5人制サッカー、柔道、車椅子フェンシングに加え、東京大会が初の実施となるバドミントンとテコンドーである。パラリンピックでは、視覚障がい者は「ガイドランナー」と呼ばれる伴走者と一緒に走るなど独特のルールがある。

教養への扉　パラリンピックは、下半身麻痺者を示す「パラプレジア」という言葉と、「オリンピック」を掛け合わせた造語だ。ギリシャ語の「パラ」は英語の「パラレル」の語源となった言葉で、「もうひとつの」という意味がある。当初は、下半身麻痺者が主だったのが、それ以外の障がい者が多くなったので略語にしたのである。

サッカー
球蹴り遊びからオリンピックと同格のW杯に発展

　サッカーはボール以外に道具が必要とされないことや、ルールが単純なため、経済水準や教育水準にかかわらず広く普及し、200を超える国と地域でプレーされる世界的な人気スポーツである。4年に一度行われるW杯はスポーツイベントとして圧倒的な視聴者数を誇る。国によって事情は変わるが、「フットボール」という言葉は主にサッカーを指す。

　球を蹴ることは遊技として、古代エジプト、古代ギリシャ、古代ローマで行われており、中国でも戦国時代に鞠を蹴る蹴鞠という遊技が存在した。その遊技が主にイングランドでフットボールとして発展していった。イタリアでもカルチョというよく似た競技が存在した。

　遊技としてのフットボールは、18世紀の階級社会であったパブリックスクールでは横暴な権力行使の手段となっていたが、学校の改革の一環としてルール化されたスポーツとなっていく。ただ、この時点では学校ごとにルールが異なっており、試合ごとのルール調整の手間などの解消のためルール統一の協議が行われていった。

　そのルールの違いによって、のちにボールを持って走ることを認めるかどうかで、アソシエーション式（初期のサッカー）とラグビー式とで、競技としての差別化が進むことになり、アソシエーション式のフットボールのルールが整備されていき、現代のサッカーとなった。

　パブリックスクールで行われていたフットボールは、その学校のOBから英国各地へ広まっていき、19世紀以降、世界進出をする英国人が大英帝国の拠点の世界各国に伝播した。現在、プロリーグとして、リーガ・エスパニョーラ（スペイン）、ブンデスリーガ（ドイツ）、プレミアリーグ（イングランド）、セリエA（イタリア）がサッカー四大リーグとなっている。

　歴代の有名選手として、サッカーの王様と呼ばれるペレ、「神の手」や「5人抜き」の**ディエゴ・マラドーナ**、「トータルフットボール」の体現者の**ヨハン・クライフ**、選手としてはもちろん日本代表の監督も務めた**ジーコ**、「銀河系軍団」と呼ばれたレアル・マドリードに所属した**ジネディーヌ・ジダン**、**ロナウド**、最近だと年間最優秀選手であるバロンドールを2008から2017年まで、1位、2位を争い続けた**クリスティアーノ・ロナウド**、**リオネル・メッシ**、そのほか、**フランツ・ベッケンバウアー**、**ロベルト・バッジョ**、ミシェル・プラティニらが挙げられる。日本選手だと、いまなお現役を続ける「キングカズ」こと三浦知良、日本人の海外移籍のパイオニアの中田英寿などがいる。

教養への扉　国対抗のW杯に対して、欧州のクラブチーム対抗の大会として、UEFA（欧州サッカー連盟）チャンピオンズリーグがある。世界トップレベルの選手が集まるチームが、シーズンを通してプレーしているので戦術面でも高いレベルを有しており、世界最高峰の大会となっている。さらに、その覇者が南米などの覇者と争うトヨタカップもある。

ラグビー
サッカー試合中の「反則」が新種目に

楕円形(だえんけい)のボールを奪い合って、相手のインゴールまで運ぶ、もしくはH型のゴール上部にボールを蹴り入れて得点を競う競技である。英国で中流、上流階級のパブリックスクールで行われていたことや日本でいう「ノーサイド」に代表されるような独自の文化によって、「紳士のスポーツ」とされる。

もともとはサッカーと同じフットボールの一種で、起源としてはイングランドの有名なパブリックスクールであるラグビー校（写真）でのフットボールの試合中、ウィリアム・ウェッブ・エリスがルールを破り、「ボールを抱えたまま相手のゴール目指して走り出した」ことだとされている（ボールを手で持つこと自体は禁止されていなかった）。

のちにフットボールをするうえで、各学校で異なっていたルールを統一する協議がされていき、アソシエーション式（初期のサッカー）で統一されていくなかで、ボールを持って走ること、ボールを運んでいる相手にハッキング（すねを蹴ること）、トリッピング（引っかけてつまずかせること）およびホールディング（押さえること）が認められなかったことで、アソシエーション式とラグビー式が分岐していくこととなる。

プロリーグとして、TOP14（フランス）、プレミアシップ（イングランド）、プロ14（スコットランド、ウェールズ、アイルランド、イタリア、南アフリカ）、日本のサンウルブズも参加しているスーパーラグビー（ニュージーランド、オーストラリア、南アフリカ、アルゼンチン）などがある。

歴代の有名選手として、ラグビーユニオン史上最多のキャップ数を誇り、オールブラックスのキャプテンも務めた**リッチー・マコウ**、最年少でオールブラックスに選出され、暴走機関車と呼ばれた**ジョナ・ロムー**、テストマッチ個人通算ポイント数歴代最多記録保持者で現在日本でプレーする**ダン・カーター**、イングランドをW杯初優勝に導いた**ジョニー・ウィルキンソン**とマーティン・ジョンソン、ウェールズ最高といわれたガレス・エドワーズ、グース・ステップを得意としたデイヴィッド・キャンピージ、それに、W杯にも出場したボーデン・バレット（ニュージーランド）、オーエン・ファレル（イングランド）、ファフ・デクラーク（南アフリカ）あたりか。

なお、2019年には日本でW杯が行われ、日本代表は初のベスト8進出を果たした。2015年のW杯で「ブライトンの奇跡」「史上最大の番狂わせ」とまでいわれた、南アフリカ戦での勝利があっても果たせなかった悲願を達成したのだった。前日本代表ヘッドコーチを務め、今大会で準優勝したイングランド代表を率いたエディー・ジョーンズが提唱した「ジャパン・ウェイ」も注目された。

教養への扉　ラグビーには13人制のラグビーリーグと15人のラグビーユニオンがあり、W杯や日本で行っているのは後者である。この二つ以外に7人制ラグビー（セブンズ）もありオリンピック種目となっている。

アメリカンフットボール
1922年にNFLの前身が発足

　アメリカンフットボールという名前からわかるように、その起源はフットボールに由来し、1869年にアメリカで初めてフットボールの大学対抗試合が行われた。このときはアソシエーション式（初期のサッカー）のゲームで、まだ丸いボールを使用し、ボールを持って走ったり、投げたりすることは認められていなかった。

　アメリカでは、ラグビー式をベースに新しいルールを制定していくなかで、「アメリカンフットボールの父」とされるウォルター・キャンプがさまざまなルール案を出した。1882年にキャンプはボールの所有をはっきりさせるために3回の攻撃で5ヤード進まなかった場合、ボールの所有権は自動的に相手に移る（現在は4回の攻撃で10ヤード）という案が採用され、これにより、ボールの所有が流動的なサッカーやラグビーとの違いがより明確になった。そして、競技面だけでなく、安全面に配慮したルール改定に加え、負傷軽減のための防具が整備され、現代のルールの基本ができていく。

　競技が普及するにつれて報酬を得る選手が現れ、年間契約を結んだプロ選手が誕生していった。そして、1920年にプロ選手やプロ選手と契約するチームを統括する目的で現在のNFL（ナショナル・フットボール・リーグ）の前身となるAPFA（アメリカン・プロフェッショナル・フットボール・アソシエーション）を結成した（1922年にNFLに改名）。

　歴代の有名選手としては、「アメリカンフットボールの神様」と称される**ジョー・モンタナ**がまず挙がるだろう。スーパーボウル4戦全勝（MVP3回）という実績に加え、「モンタナマジック」と呼ばれる華麗な逆転勝利を数多く成功させた。そのほかには、モンタナが投げたパスをキャッチするWR（ワイドレシーバー）としてホットラインを築いた**ジェリー・ライス**、NFL史上最もラッシングヤードを獲得した名RB（ランニングバック）のエミット・スミス、MVPを最多の5回獲得したQB（クォーターバック）の**ペイトン・マニング**がいる。

　現役の選手だと、プレーオフならびにスーパーボウルでの勝利数やTD（タッチダウン）パス・獲得ヤード数、連勝記録などのNFL記録を保持しており、毎年みずから更新していく**トム・ブレイディ**がいる。ブレイディはドラフト時は高い評価ではなかったが、NFL史上最高の選手のひとりになったのでアメリカン・ドリームの体現者として語られることも多い。ほかに、ブレット・ファーヴ、テリー・ブラッドショー、レイ・ルイス、ラダニアン・トムリンソン、ウォルター・ペイトンなど。

　日本では、主な大会として、大学生日本一を決める甲子園（こうしえん）ボウル、社会人日本一を決めるXボウルがあり、その勝者同士が正月に東京ドームでライスボウルを戦う。

教養への扉　ボールを敵陣に持ち込むタッチダウン（6点）、ボールを蹴り、敵陣のゴールポストかつクロスバーの上を通すフィールドゴール（3点）がある。1試合が4分割されて、その一節をQ（クォーター）として行われる。1Qは10〜15分でリーグによって異なる。タイムクロックはシチュエーションによって止まることが多く、攻守がはっきりしているので、点差と残り時間を意識しながら試合運びを決めるタイムマネジメントが重要。試合終盤の両チームの駆け引きはアメリカンフットボールの醍醐味（だいごみ）である。

スポーツ

バスケットボール
「屋内でできるアメリカンフットボール」として考案

リング状のバスケットにボールを上方から通すこと（ゴール）で得点を競う球技である。籠球（ろうきゅう）とも訳される。

バスケットボールは、ひとりの人物によって考案されて広まった数少ない競技のひとつだ。考案者はアメリカの国際YMCAトレーニングスクール（現スプリングフィールド・カレッジ）の体育部教官を務めていたカナダ人のジェームズ・ネイスミスである。

アメリカンフットボールのオフシーズンに屋内でできる競技として、1891年に彼が考え出し、そのルールが現在のバスケットボールの原型になっている。ネイスミスが考えたルールでは人数の制限はなく、50人対50人の試合も行われたという。

バスケットボールは当初から人気があり、たちまちアメリカ国内各地で行われるようになり、世界的にもYMCAを通じ急速に広まった。

1904年のセントルイスオリンピックではデモンストレーションスポーツとして開催され、1932年6月には国際バスケットボール連盟（FIBA）が結成され、1936年のベルリンオリンピックから男子オリンピック正式種目に採用された。さらに1976年のモントリオールオリンピックからは、女子の正式種目にも採用された。

アメリカ国内では、1946年に男子プロバスケットボールリーグBAAが創設され、3年後にNBLと合併しNBA（National Basketball Association）が誕生した。30チームあり、東西で二つのリーグに分かれている。上位8チームがプレーオフ進出となり、最後にNBAチャンピオンをかけNBAファイナルと呼ばれる決勝戦が行われる。

歴代有名選手として、「バスケットボールの神様」とされる**マイケル・ジョーダン、マジック・ジョンソン**などバルセロナオリンピックで「ドリームチーム」呼ばれたメンバーや、スパーズを常勝軍団にした**ティム・ダンカン**、レイカーズを3連覇に導いた**シャキール・オニール、コービー・ブライアント**が挙げられる。

近年だと3Pシュートのシーズン最多成功記録を大幅に塗り替え、史上最高のシューターとも評される**ステフィン・カリー**、そしてキングの愛称で呼ばれ、NBAの最年少記録を次々に樹立する**レブロン・ジェームズ**、それに**カリーム・アブドゥル＝ジャバー、ビル・ラッセル**が挙げられる。

日本人では、八村塁が日本人初のNBAドラフトの1巡目指名を受けたことで話題となった。

教養への扉 バスケットボールにはノーチャージエリアというものがあり、主にゴール周辺に区切られている半円形の区域ではオフェンス側の選手はチャージング（攻撃側の選手が相手選手に体当たりなどをする反則）が適用されないようになっている。また、3秒ルールによって、ゴール下の制限区域に選手をとどまらせないようにしている。これらのルールはドリブルでゴール下に切れ込み得点をする派手なプレーを増やすためであり、エンターテインメント性を高めるための工夫となっている。

野球

最初は小石入りの靴下を船を漕ぐ道具で打っていた

北米四大スポーツのひとつで、日本でも最も人気のあるスポーツのひとつである。ベースボールを表す「野球」という単語は、中馬庚が「Ball in the field」という言葉をもとに「野球」と訳したところから普及した。

12世紀のフランスで「ラ・シュール」というスポーツが誕生した。2チームに分かれ、足や手、棒などを使い敵陣にある2本の杭の間にボールを通すゲームで、今日のあらゆる球技の原型とされる。これが英国に渡り、「ストリート・フットボール」を経て「ラウンダーズ」というゲームとなった。

ペッカーやフィーダーと呼ばれる投手が小石を詰めた靴下などのボールを投げ、ストライカーと呼ばれる打者がそれを船の艪などのバットで打ち返し、杭や石でできた四つのベースを回るというものだった。これが、野球の原型として有力だといわれている。

そのラウンダーズがアメリカに渡り、「タウンボール」というものになった。そのタウンボールを、アメリカのニューヨーク・マンハッタンでボランティア消防団を創設したアレクサンダー・カートライトが団員としていたところ、ルールが明確ではないことに煩わしさを感じ、新しくルールを整理した。それが現在の野球の基本となる。

アメリカのプロリーグであるMLBには現在30チームが存在し、アメリカンリーグ、ナショナルリーグの2リーグ制で、各リーグを東西中部の3地区に分けて、シーズンを通して地区優勝を争う。プレーオフは、まず各地区の優勝チームである3チームを除いたなかで、各リーグの勝率1位、2位のチームがワイルドカードという一発勝負を行う。そして、その勝者を含めた全8チームがリーグチャンピオン、ワールドチャンピオンを目指し試合をする。

歴代有名選手として、「野球の神様」こと**ベーブ・ルース**、メジャーリーグ史上最初の黒人選手の**ジャッキー・ロビンソン**、シーズン最高の投手に贈られる賞、その名前を冠する歴代最多勝利数記録を持つ**サイ・ヤング**（サイヤング賞は日本の沢村賞のようなもの）、アメリカ殿堂入り1号の**タイ・カップ**、それに、バリー・ボンズ、ノーラン・ライアン、ピート・ローズ、ロジャー・クレメンス、ジョー・ディマジオ、マリアノ・リベラなどが挙げられる。

現役を含む最近だと、ヤンキースひと筋で「ザ・キャプテン」と呼ばれたデレク・ジーター、打率.300、30本塁打、100打点を10年連続で達成したアルバート・プホルス、サイ・ヤング賞を3回受賞するクレイトン・カーショウ、シーズンMVPを3度取るマイク・トラウト、「小さな巨人」ことホセ・アルトゥーベなどがいる。

教養への扉 近年のメジャーリーグはセイバーメトリクスと呼ばれるデータを統計学的観点から客観的に分析し、選手の評価や戦略を考える分析手法が浸透しており、極端な守備シフトを敷いたり、「バレル」と呼ばれる打球速度、打球角度でボールを打つことで本塁打を増やす工夫をしており、これをフライボール革命と呼ぶ。

355 スポーツ テニス
1988年までオリンピックから除外されていた理由

　男女や年齢にかかわらず楽しめる球技としても見る競技としてもプレーする競技としても世界的に人気がある。ウィンブルドンでの全英オープンなど四大大会は世界のスポーツ界でも最も人気のあるイベントのひとつであり、数々のスター選手を生んできた。

　ボールを打ち合うことは、古代エジプトから存在し、宗教的な意味もあったが、直接にはフランスの宮廷で盛んだったラケットでなく掌（てのひら）で打ち合う「ジュ・ド・ポーム」（掌の遊技）を原型とする。パリのテュイルリー公園にあるジュ・ド・ポーム国立美術館は、かつてコートがあったことに由来する。

　現代のテニスはローンテニスともいわれ、ネット越しにラケットでボールを打ち合う球技である。語源は古いフランス語で「取れ」を意味する「トゥネス」（現代語ではトゥネ）に由来するらしい。

　英国のウォルター・クロプトン・ウィングフィールド少佐が1873年にラケットゲームとして確立し、急速に普及した。1877年には、第1回ウィンブルドン大会がロンドンで開催され、1881年にはアメリカ国立ローンテニス協会がルールの標準化と競技の組織化を図った。同年、第1回全米シングルス選手権が開催され、全米オープンにつながる。国別対抗戦であるデビスカップは1900年から始まった。

　全仏オープンは1891年、全豪オープンは1905年に創設され、これが、四大トーナメントとなり、1シーズンに四つの大会すべてに優勝することをグランドスラムという。

　ひとり対ひとりで行うシングルスと2人対2人で行うダブルスがあり、男女でペアを組むものは混合ダブルスという。

　オリンピックでは、第1回のアテネ1896年大会から正式競技だったが、プロが参加するトーナメントが盛んになったために1924年のパリ大会を最後に除外され、1988年のソウル大会から復活した。

　男子では、21世紀には**ロジャー・フェデラー**（スイス）、**ラファエル・ナダル**（スペイン）、ノバク・ジョコビッチ（ユーゴスラビア）が3強として君臨。戦後ただひとりの年間グランドスラムの達成者は1960年代の**ロッド・レーバー**（オーストラリア）、1970年代の**ビョルン・ボルグ**（スウェーデン）、1980年代の**ジョン・マッケンロー**（アメリカ）、1990年代の**ピート・サンプラス**（アメリカ）など。女子では、1980〜1990年代の**シュテフィ・グラフ**（ドイツ）、1980年代の**マルチナ・ナブラチロワ**（チェコ）、ご存じのあの**セリーナ・ウィリアムズ**（アメリカ）などが歴代の有名選手。

教養への扉　プレーヤーが最初のポイントを取ると「15」（フィフティーン）、次に「30」（サーティーン）、「40」（フォーティーン）と15進法で数えられ、第4ポイントを取ると「ゲーム」で、40対40となるとデュースと呼ばれて2点差がつくまで続けられる。6ゲームを先取するとセットを取ったことになり、通常は総セット数の過半数のセットを先取すると勝利である。

　鎖国日本の扉をこじ開けてくれたのはアメリカ合衆国である。それから170年近くがたった。その間には、太平洋戦争という不幸な時期があったが、両国は良好な関係にある時期が長く、現在は非常に強固な同盟関係にある。

　マシュー・ペリーが率いるアメリカ艦隊が浦賀（神奈川県横須賀市）に現れて幕府を威嚇したのは1853年のことである。江戸幕府はその翌年に、2世紀以上にわたった鎖国をやめて開国した。それから20年を経ずして幕府は滅びて近代国家が打ち立てられた。

　新政府はさっそく政府の最高実力者をそろえた岩倉（具視）使節団を欧米に派遣し、その最初の訪問地はサンフランシスコだった。伊藤博文の英語で維新の精神とアメリカから学びたいことを宣言した「日の丸演説」は、日米友好の原点ともいうべきものである。

　そののち、日本とアメリカにはさまざまな対立があり、悲惨な戦争もあったが、両国の友好が日本を自由で豊かな国にし、アメリカの国際的な立場を助けた。

　ここでは、日米それぞれの歴史上の出来事や指導者の対応関係のあらましを頭に入れておきたい。独立の父である初代大統領ジョージ・ワシントンは田沼意次から松平定信が老中だったころに活躍した。トーマス・ジェファーソンは11代将軍徳川家斉のもとで化政文化が江戸で花開いたころの大統領だ。黒船来航から井伊直弼が修好通商条約を結んだのはエイブラハム・リンカーンの前任者であるジェームズ・ブキャナンのあたりだ。

　南北戦争は桜田門外の変の翌年に始まり、大政奉還の前々年に終わった。維新後に岩倉使節団を迎えたのは、ユリシーズ・グラント将軍で、そのグラントは大統領離任後に日本にやってきて明治天皇や政府首脳と会見した。初めての日米首脳会談である。

　日露戦争のときにセオドア・ルーズベルトがポーツマス条約の仲介をしてくれたが、このときの総理は桂太郎である。第一次世界大戦のときの大統領はウッドロウ・ウィルソンで、ヴェルサイユ条約のときは原敬が総理だった。フランクリン・ルーズベルトが大統領に就任したときは斎藤実が総理で、フランクリン・ルーズベルトが死んだときには、鈴木貫太郎である。

教養への扉　アメリカ歴代大統領と就任年①（名前は一部略。カッコ内の数字は就任年）……初代：ワシントン（1789）、2：J・アダムズ（1797）、3：ジェファーソン（1801）、4：マディソン（1809）、5：モンロー（1817）、6：J・Q・アダムズ（1825）、7：ジャクソン（1829）、8：ヴァン・ヴューレン（1837）、9：W・ハリソン（1841）、10：タイラー（1841）、11：ポーク（1845）、12：テイラー（1849）、13：フィルモア（1850）、14：ピアース（1853）、15：ブキャナン（1857）、16：リンカーン（1861）、17：A・ジョンソン（1865）、18：グラント（1869）、19：ヘイズ（1877）、20：ガーフィールド（1881）、21：アーサー（1881）、22：クリーブランド（1885）、23：B・ハリソン（1889）、24：クリーブランド（1893）、25：マッキンリー（1897）。

10ページでわかる世界と日本②
東海岸からアフリカを一周してやってきたペリー

マシュー・ペリー（写真）に率いられた黒船が日本を開国させてから日米両国関係は、世界で最も重要な2国関係のひとつになったが、この二つの国はもともと、いずれも孤立主義の外交を取っていた。日本は2世紀以上も海外渡航をした人がほとんどない極端な鎖国体制にあり、アメリカは「モンロー主義」のもとでアメリカ大陸に籠城していた。

ペリーがやってきたのは1853年である。カリフォルニアを併合してからまだ5年しかたっていないころで、パナマ運河も建設されていなかったので、大西洋側から喜望峰を通って東回りでやってきた。来るべき太平洋進出の露払いだったのだ。

そんなわけで、増派の援軍が来ることは無理だった。だから、江戸幕府が断固たる態度を取れば撃退は容易だった。逆にいえば、弱小海洋国家であるアメリカと英国などより先に対峙したのは日本にとって幸運だったかもしれない。

しかし、アメリカは間もなく南北戦争になったので、幕末維新の時期は英国とフランスが日本をめぐって争うことになった。明治維新後はアメリカも復帰し、1871年の岩倉使節団（大久保利通、木戸孝允、伊藤博文らも参加）は、まず、アメリカを訪問してアメリカ人を喜ばせた。

このときの大統領であるユリシーズ・グラントは1879年に日本を訪問するのだが、明治天皇や岩倉具視に英国とのつきあいの仕方とか憲政の確立までの道筋を現実主義的な立場から懇切丁寧に指導してくれた。

そして、日清、日露戦争を通じて、アメリカは常に日本に好意的だった。とくに新渡戸稲造の『武士道』に感銘を受けたというセオドア・ルーズベルトはそうで、そのおかげでポーツマス条約（1905年）を有利な形で結び、韓国を日本の勢力圏とすることに対して積極的な支持を得た。

日露戦争後、アメリカが日本を警戒し始めたという意見もあるが、それはアメリカの国力が上がってアジアに利害を持つようになった結果として単なる第三者でなくなったという以上のものではなく、強調するのは適切でない。

ただ、日本の世論を刺激したのは日系移民の排斥である。これは、サンフランシスコ市が独走して日米両政府を困らせたのでアメリカ政府ではない。アメリカは中国市場での門戸開放を唱えたが、経済力での勝負ということになると、ヨーロッパ諸国も日本もみんな困るわけで、日本を狙い撃ちにしたものではないが緊張が高まった。

教養への扉　岩倉使節団は津田梅子らを同行しアメリカ留学させたが、これは大きな財産となった。日本外交と憲政の確立は、訪日時のグラントのアドバイスを守ることによってたしかな足取りで進めることができた。このとき、グラントは日清が戦えば、必ず日本が勝つと軍人としての冷徹な観察から予測もしている。

10ページでわかる世界と日本③
第二次世界大戦前に急接近したアメリカと中華民国

辛亥革命は日米両国の関係に大きな影響を与えた。アメリカにとってマシュー・ペリー艦隊の圧力で開国し、アメリカを見習って文明開化を進めた日本には親近感を持つが「中体西用」といって制度や技術は取り入れるが、基本的な思想は不変という中国はかわいくなかった。ところが、辛亥革命で共和国になってからは、けなげに頑張っているので助けてやりたいという気持ちが出てきた。中国もアメリカへの接近に全力を挙げた。

キリスト教の布教が進まなかった日本に比べて、中国では多くの信者を獲得したことも宣教師たちを通じて好感度を増した。そして、中国のことを「シスター・カントリー」だという意識も生まれた。

ウッドロウ・ウィルソン大統領のころ、日本は総理が原敬、駐米大使は戦後に総理を務める幣原喜重郎で親米的な布陣だったが、ウィルソンは理念的な理想論で中国での利権放棄を要求し、日本側が最大限の努力をしていることを評価してくれなかった。

それでも、石井（菊次郎、特使）・ランシング（ロバート、国務長官）協定（1917年）が結ばれて、アメリカは日本の中国における特殊権益を認め、日本は中国の領土保全と門戸開放などアメリカの主張する原則を認めたのは、外交官同士の知恵の産物だった。

ワシントン海軍軍縮会議のときに、九カ国条約が結ばれ中国の主権尊重、領土保全が認められ、四カ国条約によって、アメリカ、英国、日本、フランスは太平洋諸島の現状維持を決め、日英同盟は破棄された。理念先行で無力な体制だった。

日中が対立するとき、アメリカは原則論としては中国の主張を支持するような言い方をしつつ、日本の権益は尊重すると留保するような言い方をするのが常だった。中国は留保を無視してアメリカの支持を得ているといって日本権益への攻撃をしたので、日本人の反米感情に火をつけ、それがアメリカ人の神経を逆なでする悪循環を生じさせた。

また、フランクリン・ルーズベルト大統領は当初はヨーロッパでもアジアでも戦争に巻き込まれないように心がけていたが、1939年の第二次世界大戦勃発後は、ドイツとの早期の開戦を望み、その手段として日本を挑発するようなこともした。

しかし、それは最後の段階のことであって、辛亥革命と太平洋戦争までを巨視的に見れば、中国のほうがアメリカからかわいいと思わせることに外交でも世論工作でも成功したということに尽きるのであるし、それは今日的な教訓でもあるのだ。

中国は冷静に賢くアメリカに媚び、日本はアジア主義という形の野心を隠そうとしなかった。留学生の派遣なども明治時代に比べ低調だった。

教養への扉 共和党の大統領は現実主義的なので日本とのウィンウィンの取引を好み、民主党大統領は弱くて遅れた中国を助けるのがいつも好きだ。それに加えて、フランクリン・ルーズベルトの母の実家が中国貿易商で母自身も中国に住んだ経験があるということも不運だった。また、蒋介石夫人の宋美齢はアメリカで教育を受けたクリスチャンで対米工作の中心となった。

10ページでわかる世界と日本④
太平洋戦争の敗戦は中国との外交戦の敗北だった

　日米開戦に至った経緯についてアメリカが悪いというのも、アメリカの占領政策が日本をおかしくしたというのも、私は日本にとって建設的でないと思う。アメリカが戦争を望んだとしても勝算のない戦いを日本は避けることもできたし、戦後改革を元に戻す自由も日本人は持っているのだ。

　なぜ日本がアメリカと戦うはめになったかといえば、その根本は中国とのアメリカを取り込むための外交戦争で負けたことだと書いた。日露戦争のころのように、日本が多くの留学生を送り、多くのアメリカ人を招聘し、アメリカの文明を取り入れることに熱心で、彼らから見て文明国だと見られ、アメリカの利害との取引も上手にしたら、アメリカが日本より中国をアジアにおけるパートナーだと位置づけることはなかったはずだ。

　もちろん、そのように仕向けられて、北進でなく南進に向かったのはコミンテルンの陰謀によるが、それをアメリカのせいにしてもしかたない。

　ましてや、1940年に日独伊三国同盟を結んでアメリカを牽制するつもりが虎の尾を踏んだなどお粗末の極みである。真珠湾攻撃をアメリカが事前に察知していたとしても、不意打ちの弁解にはならない。西部劇を見ていると喧嘩をするときは、腕を後ろ手で組む。挑発するとかしないかでなく結果として手を出したほうが負けなのだ。

　戦後の憲法改正とか東京裁判とかは、フェアだったとはいえないが、全体としては、日本国の統一が維持され、国体が守れて昭和天皇の罪が問われることもなかったのだから、総合的に見てそんなに悪い結果ではない。アメリカ単独に近い占領でなく、英国、ソ連、中国の意向がより濃く反映されていたら、もっと過酷になった可能性が強い。

　サンフランシスコ講和条約（1951年）ののち、日本がアメリカ軍基地を維持し、北京でなく台北を選んだのは、早期の独立を得るための取引で、独立がもっと先でもよければ別の選択もあった。本格的な再軍備については、速いスピードで進めることをアメリカが望み、日本がそれを拒否し、憲法も改正しないのだから、アメリカの押しつけではない。昭和天皇自身にしても、アメリカの占領行政にさほど不満だったとはいえない。

　ただし、アメリカも、戦前、戦中、戦後のいずれについても、あてにならない中国より日本を同盟国として尊重する選択をするほうが得だったのではないかという感は否めないのはたしかだ。日本がアメリカにとってヨーロッパにおける英国のような存在であるのが常識的には両国にとって最も得なはずだった。

教養への扉　「ウォー・ギルト・インフォメーション・プログラム」という戦略をGHQ（連合国軍最高司令官総司令部）が立てて戦争で日本が悪かったと洗脳したという人もいるが、その呪縛から半世紀以上たっても抜け切らないとすれば、それは日本人自身の問題だ。ただ、GHQが学会やマスコミで保守派を広汎に追放する一方、共産党が禁止された西ドイツの場合と違い左翼には甘かったことは、これらの世界が左翼の牙城となり、また、保守派の多くが反米になるという傷跡を残したのはたしかだ。

　戦後の総理だった吉田茂は親米、反共、軍人への反感と軽武装主義、ほどほどの民族主義、経済についての自由主義といったイデオロギーに裏づけられていた。練達の外交官としてアメリカとの関係を大事にしつつもメリハリをつけた主張をし、また、有能な官僚出身政治家で実務を固めてアメリカを満足させた。

　吉田茂を失脚させたのは、鳩山一郎、石橋湛山ら占領軍による公職追放を経験した保守政治家たちだった。彼らは親米でなかったし、ソ連や中国と組みたがり、憲法改正を要求し、市場経済重視に反対した。彼らが日本をどうしようとしたか、合理的に理解することは難しいが、東南アジア諸国のように各国の工作の対象なってふらつき続けただろう。

　アメリカが信頼しCIA（中央情報局）を通じて援助もしたのは、吉田内閣の副総理だった緒方竹虎である。戦前は朝日新聞の主筆であり、リベラルだが右翼にも人脈を持つ現実家でもあり、近衛文麿内閣のブレーン、小磯国昭内閣閣僚、東久邇宮稔彦王内閣内閣書記官長だった。アメリカは緒方ならリベラルや民族派もほどほどに満足させながら、アメリカの困るような政策は取らず、日本の安定を図れると思ったのである。

　吉田退陣後、鳩山が政権について日ソ国交回復に取り組んだ。シベリア抑留問題があったので必要性は否定できなかったが、領土問題が解決せず平和条約締結には失敗した。そして、これを花道に緒方に政権を譲るはずが、緒方のほうが急死してしまった。

　手詰まりになったアメリカへ売り込みに成功したのが戦前の革新官僚の代表だった岸信介である。緒方が消えたあと、アメリカの期待は岸に移った。岸は日米安保条約を対等に近いものに改正し、日本を反共の砦とすることをアメリカに提案した。

　日韓交渉で韓国を助けることが東アジアの安定のために資するという判断で日本側の非常なる譲歩で進展させたのもアメリカを喜ばせたし、蒋介石との和解も実現した。そして、日米安保条約の改定に成功したが、やり方が強引すぎて左翼による安保反対闘争は政治的な危機となり辞任せざるをえなくなった（1960年）。

　後継となったのは、吉田茂のもとで蔵相としてアメリカの指導で自由経済体制をつくりあげた池田勇人だった。池田はジョン・F・ケネディ政権に対して、軍事的貢献が難しいなかで、経済を成長させ資本や貿易の自由化によりアメリカ企業に市場を提供することである種の取引を成立させた。日本はアジアにおける自由主義のショーウィンドウとなりアメリカ外交にも貢献した。駐日大使として貢献が大きかったのがエドウィン・O・ライシャワーである。

教養への扉　戦時中、緒方らは東条英機内閣打倒を企てたが、現実にとどめを刺したのは閣僚だった岸だった。しかし、岸は緒方らが主導した戦後体制では除外され巣鴨に戦犯容疑者として収容された。緒方も戦犯容疑者として収監される予定だった病気を口実に免れ、しばらくの公職追放だけで乗り切った。しばしば岸がCIAと取引したなどといわれるが、状況からいえばそれがあるとすれば緒方のことであって岸ではない。

10ページでわかる世界と日本⑥
沖縄返還当時の日米中が抱えた「大人の事情」

　沖縄については、サンフランシスコ講和会議には参加しなかった台湾の蒋介石が、領土要求はしないものの最終的な取り扱いには自分の了解を取ることを要求していた。そこで、佐藤栄作は台北を訪れ、アメリカ軍基地を残すことを条件に反対しないように暗黙の了解を得た。

　池田勇人が東京オリンピック（1964年）開催中に癌が発見されて退陣したのち継承したのは岸信介の弟であるが吉田茂の愛弟子でもあった佐藤栄作だった。佐藤は日韓の和解を実現するとともに、沖縄の返還を提案した。

　リチャード・ニクソン大統領は返還に応じる代わりに基地の維持とともに、日本からアメリカへの繊維製品の輸出を規制することを要求し了解を得た。しかし、佐藤内閣はこれを十分に守らなかったとアメリカは怒り、それがヘンリー・キッシンジャーらによる米中頭越し外交につながった。

　キッシンジャーは1971年7月に訪中したが、日本にとっては独ソ不可侵条約の締結以来のショックだった。8月には金とドルの交換停止と10%の輸入課徴金という「ドル・ショック」、10月には中国の国連代表権が北京政府に移行、12月にはスミソニアン合意で1ドルが308円となり、翌2月にはニクソンが訪中し、5月15日に沖縄は返還されたものの祝賀ムードは希薄だった。

　こうしたなかで総理となった田中角栄はアメリカとの十分なすり合わせなしに訪中して国交を回復し、第四次中東戦争が始まるとアラブ寄りの外交を展開してキッシンジャーをますます怒らせ、日米関係は最悪になった。

　しかし、ニクソンが失脚してジェラルド・R・フォードが大統領になると、補佐官のディック・チェイニー（のちの副大統領）やドナルド・ラムズフェルドらが共産主義嫌いで日本に運が向き、懸案だったアメリカ大統領の訪日と昭和天皇の訪米が両方とも実現した。

　次いで1970年代の後半には福田赳夫と大平正芳という知見においても外国首脳との交渉能力においても申し分ない総理が続き、福田は日本の経済進出への反感が高まっていた東南アジアとの関係修復に功績があり、大平はモスクワオリンピックのボイコットやイラン制裁において躊躇なくアメリカに追随し、日米同盟という言葉を初めて使って関係を深化させた。アジア・太平洋協力の推進という考え方も、大東亜共栄圏の提唱以来の対立を昇華させるよい発想で、のちのAPECやTPP（環太平洋パートナーシップ協定）につながっていった。

教養への扉　大平については日本人嫌いといわれるキッシンジャーも「約束した以上のことを常にしてくれた」と例外的に高い評価をしている。大平は政争のなかで急死したが、その葬儀にはジミー・カーター大統領も列席した。また、鄧小平は改革開放の知恵は大平からもらったとしており、20世紀の宰相としては最も世界から尊敬された人物だ。

10ページでわかる世界と日本⑦
日米構造協議から日本経済の長期低迷へ

　中曽根康弘総理は経済政策においては、バブル経済を生成させ日本経済にいまもって回復しないほどの打撃を与えたが、外交政策にあっては、大国のリーダーとして申し分ない働きをした、とくにロナルド・レーガン大統領との蜜月関係を築き、フランスのフランソワ・ミッテラン大統領などとの関係の調整役ですらあった。

　レーガンのもとで財政と国際収支の双子の赤字が拡大し、1985年にプラザ合意でドル高是正が合意された。レーガン政権は、日本にも市場開放を求めた。スーパー301条などといった乱暴な法律もつくり、日本は輸入を増やしたり、アメリカに都合がよいように制度を変えたり、自動車の生産をアメリカで始めさせられたりしたし、日米半導体協定では事実上、数値目標に近い市場アクセスを飲んだ。

　海部俊樹内閣のときの湾岸戦争では、ハト派的国内配慮が躊躇して、支持声明も遅れ、派兵も後方支援も行えず130億ドル拠出をしたものの評価されなかった。PKO（国連平和維持活動）法案は、この経験に懲りて制定されたものだ。

　このころは日本の経済力が強いと見られていたので、日本はさまざまな要求をされた。ジョージ・H・W・ブッシュ（父）時代には、日米構造協議で日本市場の構造的問題を協議させられ、ビル・クリントン大統領になると、今度は、結果が大事だといわれ、日米包括経済協議で実質的に数量指標を導入することで妥結した。

　1995年には日米自動車問題が起き、アメリカが数値目標を要求したが、ヨーロッパからWTOの原則を揺るがすとして反対が出て、なんとかしのいだ。また、1986年に締結され、1991年に延長され数値目標の悪い例になっていた日米半導体協定は、1996年に失効したりして日米の貿易摩擦はいちおう終了したが、これは中国の台頭でアメリカにとって中国が主たる関心事になった結果だった。

　このころの日本はいつか日本の産業の競争力が失われるのでないかという懸念をほとんど持たなかった。また、「経済成長は悪である」という考え方に取りつかれてしまった。このことが取り返しのつかない打撃を日本経済に与えることになる。

　橋本龍太郎政権から森喜朗政権のころ、沖縄基地問題が深刻化したのに対して普天間基地の辺野古移転の決定、沖縄振興策の充実や沖縄の歴史尊重などで対策を講じたが、のちに鳩山由紀夫内閣の不手際から辺野古移転は宙に浮き、沖縄の日本への帰属意識の希薄化へつながってしまい、いまのところ結果としては成功とはいえない。

教養への扉　アメリカ歴代大統領と就任年②……26：T・ルーズベルト（1901）、27：タフト（1909）、28：ウィルソン（1913）、29：ハーディング（1921）、30：クーリッジ（1923）、31：フーヴァー（1929）、32：F・ルーズベルト（1933）、33：トルーマン（1945）、34：アイゼンハワー（1953）、35：ケネディ（1961）、36：L・ジョンソン（1963）、37：ニクソン（1969）、38：フォード（1974）、39：カーター（1977）、40：レーガン（1981）、41：G・H・W・ブッシュ（父、1989）、42：クリントン（1993）、43：G・W・ブッシュ（子、2001）、44：オバマ（2009）、45：トランプ（2017）。

10ページでわかる世界と日本⑧
安倍総理だけがトランプに振り回されない理由

21世紀の日米関係は、世界のなかで大きな地位を占めるようになった中国の影が常につきまとっている。アメリカにとって貿易戦争の主たる相手は中国になったので摩擦は従属的になった。そのため日米関係にとげとげしさはないのだが、アメリカも中国に日本より大きな関心を払うようになり、日本はそれに振り回されがちである。

ジョージ・H・W・ブッシュ（父）時代の1989年に天安門事件があった。世界は厳しい制裁を要求したが、日本は中国の経済発展は世界経済と中国人のためになるので、性急な民主化をしなくても経済発展とともに民主化が進めばいいという立場だった。

この年に発足したAPECやWTOの中国の参加にも日本は前向きで、中国に多国間協議のなかで居場所を与えたほうが行儀がよくなるという立場だった。そういう日本の考え方はその後の中国の発展や生活の向上を考えれば正しかったわけである。

しかし、問題は日本で極度の経済不振が続き、中国に口を挟めるだけの力がなくなり、欧米が中国市場の魅力に屈して遠慮するようになったことだ。また、中国、それ以上に韓国が歴史的な問題からアメリカに日本についての告げ口外交を展開するようになった。

天安門事件以降の中国では、江沢民、朱鎔基といった指導者が日本のバブル失敗の轍を踏まないように賢明な経済運営を展開した。そして、日本がかつてそうしたように大量の留学生を送り込み、貪欲にロビー活動もした。そのなかで南京事件、慰安婦問題、靖国問題などを使い効果的にアメリカ人の心が日本から離れるようにした。

アメリカの大統領でもジョージ・W・ブッシュ（子）大統領のときは小泉純一郎総理のイラク戦争での素早い支持表明などで乗り切ったが、民主党大統領はしばしば中国との関係を重視し、日本を敵視はしないが軽視するようになった。ビル・クリントン政権の後期がそうだったし、バラク・オバマ大統領の初期もそうだった。細川護煕政権で「アメリカにNOといった」とか鳩山由紀夫総理の「トラスト・ミー」発言などは、アメリカに非常なる不信感を持たれた。

安倍晋三政権は、ドナルド・トランプ大統領との蜜月もすばらしいが、あの気難しいバラク・オバマ大統領とそこそこの関係を築き、広島にまで連れてきたのだから立派だった。オバマ大統領と良好だったのはドイツのアンゲラ・メルケル首相だけといわれるほどだが、安倍総理もかなり苦労しながらキャロライン・ケネディ大使という秘密兵器も活用し、2015年の連邦議会での記念碑的な演説でアメリカのリベラル派も納得させた。そして、トランプ大統領とは世界中が被害を受けるなかで日本の被害は最低限にとどまっている。

教養への扉　最近は中国人留学生への警戒感が広がっているが、アメリカの主要大学で日本人が減り中国人が増えるのは戦前にいつか来た道と心配だ。一方、中国にあっては、最近の一帯一路構想など大東亜共栄圏にそっくりだ。太平洋の西半分はよこせといって日本は原爆を落とされたと教えてあげたい。

日本の歩みについては、東アジア世界と日米関係という二つの観点から描いてきたが、あらためて世界史的な視野から概観してみよう。

日本列島はユーラシア大陸の東側の外縁部に弧を描き、南北の先端にある北海道の札幌と沖縄の那覇の距離はパリとイスタンブール、ボストンとニューオリンズとほぼ同じである。

世界で第3位の経済大国であるこの島国の住民が、いったいどこから来て、どういう系統に属する民族なのかは謎のままである。言語はアルタイ系に近い文法と南方系の語彙からなる謎の言葉だ。1万年以上前からモンゴロイドに属する人たちが狩猟採集生活をしていたが、二千数百年前ごろから、大陸から本格的な稲作が伝わり移民もやってきた。

4世紀ごろに皇室の先祖である大和地方の王が全国を統一し、朝鮮半島にも支配を広げたが、6世紀から7世紀にかけて半島から撤退し、列島の東北部の征服を進めるとともに、中国の文明を積極的に受け入れ、中央集権的な国家を建設した。

ヨーロッパの中世に似た武士階級の支配による封建制に移行し、断続的に新しい中国文化を受け入れつつ、春夏秋冬の変化が美しい自然を生かした独自の文化を発展させた。16世紀の大航海時代には西洋文明を導入し、海洋国家として発展するかに見えたが、政変によって鎖国を実施し、2世紀半にわたって世界の文明の発展に背を向けた。

19世紀後半に欧米の圧力で開国するや、急速な西洋化によって富国強兵と近代国家の建設に成功し、世界の主要国となった。第二次世界大戦では、中国との対立で英米が日本の肩を持たなかったことから、ドイツなどと同盟して敗れた。戦後はアメリカの要求を容れて民主化、自由化、工業国化に成功し、高い経済成長によって1967年から2010年まで世界第2位の経済大国だった。

1980年代の経済運営の失敗と、経済成長意欲の低下から、ここ30年間は世界の主要国で最低の経済成長率に甘んじている。製造業も社会全体のIT化の遅れもあり、将来が明るいわけではない。出生率の低下も顕著である一方、国民の安全志向や健康へのこだわりは極端で、平均寿命は世界主要国で最高となり、その結果、極端な少子高齢化が進んでいる。対外資産は大きいが財政赤字は膨大なものになっている。

過去の経済繁栄の遺産ともいうべきなのが、グルメとかアニメに代表される生活文化の向上で、イギリスがそうであったのと同じように、観光産業や文化はこの国にとって経済を支える有望な分野となりつつある。

教養への扉　世界でただひとりエンペラーという称号を名乗る「天皇」の先祖は、神の子孫であり、紀元前660年に奈良県で建国したが、第14代の王が4世紀ごろに日本を統一し、それ以来、男系男子で継続し万世一系であるとされる。ただし、初期の王の寿命は不自然に長く、建国も紀元前後あたり以上には遡らないと考えられている。

国際関係

10ページでわかる世界と日本⑩
令和日本が克服すべき課題のまとめ

「令和の時代」は、晴れやかな気分でスタートした。新型コロナウイルス事件による試練を迎えたが、これも克服し、令和を素晴らしい時代にするためにも、平成の日本が惨憺たる状況だったことを反省し、間違いを繰り返さない決意が必要である。

平成の30年間にGDP（ドル換算）と平均寿命がどう推移したかを見れば、1990年（平成2年）には中国は世界11位で、日本が2位だった（日本の8分の1ほど）。日本が中国に抜かれたのは2010（同22）年で、差はどんどん開き、いまや3倍近い。

平成の時代に生きた日本人が父母、祖父母の世代の蓄えを吐き出してしまったのだ。戦争がなく平和な時代だったかといえば、東西冷戦が終わり、中国も北朝鮮も弱っていた時期で世界は平和に向かっていたのが、ロシアが再台頭し、中国は覇権を求め、北朝鮮は核保有国となり、韓国は敵対国化し、中東情勢も悪化しているのに日本の対応は不十分だ。

財政赤字を増やしながら社会福祉は充実し、私自身も含め、いまの高齢者は幸福だ。その象徴が平均寿命だ。1970年あたりまではヨーロッパに見劣りしたが、国民皆保険や栄養状態の向上で伸び、1990年に世界一になり、主要国のなかでは断トツで、フランスより2年、ドイツや英国より4年、アメリカより6年、中国より8年長い。

そんな日本の矛盾の象徴が、世界でも特異な医学部人気の高さと、さらなる上昇傾向であり、経済成長のために最も必要なIT技術者が世界一不足していることだ。これでは医療費が増大し、寿命が伸びる一方、経済が成長しないのは当たり前だ。

経済成長についてリフレ（金融緩和重視）とかMMT（財政支出増大肯定）といった虫のいい世界で異端のマクロ経済理論を推奨する人が日本では多いが、大平正芳総理の一般消費税導入失敗以来、経済のバブル化を放置したのを始まりに、とっかえひっかえ「魔法の経済浮揚策」を求めすぎた。一方、真面目にミクロの競争力強化策や効率が高いインフラ整備、教育の近代化、人口増大策には大胆に取り組まなかった。

経済の効率化や成長を阻害し、コストも無視したムダづかいを次々とやり、財政による景気刺激も将来の資産となる価値ある投資かどうかに無頓着すぎた。日本は明治の富国強兵や戦後の高度成長をそれぞれの時代での先端的な民主主義のもとで実現したから、中韓との比較で世界に胸を張れる国家であり、過度に自虐的になる必要はない。

しかし、日本人が平成の大失敗の真摯な反省に立ち、この「日本病」を克服しない限り、令和の時代にあってまた日が昇ることなど期待すべきではないと思う。

日本Data 国名：日本国（英）Japan（仏）Japon（日本語）Nippon（中）日本 日本国 Rìběn（正式名称）日本国／首都：東京／言語：日本語／面積：378.0千㎢／人口：126.3百万人／通貨：円／宗教：仏教、神道、キリスト教／民族：日本人98.5%／国旗：日の丸、日章旗。太陽を図式化した。国歌は『君が代』。世界で最もシンプルな国旗であり、短い国歌。

西インド諸島各国の Data

*各国の解説は227～228項を参照。

アンティグア・バーブーダ Data
国名：アンティグア・バーブーダ（英）Antigua and Barbuda（仏）Antigua-et-Barbuda（中）安提瓜和巴布达　安提瓜和巴布達　Āntíguā hé Bābùdá（正式名称）アンティーガ・アンド・バルビューダ（英）／首都：セントジョンズ／言語：英語／面積：0.4千㎢／人口：0.1百万人／通貨：東カリブ・ドル／宗教：キリスト教92％／民族：アフリカ系81％、混血／国旗：赤のV字形は住民の生活力で勝利のV。黒は国民、黄は太陽、青は海、白は白浜。

グレナダ Data
国名：グレナダ（英）Grenada（仏）Grenade（中）格林纳达　格林納達　Gélínnàdá（正式名称）グレナダ（英）／首都：セントジョージズ／言語：英語／面積：0.3千㎢／人口：0.1百万人／通貨：東カリブ・ドル／宗教：キリスト教100％（カトリック53％、プロテスタント33％、英国教会14％）／民族：アフリカ系82％／国旗：赤は情熱と強い意志、緑は農産物、黄は太陽と友愛、星は7行政区。左に特産のナツメグ。

セントクリストファー・ネービス Data
国名：セントクリストファー・ネービス（英）Saint Kitts and Nevis（仏）Saint-Christophe-et-Niévès（中）圣基茨和尼维斯　聖基茨和尼維斯　Shèng Jīcí hé Níwéisī（正式名称）フェデレーション・オブ・セントクリストファー・アンド・ネビス（英）／首都：バセテール／言語：英語／面積：0.3千㎢／人口：5.6万人／通貨：東カリブ・ドル／宗教：英国教会、プロテスタント、カトリック／民族：黒人／国旗：黒は国民、赤は独立、黄は太陽と富、緑は国土と農作物。星はセント・クリストファー島とネービス島。

セントビンセント及びグレナディーン諸島 Data
国名：セントビンセント及びグレナディーン諸島（英）Saint Vincent and the Grenadines（仏）Saint-Vincent-et-les Grenadines（中）圣文森特和格林纳丁斯　聖文森特和格林納丁斯　Shèng Wénsēntè hé Gélínnàdīngsī（正式名称）セントビンセント・アンド・グレナディーンズ（英）／首都：キングスタウン／言語：英語／面積：0.4千㎢／人口：0.1百万人／通貨：東カリブ・ドル／宗教：英国教会47％、メソジスト28％／民族：黒人66％／国旗：宝石旗。ダイヤモンド型は「アンティルの宝石」と呼ばれていることから。

セントルシア Data
国名：セントルシア（英）Saint Lucia（仏）Sainte-Lucie（中）圣卢西亚　聖盧西亜　Shèng Lúxīyà（正式名称）セイント・ルーシャ（英）／首都：カストリーズ／言語：英語／面積：0.5千㎢／人口：0.2百万人／通貨：東カリブ・ドル／宗教：カトリック68％／民族：黒人83％、混血12％／国旗：青は海、黄は太陽と浜。黒は多数派の黒人、白は少数派の白人で双方の協力による国づくりを表す。

ドミニカ国 Data
国名：ドミニカ国（英）Dominica（仏）Dominique（スペイン語）Dominica（中）多米尼克　多米尼克　Duōmǐníkè（正式名称）コモンウェルス・オブ・ドミニカ（英）／首都：ロゾー／言語：英語、パトワ語／面積：0.8千㎢／人口：7.4万人／通貨：東カリブ・ドル／宗教：キリスト教91％（カトリック61％）／民族：黒人87％、ムラート9％／国旗：中央に国鳥ミカドボウシインコを描く。

トリニダード・トバゴ Data
国名：トリニダード・トバゴ共和国（英）Trinidad and Tobago（仏）Trinité-et-Tobago（中）特立尼达和多巴哥　特立尼達和多巴哥　Tèlìnídá hé Duōbāgē（正式名称）リパブリック・オブ・トリニダード・アンド・トベイゴウ（英）／首都：ポートオブスペイン／言語：英語、ヒンディー語／面積：5.1千㎢／人口：1.4百万人／通貨：トリニダード・トバゴ・ドル／宗教：キリスト教50％、ヒンドゥー教23％／民族：インド系40％、アフリカ系38％／国旗：黒はアフリカ系住民の団結、赤は住民と太陽エネルギー、白は大西洋とカリブ海。斜め帯は向上心。

バルバドス Data
国名：バルバドス（英）Barbados（仏）Barbade（中）巴巴多斯　巴巴多斯　Bābāduōsī（正式名称）バーベイドス（英）／首都：ブリッジタウン／言語：英語／面積：0.4千㎢／人口：0.3百万人／通貨：バルバドス・ドル／宗教：キリスト教75％（プロテスタント63％）／民族：黒人93％／国旗：三叉の矛・海神ポセイドンのシンボルを描く。

おわりに
世界をさらに深く知るために

　この長大な本に最初から最後まで目を通すのは大変だったと思うが、お読みいただいた方は、世界の国々の歴史やお国柄について、これまでとは違った目で見ることができるようになったのではないかと思う。

　この本の特徴は、この種の本の多くが編集プロダクション制作とか、各分野の専門家の分担執筆になっているのに対して、大部分を私がひとりで書いていることである。というのは、私自身が世界の通史や世界各国事情についての本を書いてきたし、日本、中国、韓国、フランス、アメリカ史といった個別の国の通史についての著書もあり、本書とほぼ同じタイミングで、『日本人のための英仏独三国志』(さくら舎)という本も刊行する。

　もちろん、優秀な編集部のみなさんにも手伝っていただいているし、専門家のみなさんの知恵を借りたり、Facebookを通じて意見募集もかなりして討論してもらったりして取り入れた。

　さらに、地球環境、経済、金融、科学技術、建築、ポピュラー音楽、スポーツについては、参考文献欄に記してあるみなさんに方針を示して執筆してもらった。いずれも、私とよく似た思考方法と意見を持つ方々である。

　それでは、なぜ私がひとりで広範囲のテーマについて書いたりしてきたかといえば、日本とフランスでの官僚としての訓練の賜物だ。

私は1975年に通商産業省（現経済産業省）に就職したが、そのときに先輩からいわれたのは、「3日で世間一般の人より、3週間で省内のほかの人より、3カ月で誰よりも知っているようになるのが官僚の仕事には不可欠だ」ということである。

　自分でコツコツ勉強するなどと考えずに、さまざまな専門家に図々しく教えを請うのである。

　そしてフランスで学んだのは、百科全書派の哲学だ。フランスは18世紀の啓蒙時代から百科事典の国であり、ミシュラン・ガイドブックの国だから、すべての分野の知識を体系的に整理するのが好きだし、ものを比較するときはもれなく調査しないと気が済まない。

　たとえば、日本のレストラン案内はたまたま目についた店を並べているだけだが、ミシュラン・ガイドブックは全国津々浦々の店を調べ上げ、漏れがないか、質に変化がないか、常に網を張るシステムを持っている。当然、少し粗くなるかもしれないが、肝心なところは押さえているので、大きなところでは間違いない評価ができるのである。

　本書も、そういうフランスの百科全書やミシュラン・ガイドブック的な感覚を取り入れて書いたものだ。

　ここまで完読された読者のみなさんにも、私が学んだのと同じような体系的な知識が備わったものと確信している。

八幡和郎

死ぬまでに行きたい
世界史に残る観光地100選

1　紫禁城と北京
2　万里の長城
3　杭州と江南の水郷
4　桂林の川下り
5　四川省のパンダ保護区
6　チベットの仏教寺院
7　兵馬俑
8　香港、広東の中華料理
9　台北の故宮博物院
10　シルクロードの遺跡
11　京都の社寺
12　富士山
13　日本の桜
14　大阪城とミナミの繁華街
15　宮島と瀬戸内海
16　フィリピンの棚田
17　バリ島
18　アンコールワット
19　バンコク
20　バガンの仏教遺跡
21　アジャンター石窟
22　タージマハール
23　ヒマラヤの山々とカトマンズ
24　イスファハンと青のモスク
25　ドバイのリゾート
26　サヌア
27　アカバ湾のスキューバダイビング
28　ペトラ遺跡
29　死海
30　エルサレム
31　ダマスカス
32　イスタンブール
33　カッパドキアの地下都市
34　カイロ旧市街と考古学博物館＊
　　　　＊ギザに移転予定
35　ナイルクルーズと遺跡
36　ピラミッド
37　エチオピアのキリスト教遺跡
38　ケニアのサファリ
39　セレンゲティ国立公園などタンザニアの自然
40　ビクトリアの滝
41　サハラ砂漠とモロッコの都市
42　ナミビアの砂漠
43　アテネのアクロポリス
44　エーゲ海クルーズ
45　ドブロブニクの要塞都市
46　モスクワ赤の広場とボリショイ劇場
47　サンクトペテルブルクとエルミタージュ美術館
48　アイスランドのオーロラ
49　ノルウェーのフィヨルド
50　ブダペストとドナウ川

51　プラハ
52　ブランデンブルク門とベルリン
53　ノイシュバンシュタイン城
54　ウィーン国立歌劇場とウィーンフィル
55　ザツルブルクと音楽祭
56　アルプスの山々
57　コートダジュールとマルセイユ
58　パリおよびその周辺
59　フランスの三つ星レストラン
60　フランスの教会
　　（モンサンミシェル、シャルトル、ロンシャン）
61　ロワールとベルサイユの城
62　ローマの水道橋（南仏、スペイン）
63　ブリュッセルのグランプラス
64　オランダのチューリップと風車
65　ベネチア
66　イタリアの湖水地方
67　フィレンツェとトスカナの田園
68　ピサの斜塔
69　ローマの遺跡とバチカン
70　ナポリとその周辺
　　（青の洞窟、ポンペイ、アマルフィ）
71　スカラ座のオペラと最後の晩餐
72　シチリアの火山と遺跡
73　マルタ島
74　マドリードと闘牛
75　トレド
76　アルハンブラ宮殿とアンダルシア地方
77　サグラダファミリア（バルセロナ）
78　ロンドンと大英博物館
79　ウィンブルドンのテニス
80　エジンバラと湖水地方
81　マチュピチュ遺跡
82　リオとカーニバル
83　イグアスの滝
84　ギニア高地
85　ブエノスアイレスとタンゴ酒場
86　パタゴニアの氷河
87　コスタリカの原生林
88　マヤの遺跡
89　メキシコ市とアステカ遺跡
90　ハリウッドとディズニーランド
91　グランドキャニオン
92　イエローストーン公園
93　ニューヨークの摩天楼とミュージカル
94　カナディアンロッキー
95　グレートバリアリーフ
96　エアーズ・ロック（ウルル）
97　タヒチ島とその周辺
98　ハワイのリゾート
99　イースター島のモアイ
100　ガラパゴス諸島の生物

◎ 参考文献などについて

　本書の執筆にあたっては、各種の百科事典、歴史事典、地名辞典、各種のホームページなどを広く参考にした。現地語の読み方については、各国駐日大使館、外務省、各種国際交流団体や、日本貿易振興機構（ジェトロ）の協力のほか、今回新たにGoogleの音声ソフトも大変役立った。

　世界各国事情のうち、データについては、外務省ホームページの記述を基本に必要に応じ調整したほか、『国別大図解 世界の地理』シリーズ（学研プラス、2019年改訂版）、『地理×文化×雑学で今が見える 世界の国々』（かみゆ歴史編集部、朝日新聞出版、2019年）など。世界各国史については山川出版社から刊行されている『世界各国史』シリーズを基本資料とした。また、『図説 ラルース世界史人物百科』（フランソワ・トレモリエール、カトリーヌ・リシほか、原書房）のシリーズは非常に役立った。

　個別分野では、『世界の料理』（竹永絵里、河出書房新社、2018年）、『史上最強カラー図解 世界服飾史のすべてがわかる本』（能澤慧子、ナツメ社、2012年）、『世界シネマ大事典』（フィリップ・ケンプ責任編集、三省堂、2016年）、『世界文学大図鑑』（ジェームズ・キャントン、三省堂、2017年）、『カラー版 1時間でわかる西洋美術史』（宮下規久朗、宝島社新書、2018年）、『増補新装 カラー版 東洋美術史』（前田耕作ほか、美術出版社、2012年）、『名作バレエ50鑑賞入門』（渡辺真弓、世界文化社、2012年）などはとくに多く参照したので挙げておく。

　なお、本書のうち、下記の部分については、友人である各氏に執筆をお願いしたが、文責は著者（八幡和郎）にある。経済（244〜252）は古家弘幸（徳島文理大学准教授）、金融（253〜257）は有地浩（人間経済科学研究所代表パートナー、元財務省）、地球環境（258〜267）は有馬純（東京大学教授、元経済産業省）、科学技術（268〜279）は中野幸紀（京都大学工学博士、合同会社ジフテック代表）、建築（290〜299）は八幡衣代（建築研究家）、ポピュラー音楽（314〜321）は斉田才（音楽評論家、ライブハウスhillsパン工場店長、元大阪芸術大学講師）、スポーツ（350〜355）は下松長光（スポーツライター）。作業については株式会社シー・ディー・アイの協力を得た。

◎写真クレジット

［著者提供］1.4.9.18.25.28.32.38.41.50.75.94.103.125.129.133.143.145.282.291
［Wikipedia（CC-BY-SA 3.0）］22:Hpschaefer/45:Antoine Taveneaux/55:Nicor/80:Montrealais/85:JKT-c/106:Bobyrr/119:Nenko Lazarov/149:Michal Osmenda/161:Jean-Pierre Dalbéra/167:Kauffner/171:Bjørn Christian Tørrissen/175:PHG/180:Ron Ardis/181:Diliff/189:James G. Howes/194:M. Disdero/198:Haypo/205:d_proffer/210:Bernard Gagnon/215:Martin St-Amant/223:Gerardo Gonzalez/234:Team at Carnaval.com Studios/260:Daderot/265:Hirorinmasa/278:Schaack, Lothar/287:Alvesgaspar/312:Scillystuff/315:Norman Bruderhofer/324:Marc V.J. Nicolas/330:Negendank/347:Mti/365:内閣官房内閣広報室
上記以外はパブリック・ドメインです。

365日でわかる世界史
世界200カ国の歴史を「読む事典」

2020年4月24日　第1刷発行

著　者　　八幡和郎

ブックデザイン　福田和雄（FUKUDA DESIGN）
本文DTP　　　友坂依彦
編集部　　　　岡田光雄、沼澤典史、山中千絵

発行人　　畑 祐介
発行所　　株式会社 清談社Publico
　　　　　〒160-0021
　　　　　東京都新宿区歌舞伎町2-46-8 新宿日章ビル4F
　　　　　TEL：03-6302-1740　FAX：03-6892-1417

印刷所　　中央精版印刷株式会社

©Kazuo Yawata 2020, Printed in Japan
ISBN 978-4-909979-06-3 C0030

本書の全部または一部を無断で複写することは著作権法上での例外を除き、
禁じられています。乱丁・落丁本はお取り替えいたします。
定価はカバーに表示しています。

http://seidansha.com/publico
Twitter @seidansha_p
Facebook http://www.facebook.com/seidansha.publico

清談社
Publico